Cris Ginsey, nacida en Málaga y graduada en Psicología.
Comenzó compartiendo sus relatos en internet bajo el
seudónimo de «Miss Ginsey», principalmente escribe historias
dentro del género de comedia romántica. Al principio se
limitaba a escribir relatos eróticos que publicaba en su blog
personal, pero más tarde se aventuró en la creación de historias
multicapítulos (*fanfiction*) que subía a plataformas de lectura
online hasta que, finalmente, se decidió a autopublicar una de
ellas: *La tentación vive al lado*.
Twitter: @MissGinsey

Anna Pólux nació en Logroño y está licenciada en Historia y
Psicología. Desde muy pequeña ha estado interesada en la
lectura y escritura y, a pesar de ser una amante del género
de suspense y policíaco, uno de sus pasatiempos favoritos
es la creación de historias románticas con toques de humor.
Se decidió a compartir sus escritos en foros de lectura y,
posteriormente, en plataformas destinadas a difundir historias
online, sobre todo de *fanfiction*.
Twitter: @newage1119

Cosas del destino.
El efecto mariposa

Cosas del destino
El efecto mariposa

Cris Ginsey & Anna Pólux

LES
editorial

Primera edición: octubre de 2018
Primera reimpresión (revisada): septiembre 2020

© Cris Ginsey y Anna Pólux, 2018
© Letras Raras Ediciones, S. L. U., 2018
Diseño portada: Borjandrés

LES Editorial pertenece a Letras Raras Ediciones, S. L. U.
www.leseditorial.com
info@leseditorial.com

ISBN: 978-84-948645-5-1
IBIC: FA, FP, FRD

*A todas esas personas que leyeron,
sufrieron y disfrutaron con nosotras.
Gracias por ayudarnos a hacer realidad
uno de nuestros sueños.*

Anteriormente en

Cosas del destino: El diario de Claire Lewis

Encontrar ese diario debajo de la almohada de su cama en aquel campamento de verano supuso tres cosas para Ashley: la primera, la pérdida de muchas horas de sueño sumergida entre sus páginas; la segunda, su primer flechazo adolescente con la chica que lo escribió: Claire Lewis; y la tercera, y mucho más importante, ser también el primer flechazo adolescente de su primer flechazo adolescente.

Doce años después, Ashley tiene una vida que le gusta, un trabajo que le encanta, un perro llamado Darwin y a Tracy, una novia a la que adora, pero sus amigas continúan utilizando el nombre de «Claire Lewis» como si fuese sinónimo de su alma gemela. Y es por eso por lo que cuando Darwin y ella se encuentran en un parque con Claire Lewis y con Cleo, su simpático cachorro de jack russell, no pueden dejar pasar la oportunidad de conocerlas un poco más.

Claire acaba de mudarse a la ciudad, es dulce, divertida, increíblemente guapa y mantiene una relación desde hace seis años con un abogado de los trajeados llamado Nick. A pesar de que las dos tienen pareja, su amistad inicial escala hacia algo mucho menos inocente y mil veces más complicado que lleva a Ashley a perder a Tracy y a Claire a replantearse su vida en general y su relación con Nick en particular.

Totalmente enamorada de Claire y tras un primer beso jodidamente alucinante, ante la posibilidad de que ella decida quedarse con Nick, Ashley decide jugar la carta de «he sido yo todo este tiempo» y le entrega el diario a su legítima dueña. Lejos de simplificar las cosas, el «Esto no es mío, Ashley» de Claire desencadena una cascada de emociones descontroladas y malentendidos que tienen el potencial de terminar de un plumazo con la posibilidad de un «nosotras».

1

It only takes a minute

«Deberías llamarme Claire Lewis».

«Tienes pinta de rompecorazones».

«Eres lo único de Cleveland que me hace sentir como si siguiera en Boston».

«A veces me gustaría que Nick fuera un poco más como tú».

«Eres más cariñosa con los perros que con las personas».

«No puedo dejar de pensar en sus ojos verdes».

«Joder, no sé qué me pasa contigo».

Mierda, Ashley. ¿Qué demonios te pasa? Gritando gilipolleces que habían hecho a la rubia llorar porque, ni por un segundo de aquellos cinco meses, se había parado a pensar que quizás las cosas no eran como ella las quería. Que tal vez, a pesar de todo, seguía sin saber cuál era el color exacto de aquellos ojos que la miraron a través de una fotografía. ¿Importaba ya si ahora estaba segura de que en los que se moría por perderse eran jodidamente azules? Porque no era la Claire Lewis del diario, pero se había enamorado de ella, y porque, si había sido un malentendido, había sido el mejor malentendido de su puta vida. De toda entera.

Y tenía que saberlo. Claire tenía que saberlo y ni le cogía el teléfono. Joder.

Regresaba a su casa con más frío que en toda su vida y arrastrando sus ganas de arreglarlo tras ella, porque tampoco había funcionado aquello de presentarse en su casa en mitad de la noche, en plan «por si no te habías dado cuenta, estoy completamente desesperada y no me importa que todos lo sepan». Claire le había dicho hacía unas horas que seguía queriendo besarla, pero no estaba segura de que todo aquello siguiera en pie. «Quiero irme a casa» y le había hecho trizas con la expresión de su mirada, tal vez eso de que era mejor que los cigarrillos porque la hacía sentir bien sin nicotina ya no se sostenía tan firme como antes.

Es que era imbécil, pero de verdad.

Entró en su casa con pocas ganas de relacionarse con nadie, pero Olivia y Ronda la miraron a la vez girándose en el sofá e intentando adivinar qué había pasado a juzgar por la expresión de su cara.

—No ha querido hablar contigo —dijo la morena, y ella se quitó el abrigo tirándolo a un lado en el sofá.

Ni le contestó, porque era bastante evidente, y se dejó caer en el hueco entre sus dos amigas, tapándose la cara con las manos. Casi de inmediato, Ronda se las retiró, dejando su rostro al descubierto para poder captar su mirada.

—La has cagado, Woodson —le informó como si ella no lo supiera ya.

—¡Ronda! —exclamó Olivia ante su falta de tacto.

—Tiene que saberlo —insistió la castaña—. Entiendo que el enterarte de que no es «Claire Lewis» te haya descolocado, Ashley, pero sigue siendo Claire —añadió y ella la miró molesta.

—¿Crees que no lo sé? —preguntó frunciendo el ceño.

—No lo ha parecido antes —dijo en tono desafiante.

—Chicas... —trató de mediar Olivia, pero no le dio tiempo.

—¿Y no lo parece ahora, Ronda? —dijo mientras se levantaba del sofá de forma brusca. Y seguramente se notaba que estaba a punto de llorar, porque la castaña suavizó su gesto—. Me bloqueé, ¿vale? Me dijo que el diario no era suyo y no supe reaccionar...

—El diario, ¿no lo ves? —dijo Ronda—. Siempre es ese maldito diario, Ashley. Te costó a Tracy y ahora está a punto de costarte a Claire.

La miró sin decir una palabra, sintiendo cómo algo le quemaba dentro, porque, a pesar de que la castaña le caía un poco mal en esos momentos, sabía que tenía razón; aunque no iba a dársela. Tras unos segundos en silencio, se limitó a abandonar el salón y se encaminó hacia las escaleras, y sus dos amigas la siguieron.

—Va a dejar a Nick —escuchó tras ella y se paró en el primer escalón.

—¿Te lo ha dicho? —preguntó Olivia y, simplemente, esperó a que la castaña contestara.

—No hacía falta, quedaba claro solo con ver cómo había encajado que Ashley saliera corriendo, pero sí, me lo ha dicho —admitió Ronda, y ella sintió un pinchazo en el pecho al recordar la expresión confundida en la mirada de la rubia mientras le preguntaba qué demonios estaba pasando—. Al menos iba a hacerlo antes de que Ashley le dijera que estaba a punto de dejarlo todo por un malentendido, ¿no, Ashley?

—Que te jodan, Ronda —masculló girándose para mirarla.

—¿No lo ha sido? —Alzó las cejas la castaña—. Porque tenías que haberle visto la cara.

No quiso oír nada más y subió al piso superior directa a su habitación. Segundos después, escuchó a Olivia exclamar «Ronda, por favor» seguido de un portazo, así que supuso que la castaña se había ido bastante cabreada. Y ella también lo estaba, cabreada, pero consigo misma. Abrió la conversación de WhatsApp de Claire y sus ojos se llenaron de lágrimas otra vez cuando comprobó que la rubia había leído y escuchado todos sus mensajes sin responder nada. Apretó la mandíbula tirando el aparato a un lado y se dejó caer bocarriba sobre la cama. Oyó unos suaves golpes en la puerta y Darwin no era tan educado, así que supo que se trataba de Olivia y no contestó. Iba a entrar de todos modos.

—Ey, Ashley —anunció su presencia ante su silencio. No le contestó y un par de segundos más tarde sintió que se sentaba a su lado en la cama—. Perdona a Ronda, ya sabes cómo es.

—Una bocazas —afirmó—. Pero esta vez tiene razón. La he cagado.

—Ha sido una sorpresa para todos, date un respiro —le aconsejó, golpeándole suavemente el abdomen con la palma de la mano—. ¿Crees que Claire se ha creído eso de que ha sido un malentendido? Tiene ojos en la cara y ha estado viendo cómo la mirabas todos estos meses, Woodson. No es tonta.

—También tiene orejas y ha escuchado todas las gilipolleces que he dicho antes en el porche —le recordó—. Por cierto, siento haberte gritado —dijo mirándola desde su posición tumbada.

Olivia le secó una lágrima solitaria que descendía por su mejilla y después se encogió de hombros.

—¿Lo eran? —inquirió, y ella la miró sin saber muy bien qué quería decir—. Gilipolleces —aclaró apoyando la espalda contra el cabecero de la cama para estar más cómoda—. Porque creo que no la habrías mirado dos veces si no te hubiera dicho cómo se llamaba. Estabas loca por Tracy, Ash —le recordó, como si le hiciera falta—. No creo que hubiera servido ningún otro nombre.

Y no, no habría servido. Lo tenía todo con Tracy cuando ella llegó, ¿con cuántas chicas guapas podía haberse cruzado en los meses que salió con la pelirroja? Pero estaba demasiado loca por ella como para interesarse por nadie más. Cualquier otro nombre y la habría dejado pasar sin ni siquiera darse cuenta de que lo hacía.

—Sé que Ronda siempre ha odiado un poco ese diario, pero leerlo te dio la oportunidad de conocer a Claire, a la de verdad —puntualizó—. Puedes pensar que el destino y el karma no existen, que son una gilipollez, pero si no hubieras leído ese diario a los quince y si Claire se hubiera llamado de cualquier otra forma, seguirías con Tracy y cruzándotela por la calle como si nada.

Guardó silencio meditando las palabras de Olivia y lo que su amiga decía tenía sentido. Se incorporó, apoyando su espalda contra el cabecero de la cama, a imitación de la morena, y se secó los ojos con el dorso de la mano.

—A lo mejor tenía que ser así desde el principio, o a lo mejor no. El destino o una simple casualidad, Ashley. ¿Qué más da? —preguntó mirándola—. La tienes ahora, ¿importa el porqué?

—No quiere verme, ni hablar conmigo —se lamentó golpeándose suavemente la cabeza contra la pared—. ¿Este es el puto muro de hormigón?

—Puede —concedió la morena y ella bufó apoyando la cabeza en su hombro.

—¿Y qué se supone que tengo que hacer ahora? ¿Esperar el golpe? —preguntó casi retóricamente. Pero Olivia tenía respuestas para todo, así que le sugirió otra posible opción.

—O escalarlo.

***

«O escalarlo».

Las doce de la noche y no podía dejar de darle vueltas.

Escalarlo.

Joder, Olivia y sus malditas metáforas, que más que una farmacéutica parecía un jodido maestro de kung-fu oriental. «Escalarlo». ¿Escalarlo cómo? Si ni tenía cuerda ni nada, y mientras Claire no quisiera hablar con ella se encontraba anclada al suelo y sin poderse mover, como si la gravedad se hubiera vuelto cien veces más potente de repente. Y Nick le había dicho que con ella funcionaba mejor darle tiempo para que se calmara, pero no se lo había parecido así a lo largo de aquellos meses. Había sido testigo de muchas de las peleas entre ambos y Claire siempre había necesitado que él la llamara, que la buscara... joder, que actuase como si realmente le importara. Y a ella le importaba más que ninguna otra cosa en el mundo en aquel preciso momento, así que no iba a esperar a que la rubia lo diera por sentado. Se estiró sobre el colchón para hacerse de nuevo con el móvil que descansaba sobre la mesilla.

«Claire Lewis»
Última conexión 23:46

ASHLEY: Claire, voy a seguir llamándote y presentándome en tu casa hasta que quieras hablar conmigo.

ASHLEY: Solo te pido un minuto. Un minuto y después te dejaré en paz si es lo que quieres.

ASHLEY: Tienes que saber que no ha sido un malentendido.

ASHLEY: Por favor, dime que sabes que no ha sido un malentendido.

Y no sabía si estaba escalando el muro, rodeándolo o si seguía a punto de estrellarse, no era tan buena con los simbolismos como parecía serlo Olivia, pero sabía que no podía quedarse de brazos cruzados, y Claire siempre le había dicho que la hacía sentir segura sin tan siquiera proponérselo, así que simplemente iba a hacer lo que le saliera a cada paso.

Se dispuso a dejar el teléfono sobre la mesilla de nuevo, pero se lo pensó mejor y abrió otra conversación que tenía pendiente. Le sorprendió verla en línea a pesar de la hora.

«Ronda»
En línea
ASHLEY: Lo siento.
RONDA: Lo siento.

Lo habían escrito casi a la vez y tuvo que sonreír un poco.

RONDA: ¿Cómo estás?

ASHLEY: Un poco arrepentida de haberte dicho «que te jodan».

RONDA: No pasa nada, Leo siempre está por la labor.

ASHLEY: Puta pervertida.

RONDA: Siento si he sido muy dura antes. No quiero que esta se te escape, Woodson.

ASHLEY: Tenías razón.

RONDA: ¿Claire te ha contestado?

ASHLEY: Aún no.

RONDA: No hace falta que aguantes la respiración, Ash. Ya lo ha decidido.

ASHLEY: Me encanta que no sepas guardar secretos.

RONDA: Va en las dos direcciones. También le he dicho a ella que te tiene loca.

ASHLEY: No creo que eso fuera un secreto.

RONDA: ¿Volvemos a ser amigas para que pueda dormir?

ASHLEY: ¿Estás despierta porque nos hemos peleado?

RONDA: Por eso y porque Leo siempre está por la labor.

ASHLEY: Qué suerte.

RONDA: ¿Cuánto llevas? ¿Cuatro meses ya? Olivia estará orgullosa.

ASHLEY: ¿Qué pasa con Erik?

RONDA: Ni idea, pero estoy a punto de pedirle que me devuelva mis servilletas.

ASHLEY: No creo que te diga que no.

***

«Por favor, dime que sabes que no ha sido un malentendido».

Y ni le había dicho eso ni le había dicho nada, porque era domingo por la tarde y la rubia había leído su último mensaje, pero seguía pensándose mucho eso de responderlo. Ronda le había dicho que no aguantara la respiración, y le estaba costando trabajo seguir el consejo. Necesitaba ocupar su cabeza en algo que no fuera mirar fijamente su teléfono móvil en espera de que sonara, porque no lo hacía, y a ella cada vez le pesaba más aquel «Tienes razón. Todo sería mucho más fácil si no nos hubiésemos conocido en ese parque». Y que en la última imagen que tenía de sus ojos favoritos en el mundo entero estuvieran cargados de lágrimas no ayudaba mucho precisamente. Se moría por gritarle «Joder, Claire, haré lo que sea, pero dime el qué», porque su línea de acción actual no parecía estar dándole mucho resultado, la verdad.

—Dicen que el trabajo es la mejor de las distracciones, pero creo que en tu caso no está funcionando, princesa —dijo Kristofer irrumpiendo en el almacén cargado con dos cajas—. ¿Qué demonios te pasa? Llevas los últimos diez minutos contando veinte vacunas, Woodson —la acusó depositando su cargamento sobre la mesa.

—No seas muy duro conmigo, no estoy pasando el mejor fin de semana de mi vida precisamente —le pidió un respiro mientras guardaba las dosis en la nevera de nuevo.

—Si no fueras gay, disfrutarías mucho más de venir al trabajo, ¿sabes? —bromeó señalándose a sí mismo y ella sonrió un poco, dándolo por imposible—. A mí tú me lo haces mucho más ameno —añadió apoyándose junto a ella sobre la superficie de la mesa. Le propinó un codazo cariñoso en el antebrazo consiguiendo que lo mirara—. ¿Necesitas hablar?

—Sí, pero ella no quiere.

—«Ella» —repitió su compañero en tono pensativo—. La última «ella» de la que hemos hablado tú y yo fue Tracy.

—Hace bastante que no hablamos, entonces. —Suspiró—. Es demasiado complicado y en diez minutos tengo que ir a echarle un vistazo a King Kong, así que voy a ponerme el pijama —indicó incorporándose y se encaminó hacia la puerta.

—¿Te invito luego a una cerveza? Yo también tengo novedades en mi vida amorosa —la tentó siguiéndola con la mirada.

—Si vas a contarme tus novedades, serán dos o tres —insinuó.

—Ey, estoy sentando la cabeza.

—Sí, cada día en una silla diferente —bromeó ella ya desde el pasillo.

—La monotonía me da urticaria, pregúntale a mi alergólogo.

Negó con la cabeza, dando por imposible a su compañero, porque cada vez que hablaban de chicas él tenía una nueva en la cabeza. Le costaba empatizar con Kris en ese aspecto en particular, ella era más de volverse loca por una sola; hasta las últimas consecuencias. ¿Y cuáles serían esas «últimas consecuencias» con Claire? Consultó su móvil tras cambiarse al pijama y nada. Su: «Por favor, dime que sabes que no ha sido un malentendido» continuaba esperando al sí o al no de la rubia.

Y estaba duro. El muro de hormigón estaba la hostia de duro.

Si Claire no le contestaba antes de que saliera del trabajo, iría directa a su casa. No le importaba encontrarse allí a Nick, porque estaba llegando a un punto en el que dijera lo que dijera la rubia, cualquier cosa sería mejor que seguir esperando. Se dirigió al área de hospitalización y entró en la habitación de King Kong. El pequeño chimpancé de cinco meses la miró desde el otro lado del cristal, que dividía la estancia en dos: una jaula de lujo completamente acristalada.

—Ey, colega —saludó cuando el animal comenzó a saltar gritando emocionado.

Se fijó en que el primate miraba de vez en cuando unos cuantos plátanos que descansaban sobre la mesa. Alguno de los auxiliares debía de haberlos dejado olvidados allí aquella mañana.

—Y yo que pensaba que lo nuestro era especial.

Cogió uno de los plátanos y la alegría del pequeño animal se convirtió en euforia. Sonrió ante aquel despliegue de energía.

—Parece que estás mucho mejor, amiguito —opinó entrando en su habitáculo con la fruta en la mano.

King Kong trepó por su cuerpo con una facilidad pasmosa y se le colgó del cuello tratando de hacerse con el plátano sin preguntar primero.

—Eres extremadamente simpático, pero tus modales dejan mucho que desear, ¿lo sabías?

Cedió ante la insistencia del animal y le dio un trozo de la fruta, así estaría entretenido mientras ella le examinaba; los dos salían ganando. Se entretuvo más de lo necesario con King Kong, era un chimpancé muy sociable, así que, tras su examen, aprovechó para quedarse un rato con él y terminar de darle el plátano como premio por su excelente colaboración.

—No vayas comentando por ahí que utilizo el chantaje con plátanos para fines clínicos o me meterás en problemas, ¿de acuerdo? —pactó con él, sentada en el suelo mientras el animal trepaba por su espalda.

De pronto, King Kong comenzó a gritar emocionado, saltó de nuevo a tierra y se acercó al cristal. Se giró para localizar el motivo de la repentina activación del animal y su corazón se saltó un latido al ver a Claire casi frente a ella.

¿Qué hacía allí?

Tras la suspensión provisional de aporte sanguíneo a su organismo vino la aceleración de sus pulsaciones, intentando recuperar el tiempo perdido, y a ello se sumó una presión en su pecho, que creía que era buena, pero esperaría a escuchar a Claire para decidirlo del todo. La observaba sin la habitual sonrisa que asomaba a sus labios cada vez que se veían, pero la seriedad le quedaba jodidamente bien a aquellas facciones, y ella le devolvió la mirada en el mismo tono.

Se levantó del suelo sin romper el contacto visual y ambas quedaron a la misma altura y frente a frente, tan solo un cristal transparente entre ellas. Continuó mirándola hasta que la rubia colocó un papel contra la superficie acristalada y desvió su atención al mensaje escrito con rotulador negro, el que utilizaban para apuntar las revisiones de King Kong y sus horarios de comidas.

«No ha sido un malentendido».

La ratio de bombeo sanguíneo en su organismo se multiplicó por mil y volvió a mirar a Claire con la respiración atascada en algún recoveco bastante profundo de su garganta. Joder. Abrió la puerta de cristal y le dio lo mismo que el pequeño chimpancé saliese de la jaula; la habitación estaba cerrada, así que no podría ir muy lejos.

Se quedó enganchada a aquel azul que le devolvía la mirada con la misma intensidad, como si no hubiera nada más que ver, como si nada alrededor tuviera el más mínimo interés y todo lo que necesitase saber estuviera escondido en el verde de sus ojos. Claire se acercó un poco más, aprovechando la desaparición del cristal, y ninguna de las dos desvió la mirada cuando la rubia alzó la mano para acariciar suavemente su labio inferior con el pulgar y, al sentirlo, algo se le rompió por dentro. Es que su caricia quemaba, y aquel contacto la obligó a bajar la vista a la boca de Claire con un «dime que quieres lo mismo que yo» perdido por el camino. No creía que hiciera falta preguntarlo en voz alta y alternaba la vista entre sus labios y sus ojos, porque no sabría decidir qué le gustaba más.

—Querías un minuto —le recordó la chica a media voz.

Y en su mirada se adivinaba un «por favor, convénceme», no muy bien escondido.

¿Un minuto? ¡No!, lo quería todo con ella.

Recortó la escasa distancia que las separaba y tomó su cara entre las manos, estrellando sus labios contra su boca, a lo mejor con poca delicadeza y muchas ganas. Fue ella quien inició un ritmo mucho menos suave que en su anterior beso, y Claire le respondió de inmediato, adaptándose a la perfección a sus movimientos. Joder, se lo estaba devolviendo y ella temblando como un puto flan, porque había temido realmente haberlo estropeado del todo. Sintió las manos de la rubia en su baja espalda, tirando de ella hacia su cuerpo, y, como no tenía ningún interés en resistirse, se acercó más, mucho más. Se acercó todo lo que pudo sin dejar de buscar su boca, acariciándole los labios como si lo necesitara para seguir respirando. Y es que Claire le respondía del mismo modo, sujetándola, acercándola, un «no vuelvas a irte, por favor» en lenguaje no verbal.

Sentir sus curvas contra su cuerpo despertó cada una de las terminaciones nerviosas de su anatomía, todas las que aún quedaban disponibles, y liberó la cara de la rubia para bajar las manos a sus caderas, porque necesitaba conocerlas, recorrerlas y descubrir si eran tan jodidamente alucinantes como lo había imaginado. Y lo eran, pero más. La apretó contra su cuerpo y Claire gruñó suave contra su boca. Y gruñó de una forma increíblemente sexi y aquel sonido era nuevo y ella necesitaba más, porque le había reverberado el organismo entero.

Lo siguiente que sintió fue la caricia de la lengua de Claire en su labio inferior, pidiéndole entrada, y se iba a morir allí mismo, en serio. La rubia la tomó por la nuca y, joder, cómo le gustaba que hiciera eso. La atrajo aún más hacia ella justo cuando le permitió el acceso y profundizaron el beso casi a la vez. Temió que le fallaran las piernas, porque cuando comenzó a explorar su boca con la lengua, ella gimió y le fundió todos los circuitos.

¿Aquel gemido? Ufff, podría correrse solo por aquel gemido, de verdad. Se le escapó otro bastante parecido en respuesta y a Claire le debió de gustar también, porque jadeó un «Oh, Dios» estrangulado contra sus labios y la obligó a retroceder, empujándola con su cuerpo, hasta que chocó de espaldas contra la pared del fondo de la jaula y pudo presionarse completamente contra ella.

—Claire, me estás matando —admitió con voz ronca y entrecortada.

La rubia la miró desde una distancia ridículamente corta. ¿Uno, dos centímetros? Y, por un momento, ella le sostuvo la mirada, pero sentía su respiración acelerada contra los labios y el azul de sus ojos estaba tan oscurecido que una bofetada de deseo máximo le hizo gruñir un «Mierda, Lewis» antes de girarla para cambiar posiciones, aprisionarla con el peso de su cuerpo, y atacar su boca de nuevo. Claire la recibía a la perfección, como si llevaran besándose décadas y supiera cómo hacerlo de la mejor manera posible. Si tenía que morir algún día, ¿qué mejor forma de hacerlo?

Sintió la mano de la rubia posándose en su mejilla mientras que la otra recorría su espalda y, de repente, Claire rompió el contacto de sus labios tras un beso inesperadamente suave que le estrujó el corazón en el pecho. La miró y la profesora le sostuvo la mirada, cerca, muy cerca, mientras con su dedo índice dibujaba la línea de su mandíbula y, tras dos segundos, le sonrió. Joder, y esa sonrisa le derritió las neuronas y le salió otra igual como respuesta. Cerró los ojos cuando Claire unió de nuevo sus labios, y fue lento y suave esta vez.

—¡Ashley!

La voz de Kristofer llamándola las interrumpió en mitad del beso más sincero de su vida, y sintió las manos de Claire apoyarse en su pecho cuando ella giró un poco la cabeza hacia la puerta de entrada.

—¿Qué pasa? —respondió elevando el tono, evaluando la forma más dolorosa de matarlo como la respuesta no fuera «Nada, sigue con lo tuyo».

—¿Podrías venir un momento? Necesito que me ayudes con esto.

Mierda.

—Un momento —le contestó y se volvió hacia Claire—. De verdad, de verdad, de verdad que no quiero que te vayas —le susurró besándola con suavidad.

—De verdad, de verdad, de verdad que no quiero irme —la imitó—. Pero estás trabajando, Ash. —Suspiró tratando de recuperar un ritmo de respiración normal y escapó del peso de su cuerpo empujándola con suavidad—. Nos vemos luego, ¿vale?

—¿Cuándo? —Necesitaba saberlo, porque aún no se había ido y ya estaba deseando tenerla frente a ella otra vez.

—Luego —repitió la rubia, la tomó por el cuello de la camiseta del pijama y la acercó a ella para darle un último beso antes de alejarse de allí.

Se quedó mirando atontada cómo Claire salía de la habitación, aún con la respiración acelerada y cuando desapareció de su vista sacudió ligeramente la cabeza para salir del trance y miró a King Kong, que se estaba comiendo el segundo o tercer plátano de la tarde con toda tranquilidad, subido sobre la mesa. La escuchó despedirse de Kris y alzó las cejas observando al animal.

—¿Tú has visto eso? Ha pasado de verdad, ¿no? —le consultó, y el chimpancé continuó masticando como si nada.

—¡Ashley! —exclamó de nuevo Kristofer.

Joder, qué prisas...

Cogió a King Kong en brazos para devolverlo a su jaula y cerró de nuevo la puerta, dejándole en el interior con un último trozo de plátano en las manos.

—Ha pasado de verdad y lo sabes.

Pues claro que había pasado de verdad, y si lo dudaba, tenía aquella quemazón en los labios como prueba irrefutable. Todo su cuerpo se había quedado enganchado a la increíble sensación que era Claire Lewis presionándose contra ella y dejándose presionar mientras las dos se comían a besos. Las manos en su nuca, en su espalda, acariciándole la cara y aquella sonrisa de «joder, por fin» que le había inflamado el corazón en el pecho.

Respiró profundo, en un intento por reducir el ritmo de sus pulsaciones. Pensó en Chris Hemsworth sin camiseta, porque aquella inesperada visita le había subido la temperatura de forma un poquito alarmante, y salió de allí de mucho mejor humor que cuando había entrado.

***

Apagó el motor del coche frente a su casa y se quedó inmóvil por unos segundos, apoyó la cabeza contra el asiento y respiró hondo de nuevo, porque durante todo el camino de vuelta había estado reproduciendo su encuentro con la veterinaria una y otra vez en su cabeza. Había ido hasta allí porque necesita verla, de alguna forma poner a prueba aquel «Lo de esta mañana lo ha cambiado todo, y aun así no ha cambiado nada». Y estaba allí, por Dios, estaba allí... en su forma de besarla, de acariciarla, en aquella versión grave y ronca de su voz y en su mirada verde oscurecida, en la facilidad con la que había complementado la parte más pasional con aquella sonrisa que generaba el calor más agradable del mundo en la boca de su estómago cada vez que iba dirigida a ella. Y ese gesto en particular siempre iba dirigido a ella. Su forma de mirarla había vuelto como si jamás se hubiera ido, y en ese momento se sintió un poco estúpida por haber temido que Ashley no volviese a observarla así por culpa de aquel diario.

Se llevó la mano a los labios, aún podía sentir los de la veterinaria fundiéndose contra ellos y le quemaban un poco. Bufff... tocarla como lo había hecho había superado todas sus expectativas, y dejarse tocar. Las manos de Ashley recorriendo sus caderas y su cuerpo entero presionando el suyo contra aquella pared. Su «Claire, me estás matando» y aquel gemido contra su boca; estaba segura de que nunca, jamás, había deseado tanto a nadie como la deseaba a ella.

Distinto, había sido muy distinto a como era con Nick. Había sido algo más. Cada vez que se encontraba con aquellos ojos entre besos era mucho más. Una sensación tan alucinante que no dejaba espacio a ninguna otra. Y es que con Ashley todo había encajado siempre tan perfecto que le era imposible plantearse cualquier otra cosa.

Sintió su teléfono vibrar en el bolsillo de la chaqueta y, antes de abrir la aplicación de WhatsApp, sabía que era un mensaje de la veterinaria. Aun estando sobre aviso, su corazón se saltó un latido.

«Ashley Darwin»
En línea
ASHLEY: King Kong solo tiene cinco meses, y eso ha sido para mayores de dieciocho.
CLAIRE: Sobrevivirá. Y tú lo has empezado todo.
ASHLEY: No me has dejado otra opción.
CLAIRE: Siempre hay otra opción.
ASHLEY: Pues no la quería.
CLAIRE: Yo tampoco.
ASHLEY: Dime que ya no hay marcha atrás, por favor.
CLAIRE: Nunca la ha habido.
ASHLEY: Necesito hablar contigo.
CLAIRE: Avísame cuando salgas del trabajo.

Guardó el teléfono de nuevo en el bolsillo y miró hacia la casa que compartía con Nick. Casi era de noche, y la luz de la habitación que el chico usaba como despacho estaba encendida. «El juicio del siglo». Su novio había estado tan ocupado preparando la que iba a ser la oportunidad más importante de su carrera que no se había percatado de nada más. Quizás era mejor así, porque había tenido la oportunidad de pensar en todo aquello sin presiones añadidas. Aquel simple «me he peleado con Ashley» les había servido a ambos, y Nick le había repetido mil veces que cuando terminase de preparar sus alegaciones y presentara las definitivas el jueves, todo iba a cambiar. Lo peor era que le creía, porque últimamente su chico había estado esforzándose por mejorar las cosas y sabía que tenía miedo a perderla.

De repente, el corazón le pesó un poco más en el pecho. Culpabilidad en estado puro. Pero estaba tan segura de lo que tenía que hacer que simplemente era eso: culpabilidad y pensar en la mejor manera de decirle lo que había pasado, que lo sentía, pero que se había enamorado de alguien que no era él, y que nunca pensó que tendría que decirle algo así. Que quería estar con ella.

Se bajó del coche y se dirigió directa a casa; cuando entró, Cleo estaba esperándola junto a la puerta y comenzó a saltar a su alrededor, lloriqueando.

—Claire, lleva una hora llorando —escuchó al chico desde el piso superior.

Suspiró porque seguro que a su novio ni siquiera se le había ocurrido sacarla por si se hacía pis.

—Voy a sacarla a dar una vuelta —anunció sin rastro de reproche en su voz. ¿Qué más daba ya?

—Me queda para un rato, pero luego podemos ir a cenar a algún sitio si te apetece —ofreció el castaño mientras ella le colocaba la correa a Cleo.

—He quedado con Ashley —dijo sin tapujos.

—¿Ya lo habéis arreglado entonces? —se interesó asomándose a las escaleras. Y ella se limitó a asentir porque no se sentía con fuerzas de hacer nada más explícito—. Claire, sé que todo esto está siendo una locura —admitió el chico bajando los peldaños hasta llegar frente a ella. La tomó por la cintura y sus manos ya no encajaban tan bien allí—. Hasta el jueves, ¿vale? Entrego las alegaciones y me cojo unos días.

¿Hasta el jueves? O ahora mismo. Decírselo ya. Allí, de pie, en mitad de la entrada y sin darle más vueltas, sin preocuparse de las consecuencias. Y se dio cuenta de que no podía, porque iba a darle la vuelta a todo su mundo con solo una frase, no podía hacerle eso en mitad del juicio más importante hasta la fecha. *Respeta al menos eso y espera.*

Hasta el jueves.

Asintió deseando salir de la casa ya, casi tenía más prisa que Cleo, pero Nick la besó antes de que ella pudiera alejarse de su cuerpo. No se lo devolvió, porque no podía, y al cabo de un par de segundos le empujó con suavidad colocando las manos sobre el pecho del chico. ¿No podía notarla en sus labios? ¿En su piel? Porque ella seguía sintiéndola por todas partes.

—Cleo estará a punto de hacerlo en la alfombra —explicó y Nick asintió, besándola de nuevo, fugazmente esta vez, antes de liberar su cintura.

—Si terminas pronto con Ashley, o te piensas lo de la cena, avísame.

Y le dijo que sí, aunque sabía que no, porque era más fácil así. Cuando cerró la puerta tras ella, se llevó aquella extraña sensación puesta, y en realidad de extraña no tenía nada, a lo mejor sobre el papel no se le veía la lógica, pero en el fondo tenía todo el sentido del mundo. Porque cuando besaba a Ashley a espaldas de su novio se tenía que recordar que estaba engañando a Nick y su cuerpo entero opinaba diferente, y era al besar a su chico cuando se sentía infiel y no le hacía falta racionalizar nada.

Consultó su reloj mientras Cleo vaciaba su pequeña vejiga en el primer trozo de césped que encontró por su camino. ¿A qué hora terminaría Ashley? Porque se lo habían dicho todo con su forma de besarse, pero aún quedaban muchas cosas de las que hablar, y se moría por tenerla de nuevo a solas. No iba a engañarse, se moría porque Ashley volviera a besarla y ella iba a dejarse besar, porque la veterinaria lo hacía demasiado bien. Sus manos acariciándole las caderas, su forma de mirarla allí de nuevo, el alivio más inmenso de su existencia entera, y todo había dejado de ser complicado de repente.

Nick, su vida, sus familias y sus seis años. Seguía siendo doloroso, sí, y tenía un miedo horrible al momento de destaparlo todo, pero ya no era complicado, y Ashley le había dicho que tenía miedo de que eligiera a su novio porque a lo mejor no le había dejado suficientemente claro que aquello no iba de elegir. Que, gracias a todo el revuelo que había causado ese maldito diario, y a su «ha sido un estúpido malentendido», ya no le hacían tanta falta los cigarrillos.

Aquel diario. Se lo había leído entero, de principio a fin, y ya sabía que Ashley no era una rompecorazones precisamente, pero engañaba en apariencia y podría haberlo sido a la perfección a juzgar por la facilidad con que volvió loca a la Claire Lewis de aquel campamento sin tan siquiera saber que existía. Porque, a los quince, aquellos ojos ya debían de ser así de alucinantes, a juego con su sonrisa. Y ella había caído de igual forma doce años después.

Durante la cena la he estado mirando tanto que me extraña que no le haya desgastado las facciones. Joder... y qué facciones. Hoy llevaba una camiseta verde que le quedaba indescriptiblemente bien, resaltaba el color de sus ojos y me han entrado ganas de hacer caso a la inscripción que tenía estampada en letras blancas: Simplemente ven y bésame.

Ahora era ella la que le desgastaba las facciones, y qué facciones. Y la volvía loca cuando se ponía alguna prenda verde que resaltara el color de sus ojos, porque era verdad que le quedaban indescriptiblemente bien. Las ganas de besarla a cada momento las daba ya por sentado. Cada vez que sonreía o que decía alguna de sus imbecilidades, que respirara siquiera, ya era suficiente motivo para querer besarla de mil formas diferentes, hasta descubrir cuál le gustaba más. Seguro que la Claire Lewis del diario se habría enamorado de la Ashley de quince años, sin ninguna duda, igual que ella se había enamorado de la de veintisiete. Se había enamorado de ella del todo y le sorprendía que no le hubiera sorprendido más.

Casi sin darse cuenta, Cleo y ella acabaron en la calle de la veterinaria, a lo mejor buscando a alguien con quien hablar hasta que Ashley le dijera que por fin había salido del trabajo. Llamó a la puerta de la casa de Ronda. Seguro que la castaña estaría muriéndose de ganas por saber si se habían visto ya, había sido ella quien le informó de que Ashley estaba en el zoológico cuando la vio merodear por las inmediaciones de su casa a primera hora de la tarde. Fue Leo quien abrió la puerta.

—Ey, Claire —saludó sorprendido—. ¿No deberías estar en el zoo?

Y se confirmaba que, además de directa, Ronda Parker era una cotilla.

—Acabo de volver.

Intentó que no se notara que la simple mención del zoológico encendía sus mejillas. La imagen de Ashley y su «Mierda, Lewis» volvieron a su mente con inusitada claridad y cambió de pie el peso de su cuerpo un poco incómoda.

—¡Leo, tienes dos segundos para materializarte aquí porque mi dedo está ya sobre el *play* y no pienso echarlo para atrás cuando el señorito decida volver! —se escuchó la voz de Ronda, proveniente del salón de la casa.

—Es Claire, cariño —le informó él en tono paciente.

Se oyeron pasos veloces en el interior de la vivienda y en cuestión de segundos Ronda estaba frente a ella con el abrigo puesto y mucha prisa.

—Leo, Claire y yo vamos a dar un paseo —anunció mientras salía de la casa sin más y la arrastró tras ella tirando de su brazo—. ¡Espero que no se te ocurra seguir viendo la película sin mí! —advirtió a su novio.

—Hasta luego, Leo —se despidió del chico alzando la voz.

Ronda avanzó unos cuantos metros antes de aminorar el paso y observarla con creciente interés. Ella le devolvió la mirada sin saber qué decir, nunca se le había dado muy bien eso de contar cosas íntimas y terminaba poniéndose roja cada vez.

—¿Y bien? ¿Qué ha pasado? ¿Has hablado con ella? —inquirió impaciente la castaña.

—Sí, vengo ahora del zoo —repitió lo que le había contado a Leo.

—Joder, ¿y qué tal ha ido? —la presionó, ella sonrió y bajó la mirada para evitar la de la castaña—. ¡Te estás poniendo roja, Lewis! ¡Eso es que ha ido mejor de lo que me esperaba! —exclamó llevándose las manos a la cara—. ¿Le has comido toda la boca? ¿Te ha comido toda la boca? ¡Habla, mujer! —exigió casi desintegrándose por la incertidumbre.

—Ambas —dijo al fin—. Ha sido muy... Ashley es tan... —lo dejó en el aire y Ronda la miró con media sonrisa.

—¿En qué punto estáis?

—No lo sé, no hemos hablado apenas.

—Excelente. —Sonrió la castaña dándole un codazo amistoso en el brazo.

—Tenía que seguir trabajando, va a avisarme cuando salga, porque sí que tenemos que hablar —admitió frenando el paso para permitirle a Cleo olisquear detenidamente un árbol.

Ronda escondió las manos en los bolsillos del abrigo y observó a su mascota también en silencio por unos segundos. Le dio la impresión de que buscaba la forma más adecuada de sacar un tema delicado.

—No sé cómo hacerlo, pero tengo que decírselo a Nick —lo puso sobre la mesa ahorrándole las cavilaciones a su amiga.

—Claire, soy la mejor amiga de Ashley y, evidentemente, quiero verla feliz y ahora tú eres lo que la hace feliz —introdujo—. Pero tengo que preguntártelo de todas formas, ¿estás segura de lo que quieres hacer? —preguntó observándola con semblante serio—. A lo mejor estoy tirando piedras sobre el tejado de mi mejor amiga, pero... ¿te lo has pensado bien? Porque si no estás segura y lo haces, a la larga vas a hacerle daño igual.

Y lo sabía, claro que lo sabía, porque le había dado muchas más vueltas de las que podía recordar a todo aquel asunto. Le había costado varios dolores de cabeza y otros tantos paquetes de cigarrillos, pero luego la veía a ella y, con cada cosa que hacía, le confirmaba una vez tras otra que sí, que desde luego que sí, y que no había nada más que pensar.

—Ronda, las cosas con Nick no iban bien desde antes de Ashley —admitió—. Y ya me había planteado alguna vez el volver a Boston antes de que pasara nada entre nosotras. Estoy muy segura.

—No va a ser fácil —advirtió.

—Pero tengo que hacerlo —reconoció abiertamente.

***

Se le aceleraron las pulsaciones cuando, una hora después, recibió un mensaje de Ashley anunciando que salía del zoológico y preguntándole si podían verse. Le pidió que fuera directa a casa y ella se dirigió hacia allí con Ronda y Cleo. Llegaron antes que la veterinaria y tuvieron que esperar unos minutos sentadas en su porche. Sonrió al divisar el coche de Ashley enfilando la calle, y casi contuvo la respiración cuando la vio abandonar el vehículo y acercarse a ellas. Paró a los pies de las escaleras donde estaban sentadas y le dedicó una de esas sonrisas suyas a las que, a raíz de los últimos acontecimientos, se le sumaba algo más.

—Hola, Ronda —saludó a su amiga mirándola, por pura cortesía.

—Sí, ya me voy —anunció la castaña levantándose de las escaleras sin más.

Cuando pasó junto a Ashley le dijo algo en voz baja y enseguida la veterinaria le pegó en el brazo llamándola «puta pervertida», así que mejor no saber cuál había sido el mensaje exactamente, aunque se lo podía imaginar. Ashley la miró de nuevo, y a ella se le revolvió todo por dentro cuando subió un par de peldaños, algo insegura, no sabía muy bien qué decir ni qué hacer en esos momentos, y fue Cleo quien salvó la situación lanzándose sobre la veterinaria en cuanto tuvo ocasión.

—Yo también me alegro de verte, pequeñaja. —Sonrió tomándola en brazos—. Hola, Claire —la saludó a ella también, y hubo algo en su tono que aceleró el bombeo de su corazón.

A lo mejor era el paso que habían dado, quizás que ambas sabían que ya no había marcha atrás, pero de repente sus interacciones habían cambiado, sus miradas, sus sonrisas, incluso la forma de hablarse. Era como si estuvieran pensando a cada paso «joder, estaba deseando que pasara esto, y es increíble», pero no supieran muy bien cómo comportarse en aquel nuevo escenario. Aún no.

—Eh... ¿qué quieres hacer? —preguntó Ashley sentándose a su lado en las escaleras tras liberar a Cleo, y ella la miró con media sonrisa, porque había sonado más nerviosa que nunca.

31

—Estás nerviosa —la acusó divertida, verla insegura a ella contribuía a aplacar sus propios nervios.

Ashley la miró, sonriendo de medio lado al escucharla, y negó con la cabeza mientras desviaba su vista al frente. Guardó silencio un par de segundos.

—Bastante, gracias por notarlo —admitió al fin devolviendo a ella su mirada y tuvo que sonreír—. Vamos —dijo levantándose de pronto y le tendió la mano para ayudarla a hacer lo mismo.

Ni idea de qué se le habría ocurrido, pero se la estrechó y dejó que tirara suavemente de ella. Cuando estuvieron frente a frente, le dieron ganas de delinear de nuevo sus facciones con las yemas de los dedos, pero se contuvo.

—Necesitamos hablar y Darwin dar un paseo, ¿dos por uno? —propuso sin soltar su mano, a pesar de que ya llevaba un rato de pie. Le acarició la palma con el pulgar antes de asentir.

—¿Vamos al parque?

***

Para tener tantas cosas importantes de las que hablar habían realizado el trayecto al parque comentando temas totalmente intrascendentes, como si ninguna de las dos supiera muy bien cómo iniciar la conversación que tenían pendiente. Y ella solo podía pensar en lo alucinante que había sido poder besarla de la manera en que lo hizo hacía unas horas en el zoológico, y quería repetir con tantas ganas que le resultaba bastante difícil centrarse en otra cosa que no fuera el recuerdo del sabor de sus labios. Ay, joder, la forma en que la rubia la había sujetado por el cuello de su pijama de trabajo, atrayéndola hacia ella: su nuevo fetiche. ¿Podría hacerlo otra vez, por favor?

Lanzó de nuevo la pelota, lo más lejos que pudo, y Darwin y Cleo salieron disparados en su busca. Claire estaba a su lado, como tantas otras veces, observando cómo sus mascotas comenzaban a disputarse la posesión del juguete. Y habían estado allí en miles de ocasiones antes, la verdad, pero nunca así, nunca en ese silencio que más que callar preguntaba: «¿Y ahora qué?».

¿Podían tocarse? ¿Podía besarla? ¿Qué pasaba con ellas y qué pasaba con Nick? Porque Claire había dicho que ya no había marcha atrás, pero... ¿qué significaba ir hacia delante? ¿La rubia quería seguir adelante?

Sin previo aviso, notó cómo Claire la abrazaba por la espalda, sus brazos le rodearon la cintura y sintió cómo apoyaba la mejilla en su hombro. De nuevo aquella increíble sensación, nunca nada le había sentado tan bien como cualquier tipo de contacto físico con ella. Y, por lo visto, sí que podían tocarse. Gracias al Señor.

—Mi hermano se llama Thomas y es tres años mayor que yo —escuchó su voz mientras la sentía hablar contra su anorak—. Nunca me fastidió ninguna fiesta de cumpleaños y yo no lo dejé calvo, pero una vez metió ranas vivas en mi cama y llené todos sus calzoncillos limpios de polvos picapica. Mi primera vez fue a los diecisiete con Justin Taylor, y también fue un poco decepcionante. Tres minutos perdidos de mi vida. —Tuvo que sonreír al escuchar el tono resignado de su voz y le dieron ganas de volverse, pero prefirió dejarla seguir hablando—. No tenía mi habitación decorada con pósteres de Sarah Michelle Gellar, no tuve una crisis existencial a los quince, ni me fijé en ninguna compañera de clase de Biología. Pero me fijé en ti. Estoy de acuerdo con ella en que tienes las facciones más increíbles que he visto en mi vida y nunca te he visto con esa camiseta verde puesta, pero me encanta cómo ese color resalta el de tus ojos. Y llevo meses muriéndome por simplemente ir y besarte.

Joder, a la segunda frase se había dado cuenta de lo que Claire estaba haciendo y se le aceleraron todos los signos vitales; lo había leído. El diario. Lo debía de haber leído entero porque había hecho un recorrido bastante exhaustivo de su contenido, corrigiendo la información discrepante, y todo aquello, su voz, sus palabras y la forma en que la estaba abrazando mientras hablaba, todo sonaba a «no soy ella, pero espero gustarte más». Se giró y, al sentirla moverse, Claire se apartó ligeramente, liberándola de su abrazo.

—Te lo has leído —dijo mirándola y la rubia asintió.

—Parecía muy popular entre vosotras. Tenía que enterarme de qué iba todo esto —indicó escondiendo sus manos en los bolsillos de su abrigo, y ella sonrió al oírla.

—¿Y te has enterado?

—En parte, y Ronda me explicó algunas cosas —reconoció.

Sintió un pinchazo de culpabilidad en el pecho, porque tendría que haber sido ella y no Ronda.

—Lo siento, Claire —admitió—. Siento haber salido corriendo al enterarme de que... —comenzó a disculparse.

—De que no era ella —completó su frase bajando la mirada al suelo, otro pinchazo en su pecho. Cuidado, Woodson, que no hay dos sin tres—. Habría sido una historia muy bonita, Ashley. El destino, las almas gemelas, como una novela de la literatura romántica. Siento no haber sido parte de ella —dijo con media sonrisa triste.

—Creo que siempre lo has sido, aunque no lo supiera. Y si no, que le jodan al destino, si no fue él. Yo habría hecho un millón de planes para poder conocerte —le confesó. Y es que era verdad.

Claire la miró al escucharla y sonrió de esa forma que conseguía dejarla sin aire en los pulmones, sin que le importara la falta de oxígeno.

—Vaya, Woodson, sí que tienes labia —admitió sacando una mano a la intemperie para juguetear con la cremallera de su anorak.

—Me ha llevado toda la noche dar con esa frase demoledora —bromeó devolviéndole la sonrisa.

—Imbécil —la acusó divertida, golpeándole suavemente el pecho con la palma de la mano.

Se rio ante su gesto, sin retroceder ni medio paso porque se estaba muy bien allí, y sujetó la mano de la rubia con la suya, manteniéndola contra su anorak. Cuando sus miradas conectaron lo supo: también podían besarse. Gracias al Señor. Se acercó más a ella, aunque casi era imposible, y recortó la mitad de la distancia que la separaba de sus labios. Estudió sus ojos, tratando de encontrar el permiso para cerrar el hueco por completo, porque el parque estaba semidesierto y no muy iluminado, pero no estaba segura de que Claire quisiera besarla en espacios abiertos. Aún tenían que tratar ese punto, entre otros muchos.

La rubia le sujetó su cremallera y tiró hacia ella, recibiendo su boca con los labios entreabiertos. Virgen Santísima, ¡su fetiche de nuevo! Y Claire la estaba besando de forma suave y firme, sin soltar su maldita cremallera, como si tuviera miedo de que fuera a irse a cualquier sitio si la dejaba libre. *No temas, mujer.* No pensaba irse a ningún lado, hacía demasiado frío fuera de ese beso. El tercero, y que vinieran muchos más, gracias.

Inclinó la cabeza lo justo para poder atrapar mejor sus labios, y Claire emitió un sonido de agrado antes de profundizar el beso. Joder, que se hubiera pasado toda la vida besando tíos era un puto sacrilegio, de verdad. Colocó las manos en sus caderas, su lugar favorito del mundo entero, y Claire continuaba aferrada a su cremallera como si le fuera la vida en ello. Le estaba gustando aquel beso, en mitad del parque mientras sus mascotas gruñían a su alrededor peleándose por la pelota, y le estaba gustando mucho más que mucho la forma que tenía Claire de atrapar su labio inferior entre los suyos. Demasiado. Todo aquello le gustaba demasiado. Y que le gustara tanto comenzó a agobiarla, porque lo tenía que saber, lo tenía que preguntar.

—¿Qué pasa con Nick? —preguntó a media voz, manteniendo los ojos cerrados y separándose ligeramente de su boca.

Sintió cómo Claire la apartaba con suavidad, y casi se arrepintió de haberlo preguntado en mitad de aquel jodidamente increíble beso, pero es que necesitaba saberlo de verdad. ¿Iba a dejar a Nick? ¿Qué sentía por él? ¿Qué sentía por ella? ¿Qué quería hacer a continuación? La rubia respiró hondo, suponía que, en parte, para recuperarse de la falta de oxígeno implícita en el beso y frunció el ceño cuando comenzó a caminar alejándose de ella. Se volvió y la siguió en silencio al comprender que se dirigía hacia uno de los bancos cercanos al lago, parecía que la respuesta iba a ser algo más compleja que un simple e ideal «Que le den a Nick. Calla y bésame». Una lástima.

Se sentó a horcajadas en el banco, de cara a Claire. En aquellos momentos, la profesora perdía la vista en el lago, así que se dedicó a recorrer su perfil con la mirada en espera de que estuviera preparada para hablar. A lo mejor aprovechó también para suplicar una y mil veces a cualquier poder superior que, lo que fuera a contestar la rubia, no le destrozara la existencia entera. Porque Ronda le había dicho que Claire había decidido dejar a Nick, pero a lo mejor las cosas no eran tan fáciles. Aguantó unos cuantos segundos en silencio, pero al final tuvo que darle un empujón verbal, porque iba a volverse loca anticipando posibles respuestas desfavorables.

—Claire... —la llamó suavemente—. No quiero agobiarte y sé que tu posición no es fácil ahora mismo, pero...

—Voy a dejarle —le informó mientras miraba el lago, y ella aguantó la respiración.

—¿Estás segura? —preguntó a media voz. Porque era lo que más quería en el mundo, pero necesitaba que Claire tuviera las cosas claras.

—Ashley, sabes que las cosas con él iban mal desde antes de que nos mudásemos —señaló, y ella asintió. Desde que la conocía no la había visto ni un solo día bien con Nick—. Supongo que, incluso sin haberte conocido a ti, habríamos terminado, tarde o temprano. Tú solo has acelerado el proceso.

—Joder, no debería alegrarme —reconoció aliviada y Claire le dedicó media sonrisa—. ¿Cómo te sientes tú?

—Sorprendentemente tranquila —admitió—. Creo que lo de ayer lo puso todo en perspectiva.

—Lo de ayer —repitió ella sin terminar de entender muy bien a lo que se refería.

—Pensé que no volverías a mirarme así más —reconoció—. Me dio más miedo que todo lo que pueda conllevar dejar a Nick.

Joder, cuánta sinceridad, y a ella se le estaba derritiendo un poco el alma, porque no sabía muy bien cómo la miraba, le salía solo, pero parecía que era bastante evidente de cara al exterior. La famosa mirada de una imbécil completamente enamorada, seguramente a eso se referían todos. Se acercó más a ella en el banco, de alguna forma el reconocer todo aquello sin tapujos la hacía parecer más vulnerable y quería que supiera que las dos estaban en el mismo barco.

—Claire —la llamó acariciándole con suavidad el muslo y ella desvió la vista del lago para conectar sus miradas—. Que pudieras elegirle a él me daba más miedo que cualquier otra cosa.

Le gustó cuando acarició su mejilla mientras observaba su rostro y le gustó aún más cuando se inclinó para besarla. Su cuarto beso. No fue tan intenso como los anteriores y hubiese preferido que durara un poco más, la noche entera, por ejemplo; pero la rubia se separó de ella sin dejar de acariciar su mejilla y su interior al completo hizo la ola por poder estar de aquella forma con ella. Besándose en un banco en mitad del parque.

—No siento que esté engañándolo cuando te beso —admitió y, no supo si se lo decía a ella o si, simplemente, pensaba en voz alta—. Hace tiempo que siento como si te engañara a ti cuando lo beso a él.

—Y solo por curiosidad, ¿me engañas mucho?

Y formuló la pregunta en tono de broma, pero, en realidad, cada vez que se la imaginaba besando a Nick se le revolvía todo el cuerpo y odiaba un poco más el kétchup. Claire sonrió al escucharla, pero desvió la vista al lago, señal de que no estaba cómoda tratando aquel tema. Y ya eran dos.

—¿Estás celosa? ¿Tan pronto? —bromeó a su vez.

—Desde hace bastante —reconoció mirando el lago también.

—Lo siento —escuchó su tono suave—. Intenté decírselo ayer, pero tenía prisa y está en mitad de ese maldito «juicio del siglo». Es muy importante para él.

—¿Hasta cuándo? —quiso saber, no muy segura de poder exigir nada.

¿Qué eran? ¿Qué quería la rubia que fueran?

—El jueves. Me ha dicho que el jueves habrá terminado sus alegaciones —respondió, y ella asintió sin levantar su vista de las aguas heladas del lago—. ¿Estás bien?

En tierra de nadie. Así estaba. Respiró hondo, antes de devolver su mirada a aquellos ojos azules cargados de culpabilidad, y no creía que Claire pudiera soportar mucho más en la situación en la que se encontraba, así que se obligó a comportarse como una adulta responsable y con control de sus emociones.

—Estoy bien —aseguró, y en ese momento Cleo llegó como una exhalación y se encaramó a su pierna buscando sus atenciones—. Hablando de celosas... —bromeó acariciándole la cabeza, y le gustó ver que Claire sonreía.

—Te va a manchar los pantalones.

—Me compré una lavadora y tengo que amortizarla —le quitó importancia y continuó achuchando a Cleo hasta que se dio cuenta de la forma en que la profesora la miraba. Cada vez que la pillaba observándola así sufría una arritmia—. ¿Qué pasa?

—Que me encanta que seas así —le informó la chica.

Ay, la arritmia otra vez.

—¿Una guarra con pantalones sucios? —Alzó las cejas y Claire sonrió.

—No, una imbécil —especificó y fue su turno para sonreír—. Creo que es hora de volver —añadió levantándose del banco y tendiéndole la mano.

Suspiró internamente, no tenía ganas de volver si eso significaba que Claire se fuera a su casa con Nick. Quería que se quedara en la suya para poder seguir besándola cuando le viniera en gana. Aun así, aceptó su mano extendida y se incorporó llamando a Darwin, que acudió a su lado veloz con la pelota en la boca. La rubia no le soltó la mano cuando empezaron a caminar, y la arritmia se convirtió en angina de pecho al sentir cómo entrelazaba sus dedos. Emocionada porque una chica le daba la mano, madre mía, qué lástima de espécimen, pero es que le daba igual, porque la chica en cuestión era Claire Lewis y solo por eso el fallo cardíaco estaba completamente justificado.

Ufff... una nueva experiencia, como si nunca antes hubiera ido de la mano con una chica. Y la verdad era que había caminado de la mano con otras chicas muchas veces, pero ninguna se había sentido así.

Increíblemente cursi e innegablemente cierto al mismo tiempo.

2

Let's get physical

Tuvo que soltarle la mano cuando salieron del parque, no podía arriesgarse a que algún conocido de Nick las viera. Su palma se enfrió rápidamente ante la pérdida de contacto y se repitió a sí misma que, en unos días, daría lo mismo quién pudiera verla caminando de la mano de Ashley; una de las muchas razones que le infundían valor cada vez que pensaba en el jueves. El maldito jueves, y Nick y su total ignorancia. Se sentía como el piloto del Enola Gay aproximándose a Hiroshima, con una carga que devastaría su vida entera. Trascendente, desde luego. Pero estaban a domingo, y casi sería mejor si aplazaba un par de días aquellas anticipaciones; el único plan viable, porque, cuando lo pensaba, miles de preguntas se agolpaban en su mente, agobiándola hasta el extremo de la desesperación más absoluta. ¿Qué iba a decirle? ¿Qué diría él? ¿Se enfadaría? ¿Lloraría? ¿Cómo iba a sentirse ella? ¿Qué pasaría después?

Después. Después estaría Ashley, así que estaba segura de que todo iba a ir bien. La miró caminando a su lado y sonrió un poco. Emoción pura y sin filtros ni nada, porque lo que aquella chica le hacía sentir era alucinante. Desde hacía tiempo conocía aquella sensación de seguridad, una especie de incondicionalidad no pactada de antemano, simplemente había surgido así, a ritmo de cervezas y de paseos en el parque, construyéndose desde la base de aquel «¿Cómo debería llamarte si nos volvemos a ver?». «Claire Lewis», y gracias a Dios que volvieron a verse. También estaba familiarizada con aquella confianza plena que se ponía en marcha cada vez que necesitaba cualquier cosa, porque Ashley siempre estaba ahí. Aquellas conversaciones que duraban horas y, aun así, se le quedaban bastante cortas porque nunca encontraba el momento de decirle adiós. Los juegos a los que la veterinaria la arrastraba y ella se dejaba llevar porque eran lo mejor del mundo. Su mirada cómplice y su devastadora sonrisa. Todo aquello no era nuevo, casi lo daba por sentado, y todo en su conjunto era lo que la había vuelto completamente loca por aquella chica de ojos verdes en primer lugar. ¿Después? Después un poco más y se enamoró de ella. Sin saber que aún le quedaban cosas por conocer de Ashley.

Su forma de besar, por ejemplo. Había teorizado mucho acerca de cuál sería el estilo de la veterinaria, imaginándose mil formas diferentes en las que podría atrapar sus labios. ¿Suave? ¿Delicado? ¿Pasional? ¿Decepcionante? Madre mía, todo menos lo último, y mucho más. Lo había descubierto hacía un par de días, lo mejor que había probado en toda su vida, y era por la forma que tenía Ashley de buscar su boca, su respiración contra su piel, sus manos dibujándole las caderas y sentir su jodida sonrisa contra los labios. Sus ojos mirándola entre besos y las caricias de su lengua. Oh, mierda, las caricias de su lengua cuando profundizaban el contacto. Había descubierto que, además de segura, cómoda y confiada en el plano emocional, Ashley la hacía sentirse tremendamente excitada y necesitada en el físico, porque una cosa era haberlo imaginado en infinidad de ocasiones y otra descubrirlo en vivo y en directo. Es que lo hacía todo bien. Muy bien y diferente a como había sido hasta entonces. ¿Diferente porque había sido con una chica o diferente porque había sido con Ashley?

Casi sin darse cuenta, habían llegado al punto en que se bifurcaban sus caminos. Ashley giró a la izquierda, desviándose de la ruta directa hacia su casa, no le extrañaba, porque siempre la acompañaba antes a la suya. Algo se le revolvió por dentro al verla enfilar la calle, a lo mejor era el recuerdo del beso de Nick o lo que le costaba mirarlo a la cara cada vez que le sonreía. Tal vez fuera su propio miedo a enfrentarse a lo que ya era su pasado porque él aún no lo sabía. Por lo que fuera o porque simplemente le salió así, tomó a Ashley de la mano, frenándola, y la veterinaria la miró con el ceño fruncido volviéndose hacia ella.

—¿Podemos ir a tu casa? —preguntó, y a lo mejor su tono había sonado un poco más suplicante de lo previsto.

—Podemos hacer lo que quieras —respondió la veterinaria sin pensárselo, seguidamente sintió cómo recorría su rostro con la mirada, intentando descifrar algo—. ¿Estás bien, Claire? —se decidió a preguntar, y ella bajó la vista al suelo.

—Contigo sí —admitió y, cuando la miró, Ashley seguía observándola—. No sé cómo comportarme con él. Estoy a punto de destrozarle la vida y actúa como si nada.

Por cómo la estaba mirando supo que si no estuvieran en mitad del centro neurálgico de toda su existencia en Cleveland, la veterinaria la habría abrazado en ese mismo momento. Sin decirle que no pasaba nada, sin mentirle, porque sí que pasaba, pero lo comprendía. Ashley la entendía bien, demasiado bien, casi como si se hubiera leído su manual de instrucciones y supiera qué botón tocar a cada momento para evitar el desastre. Indispensable en tiempos de crisis e indispensable a secas.

—Darwin, cambio de planes —llamó a su perro, tirando ligeramente de la correa—, esta vez las chicas nos acompañan a casa.

La siguió con Cleo trotando alegremente delante de ella, no era un secreto que su mascota prefería la compañía de Ashley y Darwin a la de su novio, y que ella se sentía igual iba a dejar de serlo de forma inminente. El jueves. Menuda aversión le estaba cogiendo, y solo era un pobre y humilde día de la semana, sin más pretensiones, *así que dale un respiro, Claire*. Que Nick se diera cuenta por sí mismo era pedir demasiado, ¿verdad? Y a ella se le ocurrían decenas de discursos y al final ninguno le servía porque todos se desarrollaban en torno a la misma idea principal: «No quiero seguir contigo porque me he enamorado de otra persona». Y podría adornarlo con todos «lo siento» del mundo, pero en el fondo continuaría dando igual. «Ya no te quiero», y todo lo demás sobraba, porque la verdad era que estaba allí de relleno. Nunca pensó que tendría que decirle algo así a Nick. Que le había querido mucho, sí, pero en pasado.

En menos de cinco minutos se encontraban en el porche de Ashley, y Cleo y Darwin meneaban la cola ansiosos por entrar en la casa. La veterinaria buscó las llaves en el bolsillo de su anorak y cuando las encontró se volvió hacia ella con media sonrisa que, en cierta medida, ayudó a disipar sus sombríos pensamientos, porque de esa forma funcionaban ellas y era así de alucinante.

—Si ves algún calzoncillo por ahí tirado, disculpa a Darwin, no esperaba visita —bromeó y logró sacarle una sonrisa, y de las de verdad, además. Menuda facilidad.

Abrió la puerta sin más y sus mascotas entraron al galope en busca de solo ellos sabían qué. Ashley la dejó pasar primero cuidando hasta los pequeños detalles, y no para tratar de impresionarla. Dios sabía que no le hacía ninguna falta ya, simplemente le salía así.

Se desprendieron de sus abrigos y los colgaron en la entrada antes de caminar hasta el salón y ella se sentó en el sofá mientras Ashley se disculpaba, despejando la mesa que tenía frente al mismo, ya que se encontraba semienterrada entre papeles del trabajo. Desapareció por unos segundos de la habitación y ella paseó la vista a su alrededor. Le encantaba la casa de Ashley, desde el principio le había parecido increíblemente acogedora y, aunque no había dejado de serlo, en aquel momento se sintió un poco insegura mientras esperaba allí sentada. Porque, aunque todo seguía igual, algo había cambiado. Como si estuvieran de mudanza a una nueva casa y aún no supieran muy bien dónde colocar los muebles viejos. Le encantaba poder besarla y tocarla de una forma más íntima, sin embargo, aún era extraño y casi ni se lo creía. Estaban en mitad de una transición, sí, pero... ¿hacia dónde?

—Destronado por una jack russell enana —dijo Ashley, sentándose a su lado en el sofá al ver cómo Cleo había ocupado la cama de su mascota—. La autoestima de Darwin está por los suelos —añadió y le sonrió mientras se acomodaba contra los cojines del respaldo, apoyando su cabeza en ellos.

—La mimaste demasiado en Navidades —la acusó mirándola divertida y adoptó su misma postura para quedar ambas frente a frente.

—Nunca es demasiado, Lewis —puntualizó en tono teatral y ella le devolvió la sonrisa.

Por un momento se sostuvieron la mirada sin añadir nada más y después bajó la vista a su mano cuando Ashley la acarició con la suya, entrelazando sus dedos. Y era nuevo poder estar así, como si hubiera desaparecido una barrera invisible y no supieran qué había al otro lado. Se conocían desde hacía cinco meses, sabía que la veterinaria era muy atenta, amable, divertida, que adoraba a los animales y ver *The Voice*, que sabía exactamente cómo tratarla cada vez que se sentía mal y era muy imbécil de una manera que le encantaba. Sabían muchas cosas la una de la otra, pero desconocían otras tantas. Hasta entonces habían sido «amigas», ¿cómo sería Ashley en un plano más íntimo?

Era verdad que la había visto en una relación estable y Tracy estaba loca por ella, pero no era lo mismo observarlo desde fuera. Había sido como mirar un escaparate, pero sin llegar a entrar en la tienda. ¿Y qué habría dentro?

Levantó la vista y se encontró con sus ojos verdes, sintió mariposas en el estómago cuando el tacto de su mano en la suya acudió a acompañar a la forma en que la miraba. Era una mezcla extraña, con base en la seguridad que le daba su relación anterior, porque seguía siendo Ashley, aunque estuvieran entrando en juego facetas de ambas desconocidas hasta entonces. De momento, le encantaban todas.

Se acercó a ella en el sofá, debía aprovecharse de su nuevo estatus, tantear cuál era el nuevo espacio personal de cada una. Si es que les quedaba alguno. Cuando acomodó su cabeza a pocos centímetros de la de la morena sobre el cojín del respaldo, ella volvió a sonreírle, a lo mejor porque aquella nueva distribución del espacio le gustaba más también. Y se le aceleraron las pulsaciones simplemente por tenerla allí.

—Claire —la llamó a pesar de que sus miradas estaban conectadas.

—Ashley.

—Iba a decirte que si necesitabas hablar de toda esta situación, de Nick, del diario..., podríamos hacerlo.

—Pero... —dejó en el aire, dándole pie a que completara aquella idea.

—¿Te acuerdas de la historia esa de Edgar Allan Poe, *El corazón delator*?

—Vagamente —bromeó ella y la veterinaria le sonrió, incrementándole la tasa cardíaca.

—Es el mío ahora mismo. Estará por las doscientas pulsaciones por minuto —reconoció colocándole un mechón de pelo tras la oreja—. Sé que todo es muy complicado aún, que tenemos mil cosas que aclarar, pero creo que si no te beso ahora mismo...

Y no la dejó acabar, porque era verdad que todo era aún complicado, la otra Claire Lewis, Nick y su conversación pendiente y aquel malestar generalizado cada vez que lo pensaba, pero es que había entendido a la perfección aquel «si no te beso ahora mismo», y sabía lo que venía a continuación sin necesidad de dejarla finalizar la frase, así que la besó ella. Su particular tiempo muerto en todo lo referente al drama que se le venía encima; Ashley era el paréntesis perfecto. Su preferido.

Recortó el espacio entre sus labios, abandonándose a la alucinante sensación que la recorría entera cada vez que la besaba, porque Ashley la recibió con la boca entreabierta, preparada, a pesar de que no la habían avisado con antelación. Enseguida la mano de la veterinaria estaba enredada en su pelo y le encantaba notarla allí, acariciando, mientras su boca la buscaba de una manera que conseguía derretirle el interior al completo una y otra vez. Su forma de besar era una mezcla perfecta de muchas cosas que le costaba distinguir por separado, y sentir su misma necesidad reflejada en cada uno de sus movimientos,

44

en la forma en la que intentaba acercarse más a ella, era la gota que colmaba el vaso. Estaba besando a Ashley en el sofá de su salón mientras escuchaba los gruñidos de Darwin y Cleo como música de fondo, y era simplemente perfecto.

La sintió sonreír contra sus labios, antes de atacar su boca con suavidad de nuevo y, cada vez que hacía eso, ella se convencía un poco más de que aquello era lo que quería. Porque, por lo general, era bastante insegura, y con todo lo demás había tenido que pensarse más de una vez cada paso, pero allí no le hacía falta. A lo mejor era un poco paradójico, porque era una chica y ella tenía pareja, y debería haber sido complicado, debería haberle hecho plantearse muchas cosas, ¿verdad? Y, en cambio, en el momento potencialmente más complejo de toda su existencia, Ashley no había dejado lugar a la duda. Enamorarse de ella era lo más sencillo que había hecho jamás.

Fue su turno para sonreír en el beso y le tomó la cara entre las manos, inclinando un poco la cabeza para poder besarla aún mejor. Y casi le faltaba el aire, pero era prescindible, totalmente prescindible si podía continuar sintiéndose así un poco más. Fue Ashley la que terminó rompiendo el beso por pura necesidad fisiológica de oxígeno y ella la miró, estaba muy cerca y mantenía los ojos cerrados, echaba de menos aquel verde y sentía su respiración caliente acariciando sus labios. Nunca había sido tan íntimo con nadie antes un simple beso. Aquella necesidad de acariciar sus facciones con la yema de los dedos hasta haberlas recorrido un millón de veces con el único objetivo de volver a empezar, y esas preguntas que despertaban su cuerpo de manera brutal: ¿cómo sería tocarla?, ¿cómo sería dejarse tocar?

Deslizó los dedos por su mandíbula y ella abrió los ojos lento, como si le pesasen los parpados, y miró su boca antes de conectar con su mirada. Una nueva tonalidad de verde tan maravillosa como las anteriores.

—Joder —opinó la veterinaria en un susurro entrecortado mientras se dibujaba media sonrisa en sus labios.

Y más que un «joder», aquello significaba «no me imaginaba que esto iba a ser tan increíble».

—Joder —estuvo de acuerdo antes de tomarla por el cuello del jersey que llevaba para atraerla hacia ella de un tirón.

Cuando profundizó el beso casi antes de haberlo empezado, Ashley gruñó en su boca y aquel sonido hizo crecer de forma exponencial su necesidad de sentirla. Una oleada de deseo, puro y sin adulterar, casi desesperación por encontrarse bajo su peso. Porque sentir aquellas formas contra su cuerpo en el zoológico había sido completamente nuevo, curvas desconocidas hasta entonces y gemidos femeninos respondiendo a los suyos. Una primera vez que la había dejado con ganas de más, adicta a aquel tono ronco, a su olor y a la suavidad de su pelo, a su forma de acorralarla contra la pared mientras la desmontaba por piezas con el mejor beso de la historia y a la presión entre sus cuerpos.

Casi gimió por tan solo sentir a Ashley empujándola con su cuerpo hacia atrás, tratando de tumbarla en el sofá mientras los besos se volvían más húmedos, como si la capacidad de autocontrol de la veterinaria estuviera comenzando a hacerse pedazos. La suya se desintegró del todo cuando la sintió intentando colocarse sobre ella sin dejar de besarla, y de pronto las manos de Ashley estaban acariciando sus costados por encima de la ropa. Y es que si no la tocaba se iba a morir, tan sencillo como eso. Deslizó las manos por su cintura y las coló por debajo de la ropa de Ashley para poder entrar en contacto con su espalda desnuda, se moría por sentir su piel caliente. La veterinaria jadeó contra sus labios, rompiendo el beso momentáneamente, y la observó con la mirada más oscurecida que nunca. Esa era nueva y estaba estremeciéndole el organismo al completo.

Terminó de atraparla entre su cuerpo y el sofá, y dejó escapar un gemido contra su boca cuando Ashley descansó todo su peso sobre ella, porque, lo que antes era calor insoportable y muchas ganas así en general, de repente era una presión acuciante en la mitad inferior de su cuerpo en particular, justo en el punto en el que las caderas de la veterinaria encajaban tan bien con las suyas. Dios, se estaba tan bien bajo su cuerpo. La tomó por la nuca con ambas manos, intensificando su, ya de por sí, intensa forma de besarse, y la respiración pesada de Ashley no ayudaba precisamente a reducir sus pulsaciones y ella se perdió por completo en todo aquello.

Una lengua húmeda lamiendo su mejilla consiguió que regresara a la realidad, porque la de Ashley se encontraba haciendo cosas muy interesantes en el interior de su boca en esos momentos. Giró la cabeza, haciendo gruñir a la veterinaria en protesta por romper el ángulo de un beso perfecto, y frunció el ceño cuando vio el rostro de Cleo a escasos centímetros del suyo. Su mascota se había encaramado al sofá, apoyando en él sus patas delanteras, y las observaba atentamente en plan: «Os lo estáis pasando genial y yo también quiero». No era la primera vez que Cleo la interrumpía en mitad de una sesión algo subida de tono y, en general, Nick se cabreaba bastante con ella y terminaba despachándola de la habitación y cerrándole la puerta en las narices para impedir su regreso. Cuando miró a Ashley se encontró con una sonrisa divertida en su rostro, porque también había localizado allí a su amiga peluda. Cleo le regaló otro «beso» en su mejilla y ella se echó a reír cuando Ashley le lamió la contraria imitando a su mascota.

—¡Parad! —exigió revolviéndose bajo el peso de su cuerpo, pero solo consiguió que la veterinaria riera también y Cleo comenzara a menear la cola a velocidades cósmicas.

—No conocemos el significado de esa palabra, ¿verdad, Cleo? —respondió Ashley.

La chica se incorporó un poco para poder subir a su mascota al sofá con ellas, adiós al peso de su cuerpo y hola al peso pluma de Cleo cuando la veterinaria la colocó sobre su pecho. Otro beso del animal, en su nariz esta vez, y de nuevo la lengua de Ashley en su mejilla. Volvió a reír y escuchó cómo ella lo hacía también contra su oído. Cleo ladró extremadamente contenta.

—Me parece que esto se nos va de las manos —admitió cuando Darwin acudió a asomarse al sofá para curiosear qué era tan divertido.

—Cuantos más mejor —bromeó Ashley acariciando a su perro detrás de las orejas.

—Cuestión de gustos, supongo.

—Está bien, despejaré la zona —dijo incorporándose y llamó a sus mascotas una vez de pie—. Hora de cenar, chicos —anunció, pero la miró a ella antes de dirigirse a la cocina—. Da gracias a Cleo, no habría podido parar, y no sé si es lo que necesitamos ahora —admitió y a lo mejor tenía un poco de razón.

—Qué raro, a mí me has parecido bastante necesitada —bromeó, y Ashley sonrió irónicamente.

—Voy a dejártelo pasar porque el riego sanguíneo aún no te llega bien al cerebro —se la devolvió antes de retirarse a la cocina, seguida por sus mascotas.

Ella se quedó allí, tumbada en el sofá, y escondió la cara entre las manos porque era verdad que su cuerpo aún no se había recuperado del efecto que esa versión de Ashley había tenido sobre él, y continuaba sintiendo aquella agradable presión entre sus piernas. Si era sincera, ella tampoco habría podido parar y de no ser por la interrupción de Cleo habría llegado hasta el final con Ashley. Por Dios, si llevaba meses imaginándolo y deseándolo más que nada en su vida, y la realidad de sus gemidos, de sus caricias, de sus movimientos sobre su cuerpo y de su respiración descontrolada superaban toda fantasía. Desde luego que, por lo que había probado, aquella broma de compadecer a las exnovias de la veterinaria no tenía ningún anclaje a la realidad.

Pero Ashley tenía razón, porque no quería mentirle a Nick y tampoco tener que decirle que se había acostado con ella, y el chico iba a preguntárselo, seguro. Al menos debía darle ese resquicio de respeto, ya que no podía ofrecerle nada más, y, aun así, la perspectiva de tener que regresar a casa con él se le quedaba grande y atravesada en la garganta. No quería que intentara besarla, ni que le sonriera de esa forma, ninguno de los dos se merecía que tuviera que fingir y, por mucho miedo que le diera, el jueves estaba tardando en llegar. Que doliera de una vez y lloraría si tenía que llorar, pero que fuera ya pasado, por favor.

Tomó su móvil, pensando seriamente en decirle a Nick que no iría a dormir esa noche para poder refugiarse en Ashley. Ojalá pudiera hacerlo hasta que pasara todo. Le sorprendió encontrarse con unos cuantos mensajes de su novio esperando ser leídos, como una señal o un respiro que le daban desde las alturas porque consideraban que se lo merecía. Curiosa la forma en que trabajaba la perspectiva, porque hacía unos meses, lo que Nick le decía en aquellas líneas le habría amargado la noche entera.

«Nick»
Última conexión a las 0:36
NICK: Cariño, lo siento, me acaban de llamar del bufete.
NICK: Ha surgido algo importante para el caso.
NICK: Te prometo que te lo compensaré.
NICK: Te quiero.
CLAIRE: Tranquilo, aún estoy con Ashley.
CLAIRE: Puede que me quede a dormir aquí si se nos hace tarde.
CLAIRE: No te asustes si no estoy en casa cuando vuelvas.

***

«Claire Lewis, ¿bisexual o heterosexual flexible?»
Olivia, Ronda, Tú
ASHLEY: Para ser heterosexual a secas besa increíblemente bien a las chicas.
RONDA: Interesante, cuéntame más.
OLIVIA: Toda oídos, hasta le he quitado el volumen a los resúmenes de *The Voice*.
ASHLEY: Se presentó esta tarde en el zoo, sin avisar.
RONDA: ¿¿¿¿Y qué pasó???? Se lo he preguntado antes a Claire.
RONDA: Pero necesito que rellenes las lagunas de su «Ha sido muy… Ashley es tan…».

Sonrió como una idiota al leer aquello, porque Claire pensaba que su encuentro en el zoo *había sido muy…* y que *ella era tan…* Joder, ¿qué más le podía pedir a la vida?

ASHLEY: Nos besamos. Mucho. Y besa para morirse, en serio.
RONDA: ¿Primera base? ¿Segunda?

RONDA: Ashley, habla con propiedad, por favor.

ASHLEY: Bueno, no hubo tocamientos por debajo de la ropa.

ASHLEY: Pero hubo contacto total cuerpo a cuerpo. Me acorraló contra la pared.

OLIVIA: Joder con Claire...

ASHLEY: Casi me desmayo.

RONDA: Así que te puso cachonda en el trabajo.

ASHLEY: Mucho.

RONDA: «Mucho» es demasiado general, ¿nivel 1, nivel 2, nivel 3?

OLIVIA: Entre las bases y los niveles parece que hablas en suajili.

RONDA: Coño, chicas, establecimos los niveles de excitación en «Olivia folla de nuevo».

RONDA: Os dejé una circular en vuestros buzones, joder.

OLIVIA: Tiendo a borrar las cosas traumáticas de mi mente, un mecanismo de defensa.

RONDA: Y yo a sintetizar. Leo y yo, *home run*, nivel 3. El tiempo es oro...

ASHLEY: Joder, centraos, por favor. Claire se va a quedar a dormir aquí.

ASHLEY: Se está duchando y antes casi terminamos haciéndolo en el sofá.

RONDA: Interesante, cuéntame más.

ASHLEY: No voy a darte detalles, puta pervertida.

ASHLEY: Pero me vuelve loca, en serio.

ASHLEY: Creo que con ella podría correrme hasta en segunda base.

—Interesante, cuéntame más —escuchó su voz junto a su oído y dio un respingo en el sofá.

¿Claire había leído que con ella podría correrse en segunda base? Joder, puta vergüenza, pero es que no la había oído acercarse al respaldo del sofá, ¿cuánto tiempo llevaba leyendo aquella conversación por encima de su hombro? Dejó el móvil a un lado y la rubia rodeó el mueble para sentarse junto a ella con una sonrisa divertida plastificada en la cara, parecía que el episodio más vergonzoso de su existencia a ella le hacía mucha gracia.

—No está bien espiar las conversaciones privadas de la gente —la reprendió.

—«Claire Lewis, ¿bisexual o heterosexual flexible?», creía que me incumbía —ironizó—. ¿Sabes? Daba por sentado que hablarías de mí con Ronda y con Olivia, pero pensaba que dirías cosas como «es tan guapa» o «joder, no puedo dejar de pensar en sus ojos azules» —admitió con media sonrisa, seguramente porque ella debía de estar un poco roja en ese preciso momento.

—No soy una pervertida, tienes que creerme.

—Un poco. Pero me gusta saber que te sientes así —dijo acariciando el perfil de su mandíbula con un dedo. Le encantaba cuando hacía eso.

—¡Qué coincidencia! A mí me gusta sentirme así —confesó con media sonrisa pícara y Claire le empujó la mejilla con la mano, apartándola de ella y haciéndola reír.

Enseguida volvieron a mirarse y tras unos segundos de silencio ella volvió a hablar, porque tenía que preguntárselo.

—¿Cómo te sientes tú? —inquirió estudiando sus ojos—. Quiero decir... es la primera vez que tú... —Lo dejó en el aire, porque Claire ya lo había pillado.

—Es la primera vez que me siento así por alguien. Chico o chica —le quitó importancia a aquel detalle.

No parecía haber supuesto un estrés especial para la rubia eso de descubrir de repente que le gustaba una chica. Admirable su capacidad de adaptación, y sin comparación con la crisis existencial que atravesó ella en su adolescencia.

—¿Cómo es «así»? —curioseó ladeando la cabeza con interés y sonrió cuando Claire desvió la mirada, porque a lo mejor la que tenía vergüenza ahora era ella.

—Dímelo tú. «Las grandes mentes piensan igual», ¿no? —repitió lo que solía decirle.

—Espero que sí —reconoció, y Claire la miró al escuchar su tono.

—Seguro que sí —dio por sentado y ella la besó, porque no podía no hacerlo cuando la miraba de esa manera.

Fue un beso corto, y esos también le gustaban. Sintió la mano de Claire apoyarse en su cuello antes de separarse de ella y la rubia no la retiró una vez volvieron a conectar sus miradas, le encantó cuando comenzó a acariciarle la mejilla con el pulgar. Claire Lewis era la mejor acariciadora de todos los tiempos, y Cleo era muy afortunada de tenerla como dueña, sin lugar a dudas.

***

Claire Lewis con uno de sus pijamas era la cosa más adorablemente sexi que había visto en los días de su vida, en serio. Y todo en ella lo era, la verdad. Es que cada pequeña cosa que hacía o que decía la arrastraba más y más, y sin remedio, hacia aquella imperiosa necesidad de tenerla cerca. De besarla, de tocarla, porque se había abierto la veda y, ahora, a las risas y bromas de siempre se había sumado la parte física. Una relación extraordinariamente increíble que aún no sabía muy bien cómo definir porque ella lo tenía muy claro, pero le faltaba la mitad de la opinión y Claire no estaba en posición de atender más frentes abiertos en aquellos momentos. *Paciencia, Ashley, paciencia. Hasta el jueves.*

Después de que Claire la hubiera pillado hablando de guarradas con Olivia y con Ronda en su salón, gracias a su habilidad de desplazamiento sorprendentemente silencioso, fue su turno de ir a la ducha. Ay, joder, al lugar donde minutos antes la mujer de todos sus sueños, pasados, presentes y futuros, acababa de ducharse. Desnuda. Por segunda vez en su vida, Claire Lewis había utilizado su ducha. Desnuda. Desnuda, joder. Y es que la vez anterior no había tenido más datos que los que le suministraba la cara más perversa de su imaginación calenturienta, pero en el momento presente conocía a la perfección el sabor de aquellos labios, la curva de sus caderas y la facilidad de la que hacía gala para desmontarle la cordura con uno solo de esos gemidos. Muchos datos de tipo dolorosamente sensorial, y en ellos desembocaban aferencias de los cinco sentidos. Si por separado ya eran para morirse, todo en conjunto era para haberse muerto seis o siete veces tirando por lo bajo. Le costó mucho, pero que mucho, controlarse y mantener aquella ducha para todos los públicos. No debía hacer guarradas mientras Claire la esperaba en el piso inferior, porque lo mismo volvía a materializarse a su lado con el sigilo de un *ninja* y no quería que pensara que era una pervertida de verdad.

Cuando regresó a la planta baja, ya duchada, no encontró a nadie en el salón y se dejó guiar por la voz de Claire proveniente de la cocina. Tres o cuatro latidos perdidos y una agradable sensación en la boca del estómago fueron el saldo final tras contemplar la escena que se había abierto ante sus ojos. Se apoyó en el marco de la puerta con una sonrisa completamente tonta en su rostro y se dedicó a observar cómo Claire preparaba unos sándwiches en la encimera de su cocina, de espaldas a ella y flanqueada por Cleo y por Darwin, sentados uno a cada lado de la rubia y supervisando con atención todos sus movimientos. Negó divertida con la cabeza cuando Claire dijo en voz baja «que no se entere Ashley» antes de darle una loncha de jamón a cada uno. Después se había acercado sin hacer ruido y la había tomado por la cintura, haciéndola soltar un gritito por la sorpresa, y a ella le hizo mucha gracia, pero a Claire ninguna, le había pegado bien fuerte en los brazos para, dos segundos después, volver la cabeza lo justo para dejarse besar. Había sido una escena sencillamente doméstica e increíblemente trascendente al mismo tiempo, porque eso quería ella con Claire: lo quería todo y al mismo tiempo. Ya. Que llevaba cinco meses esperando y con una tolerancia a la frustración envidiable.

En esos momentos estaba ya metida en su cama, «leyendo» un libro de clínica de animales exóticos que le había prestado Kris. Y decía «leyendo» por no decir «babeando internamente mientras recordaba las últimas tendencias en contacto físico con Claire mientras miraba la fotografía de un guacamayo», porque lo primero quedaba mejor y mucho más profesional. ¿Corría el riesgo de condicionar el babeo por Claire con la foto del guacamayo y desarrollar una parafilia? Tal vez, pero es que las imágenes mentales que se habían archivado en su cerebro durante las últimas horas merecían ser reproducidas una y otra vez en un bucle infinito sin principio ni fin y sin tráiler previo ni nada.

Y habían decidido de mutuo acuerdo que sería muchísimo más seguro que Claire durmiese en la habitación de invitados aquella noche. Porque las cosas ya eran suficientemente complicadas tal y como estaban, sin necesidad de nuevas vueltas de tuerca de carácter sexual. Ay, vueltas de tuerca de carácter sexual con Claire. Tan cerca y tan lejos a la vez, en la habitación de al lado, pero a cuatro días de distancia. El jueves. El maldito jueves. Parecía mentira que estuvieran en pleno año 2021 y que todavía no se hubieran inventado las máquinas del tiempo, en serio, ¿dónde demonios tenía la cabeza la comunidad científica? Seguramente, si estuvieran a cuatro días de distancia de Claire Lewis, dedicarían un poquito menos de tiempo al cambio climático y un poquito más a la teoría de cuerdas, joder. Sacudió ligeramente la cabeza porque a aquel guacamayo se le empezaban a poner los ojos un poco azules.

Oyó sus pasos antes de verla entrar a la habitación. Maldita sea, porque sabía que no podría resistirse, tenía ese extraño poder en ella; caminaba con confianza, con determinación, como si aquella fuera su casa y tuviera todo el derecho del mundo a pasearse por donde le diera la gana a cualquier hora del día o de la noche.

—Sabes que no deberías estar aquí, ¿verdad? —preguntó cuando se acomodó a su lado en el colchón—. No me mires así, tienes que irte —le ordenó señalando la puerta.

Cleo se encaramó a su pecho, deshaciéndose del libro de animales exóticos con un certero movimiento de hocico como si hubiera estado practicando, y le lamió la nariz. Pequeña embaucadora. Ya que se había tomado las molestias de hacerle aquella visita nocturna, unos minutos de juego no iban a hacer mal a nadie. La puso panza arriba a su lado en el colchón para poder rascarle la barriga mientras ella gruñía encantada, tratando de morderle la mano.

—No me extraña que prefiera estar contigo —escuchó la voz de Claire junto a la puerta y tapó a Cleo con las sábanas a la velocidad del sonido. Pilladas.

—No sé de qué me hablas —se desentendió sujetando las sábanas para que no pudiera emerger a la superficie, a pesar de que lo intentaba con mucho ahínco.

—Ashley, la estoy oyendo gruñir y parece que hay un terremoto en tu cama. —Sonrió la rubia apoyándose en el marco de la puerta con los brazos cruzados.

—Muchas de mis conquistas lo han definido exactamente así —alardeó y sonrió ella también cuando la vio negar con la cabeza, dándola por imposible, seguramente.

Joder, le encantaba verla con su pijama puesto, rozando el fetichismo con mucho sentimiento. Se moría por decirle «ven aquí conmigo, que me voy a portar bien», aunque no tuviera la plena seguridad de ser capaz de cumplir aquella afirmación, pero las mentiras también tenían derecho a la vida y sin ellas no existiría la verdad. El ying y el yang que le permitiría colar a la rubia en su cama aquella noche. Y es que en oriente tenían todo lo mejor.

—Devuélveme a mi perro, por favor —se lo pidió amablemente acercándose a la cama.

Interesante.

—¿Y si tu perro no quiere ser devuelto? —barajó aquella posibilidad, destapando a Cleo, que se lanzó a un ataque despiadado contra su mano que la hizo reír.

—Cuando sea mayor de edad tomará sus propias decisiones —argumentó—. Hasta entonces, se viene conmigo.

La miró desde una posición de inferioridad por estar sentada en la cama y con la espalda apoyada contra el cabecero y Claire sonrió, porque ya había entrado en su juego. Se inclinó sobre ella para intentar atrapar a Cleo, que en aquellos momentos se revolcaba alegremente sobre el colchón. Y sabía de sobra que iba a cogerla de la mano y obligarla a caer sobre ella, seguro, lo sabía, lo aprobaba y lo buscaba, así que rio cuando sintió el tirón.

—Creía que habíamos decidido que sería más seguro dormir separadas —indicó la rubia dejándose caer junto a ella.

—La seguridad está sobrevalorada. —Se encogió de hombros acomodándose de medio lado para poder mirarla.

La misma sensación que aquella noche tras su viaje a la nieve, cuando estuvieron ambas tumbadas en el sofá del salón. Volvía a ser todo demasiado horizontal y le encantaba. Podría acostumbrarse a tenerla en su cama, encajaba del todo bien y ocupaba el espacio justo, Claire Lewis estaba hecha a su medida.

—No podía dormir. No paro de pensar en ti —admitió la rubia en un susurro.

—Yo no paro de pensar en nosotras, es el doble que lo tuyo —dijo con media sonrisa.

Claire parecía haberle cogido el gusto a eso de acariciarle la cara de aquella forma tan jodidamente genial, porque volvió a deslizar las yemas de sus dedos por la mejilla que no tenía pegada a la almohada. Cleo saltó de la cama como si ya no le interesara lo que pudieran ofrecerle y las dejó a solas. Joder, a solas en su cama.

A pesar de que se le encendieron todas las alarmas, se acercó a su cuerpo; ignorando a su parte más racional, porque no le caía muy bien en esos momentos. No tuvo que pensarse si era buena idea o no eso de besarla en las presentes circunstancias, porque Claire decidió por ella, atrapando sus labios, como si aquella fuera su única opción. Y es que a lo mejor lo era, porque ella tampoco veía otra mínimamente viable. Colocó la mano en la cintura de la rubia y terminó pegándose a su cuerpo. Es que todo se volvía muy físico de repente y a ella le encantaba. Atacó su boca en suaves oleadas, decidida a no profundizar el beso. *Conténtate con esto, que es bastante alucinante.* Cada vez que la rubia se movía, rozándola, para reposicionarse contra su cuerpo, subía un par de grados la temperatura ambiente. Le dieron ganas de decirle «quédate aquí para siempre». Ahorraría una millonada en calefacción.

Cuando Claire la sujetó por la nuca tirando hacia ella mientras su lengua pedía acceso al interior de su boca, se planteó poner el aire acondicionado en pleno invierno, pero en vez de eso le permitió entrar; y que el termómetro siguiera subiendo, muchas gracias. Acarició su costado y pareció que a la rubia le gustó el movimiento porque lo imitó, acariciándoselo a ella. Dejó que sus manos vagaran sin prisa, disfrutando de la topografía del terreno, a la profesora se le subió un poco la camiseta del pijama y aprovechó para colar sus manos por debajo, encontrándose con su piel suave y caliente. Muy caliente. *Madre mía, Claire.* Y los sonidos placenteros que escapaban de su garganta la estaban volviendo loca.

Casi sin darse cuenta las manos de la rubia estaban bajo su camiseta, las sentía investigándole la espalda, y es que ella en ese momento firmaría para que la investigara entera, en serio, sin restricciones, porque se moría por tocarla y por dejarse tocar. Así que tocó. Deslizó las manos por sus caderas y acabó cediendo a sus instintos más primarios, que la empujaban de forma más que descarada hacia su culo. Joder, en cuanto lo acarició, se hizo adicta a aquellas curvas, y encima Claire se apretó contra su cuerpo al sentirlo. Ella estaba más que perdida con la presión entre sus cuerpos y la forma en que la rubia la estaba besando, pero fue cuando sintió las manos de la profesora en su propio trasero, cuando pensó «a la mierda todo» y gruñó contra su boca, colocándose sobre ella. Y Claire se había burlado antes diciéndole que parecía necesitada, pero es que en su caso las apariencias no engañaban, porque no había deseado a nadie de esa forma en su puta vida. Era muy básico, instintos primarios propios de organismos primitivos, seguro, era necesidad en estado puro.

Atrapó una de sus piernas entre las suyas y casi gimió al sentir toda su anatomía moviéndose bajo el peso de su cuerpo, y le mordió con suavidad el labio inferior. Es que aquellos pijamas eran mucho más finos que la ropa que llevaban en su anterior sesión y aumentaba casi en un noventa por ciento la sensibilidad. La rubia jadeó levantando la pierna que quedaba entre las suyas, mientras que ella acariciaba su otro muslo, y al sentir aquella presión en su entrepierna, escondió la cara en el cuello de la profesora y gimió un «Oh, joder» antes de morderlo. Se moría, en serio, se moría. Porque, casi de inmediato, Claire soltó un increíblemente erótico gemido en su oído y eso de correrse en segunda base estuvo a punto de convertirse en realidad. Y estaba tan ocupada con otros asuntos más terrenales que ni le dio vergüenza.

—Ashley... no, no podemos... Ashley, para —jadeó, entrecortada, y ella se incorporó lo justo para poder mirarla con cara de perro abandonado.

Abandonado y jodidamente cachondo. La rubia le acarició la mejilla y a continuación deslizó la mano por su cuello, con la respiración descontrolada, a juego con la suya. Y estaba segura de que iba a morirse de pura frustración. El corazón le iba a mil y es que se le habían despertado de golpe todas las áreas del cuerpo remotamente relacionadas con la búsqueda del placer, hasta las más perezosas, y no sabía si iba a poderlas mandar a dormir así sin más. Se dejó caer de nuevo en su lado de la cama, bocarriba y casi jadeando y se tapó la cara con ambas manos, respirando hondo.

—Joder... —murmuró lastimeramente.

Durante un rato, las dos guardaron silencio, porque necesitaban todos sus recursos para conseguir regularizar de nuevo el ritmo de su cuerpo entero. Después sintió a Claire moverse hacia ella y su mano en el brazo.

—Lo siento —susurró cerca de su oído—, pero no quiero tener que arrepentirme de nada cuando me acueste contigo.

—Joder... —Suspiró de nuevo, la escuchó reír suavemente a su lado y ella sonrió a pesar de todo—. Te entiendo, pero está siendo un poco doloroso ahora mismo —bromeó, solo a medias.

—Puedo irme a la otra habitación.

—No. Quiero que te quedes —se apresuró a aclarar—. Con o sin sexo.

—Sin.

—Mierda. —Rio cuando Claire le pellizcó el costado.

—Imbécil, abrázame —le pidió dándole la espalda y guio su brazo hasta rodearle la cintura.

Se acomodó contra su cuello y su pelo le hizo cosquillas en la nariz al esconder la cara en su nuca. Joder, se estaba bien allí, a pesar del calentón, y estrechó su cintura un poco más atraída por su calor corporal. ¿Aquello? Un puto paraíso terrenal, así de claro, porque la profesora estaba acariciando el brazo con el que la rodeaba y le estaba gustando demasiado. Es que no sería la Claire Lewis del diario porque el destino había cambiado de planes o lo había entendido mal desde el principio.

No era su primer flechazo adolescente, pero era «ella».

Era «ella», seguro.

***

Tamborileó con los dedos sobre la barra, llevaba un rato esperando sus cervezas, pero el Happy Dog estaba casi lleno, así que no era cuestión de agobiar a la pobre camarera que se encontraba sola ante el peligro aquella noche. Se giró para localizar a Ronda y a Olivia sentadas en su mesa habitual, seguían parloteando entre ellas como si tuvieran miles de cosas interesantes que contarse y se lo estaba perdiendo todo. Una lástima, pediría un resumen a cambio de las bebidas.

El tema «Claire» lo habían tratado en primer lugar. Sus amigas llevaban en el local más tiempo y casi no le dieron la oportunidad de sentarse antes de comenzar el interrogatorio. Que si habían follado la noche anterior; Ronda abrió de aquella manera el debate, muy de su estilo, y no sabía de qué se extrañaba, pero es que de repente eso de «follar» le sonaba guarro y le chirriaba un poco. De todas formas, la respuesta era «no», de modo que se simplificó la vida negándolo sin echar más leña al fuego. Después, Olivia le pidió que les contara «todo», siempre había sido una chica ambiciosa, así que les explicó cómo había sido la aparición de Claire en la habitación de King Kong, su paseo por el parque y la manera en que se había colado en su cama a medianoche. No quiso entrar en muchos detalles de lo que había sucedido aquella misma mañana, les dijo que se había despertado con aquellos ojos azules clavados en los suyos, pero no especificó que su corazón casi se había cogido la baja por enfermedad cuando Claire le sonrió en cuanto se percató de que ya no dormía, y que había acariciado la mejilla de la rubia porque le costaba creer que estuviera allí de verdad. Todas aquellas ñoñerías se las guardaba para ella y no le hacía daño a nadie. Después de desayunar la había acercado a su casa, para que se cambiara de ropa y cogiese las cosas que necesitaba para las clases aquel día. Gracias al Señor, Nick ya se había ido, así que la llevó hasta el instituto y Claire la besó antes de salir del coche, sonriéndole de una manera que... madre mía, como si fuera lo más natural del mundo despedirse de aquella manera. Seguramente, la cara de imbécil no se le había quitado en todo el viaje de vuelta a su casa.

No la había visto desde entonces, porque ella había trabajado en el zoo de tarde y Claire había decidido pasar la noche en su propia casa, tenía que preparar unos test sorpresa para que sus alumnos la odiaran al día siguiente. De modo que, a pesar de haber sido invitada, la rubia declinó su propuesta de tomar algo con sus amigas en el Happy Dog. Una verdadera lástima que había ido cogiendo fuerza con el paso de las horas hasta convertirse en putada cuando su mente comenzó a preguntarse en qué punto estarían las cosas entre Nick y ella. Porque Claire le había dicho que se sentía culpable al besarlo, y eso estaba muy bien, pero, joder, implicaba que lo besaba. ¿Se besarían aquella noche? Cuando Nick llegase del trabajo seguro que lo intentaba, ¿y cómo iba a negarse Claire? Pues imposible, porque hasta el puto jueves estaban todos condenados a aquel *statu quo* en beneficio del «juicio del siglo», y a ella le venía francamente mal.

Oh, sus cervezas, por fin. Y justo a tiempo, porque la posibilidad de un potencial beso le amargaba la existencia entera, así que ni osaba plantearse que pudiera pasar nada más entre esos dos. Imposible. Su mente no podía soportarlo y si llegaba a suceder, tendría que disociarse para sobrevivir. Porque, además, aquel tema la llevaba a otro que la tenía un poco preocupada, la verdad. Y es que era la primera vez que Claire estaba con una chica, joder. La primera y única, por definición. Parecía que le había gustado besarla, mucho, eso era verdad, y, por la forma en que gemía y se retorcía debajo de su cuerpo mientras las cosas se calentaban entre las dos, pondría la mano en el fuego por que también había disfrutado de aquel intercambio de atenciones. Genial, estupendo y fantástico. Pero... ¿y si a la hora de la verdad la rubia echaba «algo» de menos? Porque, en un mundo ideal, Claire compartiría su falofobia, pero, desgraciadamente, aquel era un mundo a secas.

Llegó junto a la mesa que ocupaban sus amigas justo a tiempo para escuchar una última frase de labios de Olivia, que llamó su atención.

—La está conociendo y quiere que le demos nuestra opinión. —Y silencio a continuación, porque ella había llegado.

Como dos libros abiertos, en serio. Depositó las cervezas en el centro de la mesa antes de sentarse y mirarlas a ambas alternativamente.

—Si no os conociera tan bien, tendría que preguntaros de qué estabais hablando —admitió centrándose en su bebida. ¿Tracy estaba conociendo a «alguien»?

—Y si no te conociéramos tan bien, te lo contaríamos —dijo Ronda eligiendo uno de los dos botellines restantes. La miró, frunciendo el ceño.

—¿Qué se supone que quiere decir eso?

—Ashley, bastante tienes en la cabeza ya, déjalo pasar anda —le suplicó Olivia.

—Podría dejarlo pasar si no lo hubiera pillado ya, pero sois muy obvias —les informó con cierto resquemor, porque la verdad era que preferiría no haberlo deducido.

—Tracy nos ha invitado a tomar algo con ella por su cumpleaños, es... —comenzó a explicarse Ronda tras compartir una mirada indecisa con la morena.

—El próximo lunes —dijo y volvieron a mirarse entre ellas como si no quisieran especificar nada más.

Y sí, el lunes siguiente Tracy cumplía veintisiete años, y hacía cuatro meses que no se veían, pero desgraciadamente ella era muy buena para las fechas. Se había preguntado en varias ocasiones si debería escribirle para felicitarla, ¿llamarla tal vez? En el momento presente continuaba sin una respuesta satisfactoria a sus inquietudes, porque se sentiría rara sin ni siquiera felicitarla, pero la alternativa era un interrogante de un tamaño considerable. ¿En qué punto estaban? Tras la ruptura, Tracy le había dicho que le gustaría poder llegar a ser amigas con el tiempo y había roto el pacto de silencio felicitándole el nuevo año, pero la había excluido de su celebración de cumpleaños, y si la hubiese incluido, ella no habría estado preparada, seguro. El complicado mundo de las rupturas sentimentales, porque Amy se había marchado al otro lado del país y a Joanna la había sacado de su vida de raíz y sin remordimientos, pero con Tracy era diferente. A Tracy no quería perderla del todo.

Y la pelirroja estaba conociendo a «alguien». Inesperado, desde luego, y no sabía muy bien dónde colocarlo de momento, así que miró fijamente su cerveza, intentando buscarle un hueco. ¿A quién? ¿A quién había conocido? Y a ella no debería importarle, porque le sacaba ventaja en ese terreno. Cinco meses de ventaja y hacía cuatro que habían roto. Una simple operación matemática y le caducaba el derecho a preguntar siquiera. Irracional, porque ella estaba loca por Claire, por decirlo suavemente, y debería alegrarse por su exnovia, desear que fuera muy feliz y que algún día pudieran volver a mirarse a la cara sin que resultara demasiado raro a cada pestañeo. ¿Una utopía? A lo mejor, y ella no podía dejar de preguntarse: «¿Será mejor que yo?», un pensamiento intrusivo y muy insistente. Egodistónico, porque... ¿qué más le daba al fin y al cabo?

—¿A quién? —inquirió mirando a Ronda; era más probable que se rompiera primero.

—A una chica —respondió a regañadientes tras mirar de nuevo a Olivia.

Muy específico, sí, señor.

—No jodas —ironizó, porque Tracy se había decantado por las féminas ya en el jardín de infancia.

62

—No la conocemos, Ashley. Solo sabemos que toca en un grupo —intervino la morena.

¿Qué tocaba en un grupo? ¿En serio? Joder, ideal para Tracy y mejor que ella, seguro. ¿Sería alguien a quien habían visto juntas? Porque se había tragado miles de conciertos con su exnovia, y aquella posibilidad estaba sobre la mesa.

—Creo que canta también —dijo Ronda.

¿Y cantaba además? El premio gordo, solo faltaba que la mirase de la manera correcta, esa que a ella no le había salido del todo bien, y seguro que Tracy le daba hasta las gracias por haberse fijado en Claire. Las vueltas de la vida.

—Por favor, dime que no estás celosa —le pidió Olivia bebiendo directamente de su botellín de cerveza.

—No estoy celosa. Al menos no por eso —reconoció jugueteando con la etiqueta de su bebida.

Y no, no estaba «celosa» de la potencial nueva chica de Tracy, aunque no le hiciera excesiva ilusión, porque celos, «celos» de los de verdad, era lo que sentía cada vez que se acordaba de que Claire estaba en la casa que compartía con Nick y que iba a pasar la noche con él, a solas los dos. Celos de los que se te agarran fuerte a cada terminación nerviosa, a cada fibra, y sin intenciones de facilitarte seguir respirando. Celos de los que duelen y te dan ardor de estómago en versión emocional. Y es que casi perdía las ganas de vivir, así, literal. Y no se quitaba el pensamiento de la cabeza ni por un segundo, así que no había sido una tarde muy agradable.

—Pensaba que no eras de las celosas. No te pega nada —dijo Ronda.

—La situación lo merece, dame un respiro —le pidió ella.

—Todo tuyo, pero Claire está loca por ti, es una pérdida de energía que podrías invertir luego en asuntos más placenteros —insinuó—. No me digas que estás sopesando como algo remotamente posible que Claire se acueste con él esta noche.

Ugh. Nada más escucharlo y se le revolvía el cuerpo entero con mucha dedicación, además. Se aferró a su botellín de cerveza como si fuera un salvavidas en pleno naufragio del Titanic.

Su particular noche del 14 de abril de 1912, pero en enero y unos cuantos años después. Aquellas aguas estaban frías de la hostia.

—Estoy centrando toda mi capacidad de autocontrol en no abrir esa puerta, Ronda —reconoció.

—Sí, Ronda. Esa puerta está mejor cerrada —coincidió con ella Olivia lanzándole a la castaña una mirada de reproche.

Cerrada con llave. Con varias llaves, para evitar disgustos. Sellada, y con sus temores emparedados al otro lado. Y como para asegurarle que sus peores pesadillas no se correspondían con la realidad, en ese preciso momento, recibió un tiempo muerto, un respiro, un paréntesis y un «relájate y los pies en la tierra, Woodson». Un mensaje de WhatsApp de Claire.

«Claire Lewis»
En línea
CLAIRE: Casi me arrepiento de no haber ido con vosotras.
CLAIRE: Tengo ganas de verte y me apetece una cerveza.
ASHLEY: Elegiste el trabajo por encima del placer, Lewis.
CLAIRE: Los genios también nos equivocamos a veces.
ASHLEY: ¿Qué tal la tarde?
CLAIRE: Estoy muy agobiada, y Nick ha llegado hace un rato.
ASHLEY: ¿Cómo de agobiada?
CLAIRE: Cinco cigarrillos y subiendo.
CLAIRE: Cada vez que le veo me dan ganas de fumarme el paquete entero.
CLAIRE: ¿Me llamas cuando vuelvas a casa?
ASHLEY: No puedo prometerte nada, pero lo intentaré.

**

Leyó su último mensaje y, a pesar de todo, sonrió. El extraño e increíble efecto que tenía Ashley en ella, y le encantaba, por un momento incluso se olvidó de las razones por las cuales debía de estar a punto de sufrir varios ataques de ansiedad, todos seguidos, porque se le iban acumulando y, tarde o temprano, tendría que empezar a pagar sus deudas. Sospechaba que más temprano que tarde, y se agobiaba un poco más. Un círculo vicioso de taquicardia y dificultades respiratorias, y ella daba vueltas, perseverando, como una estúpida atracción de feria. Le apetecía el sexto cigarrillo, pero se obligó a posponerlo, trabajando su capacidad de autocontrol; sabía que la nicotina era un mero parche temporal, y, aun así, se los ponía de dos en dos. Tener motivos no era una excusa, pero ayudaba a justificarse. Y tenía dos bastante importantes, esenciales incluso, Nick y Ashley. Porque la veterinaria la calmaba de mil formas diferentes, pero... ¿quién la calmaba a ella? ¿Y cómo lo estaría pasando al otro lado de todo aquel desastre emocional? Después de lo que había sucedido entre ellas el día anterior. Un domingo trascendente. El día D, pero un poco menos bélico. Aquel beso en el zoológico y todos los que lo habían seguido después, la inmensa necesidad de sentirla cerca, muy cerca. Su «¿hasta cuándo?», «hasta el jueves». ¿Tendría Ashley miedo de que ella se echara atrás? Mierda, quizá se le pasaría por la cabeza, pero es que se encontraba tan desbordada emocionalmente que era incapaz de hacerse cargo de nada más.

Nick. Y sus seis años de relación.

¿Y dónde estaban los «no deberías estar haciendo esto»? ¿Dónde había quedado su moralidad? Perdida en toda aquella historia. Y es que se sentía culpable de no sentirse más culpable. Porque, desde el mismo momento en que Ashley había salido de su casa con demasiada prisa tras entregarle aquel diario, le había cambiado la perspectiva. Su imagen alejándose de ella había trasformado su «no sé qué quiero hacer», en un «si no vuelve a mirarme como antes, me muero», un «la quieres a ella, Lewis» tan cristalino que casi dañaba la vista. Un eclipse solar al que no podías mirar directamente por tu propia seguridad. Y de repente ya no había nada que pensar, cayendo en la cuenta de golpe de que había tenido la solución desarrollándose frente a sus narices todo aquel tiempo. Sorprendentemente sencillo por muy duro que resultara despejar las otras incógnitas. Y estando en su casa con Nick y su ignorancia en el piso superior, el peso de lo que le quedaba por hacer le quemaba dentro. Porque la verdad era que no quería hacerle daño, y aquello sí que no tenía solución. Y cuando le había dicho a Ashley que no quería perder a nadie, le había contestado que a ella no iba a perderla, pero estaba segura de que estaba a punto de perder a Nick. Había sido su novio, su pareja, su lugar seguro durante casi seis años, y todo aquel entramado de conexiones que les hacían «ellos» estaba a punto de desaparecer.

Subió las escaleras con la calma que precede a la tormenta a sus espaldas y se asomó a la puerta entreabierta de su despacho, dejando que Cleo cotilleara el interior también. El chico estaba inclinado sobre el escritorio, con sus cascos puestos y ajeno a todo lo demás, como muchas veces antes, y tanta familiaridad dolía un poco, la verdad. Se apoyó en el marco con los brazos cruzados y tan solo lo observó, hasta que comenzaron a escocerle un poco los ojos. Enamorarse de Ashley había sido extremadamente fácil, despedirse de Nick y de esa parte de su vida no iba a serlo tanto. Se dio media vuelta, dispuesta a marcharse de nuevo al salón, porque había subido con la intención de preguntarle si quería algo para cenar, pero no sería buena idea hacerlo en su estado actual.

—Claire, joder, qué susto —su voz sobresaltada la frenó antes de que pudiera dar el primer paso. Se giró justo para verlo consultar su reloj—. ¿Ya es tan tarde? —preguntó sorprendido quitándose los cascos.

Ojalá no notase que sus ojos estaban un poco más cristalinos que de normal.

—Iba a hacer algo de cenar —explicó su presencia allí, y su interior se hizo un poco más pesado cuando Nick le sonrió.

—¿«Hacer» o «pedir»? —lo dudó girando su silla para mirarla de frente.

—Supongo que las dos podrían valer —dijo apoyándose de nuevo en el marco.

—¿Estás bien? —preguntó él tras mirarla durante un par de segundos.

Lo notaba, seguro que podía notarlo, tenía que sentirlo, porque estaba por todas partes; su alrededor al completo gritando en silencio que todo estaba a punto de cambiar, aunque hacía tiempo que ya no era como antes.

—Estoy cansada, llevo toda la tarde preparando un examen sorpresa —mintió solo a medias.

—Seguro que no se lo ven venir. Pobres cabrones —bromeó el muchacho tirando el bolígrafo que aún sujetaba en sus manos sobre los folios que reposaban en la mesa. Solo le pudo dedicar media sonrisa, porque no le daba para más, y él bajó la vista—. Escucha, Claire, sé que estos últimos días he estado completamente ausente —reconoció levantándose y acercándose a ella.

—Nick, lo entiendo —intentó frenar lo que fuera que el chico iba a hacer a continuación—. Sé que este juicio es importante y tienes que estar al cien por cien —añadió sosteniéndole la mirada a duras penas cuando estuvieron frente a frente.

—Vámonos el fin de semana —propuso el muchacho tomándole por la barbilla cuando ella bajó la vista. Sintió un nudo en la garganta al conectar sus miradas de nuevo, porque sabía que no, pero aún no podía decírselo—. A la isla esa a la que fuimos poco después de mudarnos, podríamos quedarnos a dormir, dar paseos de esos que os gustan tanto a Cleo y a ti.

—No te gusta pasear, es «aburrido», ¿recuerdas? —señaló haciendo caso omiso al calor de sus manos en su cintura.

—Haré un sacrificio.

—Primero céntrate en tus alegaciones —escogió la salida fácil, apartando las manos del chico de su cuerpo y dando un paso atrás—. Te aviso cuando llegue la cena.

—«Cuando llegue». Ese era tu plan desde el principio, Lewis —bromeó regresando a su silla—. Podrías preguntarle a Ashley si sabe de algún alojamiento allí que esté bien y admita mascotas. Conocía la isla, ¿verdad? —Alzó la voz para que le escuchara desde el pasillo.

Ya se dirigía hacia las escaleras y se le comprimió el corazón en el pecho al oírle nombrar a Ashley como si nada, pero se obligó a seguir caminando.

***

Expulsó el humo del sexto cigarrillo mientras observaba la luna allí en lo alto, debía de estar muy tranquila, reflejando la luz del sol y tan lejos de todos sus problemas. Una vida monótona, sin más obligaciones que la puntualidad, y le daba un poco de envidia. Otra calada, ya más por inercia que por necesidad, las urgentes siempre eran las primeras. Hacía frío y, aun así, se encontraba en las escaleras de su porche con la cremallera del abrigo hasta arriba porque necesitaba tomar el aire.

Había cenado con Nick comida china delante de la televisión, y rogando a quien estuviera de guardia allí arriba para que al chico no se le ocurriese retomar el tema del viaje de fin de semana. No lo había hecho porque emitían una serie que le encantaba y estaba demasiado ocupado casi atragantándose con el cerdo agridulce cada vez que se reía. Y, mientras, ella comía arroz tres delicias a su lado de forma automática, casi rígida. La realidad era que no quería estar allí, trágico, porque lo que una vez había sido confortable ahora le resultaba artificial en aquella cuenta atrás hacia el jueves. Y se le partía un poco el alma cada vez que Nick reía a su lado, porque ella solo quería marcharse y que otro se enfrentara a todo aquello en su nombre. Quería refugiarse en Ashley y tener a Darwin y a Cleo como público.

Consultó su teléfono móvil, pero no tenía ningún mensaje pendiente de leer, y dio otra calada al cigarrillo mientras observaba la foto de WhatsApp de la veterinaria. Cleo, que estaba tumbada a su lado en el escalón, se levantó de pronto meneando la cola y a ella el corazón se le saltó un latido antes incluso de verla.

—¿Esperas alguna llamada importante? —le preguntó Ashley rascando a Cleo tras las orejas cuando el animal llegó a su altura—. Porque cuando lo miras tan fijamente casi nunca suena.

—¿Qué haces aquí? —preguntó con media sonrisa, porque la veterinaria había quedado en llamarla, pero aquello era mucho mejor.

—Alguien dijo una vez algo así como que tenía ganas de verme y de una cerveza —fingió hacer memoria y le ofreció un botellín de la cerveza que tomaban normalmente en el Happy Dog.

Y tenía toda la razón del mundo, sobre todo en lo de las ganas de verla. Le hizo sitio a su lado en el escalón y, cuando Ashley se sentó, se aseguró de que sus piernas se tocaran. Aquel simple gesto consiguió que su interior pesara un poco menos y la opresión de su pecho fue sustituida por unas ganas enormes de recibirla con un beso.

—No sé cómo lo haces, pero siempre aciertas —reconoció mirándola, y Ashley sonrió con su vista al frente.

—Suerte —aventuró—. ¿Octavo? ¿Noveno? —inquirió después, observando fugazmente el cigarrillo que sostenía entre sus dedos en la mano que no sujetaba la cerveza.

—Sexto.

—Estoy impresionada —señaló mirándola, y cuando sus ojos conectaron le sonrió de aquella forma—. No he acertado nada, ¿sabes? Simplemente necesitaba verte.

Dios, es que cada vez que le decía esas cosas, ella se derretía un poco más por dentro y tuvo que aguantarse las ganas de acariciarle la cara, de inclinarse hacia ella y besarla. Se dio el capricho de perderse en aquel verde, solo un poco, lo justo para olvidarse de todo lo demás.

—Encima romántica —dijo probando la cerveza.

—Estabas condenada desde el principio —añadió Ashley, y tuvo que sonreír al oírla—. ¿Mejor? —preguntó observándola y no especificó nada más, pero ella sabía a lo que se refería, así que asintió.

—Supongo que yo también necesitaba verte a ti —reconoció—. ¿Cómo estás tú?

—Entiendo que es difícil para ti, Claire —dijo apartando la vista.

—No te he preguntado eso —aclaró buscando sus ojos—. No es fácil para ti tampoco.

Ashley respiró hondo, tal vez sopesando si salía a cuenta sincerarse. Un pequeño empujón en forma de caricia en su muslo y la veterinaria volvió a mirarla.

—¿No prefieres mi cara de valiente y menos preocupaciones? Ya tienes bastante.

—No voy a echarme atrás, Ashley —le aseguró acariciándole la pierna—. Y quiero todas tus caras.

No dijo nada, pero de alguna forma supo que había necesitado oírlo y, ni ella la presionó para que se sincerara más, ni Ashley lo hizo por voluntad propia. No hablaron de Claire Lewis, ni de Nick, y casi se olvidaron del jueves, seguramente porque era lo que necesitaban las dos, hablaron de *The Voice*, de Cleo y Darwin, y se apostaron veinte pavos a que Olivia follaría de nuevo en menos de un mes.

Mantuvieron el contacto físico en los mínimos que requería la situación, pero cuando Ashley se levantó para marcharse ella hizo lo mismo y la abrazó, fuerte, acariciando su nuca y sintiendo cómo ella cerraba los brazos en torno a su cintura y escondía la cara en su cuello. Vulnerable, al menos aquello percibió en su forma de abrazarla, como si de alguna forma buscara en aquel contacto una garantía para aquel «No voy a echarme atrás». A lo mejor era su manera de mostrarle otra de sus caras, porque la de valiente ya la tenía muy vista, y le gustó. Le gustó poder acariciarle la nuca y estrecharla fuerte contra ella.

3

The winner takes it all

Mientras Rick Astley cantaba en la radio aquello de «Never gonna give you up» con mucho sentimiento, ella ahogó un bostezo porque no había pasado muy buena noche, la verdad. Sospechaba que aún no le había dado tiempo a asimilar del todo lo que había pasado de golpe en apenas cuatro días. Su primer beso, el descubrir que la rubia no era quien ella pensaba para acabar concluyendo que le daba lo mismo, aquel «No ha sido un malentendido» contra el cristal de la jaula de King Kong y lo que había desatado entre ambas. Y Claire iba a dejar a Nick. Una avalancha a nivel emocional y todavía no había terminado. Porque la rubia le había preguntado la noche anterior cómo se sentía ella y había salido del paso con evasivas, porque no lo sabía del todo y a Claire le habría pesado demasiado aquella respuesta.

«No voy a echarme atrás». Justo lo que necesitaba oír con alarmante frecuencia e intensidad. Que no iba a pensárselo mejor porque ella le valía más. Nunca había sido especialmente insegura, pero toda aquella situación estaba pasándole factura, y cuando no estaban juntas le daba por pensar. La había elegido a ella por encima de una relación de seis años, deteriorada, sí, pero prácticamente era su vida entera, joder, que lo había dejado todo en Boston para apostar por ellos dos y de repente se había quedado sin fichas. Bastante mal lo estaba pasando la rubia con todo aquello como para cargarle también con sus inseguridades. Y sabía que las cosas no iban a ser fáciles desde el principio, así que no tenía ningún derecho a sorprenderse de repente. *Deja de mirarte el ombligo, Ashley, y gestiona lo que tengas que gestionar.*

Y eran unas cuantas cosas, la verdad. ¿La principal? Aquel miedo irracional a que la profesora decidiera de pronto que no merecía la pena poner patas arriba toda su vida por lo que había entre ellas. Y resaltaba lo de irracional, porque cada vez que Claire la miraba de aquella forma era obvio que a las dos les merecía la pena del todo y casi sin dudarlo. Empíricamente comprobable y, aun así, ahí estaba. Aceptar que la rubia tuviera miedo de dar el paso, que le costara, incluso que, de alguna forma, le pusiera triste dejar a Nick, porque desde fuera seguro que se entendía la hostia de bien, pero desde tan cerca se le hacía un poco difícil manejar lo que despertaba en ella toda aquella dualidad. Así que, allí estaba, intentando hacerlo lo mejor posible porque Claire contaba con ella. «Eres mejor que los cigarrillos, me haces sentir bien sin nicotina» y, por seguir siendo su nicotina, todo aquello le salía bastante a cuenta.

—¿Estás bien? —preguntó la profesora desde el asiento del copiloto y casi al mismo tiempo sintió su mano acariciándole la nuca.

Joder, cuando hacía eso, estaba de puta madre, así de claro. Aprovechó que un amable semáforo acababa de ponerse en rojo para poder mirarla sin prisas.

—No he dormido muy bien esta noche.

—Yo tampoco.

—Podríamos habernos levantado a ver telebasura juntas, como en los viejos tiempos —indicó esbozando media sonrisa, y le gustó ver cómo Claire le respondía con otra igual.

—¿Por qué no podías dormir? —preguntó y ella desvió su vista al frente. Demasiado obvio, pero le salió automático—. Ashley, puedo imaginármelo, aunque no me lo digas, ¿sabes?

—No tiene mucho mérito —trató de bromear.

—Lo sé de todas formas, pero preferiría que me lo dijeras.

Se limitó a conducir en silencio durante unos segundos, y sentía la mirada de Claire sobre ella. Poco después, la rubia perdió la mirada por la ventanilla y fue ella quien la miró fugazmente.

—No pude dormir porque pensaba en ti y en Nick —admitió—. En qué sentirás por él, en si aún le quieres y en que seis años no se borran así como así.

—¿Y llegaste a alguna conclusión?

—Sí, llegue a la conclusión de que tenía que preguntártelo. Y sé que en diez minutos tienes que joderles la vida a veinte adolescentes inocentes, que seguramente ayer se pasaron la noche viendo la tele en vez de estudiar para tu examen sorpresa. Así que probablemente no es el mejor momento de mantener todas las conversaciones que tenemos pendientes tú y yo —dijo mientras aparcaba el vehículo frente a la puerta principal del instituto donde trabajaba la rubia.

—Probablemente no, pero me sobran cinco minutos para decirte que no merece la pena que te quedes despierta por eso, que entiendo que todo esto te dé miedo y que la cara de valiente te queda muy sexi, pero no tienes que llevarla todo el tiempo —aseguró pasándole la mano por el rostro juguetonamente.

Ahí consiguió que sonriera, sacudiendo la cabeza para liberarse. Y es que Claire Lewis también era mejor que los cigarrillos y le hacía sentir bien sin necesidad de nicotina.

—Así que sexi...

—Imbécil. —Sonrió la rubia al oírla—. Debería irme ya, tengo vidas que destrozar.

Claire se inclinó ligeramente hacia ella para poder besarla, suave y lento, pero fugaz. Y antes de lo que le hubiera gustado, se separaba de ella quitándose el cinturón de seguridad.

—Deséame suerte —le pidió apeándose del vehículo.

—Suerte. Y no seas muy dura con ellos, están en la edad de pensar todo el tiempo en sexo y hacerse pajas —les justificó.

—Ugh, Ashley —exclamó mirándola ya de pie fuera del coche, pero se estaba riendo a pesar de la protesta.

—Tú también fuiste así una vez, Lewis —insistió y Claire cerró la puerta sin querer oír nada más.

Le dedicó una última sonrisa, una de las de «qué imbécil eres», antes de alejarse del coche y ella se quedó observando cómo caminaba hacia la entrada principal, mezclándose con aquellos adolescentes hormonados que ni sospechaban lo que se les venía encima.

**

Sí, había decidido ponerles aquel examen sorpresa porque desde el fin de semana tenía la cabeza en otro sitio y el día anterior había confundido a Virginia Woolf con Jane Austen, y eso no podía permitírselo. Es que su capacidad de concentración había quedado fuera de juego, drásticamente disminuida desde aquel «Ha sido un malentendido», su cuerpo entero puesto en jaque y aún no se había recuperado del todo.

¿Una razón poco profesional para someter a aquellos pobres adolescentes a semejante estrés gratuito? ¿Un poco egoísta convertirles en daños colaterales de su apocalipsis sentimental? Tal vez, pero: «Su clase, sus normas».

Paseó la vista por el mar de cabezas inclinadas antes de dedicar unos segundos a mirar distraída por la ventana. Se encontraba completamente desgastada, vapuleada por un mar de emociones sucediéndose las unas a las otras sin un orden predeterminado, agotada física y mentalmente debido al caos emocional que se vivía en su interior. Y, aun así, se acordaba de la sonrisa de Ashley al decirle que ella también fue una adolescente hormonada una vez, y el subidón de adrenalina que le provocaba aquel gesto en sus facciones lo compensaba todo una y otra vez. Extenuante, porque después se acordaba de Nick y de aquel «Vámonos el fin de semana» y le subían de forma radical el cortisol, los aminoácidos, el colesterol y los triglicéridos, todos a la vez, apostando cuál llegaría más alto.

Por otro lado, las conversaciones pendientes con la veterinaria no contribuían a relajarla precisamente. Quería saber más sobre aquel diario, porque Ronda se lo había explicado fenomenal, pero necesitaba escucharlo de boca de Ashley, oírla decir que no había sido una decepción, porque iba implícito en su forma de besarla y se adivinaba en aquel verde cada vez que la miraba, pero necesitaba confirmación verbal y que caducara de una vez aquel «si no me hubiera dicho que se llamaba Claire Lewis en el jodido parque, no la habría mirado dos veces».

Completamente agotador, tanto para ella como para la veterinaria, seguro, aunque no lo reconociera explícitamente. Lo notó en su abrazo de la noche anterior, Ashley se había refugiado en su cuerpo de la misma manera en la que ella buscaba cobijo en el suyo, «hazme sentir que no vas a irte», algo así, porque la situación lo requería. Buscando garantías que les hicieran más fácil seguir esperando. Y es que el jueves y su conversación con Nick las sobrevolaba sin disimular. Suponía que ambas invertían todas sus energías en gestionar lo que aquello implicaba, y por eso ninguna de las dos había insistido especialmente en abordar aquellas famosas conversaciones pendientes. Demasiados frentes abiertos que defender y escasez de personal; ir de uno en uno era la mejor opción. Desde luego, ella no podía hacerse cargo de nada más en aquellos momentos. Pedir tiempo muerto para huir a los brazos de Ashley y perderse en sus labios de vez en cuando era su única salida.

Por favor, tenía unas ganas horribles de que terminara la jornada laboral y asuntos pendientes a la salida del instituto. Una visita a Olivia en su lugar de trabajo era el principal de ellos. Tenía claro que Cleo y ella se marcharían de la casa que compartía con Nick el jueves, no estaba siendo nada fácil mantener aquel *statu quo* y estaba segura de que Ashley no lo estaría pasando nada bien. Una prórroga, una agonía enlentecida que pagaban las dos, pero se lo debía a Nick, al menos aquello, no hacerle aún más daño era lo mínimo que podía ofrecerle antes de poner su mundo del revés y sin vuelta atrás. Esperar hasta el jueves.

El jueves. ¿Y después qué?

—Jefferson, si vas a copiar en mi examen, al menos disimula un poco, por favor —llamó la atención a uno de los camorristas de aquel curso, porque se iba a romper el cuello con aquella postura sobrenatural.

—Lo siento, señorita Lewis, es que anoche me quedé hasta tarde leyendo *Orgullo y perjuicio* y el cansancio ralentiza mis movimientos. Normalmente lo hago mucho mejor —contestó el muy descarado.

—Prejuicio, Jefferson. El título original es *Orgullo y prejuicio* —le corrigió con paciencia—. Y sí, tus «movimientos» no están en su mejor momento, te recomiendo que te centres en tu examen, porque si vuelvo a pillarte haciendo contorsionismo, te llevas un cero directamente, ¿entendido?

—Sí, señorita Lewis. Descuide, no volverá a pillarme —aseguró, y le dedicó una sonrisa un pelín engreída antes de bajar la vista de nuevo a sus folios.

Paciencia, Claire. Son adolescentes.

No podía quejarse muy alto, la verdad era que había encajado bastante bien con los alumnos de las clases a las que impartía Literatura. A Jefferson en concreto se lo habían descrito como «un grano infectado en el culo», y normalmente alteraba el curso de casi la totalidad de las asignaturas, pero medía su comportamiento en su clase, le gustaba provocarla en su justa medida, sí, pero había aprendido a llevarlo y, de momento, él no se había pasado de la raya. En el fondo, el chico tenía su gracia.

En cuanto se hizo audible el timbre que anunciaba el fin de la clase, una avalancha de adolescentes con muy pocas ganas de estar allí y muchos deseos de airearse desfilaron frente a su mesa depositando en ella sus exámenes. Jefferson el primero, que se despidió con un «Me conformo con un nueve y medio, no quiero desanimar a mis compañeros» antes de salir del aula. La clase se vació en un par de minutos, solo se quedó en su sitio una de las alumnas más brillantes, entregada a escribir frenéticamente en su examen como si la vida le fuera en ello, así que se acercó a su pupitre.

—Hannah, el examen ha terminado.

—Solo un segundo, señorita Lewis —suplicó sin dejar de escribir.

—El tiempo se ha terminado, no sería justo para tus compañeros si... —insistió.

—No sería justo para Jane Austen si lo dejara así. Un menosprecio a su obra —se desesperó y trató de seguir escribiendo en el folio, incluso cuando ella lo levantó de la mesa—. *Sentido y sensibilidad* me ha quedado coja —advirtió, derrotada al verse desposeída de todos sus folios.

—Estoy segura de que aun así sacarás muy buena nota, Hannah —la consoló, y es que estaba convencida de verdad.

—Gracias. ¿Sabe aproximadamente cuándo tendrá las calificaciones? —se interesó levantándose de su asiento.

—La semana que viene. Pero yo no estaría preocupada si fuera tú.

—Soy de estómago sensible, señorita Lewis —reconoció antes de abandonar el aula.

Colocó aquel examen sobre el resto, un desordenado montón esperándola en la superficie de su mesa. Cayó entonces en la cuenta de que aquel ejercicio sorpresa había sido muy buena idea en el sentido de ahorrarle esfuerzos cognitivos mayores a la hora de sacar adelante la clase, pero frente a ella se encontraba la cuesta arriba de tan brillante ocurrencia: veinte exámenes que corregir y calificar. En cada clase.

Aparcó aquellos sombríos pensamientos en el rincón menos transitado de su mente y consultó el teléfono móvil tras rescatarlo del fondo de su bolso. Estaba segura de que, para esas horas, Ashley ya le habría escrito algo, cualquier tontería seguramente. Era una rutina que se había instaurado entre ambas hacía semanas y le encantaba.

«Ashley Darwin»
Última conexión a las 10.48
ASHLEY: (Foto del mono más feo que había visto en su vida)
ASHLEY: Acaba de entrar en hospitalización y me ha recordado a ti.
ASHLEY: Seguro que tampoco puede comer después de medianoche.

Qué tonta era. Pero le reconfortaba que, después de todo, las cosas continuarán siendo así entre las dos. El fantasma de aquella Claire Lewis seguía presente de alguna manera y, sin embargo, la dinámica de su relación parecía intacta. La confirmación del «lo ha cambiado todo y aun así no ha cambiado nada», aquel mensaje de Ashley seguía en su conversación de WhatsApp y lo había leído muchas, muchas veces antes de decidirse a comprobarlo de primera mano en el zoológico. La forma en que Ashley la miró desde el otro lado de aquel cristal fue suficiente, y el mayor alivio que había experimentado en su vida, la verdad: sentir su color favorito adorándola de nuevo. Y mucho más contundente que un millón de palabras, eso desde luego.

CLAIRE: Tendré que buscar una palabra que te defina mejor que «imbécil».
CLAIRE: Empieza a quedarse corto.

Sonrió antes de volver a guardar el móvil en su bolso para dirigirse a la sala de profesores. Tenía media hora de descanso hasta su próxima clase o, lo que era lo mismo, su próximo examen sorpresa. Aunque sospechaba que ya no resultaría tan sorprendente como los dos de las horas previas al descanso, los adolescentes tenían la fea costumbre de hablar entre ellos en los recreos. Al menos había tenido la precaución de preparar dos versiones diferentes, seguro que aquellos infelices malgastaban la media hora chivándoles las preguntas a sus congéneres. *Siempre un paso por delante, Lewis. Tú siempre un paso por delante.*

Lo primero que hizo al llegar a la sala de profesores fue llamar a Olivia, necesitaba comenzar a atar cabos sueltos, porque, cuantos más había, más se agobiaba; así que suponía que funcionaría también a la inversa. No perdía nada por probar, y la morena contestó al segundo tono.

—¿No deberías estar cuidando exámenes sorpresa? —la saludó su amiga.

—No solo los alumnos tienen recreo, ¿sabes? —explicó el origen de su ociosidad.

—*Me parece justo* —reconoció—. *¿Estás bien? ¿Qué pasa?*

Tanto Ronda como Olivia habían estado muy pendientes de ella a raíz del incidente del diario, lo había necesitado. Mucho. Y al principio eran «las amigas de Ashley», pero ya hacía tiempo que no las veía de ese modo y las consideraba un poco suyas también.

—Va todo lo bien que puede ir, supongo —admitió, aunque si pensaba en Nick, no se lo terminaba de creer.

—*Te echamos de menos ayer en el Happy Dog.*

—La próxima vez iré, seguro —confirmó mientras saludaba distraídamente a la profesora de Biología, que acababa de entrar a la sala—. Escucha, Olivia, ¿podría pasarme por la farmacia para hablar contigo a la salida del instituto?

—*Claro, ¿seguro que todo va bien? ¿Ashley se está comportando?*

—Al menos lo intenta.

—*Es todo lo que podemos pedirle. Pásate cuando quieras.*

—Gracias. —Sonrió al escucharla.

—*Nos vemos luego, entonces.*

Para cuando colgó el teléfono, se encontraba rodeada por casi media plantilla de profesores. Holly, la profesora de Matemáticas, se había sentado frente a ella en la mesa y la observaba con gesto divertido mientras sostenía un vaso de café humeante entre las manos. Era más o menos de su edad y ambas habían congeniado muy bien desde el principio. La chica se ajustó las gafas, empujándolas por el puente con su dedo índice, y continuó mirándola.

—Hola, Holly. ¿Todo bien? —preguntó ante su mutismo y fue cuando ella sonrió.

—¿Sabes que los alumnos me llaman «Pitagordas»?

Sí, tal vez Holly tenía algún kilo de más, y los adolescentes pueden ser muy crueles, a la par que creativos. Se limitó a asentir con un gesto de cabeza.

—Hoy he descubierto cómo te llaman a ti —desveló emocionada, mordiéndose el labio inferior y todo, como si le estuviera costando la vida entera no soltárselo así sin más—. ¿Quieres saberlo?

—No lo sé. ¿Quiero? —tanteó un poco el terreno.

De normal aquellas cosas le resbalaban olímpicamente, pero en esos momentos de su vida tenía la sensibilidad a flor de piel y lo mismo se echaba a llorar si su mote era ofensivo en lo más mínimo. Pero, por otro lado, ¿cómo no iba a querer saberlo?

—Aún no te conozco mucho, pero apostaría a que sí —admitió Holly asintiendo a la vez con la cabeza—. Es casi halagador si me pides mi opinión.

—Vale, suéltalo —accedió tapándose la boca con ambas manos en espera del desenlace.

—Madame Boobary —desveló soltando una risita nada más decirlo.

—¿Qué? —exclamó cruzando los brazos sobre sus pechos.

—Los he oído por el pasillo advirtiéndose los unos a los otros de que «Madame Boobary» estaba poniendo exámenes sorpresa —desveló la fuente de su sabiduría—. No puedes negarme que tienen mérito, siempre buscan algo relacionado con la asignatura. Fíjate en cómo sacaron el de *miss* Isaac Putón —ejemplificó saludando con la mano a la profesora de Física y Química.

No se podía negar que los cabrones eran originales.

—Supongo que, con una referencia así a Flaubert, no puedo enfadarme con ellos.

—Por favor, Claire. «Pitagordas», «*miss* Isaac Putón»... —enumeró—. Tú y Napoleón Buenaspartes tenéis prohibido quejaros.

Y es que el profesor de Historia no estaba mal e iba por ahí marcando paquete.

—Sí, podría haber sido peor —acabó por admitir.

—Mucho peor —coincidió Holly dándole un sorbo a su café—. El otro día escuché a Kevin Atkinson diciéndole a Peter Wilkins que eres «su sueño de una noche de verano». Tienes fans en estas aulas, Lewis.

—Casi me siento halagada —reconoció con media sonrisa.

***

Cuando sonó el timbre que indicaba la finalización de su jornada laboral como docente, se había dado más prisa por abandonar el aula que muchos de sus alumnos. Y es que necesitaba hablar con Olivia urgentemente, avanzar, porque aquel inmovilismo comenzaba a pesarle un poco y simplemente pensar «hasta el jueves» comenzaba a no funcionarle muy bien. Aprovechó para dar un pequeño paseo hasta la farmacia donde trabajaba su amiga, o donde «la explotaban», que era como a ella le gustaba definirlo.

Intentó contener las ganas de fumarse un cigarrillo por el camino, ponía a Dios por testigo de que se resistió con todas sus fuerzas los cinco primeros minutos, pero todo fue en vano y, antes de que acabara el sexto, sacó un pitillo, se lo colocó en los labios y lo encendió a pesar de los remordimientos. Sabía que la nicotina no solucionaba nada, pero le ayudaba a tolerar el malestar de una manera sorprendentemente eficiente. Dejaría el tabaco, lo había decidido casi antes de retomar su antiguo hábito, pero aquel no era el mejor momento para intentarlo, lo último que necesitaba era un síndrome de abstinencia. No, muchas gracias, ya estaba bien servida y no quería nada más.

Cuando llegó a su destino, permaneció un par de minutos junto al escaparate de la farmacia de su amiga, hasta terminar el cigarro antes de entrar. Tenía un poco de frío en la mano que utilizaba para sujetarlo, pero merecía la pena a pesar de la baja temperatura. Se lo acabó en tiempo récord y lo depositó en la papelera más cercana. Respiró hondo un par de veces y se decidió a entrar a la farmacia, cada paso que daba lo hacía más y más real y, de vez en cuando, si se paraba a pensarlo fríamente, se le aceleraban solas las pulsaciones. Es que se encontraba frente al cambio más gigantesco al que se había enfrentado en toda su vida. Y aún le daba miedo, mucho miedo, pero se había vuelto valiente a golpe de evidencias.

Olivia estaba en su puesto de trabajo, a simple vista derrochando paciencia mientras atendía a una mujer anciana y pluripatológica, tenía media farmacia frente a ella desplegada sobre el mostrador. La morena levantó la vista al oír el timbre anunciando la entrada de un nuevo cliente y la saludó discretamente con un movimiento de mano y disimulando una sonrisa. Ella le devolvió el gesto y se dispuso a esperar cotilleando los productos expuestos en los estantes. Localizó un cacao de labios de cereza y se sorprendió a sí misma preguntándose si a Ashley le gustaría aquel sabor, porque era probable que si lo compraba, iban a besarse muchas veces mientras lo utilizaba. Besar a Ashley. De repente había pasado de ser una fantasía para convertirse en la más alucinante de las realidades y aún le costaba un poco procesarlo del todo. Lo observó por unos segundos, leyendo sus propiedades: protegía, hidrataba, suavizaba y «calmaba la piel de los labios durante la práctica de cualquier actividad al aire libre». «Cualquier actividad» y a ella solo se le ocurría una.

¿Había sido así también al principio con Nick? Esa inmensa necesidad de tenerla a todas horas en la cabeza, de sentirla, de escucharla, de verla y oler su perfume, de saborear sus labios. Una demoledora sensación de deseada invasión de todos sus sentidos, y era más que bienvenida. No, no recordaba que hubiese sido tan intenso nunca. No existían precedentes para el nivel de conexión que compartía con Ashley.

Y se llevaba el cacao labial.

Tras una transacción, que se prolongó durante lo que le parecieron decenios, la señora anciana se despidió de Olivia y salió de allí cargada con una cantidad bastante alarmante de fármacos, como si temiera que la octava plaga llegara sin avisar y se agotaran sus reservas de Enalapril. Ocupó su lugar frente al mostrador y le tendió a la morena el cacao de labios.

—Debe de ser de vuestros mejores clientes —indicó refiriéndose a la mujer que acababa de saquear casi la totalidad de sus existencias.

—¿Comparada contigo? Desde luego. ¿Qué tal estás?

—Dependiendo del segundo al que te refieras.

—También tenemos Plenur —indicó y ella la miró frunciendo el ceño. ¿Ple-qué?—. Déjalo, un chiste de farmacéuticos. ¿Por qué tanta prisa por hablar conmigo?

La miró por unos segundos antes de bajar la vista al mostrador, no era la primera vez que iba a verbalizarlo en voz alta, pero aún continuaba pareciéndole extremadamente irreal. Sabía que quería hacerlo, tenía que hacerlo porque cada fibra de su cuerpo tiraba de ella en una sola dirección, pero a la vez no terminaba de creérselo y toda aquella situación amenazaba con desgastarle un poquito la cordura. Cada vez que pensaba en romper con Nick la invadía una extraña mezcla de miedo, culpa, tristeza y alivio.

—Supongo que ya lo sabes, pero voy a dejarlo con Nick.

—Sí que lo sabía, y no tiene que ser nada fácil.

—No es fácil, pero tampoco tan difícil como me lo había imaginado. A lo mejor es que todavía no me creo que todo esto esté pasando de verdad.

—Creo que todos nos sentimos un poco así desde el sábado —aportó la morena y ella la miró con media sonrisa deslucida.

—Sigo siendo yo y tengo que caerte mejor que ella, porque ni siquiera la conoces —trató de bromear, porque el tema de la otra Claire Lewis todavía le removía cosas por dentro.

—Sería difícil que me cayera mejor que tú, incluso conociéndola.

Y aquellas palabras tocaron una tecla en su interior bastante peligrosa, la verdad. Sintió la necesidad de rodear el mostrador y abrazarla, pero se lo pensó mejor y se limitó a sonreír como agradecimiento, respirando hondo, porque no quería emocionarse en mitad del lugar de trabajo de su amiga.

—Supongo que el caerte bien me da puntos para que me digas que sí —aventuró jugueteando con las mangas de su abrigo entre los dedos.

Tenía los brazos apoyados sobre el mostrador, y seguro que Olivia podía captar su nerviosismo en aquel gesto.

—Normalmente espero a escuchar la pregunta antes de decidir mi respuesta —bromeó alzando una ceja.

La miró, indecisa, porque ella consideraba a Olivia su amiga, pero no quería ponerla en un compromiso si realmente la morena prefería decirle que no.

—Por favor, si quieres decirme que no, hazlo con total confianza, ¿vale?

—Claire, primero pídeme lo que quiera que sea que vayas a pedirme —insistió con media sonrisa.

La calidez de aquel gesto contribuyó a rebajar bastante su ansiedad.

—¿Podemos Cleo y yo quedarnos un par de días en tu casa? —soltó sin más, esperando no parecer una caradura, y la morena la miró un par de segundos, inicialmente sorprendida por la petición—. Cuando hable con Nick el jueves nos iremos de casa.

—Lo suponía, y por supuesto que podéis venir, tonta, pero creía que preferirías...

—¿La casa de Ashley? —se le adelantó—. No me sentiría bien quedándome con ella justo después de... ya sabes. ¿Y si Nick se enterase? No quiero hacerle aún más daño.

Oyó el timbre de la puerta anunciar la llegada de un nuevo cliente, y la cara con la que Olivia estaba mirando a la persona que acababa de entrar por la puerta la impulsó a girarse para poder verla ella también. Joder, casi sintió su corazón paralizarse en el sitio y una sensación que no sabría definir muy bien colonizó su cuerpo entero en cuestión de décimas de segundo. Porque la última vez que la vio fue saliendo precipitadamente de su restaurante chino favorito que, quizá, ya no lo era tanto. De eso hacía más de cuatro meses, y estaba convencida de que Tracy tampoco había esperado encontrársela allí.

Cuando sus miradas se cruzaron, ella tuvo que hacer un esfuerzo por no bajar la vista al suelo, sin lugar a dudas, una de las situaciones más incómodas a las que se había enfrentado en lo que llevaba de vida. Y en aquel momento hubiera preferido no saber que ella fue la razón principal por la que aquella chica había dejado a Ashley, la verdad, porque a lo mejor la ignorancia le habría ayudado a tragarse mejor el nudo que se había alojado en su garganta nada más verla entrar.

—Ey, Tracy —saludó Olivia con media sonrisa. Si estaba nerviosa por aquella inesperada convención de «chicas enamoradas de Ashley», no se le notó—. Había olvidado por completo que ibas a pasarte. ¿No tendrías que estar trabajando?

Por un momento pareció que la pelirroja dudaba qué hacer a continuación. Se quedó parada a medio camino del mostrador y la opción de salir corriendo de allí debía de estar ganando puntos a velocidades ultrasónicas en su mente. No la culpaba, a ella también se le había pasado por la cabeza.

—Sí... bueno... hemos cerrado un poco antes hoy —titubeó, eso de esconder el nerviosismo no le salió tan bien como a la morena, y se notó que tuvo que obligarse a avanzar hacia el lugar donde se encontraban—. Hola, Claire —se dirigió a ella cuando llegó a su altura e incluso tuvo el detalle de dedicarle media sonrisa.

¿Tenía sentido que se sintiera culpable? Porque cuando Tracy rompió con Ashley aún no había nada entre ella y la veterinaria, pero la pelirroja captó el potencial.

—Tracy, ¿qué tal? —respondió a su saludo devolviéndole la media sonrisa.

—Siendo inoportuna, por lo que parece —bromeó la chica alternando su mirada entre Olivia y ella—. Os estoy interrumpiendo. Puedo pasarme en otro momento —ofreció dando un paso atrás.

—No hace falta, he sido yo la que ha venido sin avisar.

Madre mía, es que se sentía culpable de verdad, como una especie de usurpadora que primero le quitaba a Ashley y después el turno de hablar con Olivia. *¿Qué será lo siguiente, Lewis?* Tracy la miró dubitativa y buscó la opinión de la morena, observándola en silencio.

—Un momento —pidió tiempo muerto la farmacéutica—. Voy a ver si mi compañera puede cubrirme y tomamos un café ahí enfrente.

Sin decir más desapareció en la trastienda, dejándolas a solas. Cambió el peso de su cuerpo de pie, aguantando a duras penas el silencio entre ambas. ¿Qué podía decirle si hablarle de la única cosa que tenían en común quedaba totalmente descartado, tan fuera de lugar que ni siquiera era una opción?

—¿Te vas acostumbrando a Cleveland? —Fue la pelirroja quien rompió el hielo con las manos metidas en los bolsillos de su abrigo como una especie de protección.

—Sí, lo llevo mejor —reconoció esbozando una pequeña sonrisa—. Supongo que el encontrar trabajo ha ayudado bastante.

—¿Dando clases? —Sonrió la pelirroja al escucharla.

Ignoraba que Tracy supiera a qué se dedicaba, seguramente si estaba al tanto era porque Ashley se lo había comentado cuando aún estaban juntas. Y su corazón tuvo que trabajar el doble para contraerse en el siguiente latido, porque sentía algo más que culpa, pero no tenía tiempo de ponerse a analizarlo en aquel preciso momento.

—En un instituto, sí. Hace poco que he empezado.

—¿Y controlas bien a las pequeñas bestias?

—Lo intento, de momento no me lo han puesto muy difícil —respondió sonriéndole—. ¿Qué tal la tienda nueva?

Tracy tardó un segundo de más en contestar, supuso que el tiempo que le llevó comprender cómo ella sabía algo de aquella tienda que su jefe había planeado abrir en el centro de la ciudad unos meses atrás. Y ninguna de las dos la mencionaba explícitamente, pero ambas la tenían en la cabeza en aquellos momentos, seguro.

—Ahora mucho mejor. Al principio mi jefe me tenía entre una y otra, pero desde hace un par de meses estoy fija en la nueva. Es mucho más grande.

Antes de que pudieran decir nada más, Olivia emergió de las profundidades de la farmacia.

—Ha habido suerte, tengo unos minutos libres para ese café.

Hora de retirarse, Lewis.

—Bueno, yo me voy, habíais quedado... —Decidió cuando las tres salieron.

—No hace falta, Claire, en serio. No vamos a hablar de asuntos de estado, ¿verdad, Olivia? —Tracy pidió respaldo a su amiga.

—Hoy no —bromeó la morena.

—Me sentiría como si te despachara —admitió la pelirroja.

Las dos la miraron a ella en espera de su decisión y por unos segundos no supo qué hacer.

—Claire, en serio —insistió Tracy mirándola suplicante—. Invita Olivia —añadió y recibió un golpe en el brazo por parte de la morena; rio frotándoselo.

Era evidente lo que Ashley había visto en ella. Tuvo que ceder y acompañarlas a una pequeña cafetería que quedaba justo al otro lado de la calle. Eligieron una mesa junto a las cristaleras que daban al exterior y Tracy insistió en que se sentaran mientras ella se encargaba de pedir las consumiciones.

—Olvidé por completo que habíamos quedado —admitió Olivia, una vez solas—. ¿Está siendo muy incómodo?

—Pensaba que lo sería —reconoció echando un rápido vistazo a la barra donde la chica en cuestión esperaba su turno.

—Tracy y tú sois un amor —señaló la morena—. No os vais a hacer sentir incómodas aposta. Por eso no he salido corriendo por la puerta de atrás.

Se levantó para ayudar a la pelirroja con las consumiciones una vez que se las sirvieron y ella le dio las gracias con una amable sonrisa. Muy civilizado todo. Ya de vuelta a la mesa la observó en silencio mientras Olivia y ella iniciaban una conversación. Tracy sabía que Ashley sentía cosas por ella, pero... ¿estaba al tanto de que al final había resultado ser todo totalmente recíproco? Hacía unos meses aquella chica estaba loca por la veterinaria y la ruptura había sido dura para ambas, ¿seguiría sintiéndose igual?

—Van a tocar en el Twist el lunes, me dijo que si me pasaba por allí me dedicaría una canción por mi cumpleaños —comentó Tracy.

—¿Y nos pasaremos por el Twist? —inquirió Olivia alzando una ceja inquisitivamente.

—No lo sé —reconoció la pelirroja bajando la vista a su vaso.

—¿Cómo la conociste? —curioseó la morena.

«Cómo la conociste». Tracy había conocido a una chica y, por la sonrisa que había esbozado Olivia hacía dos segundos, se debía de haber fijado en ella de forma especial. Un poco fuera de lo ordinario al menos.

—Hace un par de meses, unas amigas me obligaron a salir con ellas, y su grupo estaba tocando en el bar al que me llevaron —explicó—. Rachel se acercó al escenario y les dijo que necesitaba que me animaran. Me dedicaron una canción y, cuando terminaron, Jamie... se llama Jamie —aclaró—, se acercó y empezamos a hablar. Así la conocí.

—¿Y cómo es? —continuó cotilleando Olivia.

—Es muy dulce, divertida, muy guapa y muy cabezota también —indicó con una sonrisa—. Coincidimos un par de veces más y me pidió el número de teléfono; no quise dárselo, así que ella le dio el suyo a Rachel. Y sospecho que han estado organizándose a mis espaldas para que no parásemos de encontrarnos en los sitios.

—Te gusta —confirmó la morena y Tracy la miró seria.

—La semana pasada me besó —confesó, pero no parecía muy contenta—. Se ofreció a acompañarme a casa después de que les viésemos tocar en un bar y, al llegar a mi portal, me besó.

—¿Qué hiciste tú? —preguntó Olivia.

—Besarla los primeros cinco segundos, después la empujé, subí a mi piso y me puse a llorar.

—¿Tan mal lo hace? —bromeó la morena y Tracy sonrió, pero enseguida recuperó el gesto serio.

—Fue tan... como con Ashley, ¿sabes? —confesó—. Es la primera vez que beso a alguien desde que rompimos y ella siempre solía acompañarme hasta el portal y despedirse con un beso y... yo qué sé. Se me cruzaron los cables y la dejé allí plantada sin más. —Suspiró bajando de nuevo la vista a su café.

Ella también miraba fijamente el suyo llegados a aquel punto de la historia, porque escuchar a Tracy hablar así de lo que Ashley solía hacer le estaba revolviendo un poco por dentro.

—Y, a pesar del plantón, sigue queriendo dedicarte canciones por tu cumpleaños —resaltó aquel dato la morena.

—Le he dicho que no sé si estoy preparada para tener nada con nadie aún.

—¿Y qué dice ella?

—Que no tiene prisa —contestó y sonrió al recordarlo.

—Esa respuesta merece que vayas al Twist el lunes y la dejes cantarte una canción al menos —opinó Olivia.

No dejaron nada claro, si al final pasarían o no por aquel bar, pero para ella dos cosas eran muy evidentes: que a Tracy le gustaba la tal Jamie y que aún no había superado a Ashley del todo. La semana anterior había sido también la primera vez que la veterinaria besaba a alguien desde que rompió con ella, así que las dos habían estado muy compenetradas en aquel aspecto, pero Ashley no había salido corriendo después de besarla. De hecho, había insistido para poder volver a hacerlo una y otra vez.

La veterinaria le había preguntado qué sentía por Nick, ¿cómo se sentiría ella con respecto a Tracy?

Poco después, a Olivia se le acabó el tiempo de descanso y anunció que tenía que volver a la farmacia. Ella hizo amago de levantarse junto con su amiga, pero Tracy la sorprendió preguntándole si podía quedarse un rato más. Intercambió una mirada desconcertada con la morena, pero al final volvió a sentarse frente a la pelirroja y ambas la despidieron a través del cristal cuando la farmacéutica salió del local.

—Claire, lo último que quiero es que te sientas incómoda —aclaró la chica una vez a solas.

Y a pesar de su amabilidad, la verdad era que muy cómoda no se encontraba. Porque simplemente mencionando aquella potencial incomodidad, Tracy le estaba diciendo que al menos sospechaba que ella sabía cuál había sido el motivo de su ruptura con la veterinaria. Demasiada sabiduría en torno a aquella mesa y sus dos cafés.

—Con una introducción así, seguro que vamos a hablar de Ashley —trató de bromear y le alivió verla sonreír ligeramente.

—Olivia y Ronda me tienen prohibido hablar de ella, lo único que sé desde que rompimos es que la arrastraron a una fiesta de fin de año.

—No lo pasó muy bien, se fue pronto a casa a comer helado —indicó sonriendo al recordar su conversación telefónica con la veterinaria.

—¿Qué tal está? ¿Cómo le va? —preguntó bajando la vista a su café.

Aquel gesto con tintes de herida emocional, la hizo preguntarse si su manía de sonreír como una imbécil cada vez que hablaba de ella, estaba delatando sus sentimientos por Ashley antes de tiempo. Porque si Tracy no preguntaba, no hacía falta entrar en detalles.

—Está... bien —aseguró. Un poco pobre, ya lo sabía, pero es que su situación actual era extremadamente complicada—. Hasta arriba de trabajo en el zoo, se ha enamorado de una cría de chimpancé.

Tracy sonrió al oírla, en ese gesto se condensaba, de una manera brutalmente trasparente, un «me suena lo que dices y lo echo de menos». Nostalgia, esa era la mejor palabra que se le ocurría para definir lo que transmitía aquella sonrisa. Ashley le habría hablado miles de veces de los habitantes de aquel zoológico, y seguro que a Tracy le gustaba tanto como a ella escucharla.

—Ashley se enamora de todos, estaba loca por un bebé de koala que no hacía más que vomitarle encima cada vez que lo cogía —recordó, y ambas rieron al coincidir en sus gestos de disgusto.

Después las dos devolvieron la vista a sus consumiciones, un par de segundos, y ella la miró en silencio antes de decidirse a decirlo, porque, a pesar de los pesares, era verdad y quería que lo supiera.

—Tracy, siento mucho que las cosas entre Ashley y tú terminaran así —confesó y a pesar de que se le aceleró el corazón en el pecho, le sostuvo la mirada cuando la pelirroja alzó la vista.

—¿Sabes cómo terminaron? —inquirió tras una pausa reflexiva.

Lo preguntó como si en realidad no quisiera entrar en aquel terreno, pero algo la impulsara a hacerlo. Como si hubiese estado esperando aquella oportunidad desde que la vio en la farmacia, porque su tono le sonó a «esto va a doler, pero lo necesito». Era evidente que se moría por saber si estaban juntas y, egoístamente, ella esperaba que al final no se atreviera a preguntar.

—Ashley nunca ha querido hablar de eso conmigo —admitió sujetando su taza de café con ambas manos, como si con ello pudiera rebajar su tensión arterial.

Tracy no dijo nada, parecía que su respuesta había alzado una especie de muro que le impedía seguir avanzando. Un silencioso: «Si no lo sabes, mejor me callo», que a ella le venía bastante bien. Encantada de dejar atrás el tema «rompisteis por mi culpa y ahora está conmigo», pero la cara que se le había quedado a la pelirroja le impedía disfrutar de su evasiva como le habría gustado. Porque Tracy miraba a través del cristal hacia la calle con el peso de cuatro meses de incertidumbre dibujando sus facciones. Seguramente con un «dime que no la perdí por nada» alojado en algún recoveco de su garganta.

—Nunca lo he hablado con ella, pero lo sé. Y lo siento —reconoció, porque al menos se merecía eso.

—No fue culpa tuya —aseguró la chica mirándola abiertamente—. Aunque hubiese sido mucho más fácil con alguien a quien culpar.

—Ashley estaba loca por ti, Tracy —señaló, y no lo dijo solo como consuelo, porque le reventaba por dentro, pero era verdad.

—Ashley quería enamorarse de mí, pero se enamoró de ti sin querer —aclaró—. Y creo que esa es la única forma de hacerlo.

«Sin querer». Pues sí. Porque eso mismo le había pasado a ella, caer sin tan siquiera darte cuenta de que has tropezado, como una trama que se desarrolla en segundo plano, todo había pasado mientras ella estaba distraída mirando hacia otro lado.

—La perdí cuando te conoció en ese parque —reconoció Tracy acompañando sus palabras con una sonrisa triste.

Lo escuchó y su interior dio un vuelco involuntario e intensamente desagradable al mismo tiempo. «La perdí cuando te conoció en ese parque». Algo le estaba doliendo bastante, porque no había sido así. «La perdí cuando creyó reencontrarse con la Claire Lewis del diario en ese parque» se ajustaba mucho mejor a la realidad, e intentó apartar de su mente aquella pregunta potencialmente devastadora. ¿Tracy la habría perdido de todas formas si Ashley hubiera sabido desde un principio que no era ella? Y se rompió un poquito por dentro porque sabía que la respuesta era «no». Estaba completamente convencida de que no habría tenido nada que hacer sin la ventaja de aquel dichoso diario en la mente de Ashley. La veterinaria había dejado bien claro que, si hubiese sabido entonces que era la primera vez que se encontraban, no la habría mirado dos veces. Seguiría en su perfecta relación con Tracy y prestándole bolsas para cacas de perro de vez en cuando.

Cierra esa puerta, Lewis, ciérrala ya, antes de que se abra un poco más. Y a lo mejor era un poco tarde para dar un portazo, o completamente inútil, porque aquella pregunta ya se le había colado dentro. ¿Se arrepentía Ashley de haber fastidiado lo suyo con Tracy ahora que ella era «solo» Claire?

—¿Cuándo te perdió Nick a ti? —quiso saber la pelirroja a continuación.

La miró en silencio un par de segundos, sopesando su respuesta.

—Cuando la conocí en ese parque, aunque no lo supiera aún —reconoció, porque estaba segura de que allí había comenzado todo.

La chica le sostuvo la mirada mientras procesaba la realidad de su respuesta, seguramente aquella última frase era la confirmación que llevaba meses esperando. Una especie de premio de consolación en forma de: «No, Tracy. Al final no la perdiste por nada».

—El principio del fin —señaló la pelirroja con media sonrisa triste.

—Supongo que sí que lo fue —convino.

—Quizás es mejor así —aventuró respirando hondo—. Si acabamos de esa forma, ni Ashley era lo que yo buscaba ni yo lo que buscaba ella.

—Una oportunidad de seguir buscando.

—Para mí sí. Ashley te encontró antes de tiempo —bromeó.

Sonrió, pero solo a medias. No le salió una entera, porque ella no era quien la veterinaria creyó haber encontrado. ¿Volvería Ashley a hacer lo mismo si tuviera la opción de repetir la jugada?

—Dale la oportunidad de cantarte esa canción —le sugirió.

Tracy sonrió al oírla, bajando la vista a la taza vacía.

—Canta increíblemente bien.

—Y no tiene prisa —añadió lo que había hecho sonreír a la pelirroja de forma especial hacía unos minutos al contárselo a Olivia.

Volvió a hacerlo, sonreír de aquella manera.

—Date la oportunidad de que te cante esa canción, en serio.

***

Mientras la veía jugar con Cleo y con Darwin volvió a preguntarse si sería buena idea contarle que aquella misma mañana había estado con Tracy. Sus mascotas ladraban alegremente y meneaban la cola con mucho entusiasmo en espera de que Ashley lanzara la pelota una vez más. Su forma de sonreír cada vez que Cleo perdía la paciencia y saltaba como propulsada por un muelle en busca del objeto de todos sus deseos la cautivaba una y otra vez. Y se repetía eso de que seguro que ya no pensaba en el dichoso diario hasta que se convencía a sí misma de que era verdad. «Ashley quiere estar contigo, idiota. Contigo».

—Algo va terriblemente mal, porque Cleo está siendo increíblemente mona y no has sonreído ni una sola vez —indicó la veterinaria, acercándose a ella tras lanzar la pelota lo más lejos que pudo.

—Estos días tengo la cabeza en otro lado —reconoció escondiendo las manos en los bolsillos de su abrigo.

Ashley le sostuvo la mirada por unos segundos, y le dio la impresión de que intentaba leer algo en sus facciones.

—Entiendo que te preocupe lo de Nick, pero si hay algo más me gustaría saberlo.

—Sabes que hay mucho más —indicó dándolo por sentado.

Y por supuesto que Ashley lo sabía. ¿Qué sentía por Nick? ¿Sentía ella algo por Tracy? ¿Qué eran? ¿Seguía pensando en aquel diario?

—¿Algo de lo que podamos hablar ahora mismo? —probó suerte y, cuando ella bajó la mirada sin contestar, la oyó gruñir, probablemente frustrada, y, a pesar de la situación en la que se encontraban, le hizo gracia—. Esta tensión me está matando, Claire, en serio —señaló con mucho sentimiento y frunció el ceño cuando, al mirarla de nuevo, descubrió su gesto divertido—. ¿Por qué te ríes?

Seguro que intentó mantener aquel gesto serio, con todas sus fuerzas, sostener aquella pose ofendida un poco más, pero se le escapó media sonrisa y fue suficiente para que las ganas de besarla olvidándose de todo lo demás se hicieran casi insoportables. Mierda, es que era así de fácil con ella, porque cuando las dos estaban de ese modo, cuando casi podía palpar aquella conexión entre ambas, de alguna forma sabía que, pasara lo que pasara fuera, ellas iban a estar bien.

—¿Dónde te han enseñado a gruñir así? ¿En el zoo? —quiso saber sonriéndole.

—Soy autodidacta —reveló—. Iba a decirte algo así como que «no puedo soportar este paréntesis por sobrecarga emocional que nos hemos buscado...».

—Pero... —le dio pie y ella le dedicó una de esas sonrisas por las que podría morir en cualquier momento.

—Pero cuando me sonríes así, se me olvida.

Dios, y cuando le decía esas cosas, en aquel tono y mirándola de esa forma, se derretía una y otra vez, sin importarle perseverar.

—Siento que esté siendo todo tan complicado —le dijo acercándola a ella tirando del bolsillo de su anorak.

—Ya sabía que no iba a ser fácil cuando me e... —Ashley se frenó, como dándose cuenta de repente de lo que iba a decir.

Se quedó a medias, pero en su interior ya se había suspendido toda actividad por evento altamente trascendente, y al repentino silencio de la veterinaria le siguió una especie de competición por ver quién conseguía sostener la mirada por más tiempo. La suya le encantaba desde tan cerca, era increíblemente verde; aquel era otro de esos momentos que le aceleraban el ritmo cardíaco.

—Cien dólares si terminas esa frase ahora mismo —la retó casi conteniendo la respiración.

—Ya sabía que no iba a ser fácil cuando me enteré de que tenías novio.

—Estoy segura al cien por cien de que no ibas a terminarla así —aseguró esbozando media sonrisa cuando Ashley le regaló una entera.

—Y, aun así, no puedes demostrarlo, me debes cien dólares —dijo con toda tranquilidad, seguidamente le quitó la pelota de la boca a Cleo y la lanzó a unos cuantos metros.

No pudo hacer otra cosa que mirarla y dejar que aquel subidón de adrenalina la recorriera entera, porque estaba segura de cuál era el final de esa frase, el de verdad, lo que había estado a punto de decir. Era la forma en la que Ashley la miraba, su manera de besarla y cada vez que la tocaba, por Dios, podía escuchar el verdadero final de esa frase en cada uno de sus gestos cuando iban dirigidos a ella. Casi podía palparlo a su alrededor si estaban juntas, una abstracción sorprendentemente tangible. Nunca había sido así con nadie. Transparente.

¿Por qué entonces tenía miedo de aquellas conversaciones pendientes? De decirle «Ashley, esta mañana he estado con Tracy». ¿Temía su reacción? Pues a lo mejor sí, tal vez porque estuvo allí para ver las consecuencias emocionales de su ruptura. Un mes completo de tiempo muerto y evasivas, y aquella mirada tan triste porque fue la pelirroja quien decidió terminar. ¿Lo habría hecho Ashley?

Y es que el jueves le pesaba demasiado, y seguro que no soportaría ni un gramo más, hablar con la veterinaria de su exnovia en aquellos momentos podría abrir puertas que estaban mejor cerradas, no fuera a haber corriente. Y, aun siendo completamente consciente de ello, necesitaba decirlo y ver qué pasaba a continuación.

—Hoy he visto a Tracy.

Ashley acababa de tirar de nuevo aquella pelota y por un segundo pareció no ir a reaccionar de ninguna manera, como si no la hubiera escuchado. Después la miró escondiendo sus manos en los bolsillos del anorak y prolongando un poco más su silencio, seguramente tratando de descifrar las implicaciones de aquella afirmación.

—¿Dónde? —preguntó por fin, y le dio la sensación de que intentaba controlarse, dosificar, pero que había miles de preguntas que se moría por hacer.

—En la farmacia de Olivia. He ido a hablar con ella y habían quedado, así que Tracy ha llegado mientras yo estaba allí.

Latidos *in crescendo*, porque Ashley parecía estar ocupada gestionando algo, e irracionalmente ella esperaba que no hubiera nada que gestionar. *Intenta no proyectar tus miedos en ella, Claire.*

—¿Cómo está? —preguntó, y era evidente, más allá de toda proyección, que la veterinaria no se encontraba cómoda manteniendo aquella conversación con ella.

—Está bien, ahora trabaja en la tienda que abrieron en el centro —indicó y Ashley se limitó a asentir mientras observaba a sus mascotas—. Hemos tomado un café y me ha preguntado por ti —añadió, captando de nuevo su mirada.

—¿Qué le has dicho?

—Bueno, no sabía muy bien qué podía decir y qué no. Que estabas bien, con mucho trabajo en el zoo…

Ashley se limitó a asentir de nuevo. Cautelosa, midiendo cada gesto y cada palabra, como si aquella conversación fuera una bomba extremadamente sensible y a punto de explotar. Cuando quedó claro que no iba a aportar nada más, fue su turno de presionar, aunque significara la ruptura de aquel paréntesis emocional al que se había referido la veterinaria con anterioridad. Una especie de protección preventiva del tipo «no te hagas cargo de más de lo que puedas manejar en cada momento». *No juegues con fuego precisamente ahora.*

—Nunca hablas de ella —dijo ignorando aquella sensación de estar a punto de quemarse.

Le sostuvo la mirada cuando la veterinaria la buscó, seguro que no se había esperado aquella conversación a esas alturas del partido. No la culpaba, de alguna manera había sido ella la que había pedido esa especie de tiempo muerto. Una tregua en material sensible, al menos hasta que hubiera solucionado lo de Nick, y de repente incumplía los términos del armisticio. La vio cambiar el peso de su cuerpo de pie, inequívoca señal de incomodidad en ella.

—Contigo no —admitió al fin.

—¿Por qué no?

—¿De verdad quieres hablar de esto ahora?

¿Y de verdad quería? Si era sincera consigo misma, «hablar de eso» no era lo que quería. Lo que realmente buscaba era que Ashley le dijera «no tienes por qué preocuparte, porque de aquello no queda nada», o algo por el estilo. Que le quitara de encima ese peso muerto. Y no iba a preguntarle directamente si se arrepentía de haberlo fastidiado con ella, sabía que no sería capaz de digerir cualquier respuesta distinta a un «no» rotundo.

—Le sigues doliendo y quiero saber si ella a ti también —confesó y no le gustó que Ashley desviara la vista, la necesidad de escuchar lo que quería oír estaba haciendo mella en su capacidad empática.

—Claire, no estoy segura de poder hablar esto contigo ahora mismo sin que parezca lo que no es...

—¿Y qué no es? —quiso saber buscando su mirada.

—Lewis... —lo dijo en tono de súplica, un «déjalo correr, por favor» en forma de apellido.

Levantó las manos en señal de rendición, cediendo, porque a lo mejor les convenía a ambas. Se dirigió hacia el lugar donde Cleo y Darwin se peleaban por la posesión de su tan preciada pelota y se la quitó a su mascota de la boca. Ashley no tenía la culpa de que aquella misma mañana la conversación con Tracy le hubiera despertado por sobredosis aquellos miedos latentes. *Dale un respiro, que todo esto no solo es agobiante para ti.*

—Claire, disculpa mi ignorancia, conozco tu cara de cabreo absoluto y letal, la de decepción, la de tristeza infinita, y no

97

encajan con la que se te acaba de quedar —la escuchó a su espalda—. También conozco tu cara de «estoy cachonda» y, aunque me encanta, queda descartada en este contexto —reconoció y la muy imbécil consiguió que sonriera un poco, aunque no pudiera verlo para disfrutar de su pequeña victoria—. Hasta que vaya familiarizándome con las otras expresiones faciales que puedan surgir en esta nueva «situación» entre nosotras, ¿podrías darme alguna pista verbal de si estamos bien? Con un sí o un no es suficiente.

Les lanzó la pelota a sus mascotas antes de girarse, dispuesta a decirle que con ella hasta en esas situaciones altamente emocionales era fácil estar bien porque tenía una habilidad increíble para tocar la tecla que ella necesitaba en cada momento. Una conversación así con Nick habría terminado en discusión, con una probabilidad del cien por cien. Iba a decirle que, con ella, su cara de «estoy cachonda» no quedaría descartada en ningún contexto, porque seguro que eso la hacía sonreír de esa forma fingidamente engreída que le quedaba tan insultantemente bien.

Iba a decírselo, pero se la encontró mucho más cerca de lo esperado y, esta vez, fue la veterinaria quien la tomó de los bolsillos de su abrigo para acercarla a su cuerpo. Dios, aquella mirada la desmontaba con inusitada eficacia.

—Preferiblemente un «sí» —añadió Ashley bajando el tono.

—No sé cómo lo haces, pero contigo siempre es sí.

—Es un don y una maldición —dijo con el amago de una sonrisa, de esas alucinantes, asomando a sus labios.

—Siento haber sacado el tema. Sé que no es el mejor momento para... —comenzó a disculparse, pero Ashley le plantó el dedo índice en los labios con un gesto exagerado y teatral.

—Chsss... —la instó a guardar silencio dramáticamente—. El amor significa no tener que decir nunca lo siento —dijo en tono grave. Y era muy tonta, así que tuvo que sonreír, aún con su dedo presionándole los labios.

—Eso es de *Love story* —desenmascaró su plagio, alzando una ceja, divertida.

—¿Quieres que sea original? —preguntó la veterinaria.

—Es lo que mejor se te da. —Y, antes de que se diera cuenta, la mano de Ashley la sujetaba por la nuca, acercándola suavemente hacia ella.

La veterinaria salió al encuentro de sus labios a medio camino y los atrapó entre los suyos con una precisión admirable y un poco de lengua. No esperaba un beso en aquellos momentos, menos uno así, porque Ashley besaba con mucho sentimiento. Acunó su mejilla con la mano, devolviéndole el beso, y aquello era mucho mejor que mil conversaciones acerca de Tracy y de Nick; quedaba todo mucho más claro y sin necesidad de preguntar. En tan poco tiempo ya era adicta al tacto y al sabor de su boca, al ritmo que marcaba a golpe de movimiento y a la sensación que le generaba su calor corporal proyectado tan de cerca. Y es que cuando Ashley la besaba así de suave, de despacio, su interior se convertía en algodón de azúcar y descargas eléctricas extremadamente placenteras. Le encantaba sentirse de esa forma.

Cuando notó que la veterinaria se disponía a finalizar el contacto, ella se acercó más, frenando su retirada con una ligera presión de la mano que sujetaba su mejilla, atrapó de nuevo su boca, retomando el ritmo anterior; la volvía loca cuando Ashley sonreía en mitad de los besos que compartían, y lo hizo al sentirse reclamada de nuevo por sus labios. Disfrutó de aquel momento unos segundos más, aunque podrían haber sido decenios y seguiría sin ser suficiente; finalizó el último beso, uniendo sus frentes aún con los ojos cerrados. Le gustaba esperar un instante antes de abrirlos, un pequeño truco para encontrarse siempre frente a aquel verde alucinante al hacerlo.

Ashley lo dijo en cuanto sus miradas conectaron, así de cerca, en apenas un susurro, y sus latidos triplicaron su frecuencia.

—Cuando me enamoré de ti... Ya sabía que no iba a ser fácil cuando me enamoré de ti.

4

Then you look at me

Miércoles.

El desayuno frente a ella, y Nick comiendo huevos revueltos como si nada. Estado peligrosamente cercano a la disociación más brutal conocida en la historia de la psicopatología. En toda entera. Porque al día siguiente aquella bomba de relojería iba a cambiar su universo para siempre. A lo mejor estaba siendo demasiado dramática, pero se sentía así, y Nick se tomaba su café irradiando aquella ignorancia absoluta hacia su entorno más inmediato, y aumentaba su presión arterial de forma bastante importante. ¿De verdad que no se había percatado de nada? ¿Ni una ligera sospecha? Porque, por una parte, aquella ceguera emocional protagonizada por el chico le había puesto las cosas fáciles, pero por otra ¿cómo iba a afectarle todo lo que tenía que decirle al día siguiente? Un choque devastador e inesperado, de los peores, de los que te hacen perder el equilibrio sin tener donde agarrarte y sin tiempo de asimilar nada antes de encontrarte bocarriba en el suelo. Si hubiese estado un poco más atento a lo mejor no lo habría derribado del todo.

Y seguía comiendo huevos revueltos como si no existiera nada más en el mundo que aquel plato y el dichoso «juicio del siglo». A ella no le entraba ni el café. Ashley pasaría a buscarla en cualquier momento y al final se vería obligada a marcharse con el estómago vacío, seguro.

Ashley.

¿Cómo demonios conseguía tenerla de esa manera? Rememorando una y otra vez su beso del día anterior en el parque, y la forma en que el mundo entero dejó de girar por unos segundos cuando le dijo eso de «cuando me enamoré de ti». Así, sin más. Y ya lo sabía, porque era evidente, sospechaba que igual de obvio que sus sentimientos por ella, pero escuchárselo decir de esa manera lo había convertido en mil veces más real, a sus piernas en gelatina y se había visto obligada a comérsela a besos, y a más besos aún mientras Cleo trataba de llamar la atención de ambas encaramándose a sus piernas. Siempre le había gustado el contacto físico con sus parejas: le hacía sentir mayor conexión, más seguridad, la sensación de protección en cada abrazo... nada nuevo. Pero con Ashley era distinto. Lo que aquella chica podía trasmitirle en una sola de sus caricias lo elevaba todo a un nivel superior. Intenso, tierno, dulce, increíble y pasional, todo en uno. Y si la veterinaria no la hiciera sentir completamente segura, en esos momentos estaría muerta de miedo por la magnitud y la trascendencia de toda su historia. Un potencial devastador si al final salía mal y, de alguna manera, sabía que aquello era imposible. De la misma forma en que tuvo claro desde un principio que dejar pasar a Ashley no era ni siquiera una opción.

Lo que tenía por delante era duro, pero estaba convencida de que, por muy difícil que fuera a resultarle, merecía mucho la pena. Porque lo que Ashley y ella habían construido desde cero en cinco meses era lo más maravilloso que había experimentado nunca, le encantaba su versión de Claire Lewis cuando estaba con ella, tan distinta a la que había sido hasta entonces. Decir que Ashley «sacaba lo mejor de ella» era una cursilería y la verdad más absoluta al mismo tiempo. El verde de su mirada le hacía ser mejor, simplemente porque ella lo veía. Imposible renunciar a aquello.

—Claire, si te das prisa creo que me da tiempo a dejarte en el instituto antes de ir al bufete —se ofreció Nick sacándola de aquellas cavilaciones de golpe y porrazo.

—No pasa nada, Nick, aún tengo que arreglarme —se excusó dando un sorbo a su café, y trató de no mirarle demasiado, porque sabía más que él y dolía.

—¿Estás segura? Me sobran unos diez minutos.

Mierda, ya le había dicho que no hacía falta, ¿tenía que elegir precisamente aquel día para empezar a jugar al novio solícito? Porque a su estado emocional le venía bastante mal.

—Segura —asintió—. Vete tranquilo, quedé con Ashley en que pasaría a buscarme.

Solo mencionarla delante de él y sus pulsaciones se descontrolaban de forma despiadada. Implacables. ¿Cómo iba a arreglárselas al día siguiente? Si solo con nombrarla ya estaba a punto de romperse en mil pedazos. El agobio comenzó a crecer de nuevo, invadiendo todo a su paso y animando a sus ganas de llorar a desinhibirse. Casi sentía el cortisol de fiesta por su cuerpo, sin privarse de nada. Aquellos niveles de estrés acabarían pasándole factura. ¿Le daría tiempo a fumarse un cigarrillo antes de que llegara Ashley?

—¿Estás enfadada? —lo preguntó como si realmente considerase que era una posibilidad.

Le miró, un tanto sorprendida por lo desencaminado de su teoría, y negó con la cabeza, porque un peligroso nudo en la garganta la presionaba para que no hablase. Tuvo que respirar hondo cuando Nick se levantó y se acercó a ella, para terminar ocupando la silla vacía a su lado. *No te rompas ahora. Aún no, Lewis, aún no.*

—Claire, ¿estás bien? —inquirió, supuso que porque le parecería extraña su manera de escanear la taza de café minuciosamente para no tener que enfrentarse a su mirada.

Y no, no estaba bien. Debería ser evidente para alguien con quien había compartido los últimos seis años de su vida. Debería, pero, por lo visto, no lo era. Y rogó a las divinidades de todas las culturas conocidas por el ser humano que no la tocase, por favor, que no la tocase, porque estaba a punto de derrumbarse.

—Al final vas a llegar tarde —lo dijo con la voz más firme que pudo, pero Nick no se movió y sentía su mirada clavada en el rostro.

Cerró los ojos cuando la mano del chico le apartó el pelo de la cara con suavidad, colocándoselo tras la oreja, y notó como dos lágrimas se deslizaban por sus mejillas. *Genial, Claire.* Y ya no había vuelta atrás.

—Ey, cariño... —Aquel despliegue emocional debía de haberlo pillado por sorpresa.

Nick intentó secarle las lágrimas, pero ella se le adelantó, restregándose las mejillas con el dorso de las manos. Se levantó de la mesa y comenzó a trasladar al fregadero las tazas y los platos que habían usado. El chico la miraba en silencio, desorientado, nunca se había manejado muy bien en aquel tipo de situaciones, así que no esperaba que se hubiera convertido en un experto de la noche a la mañana. La interceptó en el segundo viaje, sujetándola suavemente por los brazos y buscando su mirada.

—Claire, ¿qué pasa?

—Vamos a llegar tarde —dijo ella escapando hacia la puerta de la cocina.

—¿No vas a decirme qué te pasa? —insistió siguiéndola.

—Tengo un mal día —respondió subiendo escaleras arriba.

—Vale, pues vamos a hablarlo —ofreció el muchacho pisándole los talones.

—Ahora soy yo la que no tiene tiempo.

—¿A qué demonios viene esto?

A que necesito que te vayas. A que necesito que esto pare, porque no es el momento. A que me siento tan terriblemente culpable de lo que tengo que decirte que me rompes por dentro preocupándote ahora. A que ya no sirve de nada, así que para. Para, Nick, maldita sea.

—Vas a llegar tarde —señaló mientras preparaba el cepillo de dientes y lo escuchó suspirar, contrariado por lo inesperado de todo aquel drama matutino.

—Me da lo mismo —dijo plantándose en el umbral de la puerta—. Quiero saber qué te pasa.

Y, aunque por su tono parecía enfadado, lo conocía lo suficientemente bien como para saber que, en realidad, estaba asustado. Había tenido seis años para hacerse experta en él y los había aprovechado. Podía notar sus ojos humedeciéndose de nuevo y no fue capaz de mirarle a la cara, se dedicó a lavarse los dientes con la vista fija en el lavabo.

Nick permaneció en la puerta en silencio, como si no supiera qué más decir. ¿De verdad estaba tan perdido en todo aquello como ella suponía? ¿Sospechaba algo y había utilizado el trabajo como excusa para no tener que hablarlo abiertamente? Una especie de pensamiento mágico del tipo «si no le doy la oportunidad de decirlo, no será real». No estaba segura de si lo había sabido desde antes, pero desde luego lo sabía ahora. Que algo iba muy muy mal. Y a ella la presión comenzaba a quemarle por dentro y la garganta le dolía de forzarse para no llorar.

—Claire... —lo intentó, quedándose a mitad de camino, derrotado o sin ideas, porque no dijo nada más.

Y, gracias a Dios, el timbre sonó en ese preciso momento, señal de que Ashley llevaría un rato esperándola fuera y le sobraba curiosidad o le faltaba paciencia, una de dos. Se enjuagó la boca y salió del baño pasando por su lado, y nunca, nunca, se había sentido así de extraña con Nick. Como si de repente se hubiera abierto entre ambos el abismo más profundo de la historia y por mucho que gritasen no se oyera nada al otro lado. ¿Cuánto tiempo llevaba formándose? ¿Cuál había sido la primera grieta? Porque de repente le vinieron a la cabeza las palabras de Tracy: «Si acabamos de esa forma, ni Ashley era lo que yo buscaba ni yo lo que buscaba ella». ¿Aplicable a su caso salvando las distancias? La pelirroja había tardado seis meses en darse cuenta y a ella la revelación se le había hecho de rogar durante seis años, pero si Nick y ella acababan de esa forma, ¿no quería decir que tampoco habían sido lo que buscaban desde un principio? ¿Y lo habría descubierto antes si Ashley se hubiera cruzado en su camino a los seis meses de relación?

A lo mejor daba lo mismo el cuándo y el cómo, tal vez lo único que importaba eran los «por qué». Porque se habían distanciado, porque en el fondo buscaban cosas distintas, porque él trabajaba mucho y ella se había enamorado de otra persona, porque se había dado cuenta de que podía ser más feliz y de que quería serlo y porque Ashley y la forma en que la hacía sentir la habían dejado sin opciones. Por eso. Y a lo mejor allí tampoco había culpables, y Tracy tenía razón, sería mucho más fácil si los hubiera.

—Seguro que es Ashley. Hablamos luego.

Fue todo lo que pudo decir antes de salir de la habitación y bajar las escaleras casi de dos en dos, porque aquello le quedaba demasiado grande.

***

«¿Pero qué coño? La verdadera historia de Claire Lewis».

Había utilizado la misma pizarra en la que ella escribió «Claire Lewis» hacía ya cinco meses, como si fuera el puto nombre más mágico de la historia de la onomástica. Las siete y cuarto de la mañana y Ronda había convertido aquel desayuno en «el debate más esperado de la semana», o así lo llamaba. De momento, ella se limitaba a untar tostadas mientras escuchaba el monólogo introductorio de la castaña.

—¿Inesperado? Tal vez. ¿Sorprendente? Desde luego. Amigas, hace ya cuatro días desde el desdoblamiento Lewis… —comenzó con demasiada energía para ser tan temprano.

—No lo llames así —intervino ella.

—Como iba diciendo, hace ya cuatro días desde el desdoblamiento Lewis, un tiempo prudencial para que nuestro *shock* inicial haya dado paso a la siguiente fase: la aceptación. Han sido días intensos emocionalmente, pero creo que ha llegado la hora de analizar la verdadera historia de Claire Lewis.

—Al final no era ella —resumió Olivia con una admirable capacidad de síntesis, aunque que hablara con la boca llena de tostada le restaba autoridad, la verdad.

—No, joder, siempre ha sido ella —intervino porque cada vez que se acordaba de Claire llorando tras escuchar aquello de: «Si no hubiera pensado que era «ella», todo sería mucho más fácil», se moría un poquito por dentro—. Nunca ha sido la chica del diario. Siempre ha sido ella.

—¿Y has pensado en cómo te sientes con eso? —curioseó Ronda dándole un bocado a su tostada.

—No he tenido mucho tiempo para «pensar» en cómo me siento, últimamente solo «siento» —admitió—. Todo esto es una puta montaña rusa —dijo dejando caer la tostada sobre el plato.

—¿De las jodidamente increíbles o de las que marean? —quiso saber Olivia y ella la miró sopesando su respuesta.

—De las que marean de una forma jodidamente increíble —admitió escondiendo la cara entre las manos mientras se apoyaba sobre los codos en la superficie de la mesa—. Cuando estoy con Claire todo es alucinante, en serio, pero aún no hemos hablado de nada en realidad. Es como... superemos la barrera de mañana antes de plantearnos nada, ¿sabéis? —explicó mirándolas de nuevo—. Y lo entiendo, porque ella no puede con más ahora mismo, sé que lo está pasando peor que en toda su vida...

—Su posición no debe de ser nada fácil —reconoció Ronda—. Si yo tuviera que romper con Leo por haberme enamorado de ti, no sería capaz ni de mirarlo a la cara. Le mandaría un mensaje de WhatsApp y se lo diría a base de iconos. Siempre le han gustado los jeroglíficos.

—Bueno, tener que romper con alguien nunca es fácil —aportó Olivia—. Aaron había sido un cabrón conmigo y aun así fue una de las cosas más difíciles que he hecho nunca.

—Pues precisamente por eso es una puta montaña rusa —insistió—. Sé que es normal que se sienta así, que le dé miedo, incluso que le ponga triste, racionalmente lo sé. Y que se sienta así forma parte de lo que me encanta de ella. Pero a veces dejo de ser racional y me jode tanto que le resulte tan difícil... y a veces me cabreo porque es como «ya no lo quieres y me tienes a mí» —confesó un secreto inconfesable, pero necesitaba desahogarse con alguien y ellas dos eran las únicas personas en el mundo con quien podría hacerlo—. Sé que debe de sonar increíblemente estúpido y engreído, pero a veces me siento así.

—Suena humano, Ash —la tranquilizó Olivia—. ¿No habéis hablado de vuestra situación?

—No explícitamente, y tampoco sé si hace falta hacerlo, pero ahora mismo es como si estuviésemos en una transición hacia otra transición. Y yo sé cómo quiero que acabe esa última transición y creo que Claire quiere lo mismo, pero no lo hemos hablado claramente. Mañana rompe con él, ¿y entonces qué? ¿Quiere empezar a salir conmigo? ¿Estamos saliendo ya?

—¿Lo preguntas en serio? —Alzó las cejas Ronda—. Joder, si por todo el tiempo que habéis pasado juntas y lo que habéis tonteado os deberían convalidar dos meses de relación por lo menos.

Y a lo mejor su amiga llevaba un poco de razón, porque hacía apenas cinco días que se habían besado por primera vez, pero hacía muchísimo más tiempo desde que habían dejado de ser «amigas». Al menos ella se sentía así, tal vez llevaban en transición desde el principio y lo de «empezar a salir» con Claire en esos momentos le resultaba un poco redundante, la verdad. Los besos eran nuevos y el contacto físico era más íntimo, pero por lo demás habían salido miles de veces antes. Siempre había seguido un orden lógico en su vida sentimental: conoces a alguien, comienzas a salir y te enamoras, y con Claire el orden de aquellos factores sí que había alterado el producto. El resultado más acojonante de la historia de las matemáticas.

—Ashley, no te agobies demasiado, está más que claro que las dos queréis lo mismo —habló la voz de la razón, Olivia.

—Lo sé, joder. Pero es todo el asunto de Nick lo que me tiene atontada —se quejó dándole otro mordisco a su desayuno.

El silencio entre ellas apenas duró un par de segundos antes de que Ronda lo rompiera, muy a su estilo, además.

—¿Y el sexo qué? —inquirió realmente interesada.

—Ronda... —bufó Olivia sin mucho ímpetu, porque después de tantos años de amistad se habían acostumbrado.

—Ronda... ¿qué? Hablamos de celos, de sentimientos, de ponerse a salir... no hablar también de sexo es racismo —justificó su pregunta—. Además... ¿tú compras el coche antes de probarlo?

—Claire no es un coche y no voy a comprar nada —intervino ella.

—Ashley, somos tus amigas, vas a por los cinco meses de celibato y nos dijiste que con ella podrías correrte en segunda base —recopiló información la castaña—. Si te desahogas con nosotras, desahógate del todo. ¿Cómo lo llevas?

Pues si tenía que ser sincera, un poco mal, la verdad. Porque a lo mejor sonaba demasiado básico, pero necesitaba follársela ya, aunque la palabra follar no le pegara mucho en aquellos momentos. Joder, es que llevaba fantaseando demasiado tiempo con cómo sería acostarse con ella y a sus fantasías ahora se había sumado la realidad de su forma de besarla, lo jodidamente bien que se movía bajo su cuerpo con la respiración acelerada y su manera de gemir. Cómo le gustaba que la sujetase fuerte por la nuca, acercándola a ella...

Ashley, para, por el amor de Dios. Cierra esa puerta, que en cinco minutos tienes que ir a recogerla y a trabajar.

—No voy a hablar de esto con vosotras —decidió tras carraspear y oyó a Ronda reírse.

—Tan mal, ¿eh? —dio por sentado.

Ella la miró molesta, levantándose para llevar los cubiertos al fregadero con Darwin pisándole los talones.

—No te avergüences, Ash —la animó—. Si yo llevara tanto tiempo sin follar me tendríais el día entero dándole a vuestras piernas como Darwin antes de que lo castraras —ejemplificó acariciando la cabeza del animal cuando este pasó por su lado.

—Dios bendiga a Leo —dijo Olivia.

—Amén —convino Ronda guiñándole un ojo a la morena con cara de pervertida total.

—Me voy —decidió ella tras haber despejado su parte de la mesa.

—¿Qué? ¿Ya? ¿Por qué? —protestó la castaña al escucharla, mirándola como un perrito abandonado.

—Porque he quedado en pasar a recoger a Claire ahora y porque no quiero seguir hablando de esto contigo. Sobre todo, porque no quiero seguir hablando de esto contigo —confesó y sonrió ante la cara de indignación de su amiga.

La escuchó protestar cuando ella abandonó la cocina, negó con la cabeza sonriendo aún porque Ronda era un poco especial, pero la quería de todas formas.

***

Claire había salido de su casa llorando y con demasiada prisa y, a pesar de las circunstancias, no se había esperado una reacción así a aquellas horas de la mañana, así que se limitó a seguirla hasta el coche con cara de confusión total mientras el corazón le machacaba las costillas con muchas ganas. Una vez dentro del vehículo le acarició el brazo, porque realizar cualquier otro gesto más íntimo frente a su casa sería una mala idea. Claire la miró y se le encogió de golpe el alma entera, y cuando le pidió por favor que arrancase, lo hizo sin cuestionar nada más, sus preguntas podían esperar.

Así que llevaban un par de minutos conduciendo en silencio y cada vez le era más difícil mantener la concentración en el tráfico a niveles aceptables. Se repetía a sí misma que tenía que encontrar algo que decir para que se sintiera mejor; hacerla sentir bien sin nicotina, ¿no era eso? Grandes expectativas y gran responsabilidad. Enterarse de lo que había pasado era otra de sus prioridades.

—¿Quieres que pare en algún lado? —preguntó al fin mirándola fugazmente.

La vio asentir, y justo después se sorbió la nariz restregándose los ojos con el dorso de las manos. La había visto llorar en otras ocasiones antes y seguía muriéndose por poder secarle las mejillas, igual que la primera vez. Porque Claire Lewis era de lágrima fácil y formaba parte de lo increíblemente alucinante del conjunto, de lo que la tenía tan loca por ella que casi dolía, joder.

Se desvió de la ruta hacia el instituto de la rubia y aparcó el vehículo en una calle paralela poco transitada. Se desabrochó el cinturón de seguridad para poder acercarse a ella y casi antes de darse cuenta tenía a Claire abrazada a su cuello y escuchó un suave sollozo junto a su oído. La estrechó entre sus brazos y le acarició el pelo, aguantando el tipo a duras penas, porque aquellos días estaba especialmente sensible y, no quería alardear, pero además era una chica muy empática. La mantuvo abrazada el tiempo que la rubia necesitó para comenzar a calmarse y cuando sintió su respiración acompasada acariciándole el cuello, se decidió a hablar.

—¿Qué ha pasado? —preguntó y buscó conectar sus miradas cuando la rubia se apartó, y acarició el rastro húmedo que las lágrimas habían dejado en sus mejillas.

—Me ha preguntado que si estaba enfadada y me he puesto a llorar —confesó a media voz—. Quiero decírselo ya y no sé cómo hacerlo.

Y Olivia acertaba una y otra vez con aquello de que no iba a ser fácil. Una puta visionaria, porque Claire ya la había elegido a ella, pero seguía doliendo de mil formas diferentes. Verla así y conseguir entender que era por él sin sentirse amenazada, complicado y con gran exigencia emocional.

—Se lo digas como se lo digas estará bien, no son matemáticas, no hay formas correctas o incorrectas de hacerlo, Claire.

—¿Tú lo has hecho muchas veces? —le preguntó aún con los ojos brillantes.

—Nunca, pero me lo han hecho a mí —confesó y Claire la miró y frunció el ceño.

—Qué triste —dijo y, a pesar de que continuaba seria, ella tuvo que sonreír mientras interceptaba una lágrima rebelde con el dedo pulgar.

—Un poco, pero sigo viva y lo he superado y él también lo hará —aseguró—. Le costará más, porque, ya sabes, eres tú, pero lo superará —añadió y por fin pudo ver un inicio de sonrisa asomar a sus labios—. No puedes ir así a clase —dijo acariciándole ambas mejillas.

—Estoy horrible, ¿verdad?

—Estás jodidamente preciosa —le salió sin más, porque lo pensaba de verdad.

—Nunca pensé que la primera vez que me dijeras algo así sería mientras lloro y moqueo dentro tu coche —reconoció y ella le sonrió.

—Podemos ir fuera si quieres —bromeó y Claire le devolvió la sonrisa.

—Imbécil.

No se esperó que la rubia la besara en aquel momento, pero de repente su boca estaba demasiado ocupada para seguir hablando. Fue corto, uno de los de «perdona que no tenga mucho tiempo, pero es que necesito besarte igual», y sus labios sabían algo salados a causa de las lágrimas, pero seguían siendo igual de adictivos y la atraían sin remedio. Imposible escapar, la boca de Claire era la puta gravedad en estado puro.

—Tienes clase a las ocho y a mí me toca el turno con Dwain y tiene fijación obsesiva por la puntualidad —indicó cuando la rubia se separó de ella.

Y lo dijo por pura obligación, porque Dwain le importaba más bien poco. Claire le acarició la cara antes de colocarse bien en el asiento y a ella le encantó. Reiniciaron el camino hacia el instituto en silencio; la rubia miraba por la ventanilla, ¿seguiría pensando en Nick y en su conversación pendiente?

—¿Siempre te han dejado? ¿En serio? —inquirió de pronto girándose para mirarla.

Reprimió una sonrisa al oírla, porque aquella curiosidad por su desventurada vida amorosa indicaba que había conseguido desconectar de su drama personal, al menos por un rato.

—Cuesta creerlo, ¿verdad?

—¿Por qué? —indagó con el ceño fruncido.

Lo preguntó como si en realidad no comprendiera que nadie en su sano juicio pudiera querer dejarla por voluntad propia. Y aquello le estrujó un poco el corazón en el pecho.

—Eso tendrías que preguntárselo a ellas.

—Seguro que algo te suena a ti también y te tengo más a mano —insistió Claire—. ¿Por qué te dejó tu novia de la universidad? —acotó la información requerida y tras un par de segundos en silencio insistió—. Vamos, Ashley, hasta donde sé, eres prácticamente perfecta, no voy a poder concentrarme para dar las clases si no me aclaras esto, me pasaré la mañana pensando que te gustan cosas raras en la cama o que escondes cuerpos en el sótano.

—No me gustan cosas raras en la cama —negó solo aquella parte y Claire se rio pegándole en el brazo. Le encantaba poder hacerla reír aun en una situación como esa.

—En serio —la rubia suplicó y ella tuvo que ceder, porque no era de piedra y aquella mirada la taladraba por dentro.

—Terminó la carrera un año antes que yo y le ofrecieron trabajo en San Diego. No le pareció buena idea eso de intentarlo a distancia hasta que yo terminase y rompimos antes de que se marchara.

—¿Te habrías ido a California por ella?

—Y por el sol y la playa —añadió sonriéndole y cuando notó que seguía mirándola, pasados unos segundos, frunció el ceño—. ¿Qué? —preguntó, pero Claire se limitó a seguir cotilleando.

—¿Qué pasó con la segunda? ¿Por qué te dejó? —indagó con extremo interés.

Ay, la segunda.

—Joanna. Estuvimos juntas dos años, y los seis últimos meses los pasó follándose a uno de sus compañeros de trabajo, no lo supe hasta que rompió conmigo porque al final se enamoró de él.

—¿La querías? —pidió más información y ella la miró fugazmente y asintió.

—Sí, sí que la quería —confirmó devolviendo la vista a la carretera.

Unos segundos en silencio, quizá porque le tocaba el turno a la tercera.

—No tenemos que hablar de ella si no quieres —ofreció la rubia adelantándose.

—Tracy me dejó porque se dio cuenta de cómo te miraba a ti.

Pues ya estaba dicho. Aquel «yo quiero a alguien que me mire así a mí» de Tracy había dejado de dolerle poco a poco, transformándose de forma gradual en algo completamente necesario a medida que ella se enamoraba de Claire, un punto de inflexión imprescindible para alcanzar el lugar en el que se encontraba en esos momentos. Estaban llegando al instituto y la rubia miraba por la ventanilla sin responder a aquella última información. La más trascendente de todas y la había dejado muda.

—Bueno, ya estamos aquí —dijo por variar aquella pauta silenciosa.

—¿Me mirabas a mí? —Claire lo preguntó de repente, girándose para conectar sus ojos.

«¿Tracy te vio mirándome a mí o mirándola a ella?». Un trasfondo brutalmente complejo para cuatro sencillas palabras. Joder, ¿cómo responder a eso? Le sostuvo la mirada en silencio, porque por mucho que intentaran respetar aquella tregua hasta que pasara lo peor, había cosas que insistían en ser tratadas una y otra vez, y mantenerlas bajo control era más difícil a cada minuto. Tracy la vio mirando una invención, un híbrido entre el pasado y el presente, una fantasía que jamás existió, pero que le permitió llegar a lo verdaderamente importante: su pasaporte al final más inesperado de toda aquella historia, al que le oprimía el interior al completo cada vez que ella le acariciaba la puta cara y el que le obligaba a dejar de respirar para no perderse nada cada vez que Claire se acercaba más de la cuenta. No se lo había esperado, pero ahora que lo tenía era una jodida locura pensar que podría haber terminado de cualquier otra manera. ¿Cómo explicárselo a ella?

—Al final voy a llegar tarde —dijo la rubia tras unos segundos de espera. A lo mejor dando por sentado que no iba a contestar.

—Claire... —intentó decir algo mientras la rubia desabrochaba su cinturón de seguridad.

—No pasa nada, Ashley —aseguró, pero no se lo creyó demasiado—. Hablamos luego.

La besó fugazmente antes de bajarse del coche y echar a caminar hacia la puerta del edificio y ella se quedó mirándola hasta que desapareció dentro, por si se volvía para dedicarle una última mirada, una sonrisa, pero no fue el caso. *Joder, estúpida Ashley, tienes que empezar a reaccionar más rápido.*

***

«Nick»
Última conexión 16:13
NICK: Lo siento, mi amor.
NICK: Sé que te prometí que las cosas iban a cambiar.
NICK: No soporto verte llorar, perdóname por ser un gilipollas.

Tiró el móvil a un lado del sofá con las ganas de llorar otra vez a flor de piel, y aquel se estaba convirtiendo en su estado habitual. El montón de exámenes por corregir descendía de una manera desesperantemente lenta, tal vez porque su capacidad de concentración era nula. Atrapada por completo en un remolino que amenazaba con arrasarla a su paso, y que ella estuviera al borde de colapsar no le daba ninguna pena.

Recuperó el cigarrillo que había apoyado en el borde del cenicero apenas hacía unos segundos y le dio otra calada. Es que ya ni se molestaba en contarlos, y le daba igual que fueran cinco o cincuenta. La tensión en su interior era insoportable, como si estuvieran tirando de ella en mil direcciones diferentes y solo fuera cuestión de tiempo que se hiciera pedazos. Pasaba de sentirse completamente hundida a increíblemente optimista sin solución de continuidad y dependiendo del entorno; llevaba desde el domingo esperando al jueves, y ahora que casi había llegado se daba cuenta de que no estaba preparada. Y lo peor de todo era que sabía que nunca iba a estarlo.

Se le había agotado el tiempo y se había cerrado el paréntesis. Bienvenida al punto y seguido, justo donde lo dejaste, porque es hora de terminarlo. Y cada vez que pensaba en cómo decírselo a Nick le cambiaba el discurso, a lo mejor porque ninguno le servía, porque no daba con el que lo hiciera fácil y con todos acababa mal. Al final iba a hacerlo improvisando. Seis años compartidos que terminaban así. Resultaba que no iban a tener hijos, ni a viajar a Europa por su luna de miel. Él no se burlaría de sus primeras canas ni ella de su barriga cervecera. No iban a cumplir un séptimo aniversario juntos. Y Nick no había hecho las cosas bien, pero es que ella tampoco y no sabía por qué se sentía más culpable: por tener que decírselo ya o por no habérselo dicho antes. En cuanto comenzó a sentir cosas por Ashley. Pero nunca pensó que algo así pudiera pasarle a ella y la había pillado desprevenida.

Y dentro de todo aquel maremoto emocional estaba Ashley. Y de alguna manera sentía que dándole prioridad al juicio de Nick se la restaba a ella, y la veterinaria no se lo decía expresamente, pero toda aquella situación tenía que estar afectándole, desgastándola emocionalmente, y era otra piedra en su mochila de la culpabilidad. Empezaba a pesar. Porque además ella añadía leña al fuego preguntándole a quién miraba, agudizando un poco más la tensión emocional por si tenían poca, y a lo mejor no había sido ni el momento ni el lugar. Después de eso, Ashley le había mandado un par de mensajes a lo largo de la mañana, pero no le había sugerido quedar aquella tarde. Tal vez porque necesitaba un respiro. *Entiéndelo sin dramatismos, Lewis, porque, aunque parezca increíblemente perfecta, no deja de ser humana. Búscate otro refugio para pasar la tarde.*

Sonó el timbre en ese preciso momento, justo cuando se había propuesto corregir otro examen, a sabiendas de que no iba a conseguir concentrarse del todo. Cleo corrió lloriqueando hacia la puerta y comenzó a saltar como si en vez de patas tuviera muelles, de los más elásticos del mercado. Su mascota no recibía de ese modo a nadie más, así que se le aceleraron un poco los latidos mientras acudía a abrir.

La veterinaria conectó sus miradas en cuanto quedaron cara a cara, aún llevaba puesto el chaleco de personal veterinario del zoo y cambió de pie el peso de su cuerpo, su gesto nervioso. Ella iba a decirle: «Ashley, ¿estás bien?», pero solo pudo pronunciar su nombre antes de que ella la cortara.

—No digas nada —le pidió entrando en la casa—. Déjame que diga antes lo que quiero decirte. Siento procesar las cosas tan lento últimamente, pero toda esta situación me supera y a veces tengo miedo de fastidiarla o explicarme mal...

Cerró la puerta y la miró, aún sorprendida por lo repentino de todo aquello.

—Ashley, yo siento haberte puesto en esa posición esta mañana... —trató de cortar su monólogo, pero sin éxito.

—No sé a quién miraba, Claire —confesó, sabía que estaba respondiendo a su «¿Me mirabas a mí?» con unas horas de retraso y se le aceleró el pulso de golpe—. No sé a quién miraba, pero te vi a ti. Y da igual a quién mirara porque te he estado viendo a ti todo el tiempo. Mientras me enamoraba, siempre has sido tú. Te lo tenía que haber dicho esta mañana, pero...

No la dejó seguir, porque ya había hablado suficiente y su interior al completo sufrió un subidón de adrenalina por la forma en que la miraba. Es que necesitaba decirle tantas cosas a la vez que al final no podría decirle ninguna y por eso decidió condensarlas todas.

La tomó por el cuello del chaleco, acercándola y acercándose, y la besó con el corazón taladrándole el pecho y con muchas ganas. Ashley claudicó enseguida, dejándose la última frase a medias para usar sus labios en algo mucho más importante, y tras la sorpresa inicial se unió al ritmo que ella le marcaba sin cuestionarlo siquiera y acomodó las manos en su cintura. Se limitaron a besarse allí mismo, junto a la puerta de entrada, hasta que los ladridos insistentes de Cleo comenzaron a amenazar con perforarles los oídos.

Cuando se separaron, tomó la cara de la veterinaria entre las manos y la miró por unos segundos directamente a los ojos antes de decidir besarla de nuevo. Justo cuando iba a hacerlo, Cleo retomó sus ladridos y ella suspiró, suspendiendo todo movimiento.

—Dios, parece que está enamorada de ti también —se quejó refiriéndose a su mascota.

Algo cambió en el gesto de Ashley al oírla, fruto de algún tipo de impacto emocional, porque se reflejó en la expresión de sus ojos. Y entonces se dio cuenta de que lo había dicho como si nada y sin darse cuenta.

—También, ¿eh? —dijo la veterinaria esbozando media sonrisa.

Ella se limitó a asentir, devolviéndole el gesto, y esta vez fue Ashley quien la besó, abrazándola por la cintura y levantándola ligeramente del suelo. Y de nuevo los impertinentes ladridos de Cleo, que parecía no comprender que lo suyo era un amor imposible.

—A lo mejor debería hacerle un poco de caso, puede que si no, te mate mientras duermes —susurró Ashley contra su boca y ella sonrió, atrapando sus labios una última vez, antes de cederle sus atenciones a su mascota.

Sonrió como una idiota mientras observaba cómo la chica tomaba a Cleo en brazos y, menos mal que la había sacado a la calle hacía nada, porque si no habría sido altamente probable que se hiciera pis de la emoción. Y le gustaría poder decirle: «Relájate, tonta, que no es para tanto», pero es que sí que lo era.

Ashley se llevó a Cleo al sofá y comenzó a juguetear con ella, compitiendo por la posesión de su peluche favorito. La miró, sin más, simplemente dejó que sus ojos la recorrieran sin prisas mientras ella gruñía sacudiendo el muñeco de un lado a otro. ¿Era raro que oírla gruñir de esa forma la impulsara a caer aún más?

—*¿Por qué te enamoraste de ella, Claire?*

—*Porque gruñe mientras juega fingiendo que es un perro.*

Y por muchas más cosas, claro. Cuando Cleo se cansó, se llevó el juguete a su cama y abandonó a Ashley sin muchos remordimientos. Fue entonces cuando la veterinaria localizó el cenicero y en su interior el resumen de lo que había sido su tarde. Cinco colillas y podrían haber sido más.

—Cinco en tres horas —contabilizó—. Intenso —dijo mirándola y ella escondió la cara entre las manos—. Claire... —la llamó acercándose a ella en el sofá.

—No puedo más, Ashley —confesó de pronto, angustiada de nuevo porque acababa de recordar vívidamente la razón de aquellas cinco colillas—. Me siento como si fuera a reventar de un momento a otro y cuando estoy a punto de hacerlo llegas tú y me entran ganas de reventar de otra manera, pero no puedo, y estoy a punto de llorar todo el tiempo. —Y la angustia la hacía hablar excesivamente deprisa, pero Ashley no se quejó—. Esta mañana en clase no me acordaba del nombre del protagonista de *Orgullo y prejuicio* y creo que le he dado de comer a Cleo dos veces. Y cada vez que veo a Nick tengo ganas de gritarle que si no lo ve. Porque no lo ve y se lo tengo que decir yo y no sé cómo, y luego estás tú, aguantando toda esta mierda porque no he querido decírselo antes...

—Claire, Claire... tiempo muerto, ¿vale? —Ashley la cortó con suavidad y se agachó frente a ella, apoyando las manos en sus rodillas. Miró a la veterinaria con la respiración algo acelerada y se prometió a sí misma no llorar—. ¿Quieres venir conmigo? —le preguntó alzando las cejas.

Su propuesta la pilló tan de improviso que, por un momento, hasta se olvidó de lo angustiada que estaba, frunció el ceño sin comprender muy bien qué pretendía Ashley con todo aquello. ¿Era una táctica de distracción?

—Ir contigo... ¿a dónde? —inquirió y Ashley sonrió ligeramente.

—Te lo he dicho: a un tiempo muerto.

***

Al zoo. La había llevado al zoológico. Por las horas, ya estaba cerrado al público y prácticamente desierto, las pocas personas con las que se cruzaban debían de formar parte de la plantilla de trabajadores, porque llevaban chalecos similares al de Ashley. Era una sensación muy extraña estar allí sin aglomeraciones, sin niños gritando y corriendo por todos lados, como si estuvieran en una película postapocalíptica y el resto de población mundial se hubiera desintegrado. Le gustaba, y más teniéndola a ella al lado. El mejor tiempo muerto de la historia, porque Ashley le había dicho «Olvídate de Nick, de mí y de todo esto por una tarde» y estaba más que dispuesta a intentarlo. No supo que la llevaba a su lugar de trabajo casi hasta que llegaron allí y debió de sonreír como una idiota cuando Ashley le anunció que tenía un pase VIP para visitar el recinto, porque la veterinaria la miró de aquella forma que quería decir «qué mona eres, por Dios», y cuando la observaba así le era vergonzosamente fácil olvidarse de todo lo demás.

Y mientras avanzaban por una de las sendas, ella se dedicaba a mirarla porque le encantaba verla allí, en su lugar de trabajo, con aquella sonrisa en la cara mientras le explicaba cosas; era obvio que disfrutaba con lo que hacía. Se acordó de la sorpresa que se llevó al encontrársela en la zona de la sabana africana aquel día que Nick y ella visitaron el zoo, cuando apenas se conocían. «¿Eres veterinaria?», «Y me encanta». Madre mía, había pasado mucho tiempo y habían sucedido muchas cosas desde aquel descubrimiento, demasiadas, que se habían enamorado, por ejemplo. Su interior se revolvió en su totalidad de una forma ciertamente agradable ante aquel pensamiento, y se moría por hacerlo, así que la cogió de la mano y entrelazaron sus dedos para seguir avanzando de esa manera hacia la misteriosa localización a la que Ashley quería llevarla en primer lugar. Sintió cómo la veterinaria se la estrechaba antes de dedicarle una de esas sonrisas que deberían estar prohibidas o valer millones, o algo muy radical y de ese estilo. Dos o tres latidos perdidos y ni iba a buscarlos ni nada, estaba muy ocupada disfrutando de aquella burbuja especial que Ashley había construido para ella por unas horas.

—Ojalá no le hubiera hecho caso a mi padre, me encantaría trabajar aquí —dijo mirando la vegetación a su alrededor.

—Si trabajaras aquí, no podría concentrarme —bromeó la veterinaria y ella le sonrió.

—Eso sería problema tuyo —resolvió haciéndola reír—. Me gusta dar clases y la literatura, pero trabajar aquí y estar rodeada de animales todo el día tiene que ser una pasada.

—Bueno, puedes venir siempre que quieras simplemente a estar rodeada de animales, sin tener que trabajar, así que me das un poco de envidia. Ya estamos llegando —anunció tirando de su mano con suavidad.

Expectación máxima, la verdad, porque había leído algún cartel que indicaba que se acercaban a un recinto llamado «Wilderness Trek» y Ashley parecía especialmente ilusionada con lo que iba a enseñarle. Tenía una cara de «sé que te va a encantar y no puedo esperar más para que lo veas» indescriptiblemente adorable y se dejó arrastrar hasta la valla de madera que delimitaba el recinto. A un metro de ella se abría una especie de fosa, un desnivel en el terreno que impediría a los animales residentes en aquellas latitudes del zoológico salir a pasearse por el resto del parque. Y casi no le hizo falta que Ashley le explicara por qué había elegido aquella zona como primera parada, los vio enseguida y se llevó las manos a la boca ahogando una exclamación enternecida.

—El que está mordiéndole la oreja a su hermano es Poe, al que le muerde es Allan, esa que está olisqueando aquella piedra es Lewis y ahora mismo Edgar no parece tener ganas de exhibirse ante el gran público —los presentó la veterinaria—. La madre es la que está echándose la siesta junto a aquella roca.

—Oh, Dios mío, Ashley. Son una monada, quiero uno. ¿Tienes suficiente poder en este sitio como para darme uno? —quiso saber sin apartar la vista de los dos hermanos que seguían aprendiendo mientras jugaban entre ellos.

La oyó reír a su lado y ella sonrió, sin apartar la vista de los cachorros, porque se le estaba derritiendo el alma entera ante aquella escena.

—No tengo tanto poder.

Vaya, qué chasco, aunque no tenía muchas esperanzas en realidad y, seguramente, a Cleo no le haría gracia tener que compartir la cama con un cachorro de lobo.

—Oh, me encanta Lewis. Es adorable, como yo —bromeó al verla dar un gracioso salto, asustada al descubrir un bicho al otro lado de la roca que inspeccionaba—. ¿Qué tiempo tienen?

—Nacieron el día de la barbacoa en tu casa, así que un mes y medio largo.

—¿Puedo hacerles fotos? —preguntó y, antes de que Ashley contestara, ya casi tenía instantáneas suficientes en el móvil para ilustrar un monográfico dedicado a la vida salvaje.

Podría quedarse la vida entera allí, contemplando a los pequeños cachorros jugar, mientras Ashley le explicaba cosas acerca de los lobos. Casi le dolía la cara de tanto sonreír, y eso que acababan de empezar el *tour* privado.

Resérvate, Claire, deja un poco para luego, anda.

—Ven, quiero que veas una cosa —le dijo la veterinaria tomándola de nuevo de la mano y alejándola de aquel primer paraíso terrenal.

La siguió sin resistirse porque, por lo entusiasmado de su tono, parecía que eso que quería que viese iba a ser igual de increíble que lo que dejaban atrás. Y aquello era exactamente lo que necesitaba esa tarde, ya ni recordaba la acuciante necesidad de paliar su situación a golpe de nicotina, porque Ashley había solucionado el problema de la mejor manera posible.

Olvídate de todo por un rato, Claire, la atención en el presente, no te vayas a perder una de sus sonrisas.

Saber que aquello era lo que le esperaba «después de Nick» hacía que su inmensa angustia estuviera al menos justificada. El calor de la mano de Ashley en la suya le cambiaba las perspectivas, y las vistas desde allí le gustaban más.

—¿Estás preparada? —le preguntó la veterinaria mientras se aproximaban a otro recinto.

—¿Para qué? —le devolvió otra pregunta y Ashley la miró sonriendo anticipadamente.

—Para ver algo que no has visto antes. O, al menos, espero que no lo hayas visto antes, porque si no le quitaría emoción.

La tomó por los hombros con ambas manos y la colocó de espaldas al recinto al que acababan de llegar como si no quisiera que mirara todavía. Sonrió, un poco nerviosa por la expectación que estaba despertando en ella la veterinaria.

—¿Te gustan los tigres? —preguntó Ashley alzando una ceja, y le encantó el gesto.

—Me encantan los tigres.

—¿Por qué te gustan?

—Me gustan porque son preciosos, elegantes, fuertes...

—Y letales —completó la morena y ella sonrió.

—Y letales.

Ashley echó un vistazo sobre su hombro hacia el recinto, supuso que intentando asegurarse de que ya podía mirar y, por la sonrisa que le dedicó cuando conectó de nuevo con sus ojos, supo que iba a darle permiso para girarse.

—Ya puedes mirar —indicó, y ella se volvió con el corazón algo acelerado por tanto misterio, a lo mejor el contacto con Ashley también tenía algo que ver.

Se apoyó en la valla de madera con la boca abierta, no podía negar que había conseguido sorprenderla, porque no esperaba encontrarse tres tigres gigantes, potencialmente feroces y peligrosos, jugando con unas pelotas gigantes como si fuesen ovillos de lana y ellos unos adorables gatitos domésticos. Tuvo que reír ante la escena porque, además de inesperado, era gracioso verlos persiguiendo las pelotas, disputándoselas y disfrutando como nunca antes les había visto hacerlo en los documentales de la televisión. Sintió a Ashley apoyar los brazos cruzados sobre la madera, a su lado, pero era incapaz de apartar la vista de aquel espectáculo.

—¿Qué te parece? —pidió su opinión observando también a los animales.

—Alucinante —admitió sonriendo—. Nunca había visto a los tigres así antes.

—Forma parte de su programa de enriquecimiento ambiental —explicó y ella la miró en espera de más, porque no le sonaba para nada ese término. Ashley sonrió al sentir su atención fija en ella y decidió ampliar la información—. Imagínate estar encerrada toda tu vida en la misma casa sin poder salir. Todos los días lo mismo, todos los días iguales. Desesperante, ¿no?

—Mucho —le dio la razón observándola interesada.

—Ellos están aquí toda su vida, los mismos olores, los mismos lugares... y con el enriquecimiento ambiental se les dan estímulos nuevos, que puedan hacer algo más que estar tirados todo el día en el suelo muertos del aburrimiento y esperando que llegue la comida. Intentamos que todos los animales del zoológico tengan su propio programa, se basa sobre todo en las características de las especies, en sus necesidades, en cuál sería su comportamiento en libertad...

—No sabía que hacíais eso en los zoológicos —reconoció sin quitar ojo de los animales.

—Bueno, ojalá se hiciera en todos, solo algunos los están poniendo en práctica. Después, cuando estén comiendo, mis compañeros les colocarán comida escondida por diferentes sitios del recinto, impregnarán olores nuevos y así mañana el día será un poco diferente para ellos —añadió observando con media sonrisa cómo los animales continuaban entretenidos con aquellos juguetes—. No parecen tan letales así, ¿eh?

—Parecen gatos. Gatos gigantes, pero gatos —reconoció, incapaz de borrar la sonrisa de su rostro, como si fuera la mañana de Navidad y ella una niña de preescolar.

—Gatos que pueden aniquilarte de un solo zarpazo, pero gatos —dijo Ashley y ella rio pegándole cariñosamente en el brazo—. ¿Quieres verlos un rato más o prefieres ir a otro sitio?

—Unos minutos más, ¿vale? —decidió, observando el juego de los felinos, casi era hipnótico.

—Unos minutos más —aceptó la veterinaria.

Ella sonrió, porque era alucinantemente cómodo estar así con Ashley, poder mirar a los animales el tiempo que se le antojara, sin prisas, porque no las había en realidad. Se acercó más a ella y apoyó la cabeza en su hombro, inmediatamente sintió sus labios depositando un beso sobre su coronilla y volvió a sonreír con la vista fija en los felinos. Uno de esos momentos que le gustaría poder congelar en el tiempo para que no terminara nunca. Con Ashley casi todos eran así.

***

Osos, focas, rinocerontes, jirafas... casi había perdido la cuenta de la cantidad de especies animales diferentes que habían visto en las dos últimas horas, y aún no habían terminado de verlo todo, a lo mejor porque ella insistía en quedarse eternidades enteras embobada mirando cada recinto como si nunca hubiera pisado un zoológico antes. Y Ashley no le metía prisa, y lo mejor era que sabía por qué la chica no la presionaba para ir más rápido, simplemente porque estaba disfrutando de aquello tanto como ella. A veces la pillaba mirándola con aquella expresión en su cara, aquella sonrisa, y un cóctel peligrosamente adictivo de sustancias químicas cerebrales se derramaba en su torrente sanguíneo cada vez que podía sujetar la mano de Ashley con la suya. Sintiéndola, y aquel tiempo de muerto no tenía nada, pero le gustaba igual.

Había comenzado a anochecer y Ashley la había llevado al gigantesco acuario del zoológico, seguro que no lo había hecho con segundas intenciones, pero el ambiente en el interior de aquel edificio le resultaba tan íntimo, la iluminación casi romántica y estar allí con ella, a solas, le estaba gustando demasiado.

—¿Has tenido peces alguna vez? —escuchó que preguntaba a su lado, mientras ella observaba unos peces multicolores especialmente espectaculares.

—Thomas ganó uno en una feria cuando éramos pequeños —admitió y cuando miró a la veterinaria ella la estaba observando interesada, así que amplió su historia—. Lo llamó «Branquia». —Se rio ante la cara de disgusto que puso Ashley al escuchar aquel nombre—. Estaban dando las partes de los animales en el colegio y siempre ha sido un poco empollón.

—¿Y Branquia vivió mucho?

Evitó responder y se puso a imitar a los peces, abriendo y cerrando sus labios frente al gran acuario.

—Claire... —llamó su atención Ashley.

—Prefiero no hablar de eso —reconoció y continuó con los rítmicos movimientos de labios característicos de aquellos animales, la oyó reír e intentó continuar con su particular forma de evasión, pero la sonrisa le salió sola y le fastidió la imitación.

—Puedo equivocarme, pero eso suena a culpabilidad —dijo la veterinaria—. ¿Mataste a Branquia, Claire?

Se volvió hacia ella y retomó la imitación de aquellos animales, mirándola. Le encantó la forma en que Ashley sonrió, cincuenta por ciento divertida y cincuenta por ciento «qué mona eres, por Dios», y la veterinaria acabó tomándola por las mejillas con una mano, inmovilizando su boca.

—Lo hiciste, ¿verdad? —quiso saber, casi riendo y sin soltarla.

A final asintió con cara de pena, porque no podía cambiar el pasado y Ashley había dado casi por casualidad con la época más oscura de su vida.

¿Cómo se declara, señorita Lewis? Culpable, señoría.

—Tenía cinco años —confesó, pero no pudo pronunciarlo muy bien porque su boca aún continuaba aprisionada. Ashley sonrió, liberándola, porque parecía que le interesaba bastante enterarse de la historia de aquel homicidio—. Escuché a mi madre decirle a Thomas que tenía que limpiar a Branquia, pero él decía que no tenía tiempo y empezó a protestar, como siempre... Así que decidí limpiarlo yo.

—¿Y cómo lo limpiaste?

—Bueno... como nos limpiábamos todos —dio por sentado—. Le preparé la bañera.

—¿Con agua caliente? —probó suerte y ella asintió lentamente—. ¿Y con jabón y todo?

—Quería que quedase limpio —reconoció con cierto pesar.

—Oh, estoy segura de que quedó limpio —dijo la veterinaria y ella le pegó en el brazo aguantándose una sonrisa.

—Lo pasé fatal cuando me dijeron que lo había matado —confesó—. Además, Thomas me dijo que me iba a matar a mí, así que también tuve un poco de miedo las semanas siguientes.

—Creo que después de esto tendré que avisar a Servicios Sociales para que le echen un ojo a Cleo de vez en cuando.

Ella sonrió divertida, la dio por imposible y centró su atención de nuevo en los peces de colores. Enseguida la sintió a su lado y observaron las peceras en silencio durante unos segundos.

—Me encanta este sitio —admitió desplazándose por el recinto para poder conocer al resto de sus ocupantes—. Es relajante verlos.

—La gente no suele pararse mucho aquí, prefieren a los mamíferos —dijo Ashley apoyándose de espaldas sobre el cristal del acuario, justo a su lado.

La estaba mirando a ella, casi podía sentirla físicamente mientras le recorría las facciones sin ninguna prisa, trató de seguir centrada en las decenas de pececillos que nadaban en todas las direcciones, como si no estuvieran muy seguros de a dónde se dirigían en realidad. A los pocos segundos se rindió ante la evidencia, ella le interesaba más, así que por fin la miró. Y no sabía si llevaba mucho tiempo haciéndolo, pero estaba imitando a los peces mientras la observaba, exactamente igual a como ella había hecho unos minutos atrás. No pudo evitar sonreír al descubrirlo.

—¿Qué haces? —preguntó encarándola.

—Relajarte.

—Para —le pidió, porque le estaba haciendo gracia.

—Reconoce que está funcionando —exigió acercándose a ella.

—¿Y si no está funcionando? —barajó esa posibilidad casi riéndose.

—Miente.

En vez de mentir se rio, empujándola suavemente para que no continuara acercándose moviendo la boca de esa manera, pero Ashley no se dejó amedrentar y lo intentó de nuevo. Dios, debería ser delito lo bien que le quedaba todo a aquella chica: cada gesto, cada mirada, cada palabra y aquel chaleco con los vaqueros. Casi sobrenatural. Así que dejó de resistirse, porque en realidad estaba deseando que llegara hasta ella, y se dejó acorralar contra uno de los acuarios, el más grande. Ashley dejó de hacer el tonto cuando la tuvo donde quiso y cambio el gesto por una de esas sonrisas que deberían aparecer en todos los anuncios de dentífricos, a nivel mundial.

Aquella especial iluminación, el sonido del agua filtrándose en las peceras a su alrededor, la soledad y su mirada. Simplemente perfecto y el corazón le latía raro, no se preocupó en exceso, comenzaba a darse cuenta de que pasaba con alarmante frecuencia cuando estaban juntas y a solas. Fue totalmente consciente de los cortocircuitos internos que generaba en ella su proximidad, cuando Ashley la aprisionó entre la pecera y su cuerpo. Se miraron a los ojos en completo silencio, hasta que la veterinaria sonrió de forma casi imperceptible.

—No te he traído aquí para esto, lo juro —dijo acariciando sus costados con las manos, rítmico, suave y perfecto.

—Hazlo de todas formas. El sitio es alucinante —la incitó estrechando su cuello con los brazos.

Ay, Dios. Es que besar a alguien jamás había sido así antes. Aquella anticipación, y la forma en que todo su cuerpo se despertaba ante la más mínima señal de acercamiento por su parte, la cuenta atrás observando sus labios hasta el último milisegundo porque con ella le gustaba el riesgo. Verla acercarse y que se redoblase el ritmo de sus pulsaciones. Y se estaba acelerando en aquel preciso momento, apoyó la cabeza suavemente contra el frío cristal de la pecera, se dispuso a esperarla allí y Ashley llegó enseguida. Se le cerraron los ojos solos, antes de sentir su boca adaptándose a la perfección a sus labios, una suave embestida, a la que siguió otra igual de delicada y ella respondió de la misma forma, dejándose llevar por aquel ritmo. Casi sin darse cuenta, sus manos estaban descendiendo por la espalda de Ashley, lentísimamente, disfrutando de todo a su paso, mientras sus bocas seguían encontrándose una y otra vez.

Es que, cuando empezaban así, se olvidaba del mundo y aquel acuario era todo su universo en aquellos momentos. Ashley le sobrecargaba los sentidos cada vez que la besaba de ese modo, los cinco y sin contemplaciones, mientras buscaba el contacto de su cuerpo entero y apenas podía atender a tantas sensaciones simultáneas. La veterinaria le mordió con delicadeza el labio inferior y a ella se le elevaron las pulsaciones. Las caricias de las manos de Ashley en los costados casi le quemaban y el calor la impulsaba a pedirle «tócame más, joder. Sube o baja o lo que quieras, pero tócame más»; se moría por morderle el cuello y comprobar qué pasaba a continuación. «¿Qué es lo que más cachonda pone a Ashley en los preliminares?», bendito Trivial Pursuit. Edición amor y sexo. Versión 0.69.

Se controlaba a duras penas, porque no era ni el momento ni el lugar, pero es que Ashley no se lo estaba poniendo nada fácil y ella tenía mucho calor de repente. Intensificó el beso y la veterinaria aumentó la compresión entre sus cuerpos en respuesta. Bufff, el frío del cristal a su espalda contrastaba de una forma brutal con todo lo demás. Sintió una de las piernas de la veterinaria colándose entre las suyas, casi instintivamente movió sus caderas contra ella porque necesitaba el contacto con desesperación y al sentirla Ashley soltó el sonido más erótico que había escuchado jamás. Contra sus labios, y acrecentó la presión de su muslo contra aquella parte de su anatomía, especialmente sensible en esos momentos, atacando su boca con muchas más ganas. Y no quería, pero quería, y gimió bastante alto. Abandonó los labios de Ashley e inclinó la cabeza hacia atrás, dejando su cuello al descubierto. Una de las dos suspiró un «Oh, Dios» entrecortado y ronco, y no tenía muy claro si fue ella porque las cosas estaban empezando a desdibujarse un poco a su alrededor. Enredó la mano en el pelo de Ashley cuando esta comenzó a besarle el cuello, besos húmedos, y juraría que su ritmo cardíaco jamás había sido tan elevado. Casi le dolía el pecho de una forma muy agradable y había perdido por completo el control de su respiración. Reconocer que había perdido el control a secas sería mucho más honesto.

—No sabes las ganas que te tengo, Claire, joder —lo escuchó contra su oído en esa versión ronca de su voz, y se le estremeció todo el cuerpo.

Aquel «con ella podría correrme en segunda base» se le estaba haciendo alarmantemente familiar y sintió sus manos en las caderas guiando con suavidad los movimientos contra su pierna. Había vuelto a besarla de aquella forma y todo estaba sucediendo a la vez. El calor, el sabor, sus sonidos y la tensión en su interior se multiplicó por mil. Y se moría por dejarse llevar, por dejar que Ashley la ayudara a aliviar esa creciente necesidad, porque cada vez era más insoportable y aumentaba de forma gradual a cada segundo. Y ella lo había iniciado todo, profundizando lo que en un principio iban a ser un par de besos inocentes en aquel entorno tan mágico, lo había comenzado, pero no podía seguir adelante. Si al final Ashley se enfadaba con tanto encendido y apagado, tendría toda la razón del mundo, pero es que le costaba la vida entera contenerse. Nunca había imaginado que el cuerpo de otra chica pudiera generar nada parecido a aquello en ella, pero es que el de Ashley estaba arrasándolo todo, pulverizando a su paso los cimientos de su existencia al completo. Como si nunca hubieran estado allí.

—Ashley... —pronunció su nombre contra su boca, con voz entrecortada.

—No... —lo dijo dentro de un beso, lastimeramente, porque seguro que ya lo sospechaba.

—Ashley, si seguimos así un poco más... —advirtió.

—...te lo pasarás muy bien —completó su frase en un susurro.

Su tono había cambiado, a lo mejor porque, a pesar de las circunstancias, estaba de acuerdo en parar y su forma de finalizar la frase la hizo reír.

—Demasiado bien —coincidió, acariciándole la cara.

—Varias veces —añadió la veterinaria, ella le sonrió y le dio un cariñoso cachete en la mejilla.

Ashley besó el dorso de su mano cuando le acarició el rostro de nuevo; esos gestos, esos detalles, que después de la tormenta vinera esa calma, su cara tierna. ¿Así era Ashley en su faceta más íntima? ¿Esa increíble sensación de «todo en uno» era lo que hacía sentir a su pareja? La besó suavemente, sujetándole la barbilla con el dedo índice, y ella se lo devolvió de la misma forma. Cuando se separaron, la veterinaria depositó otro beso en la punta de su nariz y ella sonrió, a pesar de que se sintió incompleta en cuanto Ashley la liberó del peso de su cuerpo.

***

No quería irse del zoológico. No quería regresar a su casa. No quería que aquel «tiempo muerto» finalizara tan pronto, pero ya estaban enfilando su calle. Miró a Ashley, conducía con la atención puesta en la carretera y gesto serio, seguramente a ella tampoco le hacía ninguna gracia tener que dejarla en la casa que compartía con Nick.

—Gracias por esta tarde, la necesitaba.

Ashley la miró, dedicándole una pequeña sonrisa.

—Yo la necesitaba también.

Fue su turno para sonreír e iba a acariciarle la nuca, porque le encantaba hacerlo, justo cuando descubrió el coche de Nick aparcado frente a la entrada de su casa, y el gesto se quedó congelado en algún punto previo a su inicio. Un giro de ciento ochenta grados, todos de golpe, que le mareó un poco y su interior se paralizó sin previo aviso. Se le dispararon las pulsaciones porque supuestamente el chico iba a quedarse en la oficina hasta tarde, pero parecía que había cambiado de planes, y tenía una ligera sospecha del motivo.

—¿Qué pasa? —preguntó Ashley desorientada ante su repentino cambio de actitud.

—Nick ha vuelto antes a casa —contestó a media voz.

La veterinaria aparcó el coche a unos pocos metros de su vivienda y ambas permanecieron en silencio durante unos segundos. Mantenía la vista fija en la ventana de su salón, porque estaba iluminada. En casa pronto y fuera de su despacho. Algo le estaba oprimiendo el pecho de una forma muy poco delicada. Sintió la mano de Ashley acariciándole el pelo y fue como salir de un trance autoinducido.

—Lo sabe —dijo sin más y la miró.

—¿El qué?

—Que algo va muy mal. —Suspiró apoyando la cabeza contra el asiento y observando la calle.

—Tal vez es mejor así.

—No, Ashley, no es mejor así —la contradijo—. Mañana tiene el juicio más importante de su carrera y, en vez de estar preparándolo, está aquí porque me he puesto a llorar esta mañana como una imbécil.

—No eres una imbécil, Claire, estás pasándolo mal, date un respiro —le pidió con voz suave.

—No tengo tiempo. Me va a preguntar y ya no tiene sentido mentirle. —Suspiró casi con lágrimas en los ojos.

La vio perder la mirada a través del parabrisas, a lo mejor porque comenzaba a resultarle difícil mantener aquella cara de valiente, esa que la había sostenido durante los últimos días. Tal vez porque aquella nueva subida y bajada en su vida emocional la había desgastado un poco más. La culpabilidad por ir a hacerle aquello a Nick el día antes de su gran juicio pasó a un segundo plano cuando cayó en la cuenta de que los ojos de Ashley estaban demasiado cristalinos. Cuestión de prioridades.

Se recordó de nuevo que toda aquella situación no solo le afectaba a ella, no era la única para la que todo era nuevo. A lo mejor Ashley también sentía que todo aquello le quedaba grande, pero escogía no mostrarlo abiertamente para no hacérselo más grande a ella. Quizás era su turno de hacerse la valiente, de sostenerla.

—Ash —la llamó y, cuando la miró, le acarició la cara—. Tal vez sí que es mejor así. ¿Me das un beso de buena suerte?

Casi antes de que hubiera terminado de preguntarlo sus labios estaban ocupados. La sintió vulnerable de nuevo como en aquel abrazo en su porche, buscando una nueva garantía para su «No voy a echarme atrás», porque la hora de la verdad había llegado y desde la distancia era muy fácil hablar. Le devolvió el beso, con un «Tú eres lo que quiero» resaltado en cada movimiento, y después se separó de sus labios con suavidad y la miró a los ojos.

—Te llamo luego, ¿vale? —pactó acariciándole el pelo.

Ashley se limitó a asentir, y notó que respiraba hondo, probablemente tratando de controlar el torbellino de emociones que revolvía su interior en un momento como aquel, las que apenas le había dejado ver y gracias a eso todo había sido mucho más fácil.

Un último beso fugaz y se bajó del coche con el corazón amenazando con reventarle las costillas una a una. Se obligó a caminar hacia su casa, aunque su organismo al completo proponía un plan alternativo: la combustión espontánea. Porque el jueves había llegado un día antes y le estaba costando bastante hacerse a la idea sin ponerse a hiperventilar, quería salir corriendo en dirección contraria y no parar hasta que sus piernas dejaran de sujetarla.

Los veinte metros más largos de la historia de las distancias, y cuando estuvo frente a su puerta fue su turno para respirar hondo. Preparándose para enfrentarse a su mirada y verbalizarlo, porque no estaba segura de poder hacerlo, pero no le quedaban más opciones. «Lo siento, pero la quiero a ella», y le temblaron un poco las manos al intentar encajar la llave en la cerradura. Aun así, abrió la puerta al primer intento y sentía el corazón latiéndole en la garganta cuando puso un pie dentro de la casa.

Se le frunció el ceño solo al ver a Cleo sentada frente a un par de maletas colocadas justo en la entrada. Su pequeña mascota saltó a su alrededor nada más verla aparecer y ella le acarició la cabeza, sin despegar la vista del equipaje e intentando encajar las piezas de aquel inesperado puzle. ¿Qué estaba pasando?

Cerró la puerta a su espalda y dio un par de pasos hacia el interior de la casa, insegura, porque sus esquemas no dejaban de romperse una y otra vez. Y le dieron ganas de gritarle a su sistema nervioso «cálmate, joder, que yo tampoco me esperaba esto». Oyó sus pasos en el salón y cuando apareció en el marco de la puerta se le contrajo el cuerpo entero, porque se notaba que el chico había llorado.

—Nick... —No tenía nada más pensado, pero no podía quedarse callada y le ardía la garganta.

Durante los segundos en que le sostuvo la mirada en silencio varias preguntas colapsaron su mente. ¿Se había enterado de lo de Ashley y se marchaba de casa? ¿Se había enterado de lo de Ashley y le pedía que se fuera?

Y se las formuló para nada, porque cuando Nick habló por fin, lo hizo para darle la vuelta a toda la situación.

—Si es lo que necesitas, volvemos a Boston esta misma noche.

5

Almost here

No se lo había esperado, y esa frase tenía tantas implicaciones que le era difícil considerarlas todas a la vez. Aún estaba procesando aquel giro en los acontecimientos y tratando de gestionar la sensación que generaban en su pecho los rastros de lágrimas en los ojos de Nick. Intentaba hacerlo todo al mismo tiempo, pero no le estaba saliendo muy bien. Podría haberse preparado mil discursos y no se acordaría de ninguno en aquellos momentos. Volvió a mirar las maletas, para ganar unos segundos, porque Nick la estaba observando en espera de una respuesta y no tenía ninguna preparada para aquel escenario. Es que no lo había considerado ni como remotamente hipotético, y de repente estaba allí y no tenía mucho tiempo para acostumbrarse.

—Claire, sé que estás cansada de las promesas que no se cumplen. Así que esto no es otra más. Solo dilo y nos vamos —insistió acercándose y tomándola de la mano—. Ahora mismo.

Se le revolvió todo por dentro y, si las ganas de llorar empezaban tan pronto, aquello iba a ser incluso más difícil de lo que se había imaginado. Volver a Boston. Eso proponía Nick y casi podía notar su desesperación envolviéndolo todo. «Dejemos el cuentakilómetros a cero porque no sé cómo hemos llegado hasta aquí, pero me sobran los últimos mil por lo menos», algo así. Como si de repente hubiera comprendido que había cruzado el límite y estuviera dispuesto a todo por poder dar marcha atrás.

«Dime que ya no hay marcha atrás, por favor».

—No quiero volver a Boston —negó aquella posibilidad con voz temblorosa.

Nick la miró como si no entendiera lo que acababa de escuchar y estuviera esperando la traducción simultánea. ¿De verdad se había quedado tan atrás en el camino? Porque parecía anclado a aquellas primeras semanas, y a su «¿Y si no aguanto más el vivir en Cleveland?». Y, entre alegación y alegación, se había perdido todo lo demás. No sabía que ahora le encantaba su vida allí, su trabajo, sus amigas y ella. Sobre todo, ella. Si hubiera prestado atención, tan solo un minuto, habría comprendido que aquello de volverse a Boston había caducado hacía meses. Así que no era la propuesta en sí lo que había acelerado sus latidos, sino una de sus múltiples implicaciones.

—¿Y tu trabajo? —tuvo que preguntarlo, porque el nudo de la garganta estaba siendo muy insistente.

—En el bufé de Boston me dijeron que tendría la puerta abierta si quería volver.

—Pero tú no quieres volver —le rebatió, porque lo que Nick le estaba diciendo era grande de verdad y, en esos momentos, ella se sentía diminuta en comparación—. Vinimos aquí porque era una gran oportunidad para ti y para tu carrera —añadió y el chico seguía sujetándole la mano, pero casi ni la sentía.

—Exacto, «vinimos», los dos, Claire. Jamás habría aceptado el trabajo dejándote a ti en Boston.

Y la miraba de una forma que imploraba «tienes que creerme, por favor», muy alto y casi desesperado. Le dolió físicamente el oírlo así, porque era la primera vez y llegaba demasiado tarde, pero le creía. Nick lo sabía, tal vez no todo, pero sí lo más importante: que estaba a punto de perderla. De repente, el contacto de sus manos le pareció familiar e inoportuno al mismo tiempo, como algo que había sido, pero tenía que dejar de ser.

Un pasado demasiado reciente como para poder verlo de esa manera aún. Y quemaba y dolía, sobre todo si él la miraba así, en espera de una respuesta que no llegaba porque no se le ocurría nada que decir excepto «lo siento». Por Dios, un lo siento que no empezaba ni a cubrir todo lo que había movilizado en su interior aquella inesperada propuesta. Su «si es lo que necesitas, dejo el trabajo de mi vida» y un «jamás has sido mi segundo plato, aunque te hayas sentido así alguna vez» que hacía a su corazón redoblar su peso y ralentizaba su organismo al completo. Porque o él no había sabido demostrarlo o ella no había sabido verlo, y, fuera lo que fuese, ya no importaba, ¿verdad? En ese momento sobraban los arrepentimientos.

—Sé que no he estado a la altura estos cinco meses, Claire. Que viniste aquí por mí y te merecías más. Te mereces mucho más y siento que hayamos tenido que llegar a este punto para darme cuenta.

Tarde, llegaba muy tarde, pero había necesitado oírle decir algo así durante tanto tiempo que el impacto emocional la golpeó de lleno. Sin contemplaciones. Cada vez que se había marchado al trabajo dejándola sola en una casa nueva y vacía, todas las noches que había llorado porque él no parecía tener prisa por volver, aquella sensación de ser prescindible, innecesaria, y los días que habían pasado sin besarse ni una sola vez porque Nick no tenía tiempo. Había necesitado tanto que le dijera eso, que se lo demostrara, que el que lo estuviera haciendo en ese preciso momento se convertía en el sabor más agridulce del mundo. Casi no podía percibir nada más y notaba arder sus ojos. Iba a llorar por lo que él decía y por lo que ella aún no se había atrevido a decir, porque estaba a un segundo de cambiar el rumbo de su vida para siempre y todo era tan tremendamente trascendente en aquellos momentos que casi le costaba hasta respirar, por si metía la pata. ¿Cómo decirle que todo daba lo mismo ya? ¿Cómo explicarle que era demasiado tarde? Demasiado tarde después de seis años, difícil de creer.

Se soltó de su mano y caminó hasta el sofá del salón, necesitaba sentarse, un apoyo físico que le ayudara a soportarlo todo mejor, porque le estaba costando. La combustión espontánea habría sido la solución más fácil, pero no era una opción y la echaba de menos. Nick la había seguido y la miraba de pie frente a ella, parecía que no sabía muy bien qué hacer, qué más decir o dónde colocarse, porque aquello era nuevo. Su primer final. Y tenía que decirle algo porque se lo estaba suplicando en silencio.

—No es lo que necesito —admitió—. Ya no quiero volver.

—Pues dime lo que quieres, mi amor —lo pidió agachándose frente a ella y accediendo a cualquier cosa con antelación, sin necesitar escucharlo primero.

Pero debía hacerlo, tendría que oírlo: «A ella», «la quiero a ella», y sonaba tan sincero en su cabeza que sabía que sería imposible de verbalizar sin desvirtuarlo. «Lo que quiero ya no depende de ti» y llevaba siendo así tanto tiempo que el contraste dolía. Lo miró a los ojos, con los suyos cristalinos, porque aquello le estaba superando y aún le quedaba todo por decir.

—Nick... —Le salió la voz más que temblorosa—. Tengo que decirte algo, tendría que habértelo dicho mucho antes, pero no sabía cómo... —Esperaba que leyera entre líneas aquel «perdóname por no haber sabido hacerlo mejor».

El cambio en su mirada fue brutal, como si de repente el día se hubiera nublado en el azul de sus ojos, casi pudo ver cómo se rompía por dentro, porque era evidente lo que venía a continuación. A aquella frase no podía seguirle otro final distinto y le habría gustado ser un poco más fuerte y no llorar, porque no creía tener derecho a hacerlo. Nick la miró, como si de repente no la conociera, seguramente la Claire de la que estaba enamorado jamás le habría dicho eso, porque aquellas cosas les pasaban a otros.

—Sea lo que sea, podemos arreglarlo —la cortó para no tener que escucharlo. A lo mejor con la esperanza de que, sin confirmación verbal, dolería menos.

—Necesito que lo sepas —insistió casi en un susurro, estaba segura de que no podría hablar más alto sin que se le rompiera la voz.

—No necesito saberlo —aseguró—. Claire, podemos...

—Por favor, escúchame.

—No lo digas —trató de frenarlo.

—Nick... hay otra persona. —Alzó un poco la voz y casi lo sollozó.

Y automáticamente a él se le llenaron los ojos de lágrimas y tuvo que apartar su mirada como si aquellas palabras le hubieran golpeado físicamente y necesitara un tiempo para recuperar el aliento. Ahí estaba, su mayor miedo, su espada y su pared, todo en uno. Y dolía más incluso de lo que se había imaginado, porque sabía que nadie antes lo había herido de esa manera. «Hay otra persona», y es que con él eso nunca había sido una posibilidad y de repente era un hecho, suponía que aquella era la razón de su desconcierto, y ahora Nick la miraba como si no hubiese entendido su última frase.

—¿Otra persona? —inquirió tras unos segundos de silencio.

Parecía necesitar confirmar que lo había oído bien y ella se limitó a bajar la vista y sorberse la nariz, porque no se veía capaz de decirlo de nuevo.

—Claire... —insistió y tuvo que mirarlo, al menos se merecía eso.

—No me pidas que lo repita, por favor.

—No puedes estar hablando en serio —lo negó acompañándolo con una suave sacudida de cabeza—. No puedes hablar en serio.

—Tendría que habértelo contado antes. Yo...

—¿Desde cuándo? —Frunció el ceño.

Desde cuándo. ¿Y podía contestar? ¿Lo sabía siquiera? Porque podría decir «desde el viernes», «desde Navidades», «desde la barbacoa» o «desde que la conocí» y todo sería cierto, es que había pasado tan poco a poco que estaba por todas partes. ¿Desde cuándo?

—No lo sé —admitió secándose los ojos con el dorso de las manos.

—¿No lo sabes? —inquirió escéptico.

—Es complicado —dijo a la defensiva.

—Pues explícamelo, porque necesito entenderlo.

Todo un desafío, un reto que no estaba segura de poder superar. «Explícamelo», cuando la verdad era que no había nada que explicar, tan sencillo que al final eso era lo complicado. Y aún faltaba el «¿Quién es?» que le parase el corazón en el pecho, porque en aquel momento le iba a mil y seguro que a Nick le faltaban candidatos.

—No sé desde cuándo —confesó en respuesta a su anterior pregunta.

—Es muy fácil, solo tienes que contar, Claire —le rebatió—. ¿Días? ¿Semanas?

Incluso meses, pero no sabía cómo decirlo y la forma en que Nick la miraba le cerraba la garganta, sería un milagro que consiguiera hablar en esos momentos. Bajó la vista a sus manos y el chico se incorporó soltando un bufido, mezcla perfecta de enfado e incredulidad ante su silencio; al oírlo a ella todo le pesó un poco más. Nick caminó de un lado a otro del salón, frotándose la nuca insistentemente con la mano, solía hacerlo cuando algo le preocupaba o le estresaba en exceso y, en el momento presente, ese «algo» era ella. Irreal, así se sentía toda aquella situación, extraña en su nuevo estatus y no sabía muy bien cómo encajarlo.

—¿Es alguien de tu trabajo? —preguntó de pronto parándose en mitad del salón.

Y se inició la cuenta atrás para aquel «es Ashley». Estaba a segundos de distancia y su corazón comenzó a desbocarse en anticipación al gran momento. Una sorpresa que no iba a hacerle ninguna ilusión ni ninguna gracia. Si aquella mañana había sentido que los separaba un abismo terriblemente profundo, a esas alturas vivían ya en distintas galaxias; entre ellos, cientos de años luz y millones de estrellas muertas.

—Joder, Claire, ¿es un compañero de trabajo? —insistió dando un paso al frente.

Y la miraba como si su vida entera dependiera de aquella respuesta que no llegaba, como si el conocer su identidad fuera a cambiar en algo las cosas. El corazón le iba a mil y cada latido amenazaba con fracturarle las costillas por dos o tres sitios diferentes a la vez, porque no, no era un compañero de trabajo. *Ashley, madre mía, Ashley.* Pensando en su nombre la evocaba a ella, ella y su forma de besarla en el acuario, un choque brutal con la realidad más inmediata, y el chico parecía estar cansándose de esperar. Le habría gustado poder pedirle una tregua, un respiro, a lo mejor otro de esos tiempos muertos de los que sentaban tan bien, con tigres jugando con pelotas gigantes y cachorros de lobo haciéndose los adorables. Y podría pedirlo a sabiendas de que la respuesta iba a ser no, a él todo aquello le apremiaba demasiado, tal vez porque estaba casi aguantando la respiración en espera de una respuesta que no iba a gustarle.

—Nick... —De nuevo aquella voz temblorosa que detestaba, casi tanto como odiaba estar haciéndoles todo aquello a ambos.

—¡Dímelo, joder, si has sido valiente para hacerlo, sé valiente ahora para dar la cara! —exigió cortándola en un tono nuevo para ella. Enfadado, descorazonado, amargo, dolorosamente triste y todo junto.

En vez de contestarle, se le escaparon unas lágrimas de más, rompiéndose ante la presión, porque no podía ser valiente. Si le contestaba que no, ¿qué vendría luego? ¿Un interrogatorio que la acorralaría poco a poco hasta llegar a ella?

—No sé cómo hacerlo... —reconoció completamente desbordada, su agobio era evidente, pero si lo vio, a Nick le dio igual y lo entendía. Bastante tendría él con lo suyo.

—Pues busca la manera —presionó sin amedrentarse.

—No quiero hacerte daño. —Sollozó mientras todo se derrumbaba a su alrededor y le dolió más de lo previsto escuchar su risa sarcástica.

—Irónico —dijo—. ¿Quién es? Claire, tengo el jodido derecho de saber eso al menos —exclamó, estaba casi gritando llegado ese punto y Cleo se levantó de su cama y se acercó a él para ladrarle, su defensora personal—. ¿Quién coño es?

Todo era demasiado, el tono de Nick, los ladridos de Cleo, la angustia apenas contenida por la barrera de su piel y sus latidos desbocados. La sensación de estar al borde del colapso en forma de martilleo creciente en las sienes y el inicio de un dolor de cabeza brutal. Demasiada tensión y demasiados nervios. Demasiada presión.

—¡Ashley! —confesó al fin alzando la voz, todo lo que le permitió aquel invasivo nudo de su garganta—. Es Ashley —repitió bajando el tono cuando todo se quedó en silencio.

Se escuchó tan claro que no quedaba lugar a la duda. Nick lo había oído, pero por un momento continuó mirándola como si el mensaje no hubiese alcanzado aún su conciencia. Desorientado, sin comprender muy bien por qué habían cambiado de conversación de repente, porque Ashley no le encajaba en aquel contexto.

—Ashley —repitió, casi sin fuerzas o sin ganas de entonarlo como interrogante. Simplemente lo dejó en el aire, a lo mejor porque desde ahí esperaba entenderlo mejor.

—Lo siento —musitó ella, casi podía oír cómo Nick se rompía por dentro aún sin comprenderlo del todo.

—¿Ashley? ¿Es una broma? —exclamó con el ceño fruncido, casi era palpable la forma en que su mundo estaba girando e iba a seguir haciéndolo hasta ponerle del revés.

—Es lo que ha pasado —admitió tratando de mantener su voz mínimamente firme, y cuando Nick clavó en ella su mirada ella bajó la vista a sus manos de nuevo.

—¿Cómo? ¿Cómo coño ha pasado, Claire? —inquirió empujado por la ira.

Seguramente recordaba demasiados «He quedado con Ashley», «Hoy duermo en su casa» y «Estoy con ella» como para poder asimilarlos todos de golpe. Inesperado, desde luego, le quedaban pendientes muchas cosas que colocar y tal vez no había espacio suficiente para todas. Porque de repente la traición había sido doble y mucho más seria, no era alguien que acabase de conocer en el trabajo, Ashley había estado ahí desde el principio. Seguro que ya no se tomaba tan a la ligera los cientos de ocasiones en las que, al volver del trabajo, las había encontrado a ambas bromeando en el sofá de aquel mismo salón. Un ejercicio de reestructuración bastante doloroso.

—Nick, hace tiempo que tú y yo no estamos bien —dijo a media voz.

—No, no, Claire. No te atrevas a poner eso de excusa —advirtió con rabia contenida a duras penas.

—No es una excusa.

—No, es un reproche —dio por sentado él caminando hacia el lado contrario del salón, mesándose el pelo—. ¿Me estás castigando? —preguntó girándose para mirarla de nuevo y ella frunció el ceño—. Por no haber estado en casa, por haber estado metido el día entero en el puto bufete, ¿es eso?

—No tiene nada que ver con eso —desmintió repentinamente molesta ante aquella insinuación—. No tiene nada que ver contigo.

—¿Con qué tiene que ver entonces? —quiso saber, exaltado.

—Con ella —respondió. Simple, pero podría haberse pasado siglos pensando algo más elaborado y no sería ni la mitad de sincero.

Nick la observó en silencio unos segundos, asimilando todo lo que estaba aconteciendo, en diferido, lento de reflejos, como si estuviera debajo del agua más densa imaginable por el hombre y le costase la vida entera dar un solo paso. Anulado. Se estiró el pelo con ambas manos, peinándolo hacia atrás, y acabó colocando los brazos cruzados tras la cabeza. Agobiado por tanta información.

—Joder, no me lo puedo creer —murmuró observando el techo por unos segundos—. Esto no puede estar pasando —susurró más para sí mismo que para un posible público externo—. ¿Pensabas contármelo algún día?

—Intenté decírtelo, Nick, pero nunca era un buen momento para ti.

—¿Puede haber un buen momento para algo así, Claire? —inquirió con tono agrio.

—No —admitió bajando la vista—. Pero tienes un juicio muy importante mañana, así que, de entre los peores, es el peor.

—Joder, no me digas que piensas que iba a importarme más un puto juicio que arreglar lo nuestro, porque entonces Ashley es el menor de nuestros problemas. —Ella lo miró al escucharle, no supo exactamente cómo, pero Nick frunció el ceño, así que debió de ser bastante expresiva—. ¿Qué?

Que no lo estaba entendiendo, porque no quería o porque ella lo estaba explicando mal, pero no acababa de aterrizar en el trasfondo de toda aquella historia. Que eso de «arreglar» se había quedado anticuado hacía tiempo y que aquella era una charla meramente informativa. Difícil comunicarle que su derecho a voto ya no estaba vigente. Que Ashley no era un problema, que el problema lo tenían ellos.

—Nick, perdóname por hacernos esto —pidió de antemano y juraría que el chico aguantó la respiración—, pero no creo que haya nada que arreglar —se obligó a decirlo porque le quemaba dentro y necesitaba aclararlo.

—¿Qué estás diciendo? —preguntó, no quedaba ni rastro del enfado anterior en su tono—. ¿Seis años y no hay nada que arreglar?

Por Dios, era cierto, seis años... ¿y realmente no había nada que arreglar? A lo mejor sería más justo decir que ya no había nada que ella quisiera arreglar.

—Han pasado muchas cosas —justificó su respuesta y la expresión del rostro de Nick la rompió un poquito más por dentro.

—Creo que no tantas —espetó sin desviar su mirada, los dos estaban pensando en la principal, seguro.

—No lo planeamos, Nick. Ni Ashley ni yo —respondió—. Y tú y yo teníamos problemas antes de que ella llegara, lo sabes.

—¡Seis años, Claire! Claro que teníamos problemas, todas las parejas los tienen —exclamó frustrado—, pero no todos se follan a la primera que se les cruza en el camino.

Le sostuvo la mirada en silencio, porque aquella última acusación la había alcanzado de lleno y era tan injusta que le dieron ganas de confirmársela. De decirle que sí, que le importaba tan poco que un pequeño bache había conseguido descarrilarlo todo, porque Nick estaba enfocando todo aquello desde la perspectiva que le beneficiaba a él y con ángulos muertos para todas las demás.

—No ha sido así —desmintió, las lágrimas las producía la rabia esta vez.

—Dime cómo ha sido entonces. ¿Después de seis años ella te lleva al trabajo una mañana y te das cuenta de que te la quieres tirar? ¿Después de seis años te das cuenta de que te gustan las tías?

La culpabilidad que antes lo ocupaba todo se había esfumado de forma inmediata, como si tuviera mucha prisa por estar en cualquier otro lado, y una bola de cólera caliente acudió a ocupar su vacío de inmediato. Porque Nick no tenía derecho a reprocharle aquello, a trivializar lo que había sucedido, como si él hubiera sido el novio devoto y perfecto y ella se hubiese fijado en Ashley por capricho. Y lo que más la enfadaba era que no parecía darse cuenta de lo equivocado que estaba en realidad.

—¡Llevo más de un año intentando arreglarlo contigo! —lo gritó, como si aquella afirmación fuera a quedar más clara por dotarla de mayor volumen—. Conformándome con los huecos esporádicos de tu apretada agenda y casi teniendo que suplicarte que me besaras de vez en cuando porque estabas demasiado ocupado como para acordarte de hacerlo por ti mismo. No estábamos bien y aun así me vine a Cleveland por ti. Vine por ti, Nick, porque pensaba que merecíamos la pena. ¿Cuántas veces te advertí que tenía que cambiar algo? ¿Y cuánto tiempo se supone que tengo que esperar para que cambie antes de poder irme sin ser egoísta?

Él la miró, sin respuestas y en silencio, como si la defensa que estaba construyendo para sí mismo acabara de desmoronarse frente a sus narices y alguien hubiera cargado un peso extra sobre su cuerpo, probablemente había sido ella. Se sentó al otro lado del sofá y hundió la cara en sus manos.

—¿Cuánto tiempo? —preguntó apretando la mandíbula y alzando la vista, ella enfrentó su mirada.

—¿Desde cuándo? —preguntó a su vez mirándolo.

—Yo qué sé, Claire, ¿desde que te la tiraste por primera vez? —probó suerte y parecía extremadamente cansado, derrotado, haciendo un gran esfuerzo por atar acabos sueltos.

—Nos besamos el viernes y no nos hemos acostado —contestó.

No se lo esperaba, seguramente él había imaginado algo mucho más sórdido en su cabeza, cuernos de meses de duración, algo así de consistente. Que la parte física hubiese empezado hacía menos de una semana parecía que justificaba no tener en cuenta la emocional, o a lo mejor le aliviaba tanto que no se la hubiese follado que Nick ni se la planteaba. Cambió su lenguaje no verbal, su cara y su postura.

—Volvamos a Boston —ofreció de nuevo mirándola—. Olvidemos estos cinco meses.

—Ninguno de los dos queremos volver, Nick. —Suspiró, estaba segura de que era así—. Y yo no quiero olvidarlos.

—Cinco días, Claire. ¿La besaste hace cinco días y pesa más que nuestros seis años? ¿Que todos nuestros planes? —expuso como si fuera una completa locura tener que plantearlo si quiera.

—Nick, va más allá de Ashley, habría pasado sin ella también, ¿no lo ves? Yo no quiero esta vida y tú sí. Y lleva mucho tiempo siendo así. Te encanta vivir para trabajar, y no es una crítica —se apresuró a aclarar ante la forma en que él la miró al escucharla—. Pero ni quiero estar todo el día enfadada porque no me prestas atención, ni que tú tengas que sentirte culpable por hacer lo que te gusta. Y creo que ninguno de los dos queremos eso —admitió buscando su mirada.

—Yo te quiero a ti —confesó cuando sus ojos conectaron—. Quiero estar contigo, Claire. Aquí, en Boston, donde sea.

Se acercó a ella en el sofá, su mirada volvía a ser cristalina y de nuevo algo se le rompió dentro cuando sintió la mano del chico rozando su mejilla, otra vez le quemaban los ojos y ni rastro de aquella rabia contenida en ambas partes. Como si la ola hubiese roto a lo bestia contra la arena y ahora simplemente la acariciase. No pudo contener aquel choque emocional dentro y cuando Nick la besó, ella sollozó apartándolo. Por mucho que les doliera a ambos tuvo que decirlo.

—Yo quiero estar con ella.

Durante un par de segundos, el chico la miró sin más y después se levantó del sofá bruscamente y fue directo a la puerta de salida. Oyó uno de esos portazos de los que hacen historia, tan fuerte que Cleo se asustó y corrió a encaramarse con ella al sillón. Nick se había ido y el alivio que había esperado obtener al finalizar aquella conversación tardaba en manifestarse, porque a lo mejor no era tan fácil como había creído, pero el pensar que sí de alguna manera la había mantenido a flote hasta llegado el momento. Lo que habían dicho y lo que no, aquella expresión en sus ojos intensificándose a cada segundo y un final que sabía un poco más amargo porque se había ido antes de tiempo.

Se regaló unos minutos de descanso, con el apoyo silencioso de Cleo esta vez. Repitiéndose una y otra vez «ya ha pasado, Claire», por si en una de esas su organismo se enteraba. Se permitió llorar abiertamente y sentir aquel nuevo panorama emocional, porque el jueves ya había pasado a pesar de que aún estaban a miércoles. Aquella conversación pendiente en torno a la cual habían girado los cinco últimos días había desaparecido, ¿en torno a qué girarían los próximos? Como un tiovivo buscando un eje donde anclarse para poder seguir moviéndose. Cerró la puerta metafórica de su mente al juicio del siglo y a cómo le afectaría todo aquel adelanto de planes.

Hazte cargo de lo tuyo, Lewis, que ya es bastante.

Cleo fue quien decidió que era hora de moverse y comenzó a lamerle la cara concienzudamente, como si no quisiera dejar ni un solo rastro de tristeza sobre su piel, y ella estaba tan sensible que aquella dedicación tan cuidadosa por parte de su bola peluda la hizo llorar un poco más. Cleo redobló sus esfuerzos y lanzó un gruñido frustrado al comprender que aquello no tenía ni principio ni fin y que era demasiado pequeña para una misión de tal magnitud, aun así, no se dio por vencida. Su admirable empeño y su estoica lucha a pesar de la adversidad consiguieron que sonriera un poco entre las lágrimas.

***

Les costó llegar a casa de Ashley, no estaba muy lejos, pero arrastrar la enorme maleta mientras cargaba con las cosas de Cleo y trataba de controlar a su mascota no le había resultado nada fácil. Sobre todo en el momento en que el animal había comprendido hacia dónde se dirigían, siempre se volvía igual de loca si el destino final eran Ashley y Darwin. No fue consciente de cuánto pesaba su equipaje hasta que tuvo que elevarlo a pulso para subir las escaleras de su porche. Se secó un poco los ojos con el dorso de la mano en un vano intento de parecer un poco más presentable; tampoco se esmeró mucho, porque algo le decía que, en cuanto la viera a ella, la presa iba a desbordarse de nuevo, seguro.

Llamó al timbre y, segundos después, para su sorpresa, fue Olivia quien le abrió la puerta. La morena la miró con preocupación, así que supuso que su intento por adecentarse mínimamente había fracasado.

Estás hecha un cromo, Lewis, acéptalo.

—¿Está Ashley? —preguntó frunciendo el ceño y con voz algo ronca.

—Está en la ducha —dijo la morena mientras la liberaba de la bolsa que cargaba con las cosas de su mascota.

En cuestión de segundos, Ronda estaba junto a ellas y se encargó de su maleta, como si de repente ella fuera inválida o tuviera la enfermedad esa de los huesos de cristal; la liberaron de toda carga, así que tuvo las manos libres cuando Darwin acudió corriendo a saludarlas a ambas. Le acarició la cabeza y él a cambio le chupó la mano, después se desentendió de los humanos allí presentes para centrar toda su atención en Cleo. Ni Olivia ni Ronda parecían saber muy bien cómo comportarse en aquella delicada situación, era obvio que querían saber sin tener que preguntar por si se abrían de nuevo las compuertas de su desgracia. Lábil, estaba jodidamente lábil, y cualquier pequeño soplo de brisa desestabilizaría su autocontrol de nuevo. Y todo aquello resultaba emocionalmente agotador.

—¿Puedo quedarme esta noche en tu casa? —preguntó mirando a Olivia. Casi se le rompió la voz y se recriminó a sí misma por ser tan pusilánime.

—Eso ni se pregunta, Lewis —dio por sentado la morena y acto seguido la abrazó, a lo mejor porque de alguna manera era evidente que lo necesitaba.

Ronda se sumó al gesto, abrazándolas a ambas, y aquella evidente muestra de afecto grupal despertó de nuevo el nudo que habitaba de forma casi perenne en su garganta. *Aguanta, joder.* Una de las dos la besó en el pelo, no pudo identificar quién, pero tuvo que respirar hondo para mantener sellada la compuerta.

***

Escuchó su voz en la planta inferior y su corazón se saltó dos o tres latidos de golpe. Llevaba dos horas pendiente del teléfono, repitiendo internamente «¡Suena, joder, suena, maldita sea!» como un mantra que la mantenía centrada en lo importante. Que Claire hubiese acudido a su casa directamente era mucho mejor, miró su móvil con suficiencia porque ya no lo necesitaba para nada y se apresuró en terminar de vestirse. Bajó las escaleras colocándose una sudadera y localizó a Claire en medio de uno de los abrazos sofocantemente geniales de Ronda y Olivia. Se estaba bien dentro de ellos.

La rubia la miró cuando llegaba al último escalón y se le hinchó un poquito el corazón en el pecho cuando vio cómo, en cuanto sus miradas conectaron, Claire se apartó de sus dos amigas para buscar refugio en ella. La rubia recortó la distancia que las separaba con un par de pasos y se abrazó a su cuerpo, escondiendo la cara en su cuello. Se lo devolvió, estrechándola contra ella y acariciándole el pelo. Intercambió una mirada con Ronda y Olivia, la castaña señaló la cocina en un silencioso «estamos allí si necesitáis algo» y acto seguido las dos desaparecieron dejándolas solas en la entrada.

Se moría por preguntarle: «¿Ya está? ¿Ya está?», hasta que Claire le dijera que sí, porque cualquier otra respuesta no le valía y además era inconcebible en aquellas circunstancias. Se moría por hacerlo, en serio, pero resistió la tentación al sentirla llorar sobre su hombro. Y no le gustaba nada que llorase, pero le encantaba que sintiera que podía hacerlo con ella. Claire con ella podía hacer lo que le diera la gana. Se obligó a aguantar allí de pie lo que fuera necesario para que la rubia se calmase, no había ninguna prisa, porque tenían todo el tiempo del mundo.

—Hueles increíblemente bien —murmuró Claire un rato después, algo más tranquila.

—Gracias. Ojalá pudiera decir lo mismo —bromeó y la sintió sonreír contra su cuello.

—Imbécil —la acusó sorbiéndose la nariz.

Ella también sonrió y le besó el pelo. La mantuvo cerca unos segundos más, asegurándose de que había terminado de desahogarse, al menos de momento, y después se apartó despacio para poder mirarla.

—Voy a hacerte una de esas preguntas estúpidas que hace la gente porque no sabe qué más decir, ¿vale?

—Vale —accedió secándose las mejillas con el dorso de la mano; ella la ayudó con los pulgares, empezaba a ser una especie de tradición y ella era mucho de respetar las costumbres.

—¿Qué tal estás? —formuló la pregunta más tonta de la historia por lo evidente de su respuesta.

—Sí que es estúpida —reconoció Claire, pero sonrió levemente. Dejó que paseara las yemas de los dedos por sus facciones sosteniéndole la mirada—. Nick quería volver a Boston.

Volver a Boston, el sueño dorado de la rubia durante sus primeras semanas de estancia allí en Cleveland. Aquello de que el chico quisiera regresar le sonaba a desesperación total y le dio un poco de pena, la verdad. Si Nick estaba dispuesto a dejar el trabajo de su vida por salvar su relación con Claire, significaba que realmente la había perdido sin darse cuenta, a lo mejor cometiendo el error de darla por sentado. Cuando había querido dar marcha atrás, por suerte para ella, ya era demasiado tarde.

—¿En serio? —preguntó siguiéndola al salón y acomodándose a su lado en el sofá cuando ella se sentó. Claire se limitó a asentir—. Intenso.

—Lo ha sido —admitió bajando la mirada a sus manos mientras jugueteaba distraídamente con los cordones del cuello de

150

su sudadera—. Le ha pillado todo por sorpresa, sobre todo tú —dijo mirándola de nuevo—. No ha reaccionado muy bien. Ha llorado, he llorado, hemos gritado, Cleo ha ladrado. Me ha acusado de «follarme a la primera que se me cruza por el camino».

—Ya me gustaría —bromeó y Claire le tiró de los cordones sonriendo. Ella le secó una lágrima solitaria interceptándola en mitad de su mejilla—. Tienes derecho a sentirte como necesites, pero no creo que seas culpable, al menos no al cien por cien. Alguien me dijo una vez que «cuando una pareja rompe, las culpas se reparten» —le recordó sus propias palabras.

—Menuda memoria.

—Hipermnesia, Claire. Es... —comenzó a recitar.

—«... un don y una maldición». —Se le adelantó la rubia.

Sonrió, secretamente derritiéndose por dentro ante la evidencia de que, aun en uno de sus peores momentos, eran capaces de volverlo menos malo.

—¿Estás algo más tranquila ahora que ya está hecho? —le preguntó colocándole un mechón de pelo tras la oreja.

—Un poco sí —reconoció la rubia—. ¿Y tú?

—Un poco sí —repitió su respuesta y Claire le acarició la mejilla.

—Seguro que ya ni te acuerdas de cuándo fue la última vez que me viste sin llorar —exageró frotándose los ojos de nuevo.

—Creo que fue en el parque... —fingió hacer memoria—. Espera... cuando me dijiste eso de «Deberías llamarme Claire Lewis» no llorabas, ¿no?

—Eres idiota —dijo sacando un pañuelo y limpiándose la nariz.

La rubia estaba triste y se la veía más que agotada, los últimos días las habían desgastado emocionalmente a ambas. La observó allí, sentada en el sofá de su salón, buscándola a ella porque, al parecer, la hacía sentir segura y la reciprocidad de ese sentimiento lo hacía jodidamente excelente. Claire Lewis era perfecta incluso sonándose los mocos, en serio.

—Siento que el principio de lo nuestro haya sido así —le dijo la rubia tras despejar su nariz.

«Lo nuestro». Dos simples palabras o el pistoletazo de salida a la taquicardia más agradable de la historia de la cardiología, porque en aquel contexto eran sinónimos. Joder, «lo nuestro», un paso más cerca de ese «¿Qué somos tú y yo?» que ordenaría un poco el desastre que aquel cataclismo sentimental había dejado a su paso. *Pongamos las cosas en su sitio y llamémoslas por su nombre*, quizás no esa misma noche, pero pronto, tampoco le corría mucha prisa porque ya «eran», solo les faltaba la etiqueta.

—¿Hay algo nuestro? —inquirió alzando las cejas, juguetonamente. Claire sonrió un poco acariciando su mentón.

—Algo hay, ¿no? —buscó su opinión escrutando el verde de su mirada.

—Algo.

La besó. Claire se acercó y unió sus bocas de forma suave, porque ambas conocían el significado real de aquel «algo». Correspondió a las caricias de sus labios, un beso lento y salado, se sentía nuevo, como si de repente tuvieran todo el derecho del mundo a hacerlo porque ya no había «jueves» esperando a la vuelta de la esquina.

—Esperamos que tengáis hambre, porque hemos hecho la cena y es tradición —escucharon la voz de Ronda.

Claire se separó de ella con bastante prisa, a lo mejor porque le daba un poco de vergüenza que la castaña las hubiera pillado comiéndose la boca. Pues ya podía ir acostumbrándose la pobre, porque Ronda era así de inoportuna. Su amiga le guiñó un ojo mientras depositaba cuatro cervezas frente a ellas, sobre la mesa baja, y tomó asiento junto a Claire en el sofá.

—¿Tradición? —inquirió la rubia sin comprender muy bien a qué se refería.

Ella tampoco estuvo muy segura hasta que vio a Olivia llegar con un plato lleno de sándwiches vegetales. «La cena de las rupturas», sí que era tradición y, ahora, solo faltaba Ronda para hacer un pleno al quince. Pobre Leo.

—Tradición —confirmó la morena sentándose en el suelo sobre un cojín—. Cada vez que una de nosotras rompe con alguien cenamos juntas un sándwich vegetal.

—No tengo mucha hambre ahora mismo —reconoció la profesora observando el plato frente a ella.

—Eso decimos todas —dio por sentado Olivia tendiéndole uno—. Pero tienes que comer.

Y Claire ni rechistó, aceptó el sándwich y le dio un mordisco, o tenía a Olivia y sus conocimientos en muy alta estima o en el fondo sí que tenía hambre. Una de dos.

—El procedimiento es el siguiente: si te apetece podemos hablar de todo lo que ha pasado, y si no, vemos la tele —intervino Ronda.

—Seguro que ya sabéis exactamente lo que ha pasado —dijo Claire—. Sois como una mafia intercomunicada las veinticuatro horas.

—Una mafia, ¿eh? —repitió la castaña sopesándolo en su mente—. Me gusta pensar que sí que lo somos.

—Supongo que lo único que os queda por saber es que he roto con Nick, que ha sido la conversación más difícil que he tenido nunca con nadie y que casi no sé cómo me siento ahora mismo —reconoció mirando su sándwich—. Adiós a los últimos seis años.

—Es algo grande —la apoyó Olivia.

—Y no tiene que ser nada fácil —dijo Ronda.

—Pero merece la pena —señaló la profesora mirando en su dirección tímidamente antes de devolver la vista al sándwich.

Sus dos amigas la miraron también y le sonrieron, porque seguro que se alegraban tanto por ella que tenían que trasmitírselo de alguna forma. Como si les encantara aquel final para su principio y quisieran decirle «esta sí que sí, Woodson», sin necesidad de palabras.

Una mafia intercomunicada vía wifi mental.

***

Dormir era imposible, así que hacía rato que había dejado de intentarlo y simplemente observaba el techo de la habitación de invitados de Olivia. Era peculiar y acogedora a la vez, peculiarmente acogedora, y muy del estilo de la farmacéutica; colgando de la pared a los pies de la cama había un cuadro de dimensiones considerables que representaba los diferentes chacras del cuerpo humano. Y no entendía mucho de eso, la morena le había explicado que eran algo así como puntos de energía, muy espiritual y trascendente todo.

Hacía ya casi dos horas desde que se habían marchado de casa de Ashley, y la veterinaria la había mirado con cara de perro abandonado tras su beso de despedida, seguramente habría preferido que se quedara con ella esa noche. No lo había hecho por respeto hacia Nick y la que fue su relación, y en esos momentos se arrepentía un poco, porque estaba encontrándose peor que en toda su vida. Sin Ashley mirándola de aquella forma o diciendo imbecilidades de las suyas, se quedaba a solas con el portazo de Nick, con su «volvamos a Boston» y su «te quiero a ti». «Yo quiero estar con ella», porque no había podido decir otra cosa sin mentir, y un «ya no quiero estar contigo» hubiese sido mucho más directo y mil veces más doloroso.

Otra lágrima rebelde mojó la almohada y ella se revolvió sobre el colchón en busca de otra postura, sintió a Cleo moverse a sus pies, seguramente la había despertado de una patada. Menuda paciencia tenía con ella. Su mascota dio un par de vueltas sobre sí misma y volvió a acomodarse sobre el colchón lanzando un suspiro satisfecho con la nueva postura. En dos minutos estaría roncando de nuevo. Qué suerte.

Su móvil vibró sobre la mesilla y se estiró para alcanzarlo, a lo mejor era Ashley, porque apostaría lo que fuera a que ella tampoco podía dormir. Demasiadas emociones condensadas en muy pocos días, una activación alarmantemente elevada en sus sistemas nerviosos y una alerta constante que dificultaba conciliar el sueño. No era Ashley, pero le estrujó el corazón en el pecho de todas formas.

«Mafia intercomunicada 24 h»
Ashley, Olivia, Ronda, Tú
RONDA: «Claire Lewis, ¿bisexual o heterosexual flexible?» ha caducado.

Ronda: Le he cambiado el nombre y he actualizado los componentes del grupo.
Ronda: Bienvenida a nuestra mafia, Lewis.

Madre mía, maldita labilidad emocional que la impulsaba a subir y a bajar al son de los acontecimientos más inmediatos. Porque, de repente, el simple hecho de que Ronda hubiese modificado aquel estúpido grupo de WhatsApp para incluirla a ella le comprimía la garganta. Había estado tan ocupada enamorándose de Ashley que casi ni se había dado cuenta de cómo su relación con las amigas de la veterinaria había evolucionado también, ahora todo en su conjunto formaba parte de aquello que la hacía sentir en casa, y Cleveland ya no le parecía tan horrible. Una cosa la llevó a la otra y terminó mirando la foto de WhatsApp de la morena, la había hecho aquella misma tarde durante su visita al zoológico y ambas salían sonriendo a cámara frente al recinto de las jirafas. Sobre todo, se centró en la forma en que Ashley apoyaba la cabeza en su hombro y en aquella sonrisa; no iba a cansarse nunca de mirarla, estaba segura de eso, cada vez que lo hacía encontraba algo nuevo y la impulsaba a seguir buscando. Se frotó los ojos, deshaciéndose de los restos de lágrimas a medio llorar.

Sin saber muy bien por qué, abrió la conversación de WhatsApp con Nick y, al ver la foto de perfil del chico, se acrecentaron aquellas desagradables palpitaciones en su pecho. Aquella instantánea se la habían tomado hacía unos meses en su escapada a la isla Catabwa. Le había dejado una nota sobre su cama explicándole que iba a pasar unos días en casa de Olivia, porque no podía irse sin más. Había añadido unos cuantos «lo siento» diseminados por el texto, era importante que él lo supiera, que castigarlo nunca había sido su motivación.

Devolvió el móvil a su lugar en la mesilla y cerró los ojos con fuerza, acurrucándose bajo las mantas. Estaba cansada de llorar y por eso no volvió a hacerlo, o tal vez se le habían agotado las reservas y necesitase tiempo para recargar el depósito. Se quedó de nuevo a solas con aquel sentimiento de vacío que podía llamar tristeza, angustia o culpa, porque acertaría de pleno con cualquiera de las opciones. Y a lo mejor no quedarse con Ashley en su casa aquella primera noche no había sido tan buena idea al fin y al cabo.

***

Que prefería quedarse en casa de Olivia unos días, hasta decidir qué quería hacer a continuación. Eso le había dicho Claire antes de despedirse de ella con un beso en la puerta de entrada, y se había marchado con la morena. A la casa de enfrente. Y lo entendía, pero no lo entendía. Y le frustraba, pero estaba de acuerdo. Y por eso no podía dormir.

Había perdido la cuenta de las vueltas que había dado sobre el colchón y aún no había terminado. Necesitaba estar con Claire, así de claro, protegerla y protegerse de lo que fuera que las dos estuvieran sintiendo en aquellos momentos, porque no lo tenía nada claro. Cuando estaban juntas tenía la oportunidad de hacerla sonreír e intentaba aprovecharla cada vez, pero su radio de acción no alcanzaba a cruzar la calle y se moría por saber si la rubia había podido dormirse.

Gruñó frustrada, conciliar el sueño iba a ser una misión imposible, dio una nueva vuelta sobre el colchón, se le enredó la sábana en un pie y lo sacudió con mucho sentimiento, en plan «suéltame, que no estoy de humor para juegos». Preocupada, porque Claire estaba en mitad de la gestión emocional más grande de su vida y quería ayudarla con los trámites y desde tan lejos no podía, joder. Se tendió bocarriba en la cama y observó el techo, las sombras proyectadas por la luz que se colaba a través de la ventana la distrajeron durante un rato, pero después se cansó de escudriñarlas en busca de formas escondidas y se frotó la cara con las manos.

Cada vez que pensaba que al día siguiente tenía que levantarse a las seis y media para sacar a Darwin aumentaba su prisa por dormirse y descendía su capacidad para hacerlo; una relación inversamente proporcional que le venía muy mal, la verdad. Oyó su móvil vibrar en la mesilla y se apresuró en alcanzarlo.

«Claire»
En línea
CLAIRE: No puedo dormir. ¿Sigues despierta?
ASHLEY: La noche es joven.
ASHLEY: ¿Quieres levantarte a ver telebasura?

Esperó unos minutos sin obtener respuesta y devolvió el móvil a su lugar, acomodándose de medio lado, decidió probar con las respiraciones que les enseñó Olivia para la final de *American Idol*. El concentrarse en el ritmo y en la sensación del aire entrando y saliendo le había ayudado a dormir en alguna ocasión, no perdía nada por darle una oportunidad a la técnica. *Inspira, un, dos, tres. Expulsa el aire, un, dos, tres. Pausa. Ins...*

Darwin se puso a ladrar como un loco en el piso inferior y a ella la cuenta, el ritmo y la relajación se le fueron a tomar por culo. ¡Joder, qué susto! Si Darwin no ladraba nunca. Lo comprendió mejor cuando oyó unos golpes en la puerta de entrada, y se dio prisa en bajar, porque podía imaginar quién esperaba al otro lado.

Se la encontró de pie, con el abrigo puesto y el pijama debajo, mantenía los brazos cruzados sobre el pecho porque hacía frío. Cleo saltó a su alrededor como si fueran las dos del mediodía en vez de la madrugada y ella le acarició la cabeza, tampoco le importaban mucho las horas si eran ellas dos.

—El cuadro de los chacras, ¿verdad? Te da mal rollo —aventuró y Claire la abrazó sin tan siquiera contestar.

La estrechó contra su cuerpo, secretamente aliviada de que estuviera allí, de nuevo a su alcance para intentar reconfortarla de mil maneras diferentes, hasta que alguna funcionase. Unos segundos de abrazo intenso y después las hizo pasar a las dos, porque la temperatura exterior dejaba mucho que desear en esa época del año. A Cleo no le hizo falta más para sentirse como en casa y se apresuró en correr hacia la cama de Darwin, porque ya había elegido sitio para pasar la noche.

—Son las dos de la mañana, en circunstancias normales nos iríamos directas a dormir, pero no son circunstancias normales, así que no estoy muy segura de lo que quieres hacer.

—Perdona por venir a estas horas.

—No seas tonta, Lewis. Estaba despierta de todas formas —le quitó importancia—. ¿Telebasura? ¿Cama? ¿Paseo nocturno?

—Cama —eligió apoyando la cabeza en su hombro.

Y no podía haber elegido mejor porque, a pesar del insomnio, ella estaba completamente agotada. Se preguntó si sería capaz de aguantar completa la jornada del día siguiente, y lo dudaba. Mucho. Le quitó el abrigo, lo colgó en el perchero junto a la entrada y la tomó de la mano para guiarla escaleras arriba hasta su habitación.

—Sí que has dado vueltas —indicó Claire refiriéndose al revoltijo de sábanas sobre el colchón.

—Cuando no puedo dormir, simplemente giro —explicó, comenzando a adecentar la cama. Claire se apresuró a ayudarla y entre las dos tardaron apenas unos segundos en tenerla lista de nuevo.

—¿Y funciona? Eso de girar —le siguió el rollo la rubia.

—No mucho, pero te mantiene en forma —bromeó introduciéndose en el lecho por el lado en el que ella solía dormir. Claire la observó con una leve sonrisa, suavizaba la tristeza de su gesto, y le gustó—. Estás invitada a dormir aquí —aclaró ante su inmovilidad y dio unas palmaditas a su lado en el cochón.

La rubia se coló entre las sábanas, acercándose a ella acto seguido y acomodándose de medio lado para poder observarla. Apagó la luz de la mesilla y la imitó, así que acabaron frente a frente en la penumbra de la estancia.

—Claire, voy a respetar lo que sea que necesites hacer, pero me alegro de que hayas venido esta noche —reconoció tras unos segundos de silencio.

—Sí, llamando a tu puerta a las dos de la madrugada en pijama, como una loca. —Suspiró bajando la mirada.

—La locura es sexi —bromeó mientras le apartaba con delicadeza un mechón de pelo de la cara.

La profesora sonrió de nuevo, solo un poco. Fue un gesto leve, apenas un esbozo, objetivamente no era gran cosa, pero se sintió como si hubiera escalado el Everest sin oxígeno ni nada. Aquella noche hasta lo más mínimo contaba al máximo.

—Necesitaba... no lo sé —titubeó Claire conectando sus miradas de nuevo—. Estando contigo estoy mejor —confesó al fin y fue su turno para sonreír.

—Eso me suena —reconoció y la acogió entre sus brazos cuando se acurrucó contra su cuerpo, enterrando la cara en su cuello.

Le besó el pelo y, joder, sí que olía bien, es que era casi adictivo y podría acostumbrarse a dormir así sin ningún esfuerzo, la verdad. Todo en Claire era suave y cálido, hasta el tacto de aquel pijama que llevaba puesto era jodidamente agradable.

—Eres cómoda. —Sintió su tibio aliento contra la piel mientras hablaba.

—Gracias.

Claire no dijo nada más y poco a poco su respiración se tornó rítmica y tranquila, la sentía en su cuello, lenta y casi hipnótica. Ni se planteó romper el momento, allí no era necesaria la parte verbal, se limitó a acariciarle el pelo, relajándola y relajándose de paso. No le hizo falta retomar los ejercicios de Olivia, le fue suficiente con centrarse en la sensación que le producía su cálida respiración rozándole la piel una vez tras otra y se dejó guiar gradualmente hacia un agradable adormecimiento.

6

Hungry eyes

Un par de alumnos fuman un porro durante el recreo del viernes y el claustro entero de profesores termina acudiendo al centro el sábado por la mañana, convocados de urgencia por el director del instituto. La ley de la causa y el efecto aplicada a la enseñanza, o una putada, porque a nadie le gusta madrugar el fin de semana. Y es que aquellos dos inconscientes podían haber esperado a la salida, la verdad, pero *miss* Isaac Putón, o su compañera Leslie, les había sorprendido en plena maniobra en los baños del patio, porque le tocaba guardia de recreo ese día y se había corrido la voz a la velocidad de la luz hasta llegar a oídos del señor McMahon. Resultado: «Reunión urgente para tratar la normativa del centro en torno a sustancias estupefacientes dentro del perímetro», y casi se estaba durmiendo, porque la noche anterior Olivia y ella se habían quedado hasta tarde haciendo una maratón de las películas de Bridget Jones y, en su momento, le había parecido una idea genial y le habían hecho mucha gracia. Dio un sorbo a su café tratando de mantenerse en vigilia; desde esa nueva perspectiva, aquella ocurrencia ya no parecía tan inteligente.

Habían pasado diez días desde el miércoles, desde su conversación con Nick y la visita a la veterinaria de madrugada en busca de refugio ante su inmenso malestar emocional. Simplemente el estar con ella cambiaba su visión de las cosas y el mundo no parecía tan horrible cuando Ashley la acariciaba. Aun así, la veterinaria le había dicho que respetaría cualquier cosa que necesitara hacer y, desde aquella primera noche, había dormido en casa de Olivia y no había vuelto a hablar con Nick, al menos no cara a cara. El chico le había escrito informándola de que se iba unos días a Boston, a lo mejor él también necesitaba tiempo para asentarlo todo, había bastante que procesar.

Le había pedido a Ashley un poco más de paciencia y seguro que ya era abusar, pero ella había cedido igual, y básicamente le había dejado elegir el ritmo con el que se sintiera más cómoda. Se habían visto casi todos los días, aunque durante mucho menos tiempo al que estaban acostumbradas, y ella había iniciado la búsqueda de piso porque no podía quedarse en casa de Olivia eternamente. Y le había preocupado un poco que Ashley pudiera proponerle que se quedara en su casa, pero la veterinaria no lo hizo, de hecho, cuando la informó del inicio de su búsqueda le pareció que desde un principio había dado por sentado que ese sería el curso natural que iban a seguir. Como si para ella aquel ritmo también fuera el más cómodo. Y, mierda, es que la veterinaria lo decía a todas horas y para referirse a las cosas más intrascendentemente estúpidas, pero parecía que las grandes mentes sí que pensaban igual.

Y algo había cambiado con Ashley, era aquella nueva sensación de legitimidad cada vez que se besaban. La llevaba a querer hacerlo continuamente, más o menos como antes, pero sin el nubarrón de «el jueves» ensombreciéndolas todo se veía mucho más claro. Más de una semana manteniendo las distancias y empezaba a sentir que alargarlo sería exagerar. ¿Seguía afectándole la ruptura con Nick? Sí, pero es que emocionalmente llevaban separados tanto tiempo que casi había empezado a cicatrizar antes de abrirse, y su atracción hacia todo lo que era Ashley en su conjunto terminaba de convencerla. Necesitaban aclararlo y aclararse, Nick ya no estaba y estaban ellas, pero ¿dónde? ¿En qué punto? ¿Y cuánto querían avanzar desde allí?

Y el alarmantemente alto número de veces que se acordaba de su sesión subida de tono con Ashley en el acuario convertían en más que obvio su deseo de avanzar con ella en una dirección en concreto. Si es que hasta sintió un escalofrío intensamente agradable recorrer todas sus terminaciones nerviosas al recordar la forma en que la veterinaria la besaba mientras colaba una pierna entre las suyas. Se removió en la silla, incómoda, porque no debería estar evocando recuerdos de aquel tipo en mitad de una reunión con el resto del profesorado. No era apropiado, pero es que parecía que su mente tenía vida propia y un sentido atrofiado de lo conveniente. Y había estado pensando en aquella noche como en la ideal para provocar otra de esas ocasiones, sin interrupciones esta vez, tenía un plan y todo, podría llamarse una cita: cena fuera las dos solas, paseo con Darwin y Cleo y terminar en casa de Ashley, morderle el cuello de una vez y dejarse llevar hacia donde la veterinaria quisiera. Porque ella lo quería todo, en serio. Perfectamente planeado, hasta que Ronda y Olivia propusieron salir por la noche a cenar las cuatro y de cervezas. Ashley le había preguntado que si le apetecía y ella le había dicho que sí. ¿Cuál era la alternativa? ¿Decirle que lo que en realidad quería era una cita con ella para que después le hiciera de todo? Pues a lo mejor sí, pero no se había atrevido a ser tan sincera, y al final salían con Ronda y Olivia aquella noche.

Casi ni se dio cuenta de que la reunión había acabado, fue al ver levantarse a sus compañeros cuando comprendió que eran libres de marcharse a disfrutar del resto de su fin de semana.

—Dicen que es buenísima, y Jeffrey no quiere verla. Si una película no tiene tiros, olvídate de él —les comentaba Holly a Leslie y a ella mientras abandonaban el edificio—. Deberíamos quedar para ir al cine a verla la semana que viene, porque si no, tendré que ir sola.

—Yo me apunto —decidió sin pensárselo mucho.

—Yo también, siempre y cuando no sea el viernes, porque voy a clase de yoga. Y la necesito como el respirar después de aguantar a estos cabrones durante toda la semana —les informó Leslie.

163

Leslie le caía bien, pero no tenía mucha vocación docente, o a lo mejor los dos años que llevaba ostentando el título de «*miss* Isaac Putón» se la habían ido minando poco a poco. Sonrió ante su comentario y Holly comenzó a desgranar una anécdota acontecida en una de sus clases del día anterior, era graciosa, pero su tren de pensamientos descarriló de repente y sin remedio, porque localizó a Ashley a escasos metros de ella, apoyada en el lateral de su coche, aparentemente esperándola mientras se entretenía consultando algo en su móvil. Un par de latidos perdidos, aquella agradable sensación en la boca del estómago, química pura, y una sonrisa de tonta en la cara.

—¿Es ella? —escuchó que preguntaba Holly a su lado al percatarse de su cambio de actitud.

Ni Leslie ni Holly lo sabían todo, pero sí que existía una «ella» y había sentado bien poder decirlo sin más, porque cada vez que sus compañeras hablaban de Jeffrey y de Max sentía la necesidad de poder contar cosas suyas y de Ashley.

—Es ella —confirmó, y casi se derritió en el sitio cuando la veterinaria alzó la vista y le sonrió al conectar sus miradas.

Se acercaron las tres en comitiva y Ashley se incorporó, abandonando su apoyo en la carrocería del vehículo y guardando el móvil en el bolsillo del abrigo. Lista para las presentaciones que se avecinaban, le pareció que se ponía un poco nerviosa a medida que acortaban la distancia, pero no podría poner la mano en el fuego porque la veterinaria disimulaba muy bien la tensión. Otro de sus dones.

Le sorprendió la naturalidad con que le salió besarla nada más llegar a su altura, un único movimiento sin necesidad de pensarse nada, y Ashley se lo devolvió de la misma forma. Un beso fugaz antes de la hora de las presentaciones. ¿Y qué debería decir? «Esta es Ashley, mi...». ¿Su qué? Y no estaba muy segura de cómo denominarla, de modo que se ciñó al simple «Esta es Ashley» sin más especificaciones, porque tampoco las estaban pidiendo.

—Así que vosotras sois las compañeras de Madame Boobary. —Sonrió la veterinaria estrechándoles la mano.

Ella se puso un poco roja, seguro, menuda imbécil, y en qué hora le confió aquello de su mote. Le pegó en el brazo, molesta, pero solo consiguió que riera y aquel sonido era su favorito en el mundo entero y le daba la vuelta a todo su universo cada vez que lo escuchaba, así que, si iba a reírse así después, Ashley podía meterse con ella todo lo que le diera la gana.

—Las mismas. Pitagordas y *miss* Isaac Putón —confirmó Holly.

—Matemáticas y Física y química, supongo —aventuró la veterinaria.

—Cabrones, pero originales —aportó Leslie mientras sacaba un cigarrillo y se lo colocaba en los labios—. ¿Me das fuego, Lewis? No sé dónde he metido el mechero.

Asintió, buscando el paquete de cigarrillos a medio consumir en las profundidades de su bolso, se guio por el tacto y dio con él tras manosear su cartera, aquel cacao de labios que le compró a Olivia y aún no había usado, y la funda de sus gafas de sol. Sacó el encendedor del interior medio vacío de su caja de Camel y se lo tendió a Leslie.

—Toma, puedes quedártelo.

—No te preocupes, tengo más en casa —rehusó la chica.

—Creo que ya no me va a hacer mucha falta —dijo y sintió la mirada interesada de Ashley recorriéndole las facciones.

—Si me dieran un cigarrillo por cada vez que he dicho algo así, no tendría que volver a comprar tabaco en la vida. —Leslie desconfiaba de la seguridad en su tono, pero aun así se quedó con el mechero.

En cuanto sus dos compañeras de trabajo se despidieron, la veterinaria la miró y alzó las cejas haciéndose la sorprendida.

—¿Qué? —preguntó con media sonrisa ante su gesto.

—¿Lo dejas o vas a empezar a encenderlos con cerillas?

En vez de contestarle verbalmente, decidió hacer algo mucho más impactante, se acercó a la papelera más próxima y se deshizo del paquete bajo la atenta mirada de Ashley, que sonrió al ser testigo de tan apasionada declaración de intenciones. En cuanto regresó a su lado y la tuvo frente a frente de nuevo, le tomó la mano, porque aquella acuciante necesidad de mantener continuamente el contacto físico entre ellas no se cansaba de importunarla.

—Me da miedo encender cerillas —desveló aquel secreto acercando su cuerpo al de Ashley.

—A mí no, nos complementamos.

Sonrió, acunando la mejilla de la veterinaria con su mano, y estaba a punto de besarla, a un escaso centímetro de sus labios, tenía unas ganas enormes de cerrar el espacio y Ashley la estaba mirando con esos ojos que, desde tan cerca, eran el triple de verdes. Se encontraba tan inmersa en su burbuja prebeso que casi se le salió el corazón por la boca cuando Cleo apareció en la ventanilla trasera del vehículo, apoyando las patas delanteras en el cristal y ladrando como una loca. Se apartó de Ashley, asustada y llevándose las manos al pecho, un movimiento automático y absurdo porque dudaba que el gesto le sirviera de mucho en caso de peligro real. La veterinaria sonrió divertida, aunque seguro que a ella un poco también le había asustado.

—¿Qué hace Cleo en el asiento trasero de tu coche? —exigió saber mientras recuperaba el ritmo normal de sus pulsaciones.

—Estropearme la sorpresa antes de tiempo —admitió Ashley mirándola como sopesando su reacción. Como si quisiera asegurarse de que no rompía el ritmo antes de tiempo.

Y seguro que estaba sonriendo como una tonta ante aquel giro de los acontecimientos, porque había supuesto que la veterinaria había pasado a recogerla simplemente para llevarla a casa, su rutina normal en los días laborables, pero aquello era mucho mejor. El ritmo perfecto, la verdad, Ashley tenía una sorpresa para ella. Se asomó a la ventanilla ocupada por Cleo para poder escudriñar el interior del vehículo y, tal y como suponía, Darwin estaba cómodamente tumbado en el extremo opuesto del asiento.

—Darwin y Cleo, un coche y tú y yo —enumeró contabilizando con los dedos—. Tu sorpresa se parece mucho a mi sorpresa de hace unos meses —indicó y Ashley sonrió, porque era obvio que le había encantado.

—¿Sorprendida? —bromeó la veterinaria rodeando el coche y abriendo la puerta del lado del conductor.

—¿Dónde vamos? —curioseó ella con la anticipación recorriéndole las venas.

—Lejos de todo —desveló la veterinaria, con un toque de misterio, antes de montarse en el vehículo.

***

Aquella reunión del claustro de profesores en pleno sábado por la mañana había amenazado con desbaratar todos sus planes, joder. Putos críos y menudas ganas de colocarse antes de tiempo. Tuvo que hacer un esfuerzo titánico de autocontrol en estado puro para no exclamar «me cago en la leche», cuando Claire le explicó el día anterior que tenía que acudir al instituto a primera hora de la mañana. Pero la flexibilidad es una gran virtud y salir dos horas más tarde de lo previsto tampoco era el fin del mundo.

Observó desde su posición semitumbada sobre la hierba cómo la rubia tentaba a Darwin y a Cleo sacudiendo un palo al aire frente a sus narices, junto a la orilla de aquel pequeño lago. Se había acordado de la existencia de aquel lugar un par de días atrás, mientras pensaba en algo que pudiera ayudar a Claire a desconectar. Hacía dos o tres años hizo una escapada con Olivia y con Ronda, su última excursión a un paraje natural en su compañía, porque a la castaña le cayó una araña en el pelo mientras se comían unos sándwiches y desde entonces a su amiga le tiraba más el cemento. Y tuvieron que convencerla de que no se rapara al cero, porque la posibilidad de que la araña hubiese puesto huevos en su cabeza era más bien reducida, pero ella estaba dispuesta a todo para minimizar el riesgo de expansión arácnida.

Su idea original había sido alquilar una habitación en el mismo complejo en el que se hospedaron Olivia, Ronda y ella en aquella fatídica ocasión, y pasar allí el fin de semana. Se lo había replanteado porque Claire, de un modo u otro, estaba marcando las distancias, y en un principio era verdad que le había agobiado el no poder estar ahí en cualquier momento para animarla si se encontraba mal, pero que Claire acudiera a su casa de madrugada con su jodidamente adorable pijama debajo del abrigo había sido como un «te lo pedirá si lo necesita, así que relájate». Y como la rubia había preferido pasar las noches en casa de Olivia y no quería que pensara que la presionaba para que compartieran cama, descartó la posibilidad de pasar la noche allí. Un asunto delicado, por cierto, porque ella se moría por compartirla.

En su vida había tenido que esperar tanto para acostarse con nadie y precisamente con Claire le estaba costando la vida entera aguantarse las ganas. Eran sus labios, sus besos y las curvas de sus caderas, la forma en que la tomaba casi posesivamente por la nuca en cuanto las cosas se caldeaban un poco; y entre las dos se caldeaban muy rápido. La necesidad de conocerla del todo y el miedo a que al final no fuera como la rubia esperaba, era eso también, todo junto y revuelto en unas gigantescas ganas de arrancarle la ropa a lo bestia y besarla despacio.

—No sabía que Cleo fuera tan acuática —dijo Claire mirándola divertida mientras los dos perros nadaban a la desesperada para alcanzar aquel palo antes que el otro.

Menuda sonrisa tenía la rubia, joder, es que la dejaba sin aliento y sin salida, y la hora y media de coche hasta llegar allí había merecido totalmente la pena por dejar todo el drama atrás, aunque fuera por un rato.

Darwin y Cleo salieron del agua a la carrera, la pequeña había ganado contra todo pronóstico y llevaba el palo en la boca, orgullosa de haber superado a su compañero por una vez; en el medio acuático ella era más rápida. Antes de que pudiera hacer nada por evitarlo, las dos mascotas pararon a su lado y Darwin se sacudió con muchas ganas, cediéndole a ella hasta la última gota de agua que trasportaba en su pelaje. Se incorporó hasta quedar sentada en el suelo, protegiéndose la cara con los brazos, y se le contagió la risa de Claire.

—¿Está buena el agua? —preguntó divertida acercándose a ellos.

—Si tienes mucho interés, puedo ayudarte a descubrirlo —insinuó y sonrió cuando la profesora se sentó a horcajadas sobre ella.

La miró desde tan cerca y en aquella nueva postura que... ufff; cada primera vez con Claire le aceleraba la vida y ralentizaba su capacidad de procesar todo lo que cayera fuera del perímetro de ambas. Le acarició los muslos con las palmas abiertas, y la rubia la sujetó por la nuca con ambas manos. Joder, a lo mejor era por ella o a lo mejor era por Claire, podía ser la naturalidad con la que les salían esos gestos últimamente o lo imposible que les resultaba inhibirlos, pero estar así le removía el universo entero y desde que ya no estaba Nick todo se había multiplicado por mil. Un «hazme sentir así a mí en exclusiva, por favor» a lo mejor era un poco patético, pero se repetía en su cabeza cada vez que aquella conexión entre ambas comenzaba a desbordarlo todo.

Aceptó los labios de Claire, porque tendría que estar muerta o inconsciente para no hacerlo, la ligera ventaja en altura que suponía aquella posición para la rubia pareció animarla a dominar el beso y a ella le vino increíblemente bien, gracias. Acomodó las manos en sus costados y se limitó a imitar sus movimientos, no sabía cuántas veces podían haberse besado ya, pero la novedad estaba dando paso a una especie de familiaridad poco conocida aún. Podía anticipar su sabor, su forma de moverse y la jodida facilidad con la que la dejaba fuera de juego cuando le succionaba con delicadeza el labio inferior. Como saliendo poco a poco de un terreno de arenas movedizas, aún no estaban en tierra firme, y es que a lo mejor lo tenían que afianzar ellas.

—Quiero estar contigo —lo dijo en mitad del final del beso y, cuando la miró, se quedó un poco enganchada a aquel azul—. Claire, quiero estar contigo.

Porque la honestidad era lo mejor en esos casos y, en aquel momento en particular, no podría haberle dicho nada más sincero. Era simple y sencillo, era un «aquí está lo que quiero yo y creo que tú sientes lo mismo, pero si no, tienes que saberlo igualmente». Sintió sus manos acariciándole la nuca y cada vez que hacía eso le entraban ganas de cerrar los ojos para dejarse llevar mejor por la sensación, pero en ese momento no quería perder los suyos de vista.

—Algo me imaginaba —admitió la profesora y ella le sostuvo la mirada —. Y seguro que tú te lo imaginas también.

—Dilo de todas formas —dijo a media voz.

Lo pidió porque sí, porque quería oírselo decir y porque estando así de cerca sus filtros no funcionaban y todo escapaba sin manufacturar, casi en materia prima. Porque se moría por escucharlo y era el momento perfecto y porque ya lo sabía, pero Claire iba a darle el capricho. Más caricias en su nuca, casi la estaban dejando fuera de combate y babeando, pero que no parasen, combinadas con la forma en que la rubia la miraba eran endorfinas inundándolo todo.

—Quiero estar contigo —accedió a su petición—. Es en lo único que pienso.

Ya lo sabía, pero se le aceleró el pulso de todas formas. Y algo parecido le pasaba a ella, porque Claire y todo lo que se le relacionase, incluso remotamente, poseía el monopolio de todas sus horas de vigilia y sospechaba que por las noches tampoco se iba muy lejos.

—Algo me imaginaba —repitió su respuesta.

Al verla sonreír, el besarla le salió solo, fue un beso torpe porque ella no borró el gesto y le encantó. A lo mejor le gustó tanto porque su interior al completo estaba de fiesta y porque Claire quería estar con ella, y con una base así nada podía salir mal. La observó un poco más y la profesora se dejó desgastar mientras ella, a cambio, le permitía acariciarle la cara de aquella forma jodidamente increíble.

—Ya no me duele, al menos no de esa forma —dijo segundos después acariciándole los costados, Claire frunció el ceño y ella decidió especificar—. Tracy, el otro día dijiste que querías saber si seguía doliendo. Ya no duele de esa forma.

—¿Duele de alguna otra? —inquirió, a lo mejor porque también ella sentía que era un buen momento para aclarar cosas.

—Me siento culpable por cómo pasó todo, y no nos hemos vuelto a ver desde que rompimos. A veces siento que aún nos quedan cosas por cerrar, no lo sé, algo así.

—¿Piensas alguna vez en qué habría pasado con vosotras si no nos hubiésemos conocido tú y yo?

—Seguramente que en algún momento ella habría conocido a alguien que la mirase de esa forma jodidamente increíble —aventuró—. Una cantante, de un grupo de esos que la vuelven loca... —dijo fingiendo disgusto y Claire sonrió al oír su tono.

—Se llama Jamie. Dice que es muy guapa —aportó más datos.

—Sí, las guapas somos su tipo —alardeó y le gustó que sonriera.

No pensó que el tema «Tracy» fuera a ser tan fácil, a lo mejor a Claire le sucedía lo mismo que a ella, todo lo que había pasado, la forma en que ambas habían actuado, el encontrarse cada vez que se buscaban había ido reduciendo aquellos «¿Y si...?», y a ella el tema de Nick ya no le quitaba el sueño. Tal vez Claire también veía ese «¿Cómo voy a querer cualquier otra cosa si te puedo tener a ti?» cuando conectaban sus miradas. Aquello quitaba presión, miedos y preocupaciones. Y sentaba de puta madre, la verdad.

—Seguro que no es más guapa que tú. —Sonrió al oírla porque lo dijo como si estuviera cien por cien convencida.

—Pero está en un grupo y canta, y apuesto que tiene tatuajes —recalcó—. Tracy decía que ese era mí único fallo: no tener tatuajes.

—¿No tienes tatuajes? —La rubia fingió estar decepcionada—. Esperaba encontrarme alguna sorpresa.

Ella sonrió de medio lado porque Claire acompañó la última frase acariciándole de una forma muy interesante el cuello con el dedo índice. Y menuda vergüenza, solo eso le aceleró la tasa cardíaca.

—Lo siento —se disculpó de antemano—. ¿Tú tienes?

—¿No es más emocionante si lo descubres tú misma?

—Supongo que sí —tuvo que admitir y casi ni tragó saliva por si se atragantaba ante su tono y su mirada. Chica previsora.

—Ashley...

Le encantaba cómo sonaba su nombre cuando lo decía ella.

—Claire...

—No sabes las ganas que tengo de que lo descubras ya —reconoció, y otra vez acariciaba su nuca.

Joder, tras procesar esa frase soltó un «Bufff...» con mucho sentimiento y se dejó caer hacia atrás, quedando completamente tumbada sobre la hierba. No creía que Claire llegara ni siquiera a empezar a imaginarse lo que le hacía a su cuerpo diciéndole esas cosas; tenerla sentada encima y justo en esa posición tampoco ayudaba mucho a calmar los ánimos, la verdad.

A la luz de los últimos acontecimientos quizás hubiera sido buena idea eso de alquilar la casa rural, porque Ronda y Olivia seguro que entendían el plantón desde aquella perspectiva.

—No deberías ir por ahí diciendo esas cosas, Lewis —le informó mirándola desde su nueva posición.

—No voy «por ahí» diciendo esas cosas, te las digo a ti.

Y por si ese comentario no hubiera sido suficiente, Claire se inclinó hacia ella. ¡Hacia ella, joder! Sus manos apoyadas en el césped a ambos lados de su cuerpo, y de repente su pelo le hacía cosquillas en la cara porque estaba así de cerca. Con Claire casi era mejor debajo que encima, lo que le hacían aquellos ojos mirándola de esa forma... madre mía.

—Qué suerte tengo —dijo acariciando sus muslos y comenzaron a fundírsele las neuronas. Una apoptosis brutal desencadenada por el olor de su pelo.

Claire no le contestó verbalmente, pero con su sonrisa tuvo suficiente, después la rubia inició un beso jodidamente increíble, y en aquel contexto las palabras estaban sobrevaloradas; tan solo se dejó besar. Tenía que confesar que aquella chica sabía lo que se hacía, y se lo sabía de diez porque no había nada más alto. Se limitó a aceptar las caricias de sus labios, respetando su ritmo, disfrutando de una cadencia alucinante y sugerente, era la perfección en forma de movimiento y una puta pasada.

Intentó no perderse demasiado en el momento, aunque era francamente difícil el no dejarse atontar por todo su conjunto; la forma en que su pelo le acariciaba la cara y lo bien que se sentía tenerla sentada sobre su cuerpo la anestesiaban de una forma que, de no ser tan jodidamente increíble, sería muy preocupante.

—Gracias —murmuró la rubia casi contra sus labios.

—De nada, ha sido un placer —bromeó y sonrió cuando Claire le pegó en el hombro.

—Gracias por la sorpresa, imbécil —dijo abandonando su inclinación sobre ella.

—Te debía una —le quitó importancia y se sentó ella también, estrechándola por la cintura—. Además...

El sonido de teléfono de Claire la interrumpió antes de que pudiera decir nada, se apartó ligeramente de ella, ni un centímetro más de lo necesario para que tuviera el espacio suficiente como para sacar el móvil del bolsillo de su abrigo. No necesitó que le dijera quién estaba al otro lado de la línea, le bastó con ver la expresión de su cara para saberlo. Estaba segura de que era Nick. Lo último que Claire había sabido de él era que se había ido unos días a Boston, como si necesitase un tiempo muerto, alejarse de todo para empezar a asimilarlo. La rubia cortó la llamada y puso el móvil en silencio antes de devolverlo a su bolsillo; cuando volvió a mirarla a ella ya no parecía tan contenta como segundos antes.

—¿Deberíamos hablar de él? —tanteó estudiando su reacción.

Claire alzó la vista al cielo y suspiró pesadamente, seguro que porque aquel tema aún la desbordaba un poco. Tan solo esperó a que dijera algo en uno u otro sentido.

—Volvía este fin de semana.

—Y querrá hablar contigo.

—¿Qué más queda por decir? —preguntó Claire—. ¿Queda algo por decir?

Y no parecía molesta, parecía agobiada y triste, tal vez porque pensó que una sola conversación horrible sería suficiente y se daba cuenta de su error de cálculo. Seguramente plantearse tener que hacerle frente de nuevo, le elevaba al cubo las ganas de que se la tragara la tierra.

—¿Tu qué crees? —preguntó—. ¿Queda algo?

—No puedo decirle lo que quiere escuchar. Y lo único que puedo decirle no lo entiende. Cree que hago todo esto para castigarlo por no haber estado ahí.

—A lo mejor para él es más fácil así, Claire.

—No quiero verlo llorar por mi culpa.

—No busques culpables, Lewis, no sirve de nada —aseguró—. Puedes torturarte todo lo que quieras y seguirás estando en el mismo punto que al empezar.

—Reconfortante —ironizó.

—¿Verdad? —bromeó y se ganó un amago de sonrisa. Suficiente.

—¿Crees que debería volver a hablar con él?

—¿Tú crees que podrías no hacerlo?

La profesora guardó unos segundos de silencio, y parecía que se estaba planteando muy en serio su última pregunta mientras jugaba distraídamente con la cremallera de su anorak.

—No quiero que esa sea nuestra última conversación —reconoció por fin.

—Entonces sí, creo que deberías hablar con él —se decantó por esa opción.

Claire jugueteó un poco más con la cremallera, le gustaba toquetear su ropa, lo hacía con elevada frecuencia y a ella le encantaba, porque de alguna manera era íntimo, o al menos lo sentía así. Observó su gesto pensativo y elevó el mentón para permitirle subir la cremallera hasta arriba.

—He visto un piso que me gusta —dijo la rubia conectando sus miradas de nuevo.

Adiós al tema Nick por el momento, supuso que el dilema de hablar o no hablar de nuevo con él se quedaba a la cola y le parecía bien. Porque un piso que le gustara era una novedad: o eran muy grandes o muy pequeños, demasiado lejos del instituto o no lo suficientemente cerca del parque Edgewater, y los que cumplían sus requisitos se pasaban con el alquiler. En los últimos días había querido preguntarle en más de una ocasión «¿tienes miedo de irte a vivir sola por primera vez?», porque tenía la sensación de que aquel era el verdadero trasfondo de tanta incertidumbre inmobiliaria. Y es que Claire había pasado de vivir con sus padres a vivir con Nick, sin intermedios, he aquí un cambio importante más que añadir al paquete. Jodidamente valiente, si le pedían su opinión.

—Háblame de él, porque tiene que ser un piso muy especial —dijo y Claire le pegó en el pecho suprimiendo una sonrisa, no era la primera vez que se metía con ella por lo alto de su listón.

—Lo es —confirmó siguiéndole el juego—. Está a mitad de camino entre el parque y el instituto y no es demasiado grande, una habitación, cocina, salón y baño. Me gusta en las fotos.

—Suena bien, ¿vas a ir a verlo? Porque las fotos a veces engañan.

—Solo hay que ver lo bien que sales tú en la de perfil de WhatsApp —se metió con ella y tuvo que sonreír ante su tono burlón. Le bajó la cremallera unos centímetros antes de hacerle la siguiente pregunta—. ¿Me acompañarías?

—Si me lo pides por favor, sí —reveló su precio.

—Por favor —le siguió la corriente haciendo pucheros.

—Si me lo pides así... —accedió al fin aguantándose las ganas de besarla hasta la muerte, aquel gesto en sus facciones le había derretido la existencia entera.

Claire sonrió tras aquel mero trámite, porque seguro que ya sabía de sobra que sí desde el principio, pero a las dos les gustaba hacer teatro.

—Tiene que gustarte a ti también —dio por sentado paseando una brizna de hierba recién arrancada por el perfil de su nariz y ella apartó un poco la cara porque le hacía cosquillas.

—¿Por qué? —preguntó mientras sentía la caricia de aquel hierbajo en su barbilla.

—Porque quiero que quieras venir.

—Lewis, podrías vivir en un fumadero de *crack* y querría ir.

Cerró el ojo derecho cuando Claire comenzó a pasear a su amiguita verde por sus inmediaciones, pero la vio sonreír con el otro.

—Quiero que quieras quedarte a dormir algunas noches —añadió a su lista de deseos.

Fue su turno de sonreír, y lo hizo de medio lado, porque en una inocente y, aparentemente, intrascendente conversación, se estaban sentando las bases de lo más importante. Tal vez ni siquiera fuera necesario preguntar en voz alta aquello de «¿Qué somos?», porque se estaba dibujando solo. Simplemente se movían en la misma dirección sin necesidad de ponerse de acuerdo de forma explícita.

—Esto empieza a sonar serio —bromeó.

—Es lo que quiero.

La estaba mirando muy de cerca y el corazón le hizo algo raro, porque su tono confirmaba que lo quería de verdad, y debía de estar cansado del trabajo extra al que lo sometía cada vez que la rubia estaba cerca. Su riesgo cardiovascular aumentaba por momentos.

—Es lo que quiero yo también —correspondió a su confesión en el mismo tono y le sostuvo la mirada—. Cama de uno cincuenta, supongo —añadió tras unos segundos.

—Por supuesto —dio por sentado y cuando ella sonrió Claire aprovechó para pasar la brizna de hierba por su boca y protestó—. Creo que lo primero que me atrajo de ti es esa maldita sonrisa que tienes —le confió mientras admiraba sus labios.

—¿En serio? ¿Y eso de «Joder, no puedo dejar de pensar en sus ojos verdes»?

—No vas a dejarlo correr nunca, ¿verdad?

—Verdad.

***

Era sorprendente lo rápido que pasaba el tiempo cuando estaban juntas, en serio. Una confirmación irrefutable de la teoría de la relatividad, y es que a Einstein había que darle la razón y más premios póstumos. Se habían pasado lo que quedaba de mañana junto a aquel lago, hablando, besándose increíblemente bien y jugando con Cleo, Darwin y su palo de la discordia. Y gran parte de la tarde recorriendo los alrededores, porque las vistas y los paisajes de aquella zona del estado eran alucinantes.

Desde que adoptó a Darwin había tenido claro que era un requisito importante para futuras parejas eso de que les gustaran los perros y que no fuera un problema hacer planes que incluyeran a su mascota. A decir verdad, en aquellos precisos momentos ni se planteaba volver a tener una relación. Nunca. Joanna la había dejado así de enfadada con el mundo y sin mucha fe en la humanidad, así que durante bastante tiempo habían sido solo Darwin y ella, y cuando llegó Tracy, casi se enamoró de Darwin primero. No la culpaba, el tío era realmente encantador, un seductor canino nato.

Sonrió al observar cómo Claire hablaba con sus dos mascotas, que caminaban a su lado mientras los cuatro regresaban al coche. Darwin chupó la mano de la rubia y ella paró la marcha para agacharse y devolverle un beso de agradecimiento en el hocico. Claire cumplía ese requisito y todos los demás e incorporaba extras por todas partes. Había sido un día jodidamente perfecto.

—¿Queda mucho para llegar? —preguntó la profesora poniéndose a su altura y tomándola de la mano.

—Son tus pulmones nicotínicos los que hablan, Lewis. Menos tabaco y las distancias se harán más cortas —dijo, y ella le sacudió la mano.

—No me lo recuerdes, llevo las dos últimas horas arrepintiéndome de haber tirado el maldito paquete —confesó lastimeramente—. Y de haberle regalado mi mechero a Leslie. ¿En qué estaba pensando? —se reprendió a sí misma.

—No lo sé, ¿en tu capacidad pulmonar reducida? —probó suerte y, de nuevo, sacudió su mano—. Se te veía muy convencida.

—Sí, me he venido arriba demasiado rápido. —Suspiró, y su tono la hizo sonreír.

A los dos minutos, comenzó a divisarse el complejo de apartamentos junto al que habían aparcado el vehículo y Claire emitió un gritito de júbilo de lo más gracioso.

—Tenemos el tiempo justo de volver a Cleveland, dejar a estos dos en casa, cambiarnos de ropa y llegar al Happy Dog a las ocho en punto —dijo ya junto al coche.

Metió la mano en el bolsillo de su anorak, en busca de las llaves para abrir e ir acomodando a Cleo y a Darwin en el asiento trasero y lo encontró vacío. El «tranquila, Ashley, que estarán en el otro» dio paso a un «hostia puta» cuando tampoco las encontró allí. Se abrió el anorak por completo y rebuscó en los bolsillos interiores, el cortisol comenzó a salir a pasear por su organismo.

—Joder —masculló comprobando todos los bolsillos una vez más. Claire, que hasta aquel preciso momento había estado entretenida achuchando a Cleo, alzó la vista—. Mierda, he perdido las llaves —reconoció mirando atrás, hacia el camino que acababan de recorrer.

—Ashley, seguro que las tienes, ¿has revisado bien todos los bolsillos? —preguntó la rubia acercándose a ella y comenzó a rebuscar también, en plan madre. «¿A que voy y las encuentro?».

Puso los brazos en cruz, como cuando le cacheaban en el control del aeropuerto, para permitirle buscar a gusto y que llegara a sus propias conclusiones. A lo mejor estaba mal que lo pensara, pero es que le gustó un poco demasiado cuando Claire registró los bolsillos de su pantalón, casi hasta se planteó perder las llaves más a menudo.

—No están —concluyó al fin dándose por vencida.

Estuvo a punto de pedirle que buscara un poco más, por favor, porque echaba de menos sus manos toqueteándolo todo.

—Se me han debido de caer junto al lago —se lamentó y casi seguro que había sido así, porque Claire y ella habían dado unas cuantas vueltas sobre la hierba, la verdad.

—Está lejísimos y ya casi es de noche —dijo la profesora. Una insinuación de que tal vez volver a buscarlas en ese momento no era la mejor idea del mundo—. ¿Qué hacemos? —preguntó cruzándose de brazos apoyada en la carrocería del vehículo.

—Bueno, podríamos ir a buscarlas en la oscuridad o podríamos llamar a Ronda y a Olivia y pedirles que trajeran el otro juego de llaves que tengo en casa —expuso las primeras opciones que se le pasaron por la cabeza.

—O podríamos esperar e ir a buscarlas mañana —aportó otra posibilidad, mirando fugazmente en la dirección de los apartamentos—. No hay muchos coches, así que seguro que tienen al menos uno libre.

Ella observó el complejo también, antes de devolver la vista a Claire y encontrarse con su forma de mirarla. La mejor jodida idea de la historia del pensamiento lógico. Si la rubia continuaba observándola así, la mejor de la historia del pensamiento en general.

—¿No te importa tener que pasar la noche aquí?

Tanteando, porque le parecía que Claire lo había dicho con segundas intenciones y aquella mirada le estaba haciendo cosas muy interesantes a sus terminaciones nerviosas, pero a lo mejor solo eran sus ganas haciéndole ver espejismos, como en el jodido desierto.

—Llaves perdidas, apartamentos vacíos a veinte metros del coche —enumeró la rubia acercándose a ella—. Creía que te gustaba todo eso de las señales, el destino y el karma.

—Olivia ha sido una gran influencia en mi vida —admitió y cuando la vio sonreír se le derritió un poco el alma y se le fundieron un par de circuitos por la anticipación, todo a la vez.

**

Madre mía, Claire, relájate, que ni tienes diecisiete años ni eres virgen y no lo parece. Porque cada vez que pensaba en la habitación de aquel apartamento, y más concretamente en su cama, se le elevaban las pulsaciones y es que casi sentía que le quemaban las mejillas.

Sí que había apartamentos libres, y la recepcionista hizo la vista gorda con Cleo y con Darwin cuando le explicaron los motivos de su repentina necesidad de alojamiento. Un pequeño salón-cocina, una habitación y un baño, todo muy limpio, realmente bonito y acogedor. Ashley se había pasado por lo menos diez minutos curioseándolo todo, abriendo y cerrando cajones, y mientras ella en todo en lo que podía pensar era en aquellas manos acariciándola entera, de verdad. Porque había visto la oportunidad y había saltado a por ella sin tan siquiera pensarlo dos segundos. ¿Qué había que pensar?

Ronda y Olivia no se habían enfadado demasiado, de hecho, la castaña les había deseado que lo pasaran bien, en ese tono suyo que siempre se refería a lo mismo y en esta ocasión le habían entrado ganas de darle las gracias. Se habían duchado antes de bajar a cenar y la veterinaria dijo imbecilidades que la hicieron reír en el pequeño comedor del complejo, como siempre, pero entre ellas pendía un «Va a pasar esta noche, ¿verdad?» y Ashley tenía que sentirlo también porque era bastante grande como para que le pasara desapercibido.

En ese momento se encontraban en el exterior, dando una vuelta a Darwin y a Cleo por los alrededores del complejo y ya era noche cerrada. El ambiente era fresco, aunque no llegaba a hacer frío de verdad, y la ausencia de luces artificiales les daba la oportunidad de observar las estrellas si se tomaban la molestia de alzar la vista. Y ella se la tomó, porque no todos los días se veían cielos así y el espectáculo era alucinante.

—Algunas están muertas, lo sabes, ¿no? —la escuchó a su lado y frunció el ceño, molesta por aquella observación tan poco romántica.

—¿Como tu romanticismo? —preguntó sin apartar la vista del firmamento.

—O más —bromeó la veterinaria.

—No sé si había visto tantas estrellas juntas antes. Son preciosas.

—Mi padre y yo solíamos salir a verlas al jardín de casa cuando era pequeña —dijo Ashley y, al escucharla, desvió la vista del cielo para poder mirar cómo observaba el firmamento—. El muy idiota se inventaba las constelaciones para hacerse el listo, por su culpa suspendí el primer examen de conocimiento del medio.

Tuvo que reír ante aquello y la veterinaria sonrió conectando sus miradas.

—Es gracioso —dijo.

—A mi madre no se lo pareció tanto —recordó. Antes de que terminara la frase, sintió cómo la abrazaba por la espalda, cerrando los brazos en torno a su cintura, y aprovechó la postura para reposar la cabeza en su hombro—. Decía que era un payaso con mucha labia —habló junto a su oído.

—Así que de ahí lo has sacado tú —ató cabos y supo que estaba sonriendo.

—La genética tiene su peso, pero estas cosas hay que cultivarlas, no me quites mérito —defendió su arduo trabajo.

Sintió un escalofrío de los que te despiertan todas las terminaciones nerviosas cuando Ashley comenzó a besarle el cuello y se revolvió entre sus brazos. La sintió sonreír contra su piel y después escuchó «Nunca me había alegrado tanto por perder unas llaves» casi susurrado contra su oído, y aquel hormigueo tan agradable hizo acto de aparición en su bajo vientre, inclinó la cabeza a un lado para facilitarle el acceso a su cuello y cerró los ojos dejándose explorar. Le acarició la nuca con la mano, animándola a seguir, y un suave mordisco sobre su piel la impulsó a girarse para atrapar sus labios en un movimiento que resultó sorprendentemente sencillo, a lo mejor porque Ashley estaba más que preparada para recibirla.

Ahora era la veterinaria quien la sujetaba por la nuca como si temiera que fuera a romper el contacto al sentirse libre, y nada más lejos de su intención. Acercó sus cuerpos lo más que pudo, tirando de su anorak, y profundizó el beso. Apenas habían empezado a hacer nada y su corazón se empeñaba en ir a mil, a lo mejor porque sabía que aquella vez era distinta a las demás e iba a terminar de forma diferente. Sintió la lengua de Ashley acariciando la suya en el interior de su boca y un sonido increíblemente placentero se escapó de su garganta.

Tras escucharlo, la veterinaria la estrechó aún más contra su cuerpo, como si le hubiera hecho darse cuenta de que necesitaban más puntos de contacto. Pues sí, muchos más. Y a cada segundo que pasaban de esa manera, su interior se calentaba un grado y el beso subía de intensidad. Ashley gimió bajito cuando le mordió el labio inferior y a ella se le revolvió la libido entera, así que la besó de nuevo, de forma algo más brusca.

—Vamos dentro —la apremió jadeando contra los labios de la veterinaria.

—Joder... —susurró Ashley de forma entrecortada.

Y ese «joder» excitado le reverberó por dentro y, a lo mejor era pronto o tal vez con Ashley todas se mojaban igual de rápido, pero por lo general al resto de sus parejas les había costado mucho más trabajo llevarla hasta el punto en el que estaba ya. Dios, ¿cómo iba a ser lo demás? Se perdió en aquellos ojos verdes, a pesar de la falta de iluminación seguían siendo igual de alucinantes, y era la primera vez que se miraban así, casi quemándose y sin tocar. Ashley bajó la vista a sus labios y se lamió los suyos, anticipando.

—Darwin, Cleo, nos vamos —la veterinaria alzó la voz sin desconectar sus miradas y a ella el corazón se le aceleró un poco más.

En cuanto sus mascotas acudieron a su lado, comenzaron el camino de vuelta hacia el apartamento. No tardaron más de cinco minutos en estar en su interior y no sabía qué estaría pasándose por la cabeza de Ashley cuando cerró tras ellas, pero su interior al completo no dejaba de preguntarse cómo iba a ser.

La veterinaria se deshizo de su calzado, utilizando un pie para liberar al otro con una facilidad pasmosa, y las deportivas cayeron a un par de metros de distancia. Ella la imitó y Ashley sonrió, atrapando su cuerpo contra la puerta y dejándose acariciar con suavidad la mejilla, con aquella sonrisa la tensión en la boca de su estómago aumentó al doble. La observó acercarse despacio y entreabrió los labios un poco antes de que llegara, aceptando un beso extremadamente delicado que le suspendió la respiración hasta nuevo aviso, detenida en algún recoveco de su garganta. Ashley volvió a sonreírle cuando separaron los labios y ella le devolvió el gesto antes de desabrocharle la cremallera del anorak, le temblaba un poco el pulso y esperó que no se diera cuenta, porque resultaba un poco ridículo.

Ya has practicado sexo antes, Lewis, por el amor de Dios, recompone.

La veterinaria la ayudó a deshacerse de la prenda y ella la tiró sobre el sillón y se dejó besar de nuevo contra la puerta de entrada. Sintió las manos de Ashley introduciéndose entre sus cuerpos para realizar la misma maniobra y quitarle el abrigo; no le hizo falta interrumpir el contacto de sus labios, y mucho mejor, porque aquel beso estaba siendo particularmente placentero. La veterinaria deslizó la prenda por sus hombros, sin dejar de besarla, y la tiró a un lado sin preocuparse demasiado por si acertaba con el sofá. Aprovechó la disminución de las capas de ropa para poder pegarse más a ella, presionándola contra el material de la puerta, y el calor que proyectaba su cuerpo la impulsó a incrementar el ritmo y la profundidad de aquel beso. Casi podía sentir la temperatura aumentando dentro y fuera, y la atmosfera que las rodeaba estaba cargada de algo nuevo. En realidad, todo estaba cargado de algo nuevo: sus besos, sus miradas, la forma en la que Ashley comenzaba a moverse contra ella mientras atacaba su boca con delicadeza y la manera en que su cuerpo le respondía. Empezó a tener mucho calor cuando las manos de la veterinaria se colaron por debajo de su jersey y las sintió tibias contra su piel. Le acunó las mejillas para besarla más que intensamente porque lo necesitaba, y su corazón comenzó a bombear a doble potencia cuando Ashley empezó a subirle el jersey y la camiseta mientras acariciaba sus costados.

Levantó los brazos para ayudarla a deshacerse de ambas prendas y, por primera vez, se quedó con tan solo el sujetador frente a la mirada de la veterinaria; casi antes de que la ropa tocara el suelo, Ashley la estaba besando con más ganas que en toda su vida, con las manos apoyadas en su cintura. No tardó nada en comenzar a subirlas y ella aguantó la respiración, porque había imaginado en un millón de ocasiones que eran aquellas manos las que acariciaban sus pechos, y cuando las sintió dibujando su silueta por encima del material del sujetador casi gimió contra su boca. Ashley perdió el control de su respiración en ese mismo momento y murmuró un «Joder, Claire» entrecortado, antes de abandonar su boca y comenzar a besarle el cuello. Y era húmedo y era sexi, era alucinante, porque mientras tanto las manos de la veterinaria habían bajado y la sujetaban por su baja espalda, presionándole las caderas y ella se moría por más contacto, por todavía mayor presión.

Inclinó la cabeza hacia atrás, para que Ashley pudiera besarle mejor el cuello, y enredó las manos en su pelo cuando la sintió bajar, sin prisas, hasta llegar a su escote. Dios, aquella parte de su anatomía siempre había sido especialmente sensible y el calor de su boca más la humedad de sus besos en los límites de su sujetador comenzaban a pasarle factura.

—Claire... —la sintió hablar contra su piel, pero enseguida la miró. Sus ojos estaban más oscurecidos que nunca antes y, con aquellos labios enrojecidos y el pelo revuelto, Ashley era la cosa más sexi que había visto en los días de su vida—. Si vas a pedirme que paremos, hazlo ahora.

Le sostuvo la mirada, en silencio, ambas con las respiraciones aceleradas y ella echaba de menos su boca por todo el cuerpo.

—No voy a pedirte que paremos.

Por un momento Ashley la miró, para asegurarse de que iba en serio, después gruñó un «Joder» de esa forma tan erótica en que lo hacía ella y atrapó sus labios en un beso brusco. Se lo devolvió de la misma forma y fue su turno de despojar a la veterinaria de la parte de arriba de su vestimenta. Ashley le facilitó el trabajo al igual que ella había hecho con anterioridad, y en un par de segundos pudo pasear su mirada por el cuerpo semidesnudo de la chica.

Aquel abdomen, sus pechos enmarcados por el sujetador y el inicio de sus caderas, estímulos que hasta hacía poco había creído completamente neutros para ella, le despertaron las ganas más enormes de su vida. Ganas de hacer y de dejarse hacer. Ganas de todo y de un poco más después. La oleada de deseo más devastadora de todas las existencias la recorrió de arriba abajo cuando Ashley se dejó acariciar el abdomen por la yema de sus dedos. Seguro que la estaba tocando como si dudara de que todo aquello fuera real. *Mierda, Lewis.*

Se lanzó a besarla, un beso apasionado, necesitado, mientras la empujaba con su cuerpo obligándola a retroceder sin que Ashley prestara especial resistencia. Es que era todo, su olor, su calor y su tacto, su respiración agitada y aquel tono ronco que usaba cuando estaba excitada. Quería pedirle «hazme lo que quieras, porque ya no puedo más», porque estaban yendo más allá en terreno desconocido, descubriendo las ramificaciones más físicas de su conexión y eran igual de alucinantes que el resto.

Falló en los cálculos, o ni siquiera los realizó porque estaba demasiado cachonda como para pensar, y al ir a entrar en la habitación, la guio mal y Ashley se golpeó contra el marco de la puerta y protestó contra su boca.

—Mierda, perdona —se disculpó colocando su mano en el lugar del impacto, en la parte posterior de su cabeza.

—No hay dolor, demasiadas endorfinas —le quitó importancia la veterinaria con mucha prisa por continuar con lo que estaban haciendo.

Se rio contra sus labios, cuando Ashley volvió a besarla guiándola hacia la cama, tirando para ello de la cintura de sus pantalones. Tuvo la precaución de cerrar la puerta tras ella, porque conocía de sobra a Cleo y su tendencia a las interrupciones en los momentos menos oportunos. La veterinaria la tomó por la nuca y se tumbó gradualmente en la cama, sin dejar de besarla en ningún momento ya que se dejó arrastrar tras ella, habría preferido la muerte a separarse de Ashley en ese particular momento.

Terminó descansando todo su peso sobre el cuerpo de la chica. Piel contra piel, y cuando Ashley se posicionó mejor colando una pierna entre las suyas, su nivel de excitación se redobló de repente y se incorporó un poco utilizando el muslo de la veterinaria para proporcionarse presión porque empezaba a necesitarlo, Ashley simplemente la miró mientras ella movía las caderas contra su pierna y la expresión de su cara la excitó el doble. La morena la presionó aún más con su muslo y se dejó caer sobre ella de nuevo con un gemido estrangulado, cerca de su oído, y de pronto habían cambiado de posiciones y era Ashley la que estaba encima.

Le acarició la mejilla con la yema de los dedos y la veterinaria se los besó girando ligeramente la cabeza. Intenso. Por la forma en que Ashley la miraba y por la sonrisa de medio lado que le salió cuando ella deslizó la mano por su cuello y su escote, porque en medio de aquel calor sofocante y con la banda sonora de sus respiraciones aceleradas, en mitad de toda aquella necesidad puramente física, su corazón seguía saltándose un latido cuando sus miradas conectaban de aquel modo. Se le cerraron los ojos solos y se mordió el labio inferior ahogando un gemido cuando Ashley presionó de nuevo su intimidad, moviendo esta vez sus caderas contra ella, y después atrapó sus labios mordiendo con suavidad el inferior.

—Esa cara... ha sido... jodidamente... —Ashley lo jadeó contra su boca, pero de repente paró, frunciendo el ceño—. Ehhh... —titubeó—. Tienes algo duro en la parte inferior de tu cuerpo y no sé si quiero saber qué es.

Sonrió por lo tonta que era, pero en el fondo no le hacía gracia, porque se tenía que haber acordado de deshacerse de las pruebas. A pesar de su reticencia inicial, sintió la mano de Ashley colarse en el bolsillo de sus pantalones y, cuando la veterinaria volvió a mirarla, supo que su sentido del tacto ya la había delatado.

—Vaya... vaya... pero ¿qué tenemos aquí? —inquirió sacando las llaves del coche y balanceándolas a unos centímetros de su cara.

Y no sabía por qué aquella chica seguía siendo así de imbécil aun estando tan sumamente cachonda, así que decidió resolver aquello por la vía rápida.

—Sí, son las llaves de tu coche. Sí, te las cogí del bolsillo del abrigo. Y, sí, fingí que no sabía nada cuando pensaste que las habías perdido.

—Así que el karma, el destino y las señales... eres tú —indicó con media sonrisa burlona.

—Einstein dijo una vez que somos arquitectos de nuestro propio destino.

—Pues me gusta tu diseño —reconoció con voz ronca cuando sintió su pierna presionar justo en el sitio adecuado.

—Gracias —susurró ella y tiró de la nuca de la morena para atrapar de nuevo sus labios, porque no podía esperar más.

Escuchó el sonido de las llaves cayendo en algún lugar indeterminado del suelo de la habitación y sonrió contra su boca al sentir las manos de la veterinaria acariciándole los costados. Ashley no tardó mucho en abandonar sus labios y comenzar a descender por su cuerpo, a lo mejor ella también pensaba que empezaba a sobrar ropa. Y es que sobraba por todos lados. Le acarició el pelo mientras sentía cómo besaba su vientre y se revolvió ante la sensación cuando sustituyó los labios por la lengua. Se le suspendieron las funciones vitales al notar que desabrochaba el botón de su pantalón, y el sonido de la cremallera al ser bajada iba a quedarse grabado en su mente como uno de los más eróticos de la historia de la sexualidad. Cuando sintió el calor de la boca de Ashley sobre su pubis por encima de su ropa interior, se tapó la cara con las manos y trató de inhibir un gemido, pero fracasó y se le escapó un sonido algo distinto, aunque igualmente revelador.

La veterinaria volvió a besar el mismo lugar una vez más antes de agarrar la cintura de sus pantalones y comenzar a bajárselos. Se obligó a mirar, porque no se perdonaría en la vida no hacerlo. La luz que se colaba por la ventana era más que suficiente y a Ashley aquella iluminación le quedaba francamente bien, arrodillada en la cama y terminando de quitarle los vaqueros y los calcetines. Los tiró a un lado y le acarició las piernas despacio mientras paseaba la mirada por su cuerpo al completo. Y había pensado muchas veces en aquel momento, en aquel y en todos los demás, claro, pero especialmente en aquel, porque era la primera vez que Ashley la veía tan solo en ropa interior y había temido sentirse cohibida ante su escrutinio. ¿La realidad? La realidad era que la veterinaria mirándola de aquella forma le estaba recolocando el mundo entero, como si fuera lo más increíble que había visto jamás, así la estaba observando, desgastando cada curva mientras sus manos dibujaban estelas de calor en sus piernas.

Dios, Ashley acariciaba muy bien y miraba mejor.

—Eres increíblemente perfecta —la veterinaria expresó sus pensamientos en voz alta, deslizando las manos por sus muslos y colocándose poco a poco sobre ella, acariciando sus caderas, su abdomen y sus pechos por encima del sujetador, esto último arrancó un murmullo placentero de las profundidades de su garganta y Ashley le besó la barbilla—. Eres increíblemente perfecta, Claire —repitió en un susurro junto a sus labios.

Se limitó a acariciarle la cara con las yemas de los dedos, porque no estaba segura de poder hablar en ese preciso momento, sus miradas estaban conectadas y el corazón le iba a mil, jamás en la vida había deseado a nadie con tantas ganas como deseaba a Ashley en aquel preciso momento. Se había dejado tocar y ahora necesitaba tocar ella; es que le quemaban las manos.

La besó, y no le costó nada conseguir que la veterinaria se dejase tumbar sobre el colchón, cediéndole su posición dominante. No perdió tiempo en deshacerse de sus pantalones y sus calcetines, porque desentonaban con todo lo demás, y en cuanto acarició sus piernas desnudas con las palmas abiertas se hizo adicta a aquella suavidad. Nuevo, muy nuevo. Y Ashley estaba casi hiperventilado la pobre, pero le permitió observarla sin prisas, seguramente aguantándose las ganas de hacerle de todo ya. Recorrió sus caderas y su cintura, recreándose en cómo se adaptaba a sus manos cada curva de su cuerpo, casi tuvo taquicardia antes, durante y después de acariciarle los pechos por encima del sujetador. Ashley gruñó un «Hostia puta» con mucho sentimiento, cuando ella se sentó sobre su abdomen, quizá porque podía notar lo mojada que estaba a esas alturas a través del material de su ropa interior, y se incorporó buscando su boca, sentándose ella también sobre el colchón y uniendo sus labios en el beso más húmedo que habían compartido hasta la fecha. A horcajadas sobre la veterinaria y aquella forma de reclamar sus labios.

Sintió las manos de Ashley desabrochándole el sujetador y gimió por la anticipación, acabó tirándolo hacia algún lugar indeterminado del cuarto, y antes de que se diera cuenta, la calidez de su boca envolvía uno de sus pezones. Se lo había imaginado muchas veces, de verdad, muchas, pero así no se lo había imaginado nunca. Gruñó un «Mierda, Ashley» y rodeó su cuello con ambos brazos, descansando la mejilla sobre la parte superior de su cabeza, cada movimiento de sus labios y su lengua enviaba descargas eléctricas de las de alto voltaje a su bajo vientre y al final comenzó a mover las caderas contra su cuerpo, buscando desesperadamente algún tipo de alivio. Ashley gimió al sentir sus movimientos y abandonó su pezón, dejándolo frío, endurecido y echándola de menos.

En cuanto la veterinaria alzó la vista buscando su mirada, ella aprovechó para colisionar sus labios sin ningún cuidado y notó su brazo izquierdo sujetándola fuerte por la cintura mientras ambas profundizaban el beso. Paró todo movimiento cuando sintió la mano libre de Ashley colarse entre sus cuerpos, porque iba a tocarla. Dejó de besarla y suspendió el movimiento de sus caderas. *Oh, Cristo bendito.* Ashley iba a tocarla y ella se iba a correr en dos segundos.

Sentía la respiración pesada de la chica contra su boca, pero la suya estaba atascada en algún lugar inhóspito de su garganta. Unió sus frentes y se miraron a los ojos, muy muy cerca, y cuando la mano de Ashley la acarició por encima de su ropa interior casi se le cerraron por reflejo, y gimió lento intentando no perder de vista aquel verde intenso. Un nuevo gemido, más alto esta vez, cuando sus dedos comenzaron a masajear su clítoris, no pudo mantener los ojos abiertos por más tiempo y necesitaba deshacerse de la ropa interior, pero no quería abandonar aquella postura por nada del mundo. Empezó a moverse suavemente contra su mano, Ashley escondió la cara en su hombro y gruñó frustrada.

—Dios, Claire, quítatelas —suplicó con voz ronca.

Joder.

Se apoyó en sus hombros, incorporándose lo justo para poder deslizar la prenda por sus piernas y tirarla cama abajo, sentía la mirada de la veterinaria observando cada uno de sus movimientos y volvió a sentarse sobre ella, de nuevo conectando con su verde favorito. La sujetó con ambas manos por la nuca y la besó, profundizándolo casi antes de empezar, y gimió fuerte contra su boca al sentir sus dedos deslizándose entre sus pliegues, sin telas de por medio era mucho más intenso y Ashley le devolvió el mismo sonido. De nuevo descansó su frente contra la de la veterinaria y conectó sus miradas, retomando aquellos lentos movimientos contra su mano, cada uno de ellos y la forma en que el pulgar de Ashley acariciaba su clítoris mientras que el índice y el corazón masajeaban las inmediaciones de su entrada contribuían a tensarla más y más. Se le aceleró la respiración y aumentó su tasa cardíaca cuando Ashley se dispuso a deslizar dos dedos en su interior, y no iba a costarle ningún trabajo porque estaban totalmente empapados y ella completamente lubricada. Le tomó la cara entre las manos, elevando las caderas lo justo para permitirle penetrarla mejor.

—Ashley, mírame, mi amor —le pidió acelerada, y el «mi amor» se le escapó.

La veterinaria la complació, y alzó la vista para poder observarla mientras deslizaba dos dedos en su interior a la vez que ella acomodaba de nuevo sus caderas. Gimió lento y fuerte al sentirla entrar y comenzó a moverse sin desconectar sus miradas, la mano de Ashley en su cintura la ayudó a encontrar el ritmo perfecto, increíblemente sincronizado con los movimientos de aquellos dedos dentro.

Ya no iba a tener que preguntarse más cómo sería, porque estaba siendo. Extremadamente erótico, casi indescriptible. Así era con ella, porque estaba desnuda entre los brazos de Ashley, aferrada a su cuello y sintiéndola dentro, podía oír sonidos placenteros escapando de sus gargantas, cada vez un poco más altos a medida que aceleraban el ritmo de sus movimientos. Estaba a punto y lo sabía, pero se sentía tan bien allí justo en ese momento, con todo construyéndose dentro y con Ashley mirándola así fuera, que le habría gustado poder pararlo y seguir viviendo los cinco últimos segundos para siempre, un bucle infinito, el tiempo congelado en la conexión más intensa que había sentido en su vida.

**

Se iba a correr, en serio. Iba a correrse allí mismo y Claire ni siquiera había tenido que tocarla. Es que la rubia y aquella postura estaban llevándola al borde del precipicio más deprisa de lo que estaría dispuesta a reconocer jamás. Su manera de moverse sobre su cuerpo, sobre su mano, en sus dedos, joder. La forma en que se sujetaba a su cuello y aquella puta cara que tenía, madre mía; cuando le había dicho «Ashley, mírame, mi amor», su corazón se había saltado tres latidos mínimo, y es que el azul de sus ojos estaba así de vidrioso por ella, y ese ceño medio fruncido y el modo en que se mordía el labio inferior ahogando sus gemidos eran por ella también.

Desde que le había dicho eso de «Vamos dentro» en aquel tono jodidamente necesitado, su cuerpo entero se había puesto en marcha y no había parado ni un segundo. ¿Con Claire? Ni medio. Y le tenía tantas ganas desde hacía tanto tiempo que casi ni se creía que estuviera pasando de verdad. Desnudarla poco a poco y descubrir que no, que no tenía ningún tatuaje. Y se había enamorado de su cuerpo, de la misma forma en que se enamoró de ella, increíblemente rápido. Es que en aquellas curvas estaban escondidos todos los secretos del puto universo, seguro, y quería pasarse lo que le quedara de vida descubriéndolos uno a uno. Y tocarla siempre por primera vez.

Su corazón le debía de haber reventado ya tres o cuatro costillas y había pensado que se moría en más de una ocasión, cuando Claire había empezado a moverse de aquella forma contra su muslo en cuanto la había arrastrado a la cama con ella, por ejemplo. Menudo autocontrol, y es que se merecía un aplauso o algo, porque se podría haber corrido dos o tres veces ya y estaba aguantando como una campeona.

Claire estrechó el abrazo a su cuello, la rubia apenas podía mantener los ojos abiertos ya y estaba sintiendo cómo se contraía en torno a sus dedos. Buscó sus labios y la besó cuando ella repitió «Ashley» tres veces seguidas, porque sonaba a advertencia, porque ya casi estaba. Dos segundos después de haber atrapado sus labios, notó cómo Claire se corría en su mano y amortiguó su gemido alto, largo, ronco y entrecortado en el interior de su boca.

Me cago en la puta, porque después de aquello nada iba a volver a ser lo mismo nunca más. Correrse de esa forma debería estar prohibido y no lo estaba, y por eso Claire la había sujetado así de fuerte, por eso había soltado ese puto gemido que iba a resonar en su cabeza durante milenios y por eso en ese momento se había abrazado a su cuello y respiraba descontrolada contra su oído; casi podía sentir cómo el corazón le aporreaba las costillas, desbocado. *Joder, Claire*. Besó su hombro desnudo y comenzó a retirar sus dedos, despacio, pero la rubia la abrazó más fuerte.

—Ash, espera, por favor —lo susurró junto a su oreja, en un tono increíblemente ronco, y de nuevo tuvo que hacer un esfuerzo de autocontrol supremo para no correrse ella también.

Así que esperó, tratando de controlar sus pulsaciones y sintiendo la respiración de la rubia tornándose cada vez más rítmica. Besó su hombro y acarició la parte baja de su espalda hasta que Claire se movió, apartándose un poco de ella, y tomando su cara entre las manos, la besó extraordinariamente suave. Después le sonrió de una forma inédita, a lo mejor era su sonrisa de «estoy satisfecha», pero le sonó más a un nuevo nivel de complicidad y le estrujó el corazón en el pecho. La rubia elevó ligeramente las caderas, y ella empezó a retirar sus dedos despacio, Claire gruñó muy bajito, pero la escuchó y se fijó en cómo su ceño se fruncía levemente ante la sensación que le produjeron sus dedos al salir de su cuerpo.

—Ha sido... Dios... ha sido... —dijo la rubia acariciando su cuello.

—Es un don —bromeó, y le salió la voz ronca porque no había que olvidar que tenía a Claire sentada sobre ella, desnuda.

Joder... completamente desnuda y aún la sentía caliente en sus dedos y se iba a morir, necesitaba hacer algo, o preferiblemente que ella hiciera algo. Mierda, que la tocara. Eso quería. Que Claire la tocara, como fuera, en el estado en que se encontraba le valdría cualquier cosa. La chica lo tenía fácil en su primera vez. Menuda suerte. Madre mía, es que cada vez que se acordaba de su jodida cara al correrse, un ángel perdía sus alas o algo igual de trascendente, y ella se hacía un poco más consciente de la necesidad que le recorría el cuerpo entero.

Le acarició los muslos y ascendió por sus caderas, permitiéndose recorrerla a la vez con la mirada, y sintió cómo Claire masajeaba su nuca dejándose desgastar, y todo era suave y perfecto. Casi de inmediato las manos de la profesora le acariciaron el cuello y descendieron lentamente por su cuerpo, se sostuvieron la mirada mientras le arañaba el abdomen de forma delicada.

Claire la besó lento antes de tocarla por encima de la ropa interior y, mientras ella gemía, escuchó un «Mierda, Ashley» contra sus labios que la mojó un poco más. De repente, sus manos ya no estaban allí y a ella le entraron ganas de llorar ante la pérdida de contacto, pero de inmediato las sintió en el cierre de su sujetador y, joder, le gustaba su forma de pensar, sí, señor. Esa vez fue Claire la que se tomó su tiempo para recorrer su anatomía con la vista, y aquella mirada la revolvió por dentro, casi la sentía físicamente sobre su piel.

A continuación, la rubia acarició la silueta de uno de sus pechos, con la yema de los dedos al principio, después lo cubrió con la palma abierta; era la primera vez que tocaba a una chica así y se preguntó qué estaría sintiendo. Aguantó con la respiración detenida, observando la cara de Claire, y la vio tragar saliva antes de acariciarle el pezón con el dedo pulgar, y lo supo, a la rubia le estaba excitando tocarla así y a ella más.

Tuvo que gemir cuando se inclinó sin más y lo lamió con la lengua, introduciéndolo después en su boca jodidamente húmeda y caliente. La sujetó por el pelo mientras sentía cómo Claire experimentaba con ella, lamiendo y succionando, y se revolvió cuando notó sus dientes rozando con suavidad su pezón. *Mierda, Lewis.* Sentía su respiración acelerada contra la piel y, paradójicamente, aquella parte de la noche iba más de Claire que de ella, iba de la rubia probando algo nuevo por completo y le estaba poniendo increíblemente cachonda ser su conejillo de indias. Apoyó la barbilla sobre la cabeza de la profesora, cerró fuerte los ojos y apretó la mandíbula gimiendo al sentir cómo cambiaba sus atenciones bucales a su otro pecho. Hostia puta, de nuevo sus dientes y ella se iba a correr si seguían así un poco más.

—Claire... por favor... —jadeó acariciando su pelo.

Esta vez fue la rubia quien gruñó y, casi sin darle tiempo para recuperar el aliento tras ese sonido jodidamente revelador, la chica se estrelló contra su boca y la empujó con el peso de su cuerpo hacia atrás, obligándola a dejarse guiar de espaldas sobre el colchón. Claire consiguió no separar sus labios en el proceso y, durante unos segundos, simplemente se besaron lento y suave, y sus mechones rubios le hacían cosquillas en la cara. Después la profesora se separó de sus labios y le sonrió antes de depositar un beso en su barbilla y seguir descendiendo. Se le cerraron los ojos solos cuando sintió su boca acariciando la sensible piel de su cuello y se retorció bajo su cuerpo gimiendo fuerte en cuanto Claire lo mordió.

—Así que era verdad —dijo y pudo sentir que sonreía.

—Haz eso otra vez y a lo mejor no te hace falta hacer nada más —bromeó en tono ronco y entrecortado.

—Quiero hacer más —lo susurró y, mientras, sentía su mano descendiendo por el abdomen.

—Joder...

Muy elocuente, Ashley.

Claire la estaba observando mientras acariciaba el borde superior de su ropa interior, jodidamente sexi, y ella le sostenía la mirada porque no quería perderse esa cara por nada del mundo, pero no sabía por cuánto tiempo podría mantener los ojos abiertos. La rubia metió la mano bajo el material de su ropa interior y ella gimió al sentirla allí, tuvo que hacer un esfuerzo sobrehumano por no inclinar la cabeza hacia atrás y comenzar a moverse contra sus dedos, resistió porque necesitaba verle la cara. Se moría por saber qué estaba sintiendo Claire.

—Oh, Dios... —la profesora casi lo susurró y estaba frunciendo el ceño de aquella forma otra vez.

Enseguida sacó la mano de allí, porque la ropa interior debía entorpecer sus movimientos y se deshizo de ella, deslizándola por sus piernas y tirándola sin contemplaciones. Casi antes de que tocara el suelo, su mano estaba de vuelta entre sus piernas. Joder, estaba tan cachonda que con un poco de clítoris tendría tres o cuatro orgasmos seguidos, en serio. Pero Claire no preguntó, no. Claire se inclinó sobre ella y la besó, y mientras la besaba la penetró con dos dedos de forma lenta y suave, amortiguando su gemido con la boca. Ahora sí, inclinó su cabeza hacia atrás, porque había comenzado a moverse dentro y ella no iba a aguantar así ni medio minuto. Intentó retrasarlo, en serio, pero lo necesitaba tanto que era jodidamente difícil el posponerlo para más tarde. La sujetó por la nuca porque la quería cerca, quería besarla mientras movía sus caderas en sincronía con su mano. Y, tal y cómo pensaba, no duró mucho. Se corrió cuando Claire añadió el pulgar y movimientos circulares sobre su clítoris a la vez que mordía su cuello de nuevo. Joder con Lewis. La hizo correrse jodidamente bien, y si aquella había sido su primera vez con una chica, en las siguientes se iba a morir y estaba deseándolo. Necesitó un par de minutos de respiración descontrolada y corazón desbocado, de besos por cada milímetro de su cara para que su organismo comenzara a tranquilizarse. Claire aún estaba dentro de ella y se mordió el labio inferior, ahogando un gruñido cuando sintió cómo comenzaba a retirar sus dedos de forma lenta, pausada, como si no tuviera muchas ganas de hacerlo en realidad. Después, la profesora se encargó de retirar las sábanas y la instó a que se metiera dentro, lo hizo colocándose bocarriba sobre el colchón. La chica se coló junto a ella y se tumbó de medio lado con la cabeza sobre la almohada, conectando sus miradas a la vez que le mostraba aquella sonrisa increíble de nuevo.

—Claire... —llamó su atención en un susurro.

Sintió cómo besaba su hombro desnudo antes de responder.

—Ashley...

—Me has engañado para llevarme a la cama —dijo sin alzar ni un poco la voz. Después esbozó media sonrisa.

Se aseguró de que fuera de las engreídas, para que Claire le pegara juguetonamente. Y le golpeó en el hombro con la palma abierta. Genial, porque además se estaba riendo.

—Ha merecido mucho la pena —opinó la rubia, observándola más seria.

Mantuvo sus miradas conectadas un par de segundos y después se giró en el lecho, colocándose de medio lado, para quedar ambas frente a frente. El corazón le latía raro en el pecho, aliviado tal vez, porque parecía que no había echado nada de menos aquella noche. Se acercó a ella y atrapó sus labios de forma lenta, la rubia le respondió de inmediato al mismo ritmo y acariciando la línea de su mandíbula con el dedo índice. Ufff, cómo le gustaba cuando se besaban de esa forma.

Cuando se separaron, Claire escondió media cara en la almohada, mirándola con una sonrisa perezosa asomando a sus labios y con los ojos cargados de sueño y algo más. Se le revolvió el interior al completo ante esa imagen. Y de verdad, de verdad que quería ser ella la única que pudiera verla así cada noche, después de cansarse juntas de esa manera.

—Estás agotada —dijo acariciando con delicadeza la curva de su cadera por encima de la sábana que la cubría.

—¿Tú no? —preguntó con dos rendijitas ligeramente azules por ojos.

—Mi capacidad pulmonar es mayor, ya sabes, como no fumo... —la picó, a pesar de que seguro que en su estado de semiinconsciencia ni le molestaba.

—Mis cigarrillos... —murmuró ya con los ojos cerrados—. Los echo de menos —musitó medio dormida.

Pobre Claire, adicta al tabaco. Se dedicó a observar cómo se quedaba dormida. Su respiración fue tornándose más profunda y se le relajaron los músculos de todo el cuerpo progresivamente. Llevaba puesto el colgante que le regaló hacía ya meses, ese que iba a ayudarla a dejar de fumar, seguro que no se lo había quitado desde la noche en que ella lo ajustó en su cuello. Sonrió ante ese pensamiento y se acercó a su cuerpo en busca de aquel calor familiar que la atontaba y le encantaba a partes iguales.

Se le hinchó un poquito el corazón en el pecho cuando Claire se movió hacia ella al sentirla acercarse, abrazándola por la cintura y escondiendo la cara en el hueco de su cuello; hecho esto, soltó un suspiro satisfecho y continuó durmiendo sin más.

7

I can't get no satisfaction

La luz le hizo daño en los ojos y volvió a cerrarlos con fuerza, tapándoselos con la mano como doble protección. Hacía mucho tiempo que no dormía así de profundo y tardó unos segundos en ubicarse tras darse cuenta de que aquella no era la habitación de invitados de la casa de Olivia. Estaba un poco desorientada, pero se acordó de la forma en que Ashley la había sujetado mientras ella se corría entre sus dedos y de repente supo dónde se encontraba con una precisión milimétrica, e imágenes y sonidos de la noche anterior invadieron su conciencia todos de golpe y sin avisar. Dios, es que ya se le había acelerado el organismo al completo y no hacía ni dos minutos que estaba despierta. Cayó en la cuenta en ese mismo momento de que estaba desnuda debajo de las sábanas, se acordó de la forma en que Ashley había recorrido su anatomía con esa mirada suya, arrodillada a los pies de la cama. «Eres increíblemente perfecta». Y le entró un poco de calor. Madre mía, lo habían hecho, se habían acostado y se habían acostado increíblemente bien, además. Había sido muy... intenso. Y pasarse los recreos preguntándose cómo sería Ashley en la cama no tendría sentido de ahí en adelante, así que debía buscarse otro entretenimiento.

Se giró, porque podía oírla respirar justo a su espalda, rítmica, tranquila y pausada. No era la primera vez que se despertaba junto a Ashley, pero esa mañana era distinto, el efecto de la oxitocina tal vez, se sentía diferente después de haber compartido la noche con ella. Al principio se conformó con mirarla, porque aquellas facciones eran tan perfectas que parecían esculpidas en mármol y respetando al milímetro las distancias y las proporciones: el número áureo hecho mujer. Acabó admirando sus labios y echando de menos el verde alucinante de sus ojos.

Cuando se cansó de aquel «se mira, pero no se toca», extendió la mano y le acarició la mejilla, casi imperceptiblemente, con la yema de los dedos. Ashley frunció el ceño, arrugó un poco la nariz y se dio media vuelta para huir de lo que quiera que fuese lo que la estaba molestando. Así que ella se encontró mirando de frente su espalda desnuda y la forma en que la sábana se adaptaba a la perfección a la curva de su cadera. Se incorporó, apoyando el peso de su cuerpo sobre su antebrazo, y le besó el hombro. Nada, Ashley continuaba fuera de circulación y su pelo olía increíblemente bien. Lo apartó con cuidado y depositó un beso en su nuca, su piel era suave y estaba caliente, podría pasarse acariciándola con los labios el día entero y no se cansaría nunca, por muy reducida que fuera su capacidad pulmonar. Sonrió al acordarse de la burla de la veterinaria e inició un camino de besos descendente. No paró cuando la sintió moverse, pero la estrechó por la cintura cubriendo parte de su abdomen con la palma de la mano.

Se le ralentizaron las funciones vitales en general cuando la oyó desperezarse, la Ashley en transición sueño-vigilia era adorable. ¿Aquellos sonidos salían todas las mañanas de su garganta? Porque si era así, tenía años enteros que recuperar. Le besó el hombro de nuevo y por fin consiguió que dejara de darle la espalda y se girase para quedar bocarriba. Aprovechó la nueva postura, la besó en la mejilla y Ashley sonrió, aún con los ojos cerrados. Menuda primera sonrisa del día, esas tampoco quería perdérselas más.

—Buenos días, Ashley —la saludó acariciándole el brazo.

—¿Ha pasado de verdad o lo he soñado? —preguntó la veterinaria abriendo por fin los ojos, aunque entrecerrándolos de nuevo ante la luminosidad de la habitación.

—Ha pasado de verdad —confirmó y Ashley se incorporó, sujetando la sábana sobre sus pechos y mirando hacia los lados.

—¿En serio? ¿Y dónde está? —quiso saber y ella alzó una ceja.

—¿Dónde está quién? —le siguió la corriente.

—Jennifer Lawrence —dijo como si fuera obvio.

Y la miró con aquella sonrisa impertinente, porque disfrutaba picándola de esa forma. La primera imbecilidad del día y no llevaba consciente ni un minuto, es que la tía se despertaba ya con ellas en la cabeza. No le dio la satisfacción de protestar, porque era lo que buscaba, así que medio sonrió y se dejó caer de nuevo sobre la almohada.

—Acaba de irse, ha dicho que ha sido el peor polvo de su vida —respondió poniendo pucheros, un silencioso «lo siento por ti».

—Tiene que entender que estaba cansada después de haberlo dado todo contigo —defendió su honor tumbándose cara a cara con ella.

Es que Ashley tenía respuestas para todo y, en ese momento, una sonrisa presuntuosa aderezaba sus facciones, como si no fuesen suficientemente alucinantes a secas. A la veterinaria le encantaba arrastrarla a sus juegos y ganaban ambas, porque a ella también le gustaba tontear de esa manera, así que alzó una ceja en actitud escéptica.

—¿Eso era «darlo todo»? —fingió sorprenderse.

—No bromees, es un asunto delicado —dijo la veterinaria y ella frunció el ceño esbozando media sonrisa.

—No hablas en serio —la cuestionó—. ¿Estabas nerviosa anoche?

—Claire, te has pasado la vida follando con tíos. Era la primera vez que lo hacías con una chica y no quería que tú no... joder, quería que tú... —titubeó y ella le acarició la mejilla.

—¿Que me gustara? —probó suerte, ya que Ashley parecía estar experimentando problemas para encontrar las palabras que necesitaba.

—Bueno... sí —admitió—. Por favor, no te burles ahora, me siento extrañamente vulnerable —le advirtió, quizá porque adivinó el amago de sonrisa que estaba dibujándose en su cara.

La tomó por la nuca, la acercó con un suave tirón y la besó sin dejarle decir nada más. No se le había pasado por la cabeza que a Ashley pudiera preocuparle aquello, a lo mejor porque ella ni se lo había planteado y desde el principio había dado por sentado que iba a ser nuevo, pero alucinante. En cuanto sintió a la veterinaria devolverle el beso mientras comenzaba a acariciarle la cintura se le despertaron todas las terminaciones nerviosas, y si Ashley supiera lo que la hacía sentir con tan solo ese pequeño gesto, no se plantearía nada más.

—Imbécil —lo dijo contra sus labios antes de volver a besarla y la sintió sonreír, señal de que había captado el mensaje—. No tienes ni idea de cuánto tiempo llevaba deseando que pasara esto, ni de cuántas veces me he imaginado cómo sería.

—No, y me encantaría saberlo, gracias.

La observó por unos segundos y al final sonrió, Ashley le devolvió el gesto, pero continuó expectante, en espera de su respuesta. Se reposicionó en el lecho, bocarriba y mirando el techo esta vez, porque de repente le daba un poco de vergüenza reconocer todo aquello delante de la veterinaria.

—Bueno, si tienes que saberlo... —comenzó de forma vaga.

—Tengo —aseguró la chica incorporándose ligeramente y apoyándose sobre su antebrazo para poder mirarla con cierta perspectiva vertical.

Aprovechó su nueva postura para pasear los dedos por su cuello y explorar la zona de su escote que no tapaba la sábana. Ashley simplemente se dejaba acariciar, sin hacer nada más que observarla mientras la recorría con las yemas de los dedos, y a ella le encantaba.

—No sé exactamente cuándo empecé a sentir cosas por ti, pero me di cuenta de que las sentía seguro el día de la barbacoa —confesó y cuando la vio fruncir el ceño casi la interrogó con la mirada.

—¿En serio? No guardo muy buen recuerdo de ese día.

Y no le hizo falta que fuera más específica, porque recordó su forma de mirarla cuando la sorprendió besando a Nick sobre la encimera de su cocina y casi volvió a dolerle otra vez. Quizá no habría parecido tan herida si hubiese sabido en quién pensaba mientras lo hacía.

—Invitamos a mucha gente, pero yo solamente esperaba que llegaras tú. Me sentó tan mal que tuvieras que trabajar justo ese día... fue como una gigantesca desilusión, ¿sabes? Y de repente me di cuenta de que era demasiado grande y que no la justificaba el que una amiga no hubiese podido venir a comer hamburguesas.

—Menuda revelación, ¿eh?

Ashley comenzó a acariciarle el pelo distraída, jugueteando con los distintos mechones entre sus dedos, y ella la miró en silencio un par de segundos.

—Pensaba en ti, ¿sabes? —admitió por fin y la veterinaria conectó sus miradas—. Ese día, cuando nos viste a Nick y a mí en la cocina. Estaba pensando en ti mientras él me besaba, en cómo sería besarte y que tú me besaras.

—Júralo, porque si eso es verdad llevo todo este tiempo sin probar el kétchup por nada —exigió confirmación oficial.

—Llevas todo este tiempo sin probar el kétchup por nada —afirmó y le gustó verla sonreír de esa forma, al parecer su abstinencia de kétchup no le afectaba demasiado—. Odié a Olivia porque se pidió dormir contigo la noche del Trivial enfermizo de Ronda, te eché de menos las Navidades porque eras tú a quien quería besar en Año Nuevo y he fantaseado miles de veces con cómo sería acostarme contigo, con cómo serías tú, y siempre lo imaginé increíble, pero lo de anoche fue mejor.

Y la estaba mirando de aquella forma otra vez, en un silencioso y a la vez ensordecedor «fue alucinante y me muero por repetirlo de mil formas diferentes» en eco perfecto de sus propios pensamientos. Aquellas familiares descargas eléctricas comenzaron a dejarse notar en su bajo vientre en cuanto Ashley se acercó un poco más y pudo notar su calor corporal contra la piel. Es que de nuevo recordó retazos de la noche anterior, de las cosas que habían hecho y de las que habían dejado sin hacer. Aceptó los labios de Ashley cuando esta se inclinó para besarla y sonrió al sentir sus manos colarse bajo la sábana y acariciar su abdomen, tan suavemente que casi le hizo cosquillas.

—Lo de anoche fue mucho mejor —estuvo de acuerdo y le permitió perderse por unos segundos en el verde más maravilloso de todos.

—«Lo de esta mañana» suena mucho mejor que «lo de anoche», ¿no crees?

Ashley le sostuvo la mirada unos segundos, de forma muy expresiva. No le hizo falta gruñir, ni decir «Joder, Lewis» en voz alta, su respuesta era completamente objetivable a través de su lenguaje no verbal. La mano que descansaba sobre su abdomen se deslizó en dirección sur, descendiendo por su muslo, y a ella le costó trabajo tragar. Era ya de día, casi las nueve de la mañana, y de normal aquellas condiciones lumínicas la habrían puesto un poco nerviosa, eran demasiado reveladoras y ella un poco tímida. Con Ashley todo aquello se le olvidaba y si lo recordase, le daría lo mismo. Porque las cosas entre las dos habían sido fáciles desde el principio, como si todo encajara poco a poco y sin ningún esfuerzo, y devolverle aquella intensa mirada a plena luz del día encajaba igual de bien, no necesitaba sombras donde esconderse y se moría por poder verlo todo. El dejarse llevar le salía solo y lo pedía a gritos. Tocarla. Así que lo hizo.

La veterinaria la besó mientras ella le acariciaba la espalda, deslizando la sábana hacia abajo a su paso porque quería ver. Dios, se moría por ver. Dejó de besarla para poder mirar y Ashley posó los labios sobre su frente, la sintió estremecerse bajo el tacto de su mano ascendiendo por uno de sus costados, el que no estaba apoyado sobre el colchón, y su respiración comenzaba a volverse pesada. Como la noche anterior, la atmosfera cambió, alimentándose de aquellos sonidos y de la cadencia de sus movimientos, construyéndose a su alrededor, cargada, como cuando sales a la calle y puedes sentir físicamente que está a punto de empezar una tormenta. Algo así. Algo íntimo y nuevo.

Acarició su pecho desnudo con la palma de la mano y con la yema de los dedos y al sentir su pezón endurecerse ante el contacto, alzó la vista para mirarla a ella, sin dejar de acariciar, porque podía hacerlo a la vez y, de hecho, lo necesitaba al mismo tiempo todo. Un nuevo tono de verde, quizá ya estuvo allí la noche anterior, pero la falta de luz no le permitió apreciarlo debidamente. A Ashley le estaba costando mantener sus constantes vitales bajo control, y era tan evidente que se descontrolaron las suyas. Un toma y daca en forma de «me pone cachonda ponerte cachonda», muy recíproco todo y *vamos a aprovechar el momento, por favor*. Se dejó besar porque lo estaba deseando y no sabía si prefería encima o debajo, una decisión imposible en aquel preciso momento, y Ashley la tomó por ella, colocándose sobre su cuerpo. Contacto completo piel contra piel y su peso era el perfecto, casi gimió cuando sintió en su muslo lo mojada que estaba, también era nuevo y la excitó aún más de forma inmediata y automática. Se moría por deslizar los dedos por ella otra vez y conseguir que gimiera, porque lo hacía increíble.

Ashley le mordió suavemente el lóbulo de la oreja y ella se retorció bajo el peso de su cuerpo al sentir la calidez de su aliento junto al oído, es que era experta en convertirlo todo en electricidad. A cambio de sus movimientos escuchó una especie de «Mmmm» alucinantemente erótico, un gruñido que no llegaba a serlo del todo, estrangulado por la intensidad de la sensación que lo había provocado, y la veterinaria reclamó sus labios como si necesitara besarla como requisito para continuar viviendo.

Un beso húmedo e impaciente, Ashley exigía acceso a su boca una y otra vez y ella se lo permitía a cada embestida. Por Dios, esa forma de besar era muy muy impaciente, y aun así le estaba diciendo que se pasaría la vida entera besándola de esa manera, porque era tan alucinante que lo demás podía esperar. Y Ashley se movía tan bien sobre su cuerpo, completamente enamorada de aquella nueva faceta suya. Es que era verdad que aquellas servilletas porno le habían quedado tan ridículas porque el sexo hetero no era su especialidad. La forma en que su cuerpo al completo respondía a cada una de sus provocaciones le restaba autoridad para posibles burlas futuras acerca de sus capacidades.

Le acarició el labio inferior con los dientes y Ashley le devolvió el mordisco, de forma suave. Buscó más contacto con ella arqueándose contra su cuerpo, y le encantó la forma en que la veterinaria tensó la mandíbula al sentir la presión por todas partes. Inclinó la cabeza hacia atrás, incitándola a ensañarse con su cuello, porque sus labios y su lengua allí habían demostrado volverla loca en anteriores ocasiones. Le encantaba enredar las manos en su pelo mientras y a Ashley parecía gustarle también. La guio suavemente hacia abajo, a su escote, sin necesidad de palabras, empujándola con delicadeza por los hombros, y cuando la veterinaria lamió de abajo arriba un camino entre sus pechos ella musitó un «Dios» que en realidad se traducía en «Ashley», pero no quería desgastarle el nombre. La sintió sonreír contra su piel, y sonreía porque le encantaba provocar aquello en ella.

Antes de que pudiera llamarla «imbécil», lamió uno de sus pezones y se le quitaron las ganas de hablar. Desaparecieron de golpe ante el tacto y la humedad de su lengua en aquella parte tan sensible de su anatomía. La tomó por la nuca con ambas manos y una precisión envidiable y la atrajo hacia ella, animándola a seguir. Jadeó cuando el calor de su boca lo envolvió por completo mientras su lengua continuaba delineándolo de la mejor manera posible, en segundo plano sentía su mano caliente ascender y descender por su muslo, y su abdomen presionándose contra su entrepierna. Demasiado calor. Fricción, necesitaba más fricción y por eso comenzó a moverse despacio contra ella.

—Dios, Claire, no hagas eso —suplicó en un susurro.

—Necesito... Ashley... necesito... —lo jadeó y gimió bastante fuerte cuando la veterinaria succionó su pezón al escucharla.

Más. Más. Más. Necesitaba más, porque todo aquello estaba comenzando a ser tan intenso que casi dolía y le estaba gustando demasiado. Le acarició el pelo antes de empujarle suavemente la cabeza hacia abajo, sin permitirle pararse entremedias. Ashley gruñó un «Oh, joder» a la altura de su bajo vientre, anticipando, y ella contuvo la respiración porque había imaginado aquello tantas veces antes que era un *déjà vu* y completamente nuevo a la vez. Ashley no le dio tiempo a nada, seguro que llevaba esperando ese momento tanto o más que ella. Gimió lentamente y casi se mareó un poco al sentir su lengua lamiéndola entera, despacio y con la presión justa. Ashley acarició sus muslos con las yemas de los dedos y volvió a recorrerla, como respuesta jadeó ruidosamente y le acarició el pelo.

Siempre le había gustado el sexo oral, pero ninguna de sus parejas anteriores se había esforzado mucho con aquella práctica en particular; menudo contraste, porque Ashley se lo estaba tomando muy en serio. Tuvo que hacer un esfuerzo titánico para inhibir la necesidad de moverse contra su boca cuando la veterinaria dejó de explorar los alrededores de su entrada y subió lento entreteniéndose con su clítoris.

Es que lo hacía tan bien...

Se mordió el labio inferior, sujetándola por el pelo y acercándola más, aunque era imposible, la oyó gemir contra su intimidad ante su exigencia y la tensión creció aún más en su interior. Ashley aprovechó justo ese momento para succionar suavemente su clítoris y ella le atrapó la cabeza entre las piernas, a lo mejor de forma brusca, por un reflejo involuntario, concentrándose mucho en no correrse todavía porque estaba siendo alucinante y no quería que se terminara aún. Ashley no se quejó y continuó construyéndolo despacio, como si pudiera controlar a su antojo el calor abrasador de su interior; aquella placentera presión que crecía más y más con cada movimiento de su lengua y su boca, la estaba llevando hacia donde quería, y cada vez que miraba hacia abajo se moría un poco más.

Y ya casi estaba, a punto, y no sabía si Ashley tenía algo más en mente, pero no iba a tener tiempo de hacérselo. No pudo contenerse y comenzó a moverse suavemente contra su boca, el gemido de Ashley al sentirlo le hizo mojarse aún más y, mientras, sujetaba su cabeza para tenerla donde la necesitaba. Cada vez que sentía su lengua responder a sus suaves embestidas, quedaba menos. Iba a correrse sin necesidad de nada más.

205

Liberó la cabeza de Ashley y se tapó la boca con ambas manos para amortiguar sus gemidos, porque la veterinaria comenzó a lamer y a succionar insistentemente, estimulándola justo como lo necesitaba en esos momentos, y a los pocos segundos se corrió en su boca y la oyó gemir y soltar un juramento de los fuertes, todo junto.

—Joder... —jadeó sin aire y con las últimas consecuencias de aquel orgasmo aún paseándose por sus terminaciones nerviosas.

Se dio media vuelta, quedando bocabajo en la cama, y enterró la cara en la almohada, en espera de poder controlar su sistema respiratorio de nuevo algún día. El corazón le golpeaba el pecho sin ningún cuidado y completamente desbocado. Tras unos segundos, levantó un poco la cabeza, lo justo para poder recolocarse apoyando su mejilla sobre la almohada; le gustara o no, necesitaba el oxígeno. Seguía hiperventilando, pero sonrió cuando Ashley comenzó a besar la parte baja de su espalda, ascendiendo poco a poco, hasta llegar a su hombro, y soltó un suspiro de satisfacción cuando la veterinaria descansó todo su peso sobre ella.

—«Lo de esta mañana» ha sonado muy bien —esa voz ronca en su oído le provocó un escalofrío.

Se retorció bajo su cuerpo haciéndola reír, le encantaba ese sonido y en aquellas circunstancias aún más. Tener a Ashley completamente tumbada sobre su espalda se había convertido en uno de sus pasatiempos favoritos, adicta al peso de su cuerpo en solo un ensayo. Placentero, rápido y eficiente. Volvería a robarle las llaves una y mil veces si el resultado iba a ser siempre ese, un antes y un después en la forma en que se sentía por ella, porque se había añadido algo más.

—«Lo de esta mañana» no se ha acabado.

—Menos mal, porque o me tocas tú o me toco yo —susurró contra su oído.

—¿Y qué prefieres?

Sonrió, porque la muy imbécil fingió sopesarlo. La ayudó a decidirse presionándose contra ella, elevando ligeramente sus caderas, y le gustó cómo gruñó escondiendo la cara en su nuca.

—¿Perdona? No te he entendido bien. ¿Tú o yo?

—Joder... tú —eligió y le mordió el hombro moviéndose contra su culo y casi fue ella quien gruñó en aquella ocasión.

Intentó cambiar de posición, tener a Ashley bajo su cuerpo en un solo movimiento, elegante y sexi, pero tras dos segundos de esfuerzo por levantar su peso le empezó a temblar el brazo y se dejó caer de nuevo sobre el colchón. *Qué lástima, Lewis.*

—Estoy débil, así que o te mueves por voluntad propia o nos quedamos así para siempre.

Mucho menos sexi, pero mucho más eficiente. Sintió cómo la veterinaria sonreía contra su hombro y se le derritió todo por dentro cuando lo besó cariñosamente antes de liberarla del peso de su cuerpo. Porque había algo empapándolo todo, dentro, fuera y por todas partes, y a veces se condensaba en esos gestos, en su forma de mirarla o de sonreír, se volvía tangible en cada una de sus caricias y se estaba construyendo solo o ellas lo estaban haciendo casi sin darse cuenta. Aquel «lo nuestro» o un «nosotras».

Una vez libre, se giró y se la encontró cara a cara. La estaba mirando de aquella forma, esperaba algo y ella no sabía muy bien qué hacer a continuación. Porque la noche anterior se limitó a imitarla y no fue tan difícil, la mayoría de las cosas ya las había probado consigo misma en realidad, pero lo que se moría por hacerle a Ashley en aquellos precisos momentos era nuevo de verdad. Devolverle el favor y descubrir qué se sentía.

Paso a paso, Claire, no puede ser tan complicado.

La veterinaria debió de captar su ligero nerviosismo y la tomó por la nuca, tirando con suavidad y recibiéndola con un beso. Distinguió su propio sabor en los labios de Ashley y acunó su mejilla con la mano, inclinando levemente la cabeza para besarla mejor. Las dos se movieron casi a la vez, hacia la otra, y aprovechó el momento para colocarse poco a poco sobre ella sin dejar de besarla, y acabó sentada sobre su abdomen y dejándose observar. El corazón le iba tan rápido por dos razones fundamentales: la primera era la forma en que Ashley la miraba y la segunda el nerviosismo que le causaba estar a punto de hacer aquello por primera vez.

Tomó las manos de la veterinaria, que recorrían sus caderas, y las colocó a ambos lados de su cabeza, contra la almohada, inclinándose sobre su cuerpo para poder sujetarlas. Ashley primero observó sus manos atrapadas y después a ella como si no tuviera ni puta idea de lo que había pasado de repente, pero le encantase igualmente. Le miró los labios, se lamió los suyos y tuvo que besarla porque sí, pura necesidad. Después conectó sus miradas y sintió la obligación de anunciarle sus intenciones, y ya de paso disculparse de antemano, porque no iba a ser ni la mitad de alucinante. Ashley le había puesto el listón muy alto.

—Ash, es la primera vez que voy a hacer esto —dijo contra sus labios.

—Ehhh... —la veterinaria titubeó porque había captado el mensaje y el nivel de excitación que escondía aquel simple sonido le hizo compadecerla.

—El sexo lésbico no es mi especialidad.

—Ehhh... —el mismo sonido, porque a la pobre se le debían de haber fundido los circuitos.

—¡Ashley! No hagas eso, me estás poniendo más nerviosa —le pidió golpeándole el brazo y fue como sacarla de un trance.

—No tienes que hacer nada con lo que no te sientas cómoda —la tranquilizó.

—Quiero hacerlo, llevo mucho tiempo muriéndome por poder hacerlo —aclaró acariciando su mejilla.

—Ehhh...

A la mierda, ya la había advertido, y parecía que a Ashley le hacía especial «ilusión» aquella propuesta. Ufff, palpitaciones, arritmias, algo por el estilo, porque la veterinaria la estaba besando con muchas ganas y sus nervios descendieron ante la inmensa necesidad con que atrapaba sus labios. Bien, mal o regular, a Ashley iba a gustarle porque era ella, así de simple. Estaba segura, sin exigencias ni condicionales y sin presión, aquel empeño en querer hacerlo perfecto era solo cuestión de amor propio.

Abandonó sus labios y se dedicó a mimar su cuello, porque sabía que le encantaba, y acabó mordiéndole justo en el lugar que la hacía gruñir de aquel modo. Se moría un poco por dentro cada vez que conseguía hacerle soltar uno de esos. Le lamió el cuello una última vez y adaptó su posición sobre ella, tumbándose entre sus piernas, para poder besar uno de sus pechos antes de atrapar el pezón en la boca, lo sintió endurecerse ante las caricias de su lengua y casi gimió cuando sintió la humedad de Ashley contra su abdomen. Tenerla así por ella le infundía un poco de confianza para todo lo demás. Sintió cómo acariciaba su pelo, animándola a seguir, seguramente porque lo necesitaba mucho. Le mordió con suavidad el pezón, apenas una caricia con los dientes, y Ashley gimió. Hizo lo mismo con su otro pecho, sujetándolo con la mano y masajeándolo mientras su lengua se hacía cargo de lo demás, y es que los sonidos y los movimientos de Ashley la estaban volviendo loca. La forma en que arqueaba su cuerpo entero buscándola a ella y la manera en que la encontraba cada vez.

Acarició con los labios la parte superior de su tórax y descendió beso a beso hasta llegar a su bajo vientre. Ashley dejó de respirar cuando ella paró su avance y soltó un «Bufff, Claire» con mucho sentimiento cuando ella decidió lamer su abdomen de abajo arriba. El sabor y el tacto de su piel eran adictivos, suave y caliente. De nuevo descendió por su tórax besándolo todo a su paso y su corazón comenzó a bombear fuerte en su pecho cuando llegó a su pubis. Lo besó y después probó a pasar la lengua por los alrededores, le gustó la forma en que Ashley susurró «joder, joder, joder» al sentirlo, y es que necesitaba hacerlo y descubrir si era como lo había imaginado. Desde luego iba a ser diferente al sexo oral que había practicado hasta el momento.

La lamió por primera vez y Ashley gimió muy alto, sujetándola por el pelo. La sensación era nueva, aquella humedad por todas partes y su sabor, la increíble suavidad de sus pliegues contra su lengua. Volvió a recorrerla por completo, despacio, como recordaba que la veterinaria había hecho con ella.

—Mierda, Claire, joder... —casi lo gimió con voz ronca y necesitada.

Se tomó su tiempo, porque quería conseguir que Ashley se corriera, por supuesto, pero a la vez necesitaba experimentar al cien por cien las sensaciones que todo aquello le estaba despertando. Y eran muchas. Tanteó su entrada con la lengua, estaba caliente, suave y resbaladiza y sintió cómo Ashley se tensaba, en espera de lo que viniera a continuación. Un beso, allí mismo, antes de volver a lamer, por todas partes, hasta llegar a su clítoris, y la veterinaria reaccionó estremeciéndose en cuanto su lengua lo acarició. Madre mía, le gustó aquella sensación, así que lo hizo de nuevo y notó cómo se mojaba cuando Ashley comenzó a moverse contra su boca mientras gemía y jadeaba. El sonido más erótico del mundo entero y quería seguir escuchándolo, quería guiarla hasta el mismo lugar al que ella la había llevado hacía unos minutos. Succionó su clítoris, porque aprendía por imitación, y volvió a lamerlo insistentemente.

Consiguió sincronizarse con los movimientos de caderas de Ashley y por unos segundos creyó que iba a lograrlo, porque por los sonidos que escapaban de su garganta, la veterinaria lo estaba pasando realmente bien y sus gemidos cada vez eran más frecuentes y más fuertes. Comenzó a dolerle un poco la mandíbula en el mejor momento y ya casi no sentía la lengua.

Mierda, Ashley había aguantado mucho más. Paró por un segundo y la oyó gruñir frustrada, así que lo intentó de nuevo, pero no resistió ni medio minuto más. Menuda decepción.

—Ashley... —la llamó y la miró con atención, porque estaba apretando muy fuerte la mandíbula y respiraba muy rápido. Seguramente lo había parado todo en el mejor momento para ella—. Se me cansa la lengua.

Sonrió cuando vio cómo ella lo hacía primero. La veterinaria se tapó la cara con las manos aún con la sonrisa puesta.

—Casi no la siento —añadió, tumbándose sobre ella y besando su barbilla, en espera de que se dejara ver.

Pobre, parecía afectada de verdad y podía sentir su corazón bombeando a toda potencia y su respiración acelerada, a lo mejor no se habían enterado aún de que era un poco floja en eso del sexo oral lésbico y Ashley estaba intentando explicárselo sin desilusionarles demasiado. Volvió a besarle la barbilla, un poco decepcionada consigo misma. La noche anterior todo le había salido mucho mejor.

—¿Estás bien? —preguntó cuando por fin la veterinaria retiró las manos de su cara y se encontró con aquel verde oscurecido.

—Joder, lo estabas haciendo realmente bien. Por si te sirve de consuelo —añadió con media sonrisa.

—¿A ti te sirve de consuelo?

Ashley la tomó por la nuca, besándola suave, y antes de darse cuenta habían girado y volvía a estar atrapada bajo el peso de su cuerpo. Le sostuvo la mirada y se mordió el labio inferior, ahogando un gemido, cuando la sintió moverse, apoyando el peso de la parte superior de su cuerpo sobre sus brazos y entrelazando sus piernas. La veterinaria soltó un «Bufff...» bastante revelador, porque seguro que podía notar lo mojada que estaba ella después de aquel intento fallido. Y su rostro, aquel gesto y su forma de tensar la mandíbula, cómo la miraba... Es que las caras de aquella faceta de Ashley le gustaban tanto o más que el resto y, como plus, le hacían cosas muy interesantes a su bajo vientre.

Se le cerraron los ojos de golpe y se le escapó un suave gemido cuando comenzó a moverse sobre ella, porque podía sentirla completamente contra su intimidad y estaba muy muy mojada también. Se obligó a abrirlos, porque Ashley estaba gimiendo bajito y jadeando, y necesitaba mirarla. Se encontró con aquel verde fijo en ella, a lo mejor porque la veterinaria se moría por verle la cara.

Y de verdad que el sexo oral había sido simplemente perfecto con ella, pero el poder estar frente a frente de esa manera con sus miradas conectadas era mucho mejor. Comenzó a imitar sus movimientos porque lo necesitaba, de verdad, más fricción y más contacto, y el gemido que se le escapó a Ashley en cuanto lo sintió se convirtió en el escalofrío más placentero que la había recorrido en su vida. Con cada suave embestida, ella se mojaba un poco más. Le tocó la cara, le acarició la mejilla y Ashley le besó la mano. Se le derritió algo por dentro, por la intimidad del momento, porque era intenso de verdad. Y a lo mejor era una gilipollez, porque estaban follando, pero en ese instante con Ashley sobre ella mirándola de esa forma se sintió protegida. Acarició sus brazos, estaban tensos por la misión de sostener su peso, y se dio cuenta de pronto de que aquel «Quiero estar contigo» se quedaba corto.

Paseó su mirada por aquellas facciones y lo pensó mientras Ashley continuaba con aquellos increíbles movimientos. «Te quiero», porque aquello era lo que las rodeaba a ambas cuando estaban juntas y a solas, era eso lo que llevaba construyéndose desde el principio. «Te quiero», y dejaba de ser una abstracción, porque estaba por todas partes: en sus bromas, en sus conversaciones y en aquellos gemidos compartidos que estaban volviéndola loca en esos precisos momentos.

La tomó por la nuca porque necesitaba besarla, y que la besase mientras. Ashley se inclinó, ella se incorporó y se encontraron a medio camino. Al final, volvió a reposar la cabeza sobre la almohada, arrastrándola con ella y sin separar sus bocas, los movimientos de ambas se tornaron más lentos y sus besos suaves. Joder, es que estaba por todas partes de verdad y era imposible no verlo, no sentirlo físicamente. Ashley se separó de ella, tras un beso especialmente alucinante, y la miró tan cerca que durante unos segundos aquel verde fue todo lo que pudo ver y no echaba de menos todo lo demás. Tuvo que acariciarle la cara mientras le sostenía la mirada, y le quemaba dentro, pero de momento iba a guardárselo para ella un poco más.

«Te quiero».

—Claire... eres... jodida... mente... sexi —la veterinaria lo gruñó entre jadeos y retomando sus movimientos.

Menos romántico, eso era verdad, pero mucho más erótico y, de paso, halagador. Deslizó las manos por su espalda y estaba sudada, podía notar cómo se tensaban y destensaban sus músculos con cada embestida, la estrechó con más fuerza al comenzar a sentir su orgasmo acercarse, porque ya casi estaba ahí, e iba a ser el segundo de la mañana. Cuando Ashley la oyó gemir de esa forma varió el ritmo de sus movimientos con mucha más precisión, a ella aquella oleada de puro placer la golpeó de lleno y le mordió el hombro mientras se corría, tal vez con demasiada fuerza, pero la veterinaria no se quejó. Amortiguó un último gemido contra su piel y después la besó, intensamente, y la sintió aún moviéndose contra ella, al ritmo que necesitaba.

—Vamos, mi amor —lo susurró a su oído, falta de aire y entrecortada, y el «mi amor» no se le había escapado esta vez. Poco después la sintió tensarse y gemir, mucho. Por Dios, Ashley emitiendo esos sonidos de aquella forma sobre ella casi iba a mojarla otra vez. Se corrió, con un último gemido estrangulado cerca de su oído, y se dejó caer sobre ella, escondiendo la cara en su cuello y con la respiración completamente fuera de control a juego con la suya.

Besó su hombro con suavidad, en el mismo lugar donde la había mordido, la zona estaba algo roja y se preguntó si le quedaría cardenal. Alcanzó las sábanas, habían quedado revueltas y enredadas en la mitad inferior de sus cuerpos, lo consiguió estirándose como buenamente pudo, ya que el peso muerto de Ashley sobre ella no le daba mucho margen de maniobra, y las tapó a ambas debidamente. Las dos estaban sudadas y no quería que la veterinaria cogiera frío. Una vez abrigadas, la abrazó con fuerza y le besó el pelo, después simplemente esperó a que recuperase el control de su cuerpo de nuevo.

—Claire... —la sintió hablar contra su cuello, un rato después.

—Ashley... —le dio pie, porque se habían acostumbrado a hacerlo de ese modo y le gustaba.

—Puedes robarme las llaves cuando quieras.

La veterinaria se incorporó, cruzó los brazos apoyándolos sobre su pecho y acomodó su barbilla sobre ellos para poder mirarla, con el pelo revuelto y un brillo especial en los ojos.

—Solo te las cogí prestadas —la corrigió.

—Podrías habérmelo dicho sin más, ¿sabes? Podrías simplemente haber chasqueado los dedos y hubiese valido igual —dijo, y chasqueó los dedos—. Puede ser nuestra señal, así la próxima vez no tendrás que robarme nada.

—Oh... pero ¿va a haber próxima vez? —la picó frunciendo el ceño.

—Y «próximas veces» —dio por sentado y le plantó un sonoro beso en los labios antes de incorporarse y salir de la cama.

Se acurrucó en el lecho de medio lado y observó a Ashley mientras esta recolectaba su ropa, la noche anterior había volado hacia todos lados. Estaba desnuda, completamente desnuda, yendo de acá para allá, y acabó fijándose en lo firme que tenía el trasero.

—Un polvo y te largas, no pensé que fueras de esas —bromeó cuando Ashley terminó de abrocharse los pantalones, tras ponerse la ropa interior.

—Han sido dos polvos, tres orgasmos y nunca te prometí nada —le siguió el juego arrodillándose junto a ella sobre el colchón. Se inclinó y la besó lento—. Cleo y Darwin van a reventar. Ahora volvemos, no te levantes —le pidió y abandonó el lecho dirigiéndose hacia la puerta de la habitación.

La escuchó dar los buenos días a sus mascotas, preguntándoles si habían dormido bien, y ella sonrió escondiendo medio rostro en la almohada. Cuando se cerró la puerta principal permaneció en la misma posición y se dio unos segundos para asimilar del todo lo que había sucedido. Madre mía, es que se había acostado con Ashley y había sido increíble y respiró hondo porque la almohada olía un poco a ella y no podía borrar la sonrisa tonta de su cara. Aquella calidez especial que le recorría el cuerpo y la forma en que la veterinaria la había besado antes de irse. Nuevo e increíble y la sensación más alucinante. A lo mejor era por las endorfinas de aquellos tres orgasmos, pero casi estaba segura de que era por Ashley, por ellas, y por aquel nuevo paso que habían dado y que las acercaba más.

Recuperó su móvil del bolsillo de su abrigo, la noche anterior lo habían tirado al suelo, pero Ashley había tenido el detalle de colocarlo sobre el sofá antes de irse. Regresó a la cama, colándose de nuevo entre las sábanas, y dobló la almohada bajo la cabeza para poder consultar cómodamente si había recibido algún mensaje o llamada importante durante la noche. Tenía wasaps pendientes de leer en dos conversaciones. Abrió primero la de Nicole, lo último que le había dicho era que Ashley y ella iban a pasar la noche allí, porque aquello de las llaves había resultado todo un éxito.

«Nicole»
Última conexión 0:57
CLAIRE: Le han dicho que hay apartamentos libres, así que nos quedamos.
NICOLE: Joder, y no tienes que preocuparte por no tener preservativos.
NICOLE: Pásalo bien y espero detalles.
NICOLE: Casi las tres de la mañana y sin detalles, realmente estás pasándotelo bien.

Se mordió el labio inferior y la sonrisa le salió sola cuando recordó lo bien que se lo había pasado en realidad.

CLAIRE: Acaba de salir a sacar a Darwin y a Cleo.
CLAIRE: Joder, Nicky, ha sido increíble. Ashley es…

Y se lo pensó. ¿Cómo describir a Ashley? Ashley es… ¿alucinante? ¿perfecta? Alucinantemente perfecta se acercaría más, pero como no quería poner cursilerías de ese estilo, se decantó por algo mucho más terrenal.

CLAIRE: Joder, Nicky, ha sido increíble. Ashley es… bufff.

Es que cada vez que recordaba a la veterinaria en cualquier momento de la noche anterior o de aquella misma mañana, esas cinco letras lo condensaban a la perfección: «Bufff». Claro y conciso, que para algo era profesora de literatura. Cerró la conversación con Nicole, seguramente aún estaría durmiendo, así que no tenía esperanzas de recibir una respuesta antes del mediodía.

215

Abrió la otra conversación, esa le daba un poco más de miedo, porque Ronda Parker estaba implicada e iba a preguntar. De todo.

«Mafia intercomunicada 24 h»
Ashley, Olivia, Ronda, Tú
ASHLEY: Ya tenemos apartamento.
ASHLEY: Sentimos el plantón, mañana hablamos.
RONDA: Ashley, ¿el viejo truco de «he perdido las llaves del coche»?
RONDA: Llevas detrás de Claire seis putos meses.
RONDA: Podrías haber pensado algo más original.
OLIVIA: Tú a Leo lo besaste con lo de «se me ha metido algo en el ojo».
RONDA: Porque Leonardo es un chico tradicional y pensaba que iba a ser oftalmólogo.
RONDA: Ashley lleva cinco meses, pero folla esta noche.
RONDA: Te estás quedando muy atrás en el camino.
RONDA: Nueve de cada diez ginecólogos dicen que si sobrepasas la barrera del año te vuelve a crecer la virginidad.
OLIVIA: Y tres de tus tres amigas piensan que eres gilipollas.
RONDA: No me enfado porque sé que es tu frustración sexual la que habla.
RONDA: Ya verás qué contenta viene Ashley mañana.
RONDA: ¿Habéis follado ya?
RONDA: ¿Habéis follado ya?
RONDA: ¿Habéis follado ya?
OLIVIA: Ronda, ideja de preguntarlo cada hora! Me voy a la cama.
RONDA: ¿Habéis follado ya?
RONDA: Son casi las dos de la mañana, así que seguro que habéis follado ya.
RONDA: Me voy a dormir, solo quiero saber dos cosas:
RONDA: 1. ¿Cuántas veces?
RONDA: 2. ¿Ha superado Ashley la segunda base?
RONDA: Buenas noches, y dulces orgasmos.

Sonrió ante las idioteces de Ronda y se preguntó cuánto tiempo llevaría Olivia sin follar, tendría que consultárselo a Ashley. Decidió no contestar nada por el momento, porque siempre le había dado un poco de vergüenza entrar en detalles al hablar de su vida sexual y sabía que era precisamente eso lo que buscaría la castaña.

***

Llamó a Darwin, porque se estaba alejando demasiado en busca de un buen sitio para hacer pis y miró a Cleo, que olisqueaba los alrededores sin ninguna prisa porque había vaciado la vejiga nada más pisar la calle. Sacó el teléfono del bolsillo de su abrigo y leyó los mensajes del grupo «Mafia intercomunicada 24 h». Sonrió, porque la que había utilizado el viejo truco de las llaves perdidas no había sido ella precisamente y porque sí que estaba contenta, joder. No podría dejar de sonreír como una maldita imbécil ni aunque su vida dependiera de ello, y necesitaba hablar con alguien, así que buscó su contacto, a pesar de que la posibilidad de que aún estuviera dormida era bastante alta.

Olivia contestó al tercer tono contra todo pronóstico.

—*Si me llamas a estas horas un domingo es que hay algo que contar* —la escuchó al otro lado de la línea.

—Si me coges el teléfono es que quieres que te lo cuente —le contestó esbozando media sonrisa.

—*Obviamente, aunque por tu tono me lo puedo imaginar.*

—No, no puedes —le llevó la contraria—. Olivia, no podrías imaginártelo ni en un millón de años.

—*Una afirmación muy arriesgada, un millón de años dan para mucho.*

—Ha sido... ha sido... Claire es... —buscó las palabras adecuadas, pero estaba tan acelerada que no las encontraría ni teniéndolas frente a las narices.

—*Adjetivos, Ashley, necesitas adjetivos* —la ayudó, y supo que estaba sonriendo solo por su tono.

—Una puta pasada, eso ha sido, una puta pasada —resolvió por fin y la oyó reír.

—*Eso también sirve. No quiero parecerme a Ronda, pero... ¿cuántas veces? Y ¿has pasado de la segunda base?*

—Ayer por la noche y esta mañana y, sí, contra todo pronóstico.

—*Dos, y una «puta pasada», me estás dando un poco de envidia.*

—Es ella, hace que todo sea una puta pasada. ¿No crees que Claire hace que todo sea una puta pasada?

—*Claire es un amor y me encanta para ti, ya lo sabes. Pero yo solo la veo como a una amiga, lo siento* —bromeó—. *¿Habéis hablado de qué queréis hacer a partir de ahora?*

Ay, pues ella en particular quería verla todos los días, acostarse con ella todas las noches, llevarla al trabajo cada mañana para que se despidiera con uno de esos jodidamente increíbles besos, con caricia de cara incluida, quería escucharla hablar de literatura y de cómo sus alumnos copiaban en los exámenes y la llamaban Madame Boobary. Quería que Claire pensara en ella la primera cada vez que tuviera algo importante que contar y poder hacerla reír cuando estuviera triste. Que le dijera mil veces más «Ashley, mírame, mi amor», joder, es que lo quería todo con ella.

—Bueno... ayer le dije que quería estar con ella y ella dijo que quería estar conmigo también.

—*Eso se sabía sin necesidad de preguntarlo, Ash* —dio por sentado la morena.

—Me dijo que quería que la acompañara a ver un piso, porque quiere que me guste a mí también, porque quiere que pase tiempo allí y que me quede a dormir de vez en cuando.

—*Sois tan novias...* —Suspiró Olivia y ella sonrió al oírla—. *¿Cuándo volvéis? Tengo ganas de ver a Claire y escuchar su versión de esa «puta pasada».*

—Tiene que preparar la clase de mañana, así que supongo que volveremos en un rato —indicó observando a Darwin y a Cleo olisquear la misma zona de hierba—. ¿Me lo contarás? Ya sabes, si te dice que ha sido increíble o si te dice que ha sido decepcionante... ¿me lo contarás?

—*Lo siento, pero desde que Ronda le dio la bienvenida a la mafia tiene estatus de mejor amiga y ya no puedo compartir ese tipo de información contigo.*

—Pero soy tu preferida —insistió y la escuchó reír al otro lado de la línea. Aun así, las dos sabían que era verdad.

—*Ve a llevarle el desayuno a la cama, anda. Sé que eres de esas.*

—No estés celosa, sabes que tú también eres mi preferida —bromeó.

—*Aún estoy esperando que me lo traigas a mí un día* —le siguió el juego.

—Sé que prefieres que esas cosas las haga alguien más... masculino —señaló—. Ya sabes, que huela a *aftershave* y que te diga «estás preciosa, princesa» —imitó con voz grave—. Y que te pinche un poco al besarte con su barba de dos días.

—*Me conoces tan bien...* —reconoció divertida.

—¿Tienes a alguien en mente? —curioseó.

—*Claire te estará esperando, y seguro que después de esa «puta pasada» tiene hambre.*

—Tienes a alguien en mente —confirmó entonces, le había quedado claro tras el intento de evasión de la morena.

—*No tengo a nadie en mente, simplemente has descrito a mi prototipo.*

—¿Y ese prototipo tiene nombre?

—*Adiós, Ashley. Nos vemos cuando volváis. Conduce con cuidado.*

***

Cleo y Darwin entraron los primeros y con mucha prisa, mientras que ella hacía equilibrios con los dos cafés, los dónuts, las correas de ambos y la bolsa deportiva que había recuperado del maletero de su coche. Cerró la puerta con el pie y se dirigió directa a la habitación, pudo escuchar su voz antes de entrar, porque Claire hablaba con alguien por teléfono. Seguía metida en la cama y aquellas sábanas le tapaban lo justo, ligeramente despeinada y allí tumbada marcando curva de cadera; es que era muy gay, porque el conjunto le encendía todas las alarmas. Estímulo-respuesta y ella casi se ponía a salivar. Estaba al teléfono y cuando la vio, Claire le sonrió de esa forma nueva, la que habían estrenado la noche anterior, y casi podía escuchar el «¿tú lo sientes también?» haciendo eco en su manera de mirarla.

Y sí, joder, sí que lo sentía. Le devolvió el gesto, dejó los cafés y los dónuts sobre la mesilla y tiró la bolsa de deporte a un lado en el suelo. Se desabrochó el anorak justo cuando quien quiera que estuviera al otro lado le dio pie a la rubia a hablar.

—No, mamá, Nick no va a ir, solo yo —y lo dijo como si lo hubiese repetido un par de veces antes, pero siguieran insistiendo—. Aún tengo que mirar los vuelos, así que seguramente el viernes.

Se desprendió de su abrigo y lo dejó a los pies de la cama, antes de descalzarse para poder sentarse a su lado en el colchón. Casi antes de que se hubiera acomodado, Cleo entró como una exhalación y se subió a la cama de un salto. Pequeña saltimbanqui. Se puso extremadamente contenta al encontrarse a su dueña allí y la saludó con efusividad, moviendo la cola a toda velocidad. Claire sonrió, acariciando su cabeza, y ella se encargó de distraerla un poco para que la rubia pudiera terminar la conversación con su madre tranquila.

—No le digas nada a papá, porque se empeñará en venir al aeropuerto a por mí y tiene cosas que hacer... Sí, bueno, la niña de sus ojos puede coger un taxi...

La miró mientras hablaba, rascándole la barriga a Cleo al mismo tiempo. ¿Claire había sido siempre tan increíblemente preciosa o el sexo lésbico le sentaba así de bien? Se preguntó qué pensaría aquel hombre de lo que «la niña de sus ojos» acababa de hacer en aquella misma cama con una chica, o peor, con una veterinaria, y le dio un sorbo a su café. Si Claire iba a ir a Boston el próximo fin de semana para lo que ella pensaba, a aquel hombre no iba a gustarle nada la visita. Un pequeño gran drama eso de perder al yerno perfecto.

—Hablamos luego, ¿vale, mamá? —trató de finalizar la llamada—. No, en tres días no, mamá, te llamo esta noche —aseguró con un gesto de infinita paciencia y a ella se le escapó una sonrisa al verla—. Pásalo bien comiendo con la abuela —dijo antes de colgar mientras miraba el café y los dónuts—. ¿Me has traído el desayuno a la cama?

—Bueno, quería venir y no sé decir que «no» —bromeó girándose para alcanzar el café de Claire—. La asertividad es mi talón de Aqui...

No pudo terminar la frase porque en cuanto se volvió hacia la rubia para tenderle el envase, esta acunó una de sus mejillas con su mano y atrapó sus labios en un beso inesperado.

—Gracias —dijo, sonriendo contra su boca, después la besó de nuevo, un instante, y le quitó el café de las manos dándole un sorbo—. Normalmente la primera vez que me acuesto con alguien no saben cómo me gusta el café.

—Normalmente cuando me acuesto por primera vez con alguien no sé cómo le gusta el café —reconoció a su vez.

—Me gusta que lo sepas —admitió Claire, dándole otro sorbo sin dejar de mirarla.

—Estoy ganando puntos —alardeó con media sonrisa—. También sé que te gustan los dónuts —dijo haciéndose con la caja y colocándola frente a ella.

La rubia eligió uno y le dio un mordisco, lo degustó sin prisas, apoyando su espalda en el cabecero de la cama, y cuando tragó el primer bocado la miró antes de hablar.

—El próximo fin de semana voy a Boston —dijo y ella asintió.

—Algo había oído.

—No quiero contarles a mis padres por teléfono que lo hemos dejado. Dios, mi padre se va a morir —se lamentó, golpeándose suavemente la cabeza contra la madera del cabecero—. Acaba de pasar la revisión médica en su trabajo y mi madre dice que está todo bien, hasta el colesterol. Es el momento perfecto —meditó en voz alta, ella sonrió al oírla y cuando Claire la vio sonrió también, pero le pegó en la pierna—. Va a ser como si perdiera un hijo, o un riñón.

—O un yerno abogado —aportó ella.

—Dramático —opinó la rubia y le dio otro mordisco al dónut.

—¿Estás nerviosa?

—Un poco, me siento como si tuviera diecisiete años y tuviera que decirle otra vez que no voy a estudiar Derecho. Me lo puedo imaginar, como un *déjà vu*. Él va a gritar, yo voy a llorar, mi madre hará salmón con verduras a la plancha y tendrá que tirarlo porque nadie va a tener ganas de cenar.

—Bueno, tal vez no sea tan terrible, ya no tienes diecisiete años, Claire.

—Con él sí —la contradijo—. Con mi padre siempre me he sentido como si los tuviera.

—Pero los dos sabéis que en realidad tienes veintiocho y eres... —comenzó a argumentar, pero se calló cuando Claire la miró significativamente, alzando una ceja y todo.

—No, los dos sabemos que tengo veintiséis —la corrigió.

Vaya. Era evidente que aún había algunos cabos sueltos que necesitaban ser atados, porque había actualizado el nombre de su hermano, su orientación sexual, cuándo y con quién perdió la virginidad y su estatus de asesina de peces, pero había olvidado contrastar su verdadera edad.

—Vale, pero sé cómo te gusta el café —le recordó con la esperanza de que aquella metedura de pata quedase en anécdota.

—Y que me gustan los dónuts —añadió la rubia terminándose el que tenía entre las manos—. La Claire Lewis del diario tiene veintiocho, ¿no? —adivinó el origen de su confusión.

—Bueno... en 2008 tenía dieciséis —dijo algo incómoda.

¿Podían volver al tema de la conflictiva relación paternofilial, por favor?

—En 2008 yo tenía catorce —matizó y, cuando la miró, Claire le dedicó media sonrisa—. Relájate —lo dijo y le acarició la pierna cariñosamente—. Si hubieses pensado que tenía treinta y ocho sí tendríamos problemas —bromeó y fue su turno para sonreír.

Y justo ahí, en ese preciso momento, se dio cuenta de que lo habían dejado atrás, sin más. A lo mejor tras aquel «¿Me mirabas a mí?», o tal vez por cómo se habían mirado la noche anterior, quizá porque para Claire era increíblemente evidente que era «ella» y no hacía falta darle más vueltas. Se habían besado de mil formas diferentes, hasta convalidar aquella conversación pendiente, que de repente ya no parecía ser necesaria.

—Tengas veintiséis o treinta y ocho, creo que eres la persona más valiente que he conocido nunca —le confesó y Claire la miró, como si aquellas palabras hubieran tocado algo importante dentro de ella, después sonrió un poco.

—Tengo veintiséis —insistió en ese punto, bromeando por quitarle hierro a aquello de ser valiente.

—Vale, tienes veintiséis y eres la persona más valiente que he conocido nunca —aceptó la matización y Claire miró su café con media sonrisa deslucida.

—No soy valiente, siempre estoy llorando y lo sabes.

—Eso no te hace ser menos valiente, te hace ser una llorica —diferenció los términos y, tal y como pensó, la rubia sonrió y le pegó en el brazo llamándola «imbécil»—. Este fin de semana vas a ir a tu casa y vas a llorar, pero vas a hacerlo igualmente, vas a decirle a tu padre lo que quieres hacer y lo que no, y eso es valiente. Vas a irte a vivir sola por primera vez en tu vida y eso es valiente, y el romper con Nick, a pesar de todo, ha sido increíblemente valiente también.

—Eres la primera que me ve de esa manera —admitió conectando sus miradas.

—Pues los demás no habrán mirado bien —dijo sosteniéndole la vista.

Durante unos segundos, Claire continuó mirándola, de una forma bastante intensa. Justo cuando estaba a punto de preguntar «¿qué?», la rubia se acercó y la besó, sabía a café, a dónut y algo más. Como si se hubiera quedado sin palabras, pero quisiera decirlo igualmente de aquella otra manera. Se adaptó a su ritmo y le acarició el pelo. Duró solo unos segundos y después

Claire se apartó suavemente, colocándole su mano libre sobre el pecho y conectando de nuevo sus miradas.

—Se está haciendo tarde. Tenemos que dejar el apartamento en una hora.

—Sí, y quiero darme una ducha antes —dijo la rubia, dejó el envase ya vacío sobre la mesilla y se incorporó cubriendo su cuerpo con la sábana.

Sonrió cuando se levantó así, como si le diera vergüenza que pudiera verla desnuda. La siguió con la mirada mientras ella rodeaba la cama con intención de dirigirse al baño, y cuando se dio cuenta de que estaba siendo observada le dedicó una sonrisa. Le encantó la forma en que estrechó la sábana contra su pecho un poco más, no fuera a caérsele de repente. Casi tropezó con su bolsa deportiva y la miró interrogante.

—Oh, eso. —Y de verdad que ver a aquella versión vergonzosa de Claire esmerándose en esconder tras un trozo tela lo que había visto ya había conseguido que se olvidara de todo lo demás—. He pensado que tal vez quieras cambiarte de ropa —ofreció haciéndose con la bolsa y abriéndola encima de la cama.

—Ropa limpia... qué conveniente —observó la rubia cuando ella sacó un par de pantalones deportivos—. ¿Planeabas pasar la noche fuera, Woodson?

La estaba mirando con una ceja alzada, acusando juguetonamente, y, joder, aquel gesto se estaba convirtiendo en uno de sus favoritos en sus facciones. Le sonrió tendiéndole ropa de recambio y ella la aceptó, aún interrogándola con la mirada.

—Si tienes que saberlo... —comenzó a explicarse.

—Tengo.

—Hubo un desafortunado incidente y desde entonces cada vez que salgo a algún sitio a pasar el día meto una bolsa con ropa de emergencia en el maletero del coche —dijo, y aquella ceja se levantó un poco más, en señal de creciente interés.

—Un desafortunado incidente —repitió sus palabras, dando a entender que la necesidad de profundizar un poco más en aquella abstracción era un hecho real.

—Bueno, fue la segunda vez que salí con Tracy a hacer una ruta con Darwin —explicó y observó a la rubia en busca de alguna reacción ante la mención de su exnovia. No encontró ninguna, y seguía mirándola interesada, de modo que decidió continuar—. Fuimos a un sitio a un par de horas de Cleveland y había un río. Tracy y yo estábamos hablando sentadas en la orilla y Darwin se metió dentro. El muy bobo se enredó con un montón de ramas, parecía que no podía salir y Tracy se asustó y se tiró al agua a por él. —Se rio un poco al recordarlo—. Darwin salió solo, antes de que ella llegara donde estaba y tuvimos que volvernos antes porque acabó completamente empapada. El momento más vergonzoso de su vida.

Claire estaba sonriendo tras escuchar la historia, una buena señal.

—Y desde entonces siempre llevas ropa de recambio en el maletero.

—Me gusta estar preparada para lo imprevisto —alardeó y la rubia alargó su mirada y aquella sonrisa unos segundos de más.

—Deberías hablar con ella —sugirió, y al escucharla no dijo nada y bajó la vista a la bolsa de deporte.

—No es tan fácil.

—¿Lo es más el tener que felicitarle el cumpleaños por WhatsApp porque no te atreves a llamarla? —quiso saber, no obtuvo respuesta porque no sabía muy bien qué responder—. Es ridículo, Ashley, ni tú la quieres fuera de tu vida ni ella te quiere fuera de la suya y, si no habláis y aclaráis las cosas, va a ser eso lo que terminará pasando.

—No quiere hablar conmigo —dijo, y era un poco raro el estar tratando aquel tema con Claire envuelta en una sábana frente a la puerta del baño.

—Te lo dijo hace cinco meses, Ash. Y ella dio el primer paso felicitándote el Año Nuevo.

La rubia se acercó, con la ropa limpia apretada sobre su pecho y la sábana firmemente sujeta, la besó en la mejilla y ella sonrió un poco al sentirlo.

—Piénsalo al menos, una oportunidad para cerrar lo que tengas que cerrar. —Le acarició la nuca de esa forma jodidamente fantástica—. Y ahora voy a la ducha de verdad, hace un poco de frío debajo de esta sábana.

—Es el contraste con la temperatura ambiente, Lewis. Ya sabes, como te has calentado tanto antes... —dio a entender mirándola con media sonrisa.

Joder, el recordar cómo se había calentado Claire la calentaba a ella, así que decidió no seguir jugando con fuego, no fuera a quemarse.

—No te pega ir alardeando por ahí de tus hazañas sexuales, ¿sabes? —indicó la rubia alejándose hacia el baño de nuevo.

—¿No es lo que hacen las rompecorazones? —se extrañó frunciendo el ceño.

Y la vio sonreír apoyada en el marco de la puerta, seguramente porque ella también recordaba que fue una de las primeras cosas que le dijo cuando se conocieron.

«Tienes pinta de rompecorazones».

—Sí, pero tú solo tienes las pintas.

Le dedicó una última sonrisa antes de desaparecer tras la puerta del baño y, casi instantáneamente, escuchó el agua de la ducha correr. A los dos segundos, Claire comenzó a cantar eso de «I can't get no satisfaction», venciendo la vergüenza solo para molestarla, y reprimió una sonrisa porque le encantaba su forma de derrotarla siempre en sus propios juegos, pero no iba a dejarse ganar. Se quitó la sudadera, la camiseta y los pantalones en tres segundos, cuatro a lo sumo, e irrumpió en el baño en el quinto o sexto «I can't get no satisfaction», justo cuando estaba a punto de meterse en la ducha. Claire gritó por la sorpresa inicial y después se echó a reír al sentirla atacar su cuello.

El mejor puto fin de semana de su vida.

8

Tell me more

Todo el viaje de vuelta dedicándole miradas furtivas, se había ganado más de una sonrisa de esas demoledoras al ser descubierta observándola mientras conducía y ella se las devolvía y su interior hacía piruetas cada vez, revolviéndola entera de la manera más extraordinaria posible. Con mariposas en su estómago y los recuerdos de lo que ambas habían compartido aquel fin de semana rivalizando por ser lo más visto del domingo. La imagen de Ashley moviéndose sobre ella mientras aquel «Te quiero» irrumpía en su conciencia iba ganando de momento, aunque tenía mucha competencia y la cosa estaba bastante reñida.

Madre mía, es que no habían hecho nada más en la ducha por falta de tiempo, pero no de ganas y había perdido la cuenta de las veces que le había dolido la tripa de tanto reír. ¿Y no era aquella la mezcla perfecta? Sexo, risas y *rock and roll*, porque aquel *I can't get no satisfaction* le había valido el ataque por sorpresa más bienvenido de la historia de las invasiones. Y seguía desviando su vista hacia Ashley una y otra vez, posiblemente sin poder evitarlo, pero no estaba segura al cien por cien porque no lo había intentado. Le encantaba mirarla y que la veterinaria retirara la atención de la carretera por un segundo, lo justo para sonreírle de esa manera que le hacía burbujear por dentro, y se moría por besarla a cada minuto. Era como si aquella primera vez con ella la hubiera enganchado aún más. Ashley había terminado de atontarla a base de orgasmos. Distinto. Había sido diferente a sus anteriores experiencias, y ya se lo esperaba, porque era la primera vez que se acostaba con una chica, pero al final había sido distinto por mucho más, y por Ashley. Había sido distinto por ella y por su forma de tocarla, por sus besos y la manera en que la miraba como si no quisiera perderse nada porque era demasiado importante, y a ella le había venido muy bien poder perderse en el verde de sus ojos, encontrarlos una y otra vez mientras exploraba y se dejaba explorar. Había sido suave y brusco, cálido y el puto fuego del infierno a la vez, una mezcla de muchas cosas, como lo era todo con ella. Su última faceta por descubrir y había resultado ser tan irresistible como todas las demás. Imposible ignorarlo, cada pequeña cosa que conformaba a Ashley le atraía irremediablemente, como la gravedad.

Y a su «Claire, quiero estar contigo» ella contestaba con un «joder, menos mal», porque no habría sido nada divertido si todo lo que estaba sintiendo por aquella chica no fuese totalmente correspondido.

Le acarició la nuca, porque se había dado cuenta de que a Ashley le encantaba que lo hiciera, y suspiró cuando sobrepasaron una señal de «Cleveland 2 millas». No tenía ganas de volver a la realidad, aquel universo sexual paralelo con la veterinaria le había gustado demasiado e iba a echarlo de menos. Y no quería sonar desesperada, pero... ¿cuándo iban a repetir?

—Felicidades, llevas más de veinticuatro horas sin fumar —comentó Ashley de pronto.

—Gracias por recordármelo —gruñó pellizcándole la nuca y haciéndola reír.

—Si necesitas recordatorio es que va bastante bien.

—He estado distraída —admitió y golpeó a Ashley en el brazo cuando vio aquella sonrisa engreída asomando a sus labios. Aun así, ella también sonrió.

—¿Quieres dejarlo de verdad o solo intentabas impresionarme? —preguntó mirándola fugazmente.

—Ambas.

Y es que tenía sentido, había vuelto a fumar ante la perspectiva de tener que mudarse a Cleveland, por el trabajo de Nick y porque el chico nunca estaba en casa. *Por eso y por gilipollas también, Claire Lewis, porque podrías haberte ahorrado ocho meses de hábito tabáquico y varios cientos de dólares en cigarrillos.* Lo hecho, hecho estaba y de nada servían los arrepentimientos, pero quizás era un bonito momento para cambiar aquello, ya que había cambiado todo lo demás. Cerrar un círculo metafórico diciéndole a la nicotina «adiós y muchas gracias» y no volver a dirigirle la palabra nunca más. Una idea cojonuda y un gran desafío.

—La dependencia física dura solo quince días, ¿lo sabías? —dijo Ashley sacándola de sus cavilaciones.

—«Solo».

—Catorce para ti —la consoló y ella bufó perdiendo la mirada por la ventanilla.

—¿Y si no puedo dejarlo?

—Pudiste la primera vez.

—Si hubiese podido del todo, no tendría que dejarlo una segunda.

—Ya sabes lo que dicen, con los cigarrillos a la segunda va la vencida —recitó con su vista fija en la carretera.

—Te preguntaría que quién lo dice, pero tu fuente de información siempre es la misma —dio por sentado y Ashley sonrió.

—¿Los sabios? —Alzó las cejas la veterinaria y ella emitió un murmullo corroborándolo y sonrió, mirando por su ventanilla.

Ya estaban entrando a Cleveland y casi hizo pucheros de las pocas ganas que tenía de decirle adiós. Ningunas, para ser exactos, pero al día siguiente tenía clase y aún le quedaban cosas por preparar. No iba a ser fácil centrarse porque las últimas horas seguían muy muy presentes en su cabeza y no iban precisamente de *El retrato de Dorian Gray.*

—No tengo ganas de trabajar —se sinceró mirando a Ashley de nuevo.

—Si sigues poniéndoles exámenes sorpresa, acabarán llamándote algo mucho peor que Madame Boobary —le advirtió, y la muy tonta volvía a sonreír así.

Cada vez que repetía aquel mote en voz alta ponía aquella estúpida sonrisa, como si estuviera completamente de acuerdo con que era el perfecto para ella, y seguro que después de aquel fin de semana tenía dos razones más para seguir sonriendo. Ashley la había visto desnuda y ella había visto desnuda a Ashley y eso de «Se mira, pero no se toca» no se aplicaba a su caso, así que habían mirado y tocado y lamido y mordido... y allí comenzaba a hacer mucho calor de repente, así que bajó la ventanilla.

Sintió a Cleo moverse, seguramente tratando de asomarse por el hueco entre su asiento y la carrocería del vehículo, porque le encantaba sentir el viento contra su hocico y que le volaran las orejas. Se fijó en el reflejo del espejo retrovisor y ahí estaba, con la lengua fuera y cara de velocidad. Tuvo que reírse al verla, pero su mascota ni se ofendió ni nada, a lo mejor porque estaba demasiado ocupada disfrutando del momento. Cuando escuchó a Ashley uniéndose a su risa, al descubrir el motivo de esta tratando de morder el aire, se le hinchó un poco más el corazón dentro del pecho.

Lo había hecho, había dado el paso hacia «ellas» a pesar de estar muerta de miedo y a lo mejor aquel era su premio por haber sido capaz de hacerlo. Valiente, eso le había dicho Ashley, y ella nunca se habría definido de aquella forma antes. Cuando se enfrentó a su padre y le dijo que no iba a estudiar Derecho, nadie calificó aquel acto de «valiente». Y lo llamaron de muchas formas porque todos parecían tener derecho a opinar: «estúpido», «rebelde», «un capricho», «la vía fácil» y «un error» entre otros calificativos. Realmente su hermano fue la única persona que pareció entender y apoyar su decisión, a lo mejor porque ella había entendido y apoyado muchas de las suyas antes. Su hermano Thomas y ahora Ashley.

—Fin del trayecto, agradecemos a los viajeros que hayan utilizado nuestros servicios —dijo la veterinaria apagando el motor del coche tras haber aparcado justo delante de su casa—. Son quinientos veintisiete dólares con cuarenta —añadió volviéndose hacia ella—. ¿En efectivo o con tarjeta?

—¿No podríamos explorar otras... opciones de pago? —probó suerte acariciándole con suavidad la pierna y le gustó su forma de sonreír tras mirarla ascender por su muslo.

—Bueno... la tarifa es quinientos veintisiete dólares americanos o cinco minutos de sexo oral. Así que quinientos veintisiete dólares americanos para ti.

—Eres imbécil de verdad —protestó a la vez que reía y le pegaba en el brazo.

Ashley también se echó a reír y le tomó la mano, tal vez para prevenir futuros ataques o quizá porque le pasaba como a ella y simplemente necesitaba el contacto. Forcejeó por unos segundos, fingiendo estar molesta por aquella ofensa, basada en hechos totalmente reales por otra parte, pero se rindió cuando la veterinaria inmovilizó su mano, llevándosela al pecho y sujetándola contra el mismo mientras la miraba adoptando un gesto más serio. Por un momento, se perdió en el verde sus ojos y casi se olvidó de lo idiota que era.

—Gracias por el fin de semana más alucinante de mi vida.

Ashley lo dijo a media voz y a ella el corazón se le saltó un latido.

—Tendría que decirte lo mismo y quedaría repetitivo, así que simplemente voy a besarte, si te parece bien.

Se tomó su media sonrisa como un «Sí, por supuesto que me parece bien, procede cuando quieras» y se inclinó fundiendo sus labios con su boca. Era automático el sentirlos devolviéndole el beso y aquella explosión placentera en la boca de su estómago, a lo mejor porque era Ashley, o a lo mejor porque la veterinaria besaba impresionantemente bien.

Una de sus manos seguía prisionera contra su pecho, así que utilizó la otra para acariciarle el cuello y deslizarla después con suavidad hasta su nuca. Ninguna de las dos trató de profundizarlo, lo mantuvieron lento y firme. A la misma intensidad hasta que Cleo comenzó a lloriquear en el asiento trasero, porque hacía un rato que habían parado y a lo mejor no entendía por qué estaban perdiendo el tiempo de esa manera. Y luego ella tenía que tener paciencia mientras olía culos ajenos a cada paso durante sus paseos. Un poco egoísta por su parte.

Ashley sonrió en el beso, una de sus cosas favoritas desde que se había despertado la cara más física de su relación.

—Tiene razón, esa clase no se va a preparar sola —reconoció la veterinaria contra sus labios. Con razón o sin razón ella necesitaba besarla un poco más, y lo hizo.

Ashley volvía a sonreír, así que fue todo un desafío. Finalizó el beso en general con uno fugaz en particular. Rápido, preciso y con sonido incorporado.

—Las dos tenéis razón, Dorian Gray lleva esperándome desde que me secuestraste ayer —reconoció acariciando su mejilla.

Ashley alzó una ceja.

—¿Debería estar celosa?

—No mucho. Con él es solo sexo —le siguió la corriente saliendo del vehículo.

—¿Y eso está permitido? —inquirió Ashley abandonando el interior del coche también.

Sonrió para sus adentros mientras abría la puerta trasera para liberar a la bola de pelo lloricona que tenía por mascota, porque ninguna de las dos lo decía con claridad, pero ambas tanteaban aquel «¿Qué somos tú y yo?» constantemente; de forma indirecta y con conversaciones en apariencia intrascendentes poco a poco iban definiendo ese «algo» que había entre ellas.

—¿El qué? —pidió una aclaración innecesaria mientras desabrochaba el arnés de seguridad de Cleo.

—Ya sabes, follar con otra gente —la veterinaria lo expuso sin tapujos, liberando a Darwin por el lado contrario.

«Follar con otra gente». Pues la verdad era que no, que no estaba permitido «follar con otra gente», porque simplemente imaginar a Ashley besando a cualquier otra persona le revolvía el cuerpo de la cabeza a los pies y vuelta a empezar de una forma genuinamente desagradable. Así que ni osaba especular con la posibilidad de que se «follara» a nadie. ¿Ashley haciendo cualquiera de las cosas que habían hecho juntas aquel fin de semana con otra chica? No, muchas gracias, y aquel «Te quiero» la sobrevoló de nuevo. «No, no puedes follarte a nadie más, porque te quiero», algo así para ir dejando las cosas claras.

—Bueno, sí, si esa gente vive en época victoriana y tienen retratos que envejecen por ella —impuso las reglas del juego.

Ashley sonrió al escuchar su respuesta, aquel «Por supuesto que no» escondido entre bromas.

—En tal caso, tendré que empezar a frecuentar otros bares —indicó haciéndola reír.

Dejó que caminara a su lado hasta el porche de la casa de Olivia y ambas subieron los escalones hasta quedar frente a la puerta. Le encantaba que Ashley se empeñara en exprimir hasta el último segundo en su compañía, solo tenía que mirarla para estar segura de que la veterinaria tenía las mismas ganas de decir adiós que ella. La tomó por los bolsillos de su anorak y la acercó a su cuerpo, simplemente necesitaba tenerla así y poder sentirla. Aquello de «las manos quietas» se había convertido en misión imposible para ella si Ashley andaba cerca. Y la veterinaria se dejó, porque seguro que le pasaba lo mismo.

Se sonrieron y ella comenzó a jugar con su cremallera, le encantaba hacerlo y además se estaba convirtiendo en una especie de tradición o un automatismo imposible de inhibir.

—Claire... —Ashley llamó su atención de ese modo, a pesar de que la tenía de antemano.

—Ashley...

—Llevo dándole vueltas a una cosa desde esta mañana, así que voy a preguntártelo directamente, ¿vale? —reveló sus intenciones. Ella se limitó a mirarla en espera de que formulara su interrogante—. ¿Quieres que vaya contigo a Boston el fin de semana? Como apoyo moral.

Desde su ruptura con Nick, Ashley había sido muy cuidadosa en todo lo concerniente al ritmo que ella quisiera marcar, jugando con las distancias y los espacios según sus reglas, y era algo que le agradecía de corazón, porque había hecho que todo fuera mucho más fácil. Gestionar aquella etapa de su vida sabiendo que si lo necesitaba podía acudir en pijama

233

a su casa a las dos de la mañana porque Ashley le haría hueco en su cama. Llevaban aquellos diez días bailando a su son y, a lo mejor, por eso la veterinaria prefería preguntar antes que darle un pisotón.

—Tienes guardia localizada el sábado, Ash —le recordó bajándole la cremallera para volver a subírsela después.

—Podría cambiársela a Dwain o a Kris si quieres que vaya contigo.

Así de fácil, y le dieron ganas de besarla hasta la muerte.

—Va a ser un fin de semana intenso, y creo que es mejor que vaya sola.

—Jodidamente valiente —opinó Ashley sonriéndole de medio lado.

—Es más fácil saltar cuando sabes que hay red abajo.

Le encantó que la veterinaria la tomara por los cordones de la sudadera que le había prestado aquella mañana y tirara de ella para atrapar sus labios a medio camino. Besó y se dejó besar, y con momentos así ninguna de las dos podía tener ni la más mínima duda de lo que eran. Ashley lo sabía y ella lo sabía, y las dos actuaban en consecuencia. Prolongó la fusión de sus labios lo más que pudo y, cuando se separaron, le acarició la mejilla.

—Creo que debería irme y dejarte trabajar —reconoció tomándole la mano.

—Creo que debería dejar que te fueras y ponerme a trabajar.

—Dorian Gray es un tío con suerte —bromeó, entrelazando sus dedos.

Ella le sonrió porque aquella despedida en el porche de la farmacéutica le estaba haciendo cosas raras a su interior al completo, y Ashley la miraba con esa sonrisa perenne en su cara, embobada por ellas y por lo que había pasado aquel fin de semana. Un agradable cosquilleo generalizado en el ambiente que las rodeaba, seguro que hasta Cleo y Darwin podían sentirlo.

—¿Hablamos luego? —preguntó, acercándola a su cuerpo con un suave tirón de mano.

Ashley asintió con un ligero movimiento de cabeza antes de besarla y ella aceptó sus labios acunándole la mejilla.

—Hablamos luego —confirmó dando un paso atrás y con aquella sonrisa increíble asomada a sus labios—. Y dile a Dorian que use protección, no queremos sorpresas de las de nueve meses después.

—Eres imbécil, pero me encantas —dijo mirándola bajar las escaleras.

Tuvo que coger a Cleo en brazos porque la muy traidora prefería marcharse con Ashley a quedarse con la persona que salvó su culito peludo de la perrera. Le acarició la cabeza con la vista fija en la veterinaria, que se volvió para mirarla en cuanto descendió el último escalón.

—Hasta luego, Claire —se despidió con aquel tono que le hacía de todo por dentro.

—Hasta luego, Ashley —le respondió en uno similar.

Rio cuando la veterinaria subió de nuevo las escaleras para besarla intensamente por unos segundos, tomando su cara entre las manos, y después la observó mientras se alejaba de allí seguida por Darwin. El corazón le estaba haciendo polvo las costillas y le importaba poco tirando a nada de nada.

Se obligó a darse la vuelta y a abrir la puerta de la casa de Olivia con la copia de las llaves que la morena le había prestado el primer día. Tuvo que girarlas un par de veces y eso sugería que tal vez la chica no estaba en casa.

—¿Olivia? —Alzó la voz, cerrando tras ella y depositando a Cleo en el suelo.

Nada más que silencio en el interior de la vivienda, la morena habría salido, tal vez aquel día comía con sus padres. Solía hacerlo algún domingo. Acababa de acomodarse en el sofá del salón tras comer algo, cuando el teléfono fijo comenzó a sonar a su lado. Se llevó las manos al pecho porque la había asustado y decidió descolgar, a pesar de que no era su casa, había algo perturbador en no contestar un teléfono fijo cuando sonaba. Resultó que era la madre de Olivia y, en un primer momento, la confundió con ella y le preguntó que por qué demonios no había querido ir a su casa a comer aquel domingo si no tenía turno en la farmacia. Una vez que se identificó debidamente, aquella mujer suavizó el tono de forma considerable y le pidió que le dijera a Olivia que la llamara *inmediatamente* en cuanto llegase. Madres…

Tras colgar, se hizo de nuevo con su libro y lo abrió en el capítulo tercero, poniendo todo de su parte por centrar su total atención en sus páginas. *Hora de trabajar, Claire,* y estando en la cama con Ashley no se había acordado mucho de aquella obra maestra de la literatura, la verdad, así que era de justicia que la veterinaria quedase fuera de sus pensamientos al menos durante un rato. Pero se le antojaba bastante difícil, porque en competición directa con Ashley, Oscar Wilde perdía por goleada.

Medio folio de anotaciones importantes después, su teléfono móvil vibró sobre la superficie de la mesa. También había algo perturbador en dejar desatendida una conversación de WhatsApp, de modo que tomó el teléfono entre sus manos y descubrió que era Nicole la mano negra detrás de aquella interrupción.

«Nicole»
En línea
CLAIRE: Joder, Nicky, ha sido increíble. Ashley es… Bufff.
NICOLE: «Bufff».
NICOLE: No hablo dialecto gay, así que espero que me lo detalles un poco más.
CLAIRE: ¿Te acuerdas de lo tuyo con Owen Brooks?
NICOLE: Sabes que sí, no sé ni para qué lo preguntas.
CLAIRE: Pues esto ha sido mejor.
NICOLE: Esa es una afirmación muy seria, jovencita.
CLAIRE: Muy seria y muy verdadera.
NICOLE: Nunca pensé que te follarías a una chica antes que yo.
NICOLE: En realidad, nunca pensé que te follarías a una chica.
NICOLE: ¿Cómo es? ¿Mejor que con un tío?
CLAIRE: ¿Cómo se compara eso? Ha sido diferente, Nicky.
NICOLE: Has dicho que ha sido «increíble», así que supongo que es un «diferente» bueno.
CLAIRE: Definitivamente es un «diferente» muy bueno.

NICOLE: Lo tiene todo la tal Ashley.

CLAIRE: Este fin de semana voy a Boston, quiero hablar con mis padres.

NICOLE: ¿Se lo vas a contar?

CLAIRE: Voy a decirles que Nick y yo hemos roto.

NICOLE: ¿Y lo de la chica que lo tiene todo?

CLAIRE: Lo de la chica que lo tiene todo lo guardaré para cuando mi padre se recupere de esta primera angina de pecho.

NICOLE: Sí, estas cosas es mejor dosificarlas. ¿Nos veremos?

CLAIRE: Espero que sí, voy a necesitar distracción de toda esa tragedia.

CLAIRE: Mi padre ha estado siempre más enamorado de Nick que yo.

NICOLE: Lo superará, siempre lo hacen.

NICOLE: Es el trabajo de los padres, Claire, superar los disgustos que les damos los hijos.

CLAIRE: Pero es que este disgusto es un chico abogado menos y una chica veterinaria más.

NICOLE: Chica y veterinaria... va sumando puntos para impresionar a Arthur Lewis.

Sí, iba a ser complicado, y, una vez más, odió que su padre fuera un esnob estirado con alergia a lo que se alejara mínimamente de todo lo que sonara a Derecho, Medicina o Ciencias Políticas. Lo quería con toda su alma, y era verdad aquello de que ella era y siempre sería la niña de sus ojos, pero es que a veces Arthur Lewis era un poco gilipollas. Una relación ambivalentemente complicada. Y no estaba segura de lo que el hombre encajaría peor: perder a Nick o enterarse de lo de la chica veterinaria. ¿Y serían las cosas más fáciles si Ashley fuese abogada?

CLAIRE: Gracias por no ponerme más nerviosa.

NICOLE: ¿Puedo decirte algo sin que te siente mal?

CLAIRE: Puedes intentarlo.

NICOLE: Siempre he tenido la impresión de que elegías a parejas que iban a gustarle a él.

NICOLE: Como si fuera una especie de requisito.

CLAIRE: No seas idiota.

NICOLE: Hablo en serio, como si le hubieras hecho ya demasiado daño estudiando Literatura.

NICOLE: Y tuvieras que concederle el capricho de un yerno abogado como premio de consolación.

CLAIRE: Eso no es así.

NICOLE: Hagamos un recuento. Justin.

CLAIRE: Justin no era abogado.

NICOLE: Claro que no, Claire. Teníais diecisiete años. ¿Qué es a los veintiséis?

CLAIRE: Abogado…

NICOLE: Sigamos. Andrew, ¿me recuerdas qué estudiaba mientras salíais juntos?

CLAIRE: Derecho…

NICOLE: Sigamos. Nick.

CLAIRE: Lo creas o no, he descubierto el patrón que tratas de dibujar.

NICOLE: Admite que ha sido todo un poco monotemático… hasta la chica que lo tiene todo.

NICOLE: Menos una licenciatura en Derecho por la universidad de Harvard.

Interesante, ¿era posible que la opinión de su padre hubiera influido a nivel inconsciente en su elección de pareja a lo largo de aquellos años? Porque era verdad que ella había estado enamorada de todos sus novios, pero no era menos cierto que los había buscado a los tres cortados por el mismo patrón, y los dos más serios habían salido de la Facultad de Derecho. Abogados, todos habían sido abogados. ¿Y si tenía algún rollo edípico con la figura de su padre? Una posibilidad francamente perturbadora.

Desde luego con Ashley había roto el molde, en pedacitos muy pequeños, y seguro que no se había enamorado de la veterinaria para complacer a su padre. Todo un alivio haber terminado con la tradición y desmentido aquellas angustiosas hipótesis freudianas, con uno solo de sus besos había sido suficiente.

Porque eran así de buenos y porque Ashley lo tenía todo menos una licenciatura en Derecho por la Universidad de Harvard y ni falta que le hacía.

CLAIRE: Admito que ha sido todo un poco monotemático y a mi padre no le gusta innovar.
NICOLE: No eras feliz con el gran abogado, Claire. ¿Eres feliz con la gran veterinaria?
CLAIRE: Ridículamente feliz.
NICOLE: Entonces, y con todos mis respetos, que le den a tu padre.

Una gran forma de iniciar su discurso: «Que te den, papá». Original, pero algo impertinente y a ella no la habían educado así, aunque en el fondo aquella frase fuera la base de la idea principal a tratar aquel fin de semana. Algo así como: «Es mi vida y tengo que vivirla yo por mucho que te moleste», o por mucho que te decepcione, porque a lo mejor aquella era otra de las tramas de su película. Un temor justificado o no, pero presente, miedo a no ser lo que su padre esperaba de ella, a que la mirara de la misma forma que a su hermano, igual que cuando le dijo aquello de «Papá, no quiero estudiar Derecho».

NICOLE: Basta con que te haya impresionado a ti, ¿sabes?
NICOLE: No hace falta que impresione a ningún Lewis más.

Y tenía que darle la razón a su amiga, aunque seguro que los impresionaba a todos, excepto a su padre, claro.

Se sobresaltó cuando Cleo se levantó de su cama ladrando y se giró en el sofá al escuchar el ruido de unas llaves en la cerradura. Olivia llegaba a casa y seguro que estaba más que preparada para iniciar el interrogatorio, iba familiarizándose con el *modus operandi* de aquella mafia.

En cuanto sus miradas se encontraron, la morena exhibió la sonrisa más gigantesca que le había visto nunca, como si le costara un esfuerzo titánico controlar las ganas de gritarle

«Cuéntamelo todo antes de que reviente, por favor». Si te fijabas bien, casi podías ver la emoción chorreándole por todos lados.

Se acercó al sofá a la vez que se quitaba el abrigo, tirándolo de cualquier manera sobre el respaldo de este mientras se sentaba a su lado.

—Cuenta, Lewis, ¿qué tal ha ido el fin de semana?

Si Olivia no dejaba de sonreír de esa manera, se le iba a desencajar la mandíbula o algo igual de doloroso. Y con «el fin de semana» quería decir «ayer por la noche», así que se puso un poco roja, respetando las costumbres, y, a pesar de eso, se le contagió el gesto de la morena.

De un segundo al siguiente, volvía a sonreír como una tonta.

—He oído por ahí que ha sido «una puta pasada» —adelantó su amiga poniendo comillas a aquella expresiva descripción de las últimas horas.

¿Ashley pensaba que había sido «una puta pasada»? Ay, Ashley pensaba que aquel fin de semana había sido «una puta pasada». Se le aceleró un poquito el corazón en el pecho, porque a pesar de que sabía que para las dos había sido increíble en cierto sentido, continuaba un poco decepcionada consigo misma y con su inexperiencia en aquel campo. De algún modo, había asimilado que tenía que haber sido mucho más alucinante para ella que para Ashley, pero aquel «una puta pasada» era bastante revelador y discrepaba con aquella sospecha; muy significativo, en resumidas cuentas. Le daban ganas de sonreír aún más.

—Lo ha sido —admitió jugueteando con la manga de la sudadera de la veterinaria.

—Amplía esa información, por favor —le dio pie la morena acomodándose de medio lado en el sofá para poder mirarla de frente.

—Ashley es... increíble. Ha sido todo muy intenso. Y no sé qué más decir sin morirme de la vergüenza —admitió sonriendo abiertamente.

Sentía que le quemaba un poco la cara, pero en un segundo plano. Olivia sonrió también, contenida, como si aquella respuesta hubiera sido la que esperaba escuchar con toda su alma, en plan «por favor, dime que piensas que mi amiga es jodidamente perfecta».

—Interpreto que las cosas entre vosotras van... —dudó un par de segundos cómo finalizar esa frase— ... funcionando.

—Es que con ella es fácil que todo funcione —dijo mirándola fugazmente.

—Y supongo que contigo también lo es. Me alegro de que las cosas hayan salido así al final —admitió con media sonrisa. Luego se le hizo más grande antes de rendirse de nuevo ante la necesidad de saber—. ¿Y qué pasó ayer? ¿Ashley te tenía tantas ganas que fingió perder las llaves del coche para que tuvieseis que pasar la noche juntas?

Interesante realidad paralela. Podría decirle que sí, ¿verdad? Porque así la que se quedaba con el estigma del juego sucio sería la veterinaria y ella solamente sería una pobre víctima inocente arrastrada por las circunstancias. Tentadora posibilidad. *Pero no, Lewis, haz honor a tu recién descubierta valentía y da la cara, asume las consecuencias de tus actos.* Morirse de la vergüenza reconociéndolo allí mismo sería una de ellas.

—Yo le quité las llaves y fingí que no sabía nada cuando Ashley pensó que las había perdido —confesó y la cara de Olivia se trasformó en una de incredulidad total, como si el pensar que ella hubiera podido hacer algo así fuese la idea más inverosímil del mundo entero. Algo inconcebible e inaudito.

—Le cubres las espaldas para que Ronda y yo no nos burlemos de ella los próximos dos años, ¿verdad? —lo dijo en búsqueda de una explicación más lógica.

—¡Fue vuestra culpa! De Ronda y tuya, lo tenía todo pensado para ayer por la noche y de repente vamos a cenar con vosotras. Vi mi oportunidad en forma de complejo turístico a veinte metros del coche y la aproveché.

Olivia la miró por unos segundos, con una críptica sonrisa plastificada en la cara.

—Inesperado, desde luego —admitió al fin observándola divertida—. Tienes un lado oscuro, Lewis, seguro que a Ashley le encanta.

Y de nuevo subió la temperatura ambiente de sus mejillas. Ridícula su facilidad para ruborizarse... qué cruz más grande.

—¿Y valieron la pena las molestias? —inquirió la morena alzando una ceja—. No quiero detalles, eso se lo dejo a Ronda, pero fue otra especie de primera vez para ti.

—Valieron mucho la pena y fue mucho mejor que mi primera «primera vez». Y ahora mismo debo de estar increíblemente roja —se lamentó escondiendo la cara entre los cojines del sofá.

La escuchó reír y a ella se le escapó una sonrisa, porque, a pesar de la genéticamente programada y, por tanto, inevitable vergüenza, en cierto modo le gustaban las confianzas.

—En resumen, que fue «una puta pasada» —dijo la morena apoyando la cabeza junto a la suya sobre los cojines.

—Fue «una puta pasada» —confirmó con media sonrisa.

—Me alegro. Por ti, y sobre todo por Ashley, lo iba necesitando —bromeó y fue su turno de alzar una ceja.

—Dicen por ahí que hay gente que lo necesita más —insinuó.

Sonrió cuando Olivia se levantó del sofá con mucha prisa de repente, contestando con un bufido, e indicando que iba a cambiarse de ropa. La siguió con la mirada divertida por su reacción. Recuperó su libro y sus apuntes y, antes de que la morena saliese del salón, se lo preguntó.

—Por cierto, ¿de dónde venías? Has comido fuera hoy.

—Sí, en casa de mis padres, mi madre se desintegraría si no me ve mínimo una vez por semana —explicó apoyándose en el marco de la puerta para mirarla.

Con toda la caradura del mundo y sin que le temblara ni un poquito la voz. La pobre no sabía que su madre en cuestión había llamado hacía unos minutos preguntando precisamente por qué no había querido ir a comer a su casa y le estaba mintiendo sin remordimiento ninguno. Muy fuerte y muy misterioso todo.

—Sí, las madres a veces pueden ser así —le siguió la corriente observándola—. ¿Y ha estado bien?

—¿El qué? —preguntó la morena cambiando el peso de su cuerpo de pie, a lo mejor se estaba poniendo un poquito nerviosa por su forma de mirarla.

—Ya sabes, la comida en casa de tus padres. ¿Ha estado bien?

—Todo lo bien que puede estar comer en casa de tus padres un domingo —contestó escuetamente.

—Está bien comer en casa de tus padres de vez en cuando —insistió en aquello de «en casa de tus padres».

Una técnica de desgaste psicológico que había aprendido durante su infancia con su hermano. Thomas y ella se lo hacían mutuamente en cuanto se enteraban de que el otro intentaba colársela a sus padres. Repetir el foco de la mentira una y otra vez. No fallaba nunca y las pulsaciones de Olivia tendrían que haberse disparado ya, al menos un poquito.

—Eh... sí. Voy a cambiarme de ropa —dijo haciendo amago de salir del salón.

Porque una retirada a tiempo a veces era una victoria y la morena tenía mucha prisa por cambiarse aquella ropa.

Aquella ropa...

Frunció el ceño ligeramente al caer en la cuenta de que era la misma que se puso el día anterior para ir a trabajar a la farmacia. Y ya estaba pensando en cómo podría llamar al grupo de WhatsApp que iba a crear de inmediato con Ashley y con Ronda.

—Olivia —llamó su atención antes de que desapareciera del todo por la puerta. La morena la miró un poco impaciente en apariencia—, ¿esa no es la misma ropa que llevabas ayer?

Por unos segundos, la morena observó su propio atuendo antes de devolverle la mirada.

—¿Y? Me gusta mucho este conjunto —la retó.

Una especie de «sé que sabes que sé que algo sabes, pero sigamos moviéndonos en el terreno de las hipótesis».

—Te queda muy bien —dijo siguiéndole el juego—. Le habrá gustado mucho —insinuó, y Olivia entrecerró un poco los ojos y seguro que hasta aguantó la respiración—. A tu madre, digo —aclaró tras unos segundos de silencio.

Y, de repente, las tornas se habían vuelto y era la morena la que parecía tener mucho calor, casi todo concentrado en las mejillas.

Sonrió divertida cuando se marchó del salón, bufando de nuevo.

***

Entró en casa, se deshizo de su abrigo y fue directa al sofá del salón. Tiró las llaves de cualquier manera sobre la mesa y se dejó caer sobre los mullidos cojines soltando un «bufff» por el camino. Increíble, porque aún sentía su calor por todo el cuerpo y unas ganas gigantescas de retroceder en el tiempo y vivirlo otra vez. Buscar el momento exacto en el que todo había cambiado a algo todavía más íntimo, una conexión mayor con base en besos húmedos, sudor, gemidos y su forma de mirarla mientras lo hacían, joder. ¿De verdad que no era posible rebobinar hasta aquel «Vamos dentro» que lo había desatado todo?

Se giró, acomodándose de medio lado en el sofá y estiró su brazo para rascarle la cabeza a Darwin, que dormitaba justo debajo. El perro la miró y bostezó ruidosamente.

—Menudo fin de semana, ¿eh, chico? —comentó—. Sé que Cleo es muy pequeña para ti, pero... ¿te gusta Claire para mí? —pidió su opinión.

Darwin se limitó a apoyar la cabeza de nuevo en el suelo y retomó su siesta sin más miramientos.

—Me tomaré eso como un «Sí, mucho, tienes mi bendición» —dijo rascándole tras las orejas.

Su teléfono móvil vibró en el bolsillo del pantalón de su chándal y se apresuró en sacarlo para descubrir el motivo de aquel aviso. Una conversación de WhatsApp. De Ronda.

«Ronda»
En línea
RONDA: Si no te la has follado ya, no mereces ser llamada amiga mía.
ASHLEY: Puta pervertida. Acabo de dejarla en casa de Olivia.

Ronda se desconectó de la conversación y ella inició la cuenta atrás, cinco minutos en el cronómetro imaginario de su mente. Se levantó del sofá y fue a la cocina, aprovechó para cambiarle el agua a Darwin y sacó dos cervezas del frigorífico. Después regresó al salón y las depositó sobre la mesa frente al sofá. Los tres minutos restantes los dedicó a analizar aquellas enormes ganas de que la castaña llegara ya, necesitaba contarlo, hablar de ello, porque era tan increíble que cualquier cosa que lo hiciese más real sería bienvenida.

Se levantó a abrir sin necesidad de que llamara, Darwin alzando sus orejas anunciaba la llegada de su amiga con varios segundos de antelación. Ronda congeló en el aire el movimiento que había iniciado dirigido a pulsar el timbre y la miró.

—Has follado —determinó tras un detenido escrutinio de su rostro—. Has follado, ¿verdad? —inquirió mientras pasaba al interior de la casa sin dejar de observarla. Le sujetó por ambas mejillas con una mano y entrecerró los ojos, examinándola—. Has follado —repitió. Alzó una ceja, ladeando la cabeza—. Ashley, ¿has follado?

—Hola a ti también, por cierto —la saludó como era debido.

—Conozco esa cara... has follado. —La señaló, pasando de su comentario. A ella se le escapó media sonrisa y Ronda no necesitó más—. Madre mía... ¡habéis follado!

Cerró la puerta y se dirigió hacia el sofá sin confirmar ni desmentir nada y escuchó sus pasos apresurados tras ella. Rio cuando Ronda saltó sobre su espalda haciéndola caer de bruces sobre el sofá, aprisionándola bajo el peso de su cuerpo.

—Dime que habéis follado, Ashley —exigió junto a su oído y tuvo que reír porque sintió cómo la muy gilipollas se movía haciendo el tonto contra su trasero.

—Sí, sí, vale. Ha pasado —dijo divertida—. Lo hemos hecho, ya está.

—¡Gracias a Dios! —exclamó, dejándose caer del todo sobre ella.

—Quítate, joder, a ver si te va a gustar —ordenó tratando de librarse de su peso.

La escuchó reír mientras se incorporaba y sintió una palmada en su culo junto a un «Buena chica, Ashley». Ella se giró, acabando bocarriba, y miró a Ronda, que se había acomodado al otro lado del sofá; le propinó una suave patada.

—Gilipollas. —Negó con la cabeza y Ronda rio divertida sujetándole el pie.

—Detalles, Woodson, todo está en los pequeños detalles —la incitó a empezar a hablar a la vez que se hacía con una de las cervezas—. *Home run*, imagino.

—Los mejores jodidos *home run* de la historia del béisbol —aseguró sentándose frente a ella con las piernas cruzadas. Sonrió al verla llevándose al pecho la mano con la que no sujetaba la cerveza.

—¿Son mis deseos reprimidos o acabas de hablar en plural? —quiso asegurarse.

—Plural, dos veces y nivel tres de excitación —confirmó y la castaña bebió de su cerveza sin despegar sus ojos de ella. Como si necesitara un trago para asimilarlo todo—. Joder, Ronda, Claire me vuelve loca, en todos los sentidos, en serio.

—Quedó claro con eso de que con ella podrías correrte en segunda base —dijo con media sonrisa—. Pero ayer no fue el caso. ¿Cómo fue? ¿Cómo fue? —preguntó revolviéndose en su asiento.

—Por la noche salimos a dar una vuelta a Darwin y a Cleo, había muchas estrellas y una cosa llevó a la otra y terminamos besándonos jodidamente bien ahí fuera... y los besos cada vez iban a más y de repente Claire me muerde el labio inferior y me dice: «Vamos dentro».

—Los pelos de punta... mira —dijo Ronda enseñándole el brazo.

—Y fuimos dentro y no voy a contarte ningún detalle pervertido, pero en serio fue el mejor *home run* de la historia del béisbol —insistió en aquel punto.

—Has hablado en plural —le recordó la castaña—. ¿Cuándo jugasteis el otro partido?

—Esta mañana —reveló alcanzando su cerveza.

—Los polvos de buenos días son mis favoritos —dijo con media sonrisa—. Y dime, gran bateadora, ¿la sonrisa que se le ha quedado a Claire es tan grande y tan boba como la tuya?

Y quiso discutir aquello de «sonrisa grande y boba», de verdad que sí, pero sospechaba que era una causa perdida, porque casi la veía hasta ella y sin necesidad de espejo ni nada. Estaba por todas partes y se encontraba más emocionada que con ninguna otra primera vez.

—Esa es la mejor parte —reconoció apoyando la cabeza en el respaldo del sofá.

—Genial, ya has probado todos los extras del vehículo. ¿Cerramos la compra? —preguntó su amiga alzando las cejas.

—Siguiendo tu ofensiva y degradante metáfora, yo quería comprarlo desde el principio.

—Tú es que has sido siempre muy impulsiva, ¿y si después le hubiera fallado el sistema de lubricación?

Le tiró un cojín, aun a riesgo de manchar su propio sofá de cerveza, pero es que Ronda Parker era de verdad una puta pervertida, y Claire lubricaba perfectamente, gracias. La escuchó quejarse por la agresión, pero no se arrepintió ni un poquito.

—Lo que quiero decir con sofisticadas metáforas que tal vez superan tu capacidad de comprensión es... ¿se sabe ya qué sois? ¿Cómo te denomino cuando hable con Claire? ¿«Tu novia Ashley»?, ¿«tu amante Ashley»?, ¿«tu follamiga Ashley»? Las posibilidades son infinitas.

Y una de esas opciones destacaba sobre todas las demás como su favorita de todos los tiempos. Se moría por ser «su novia Ashley» y por que Claire la llamase «mi amor» también en contextos no sexuales.

—Bueno, me ha dicho que quiere estar conmigo.

—Buen comienzo —concedió la castaña.

—Gracias. Me ha dicho que tiene que gustarme su piso, porque quiere que vaya y que me quede a dormir de vez en cuando.

—No está mal, pero esa descripción aún podría encajar con la categoría de follamiga —la desilusionó y ella le dedicó una corta mirada, molesta.

—No quiere que follemos con nadie más —añadió y Ronda asintió con la cabeza, impresionada.

—Ahora empezamos a hablar en serio... —admitió, señalándola con su botellín de cerveza—. Descartar la posibilidad de sexo indiscriminado equivale a iniciar una relación.

—¿En tu cultura? —Alzó una ceja.

—Oh, vamos, Ashley... Decirle a alguien «no quiero que folles con nadie más que conmigo» es lo mismo que decirle «quiero ser tu novia». Todo el mundo sabe eso —dio por sentado.

—¿Todo el mundo en tu cultura?

—Si con «tu cultura» quieres decir «la cultura occidental», sí, todo el mundo en mi cultura sabe eso —matizó, molesta al ser puesta en entredicho. Ronda le pegó un manotazo en la pierna cuando la escuchó reír—. Claire quiere ser tu novia y tú quieres ser la novia de Claire, no sé a ti, pero a mí me salen las cuentas.

Joder, es que sí que le salían y si no le salieran haría trampas, porque aquella operación matemática era su favorita en el mundo entero, y su resultado demasiado importante como para que pudiera depender del juego limpio.

—Eres una puta pervertida y extrañamente sabia al mismo tiempo.

—Y tú un poco imbécil para no ver lo que tienes delante de las narices.

—A veces los árboles no te dejan ver el bosque —se defendió de aquel ataque gratuito.

—Los árboles en vuestro caso son bonsáis a lo sumo —desmontó su argumento.

Y a lo mejor tenía que darle la razón a su amiga, porque después de Tracy, del diario y de Nick, el panorama se había despejado de forma brutal y solo quedaban ellas dos y su reticencia a reconocerlo en voz alta. Porque no hacía falta o porque les daba miedo que sonara diferente que en el interior de sus cabezas. Ella se había vuelto loca por Claire y la rubia lo había dejado todo por ella, razones de peso que invalidaban todo cuestionamiento. Y a lo mejor también por eso su sonrisa era tan grande y tan boba.

—¿Habéis vuelto a saber algo de Nick? —preguntó de pronto Ronda.

—Llamó a Claire ayer, pero no le cogió el teléfono, seguramente ha vuelto de Boston y quiere hablar con ella.

—Y eso te hace sentir...

—Eso me hace sentir mal por él —reconoció—. En un segundo se le ha puesto el mundo del revés.

—¿En serio? ¿Nada de miedos, celos o ganas de salir a correr hasta que te revienten los pulmones? —tanteó aquel abanico emocional.

—Ya no —admitió, sentaba de puta madre poder decirlo y que fuera verdad.

—Joder, olvida los jodidos bonsáis, en vuestro caso el bosque es un puto desierto de «¿Por qué no os casáis de una vez?». Superar la amenaza de los ex es la clave del éxito.

—Claire me ha dicho esta mañana que cree que debería hablar con Tracy —dijo buscando su mirada.

Ronda se tomó un par de segundos antes de beber de nuevo.

—Bueno, han pasado cinco meses. Tú estás con Claire, ella... —dudó qué decir a continuación.

—Ella está con Janice —completó su frase, diciendo su nombre mal a propósito y Ronda sonrió.

—Sabes de sobra que se llama Jamie —dijo pegándole en la pierna.

—Janice, Jamie, lo que sea —bromeó.

Ronda la miró divertida por unos segundos y luego bajó la mirada a la cerveza y se quedó algo más seria.

—Le decepcionó que no la llamaras en su cumpleaños —comentó alzando la vista.

Se le contrajo un poco el corazón en el pecho al oírlo, porque se lo había planteado, el llamarla, pero al final no se había visto capaz y la había felicitado vía WhatsApp. El camino fácil, especialmente transitado por los cobardes.

—¿En serio? —Frunció el ceño y Ronda se limitó a mirarla, así que bajó la vista a su botellín de nuevo—. Me dio miedo llamarla y que le sentara mal.

—Ahora ya sabes que no va a sentarle mal.

—¿Y si es raro?

—Ashley, rompisteis hace cinco meses y no os habéis visto ni habéis hablado desde entonces. Claro que va a ser raro —aclaró aquel punto—. De todas formas, no tienes que llamarla obligatoriamente, ¿sabes? La mayoría de los ex terminan sin saber nada los unos de los otros.

Tenía razón y se dejó caer de espaldas sobre el sofá, mirando el techo con la cerveza apoyada sobre su abdomen.

—No quiero terminar sin saber nada de ella —reconoció.

—Lo sé —dijo la castaña—. Y, por su cara de perro abandonado cuando recibió tu triste WhatsApp aquella noche en el Twist, ella tampoco.

Decepcionada y cara de perro abandonado. *Muy bien, Ashley, medalla de oro en el deporte olímpico de aniquilar corazones y vapulear sus pedazos.* Como si su forma de mirar a Claire delante de sus narices no hubiera sido suficiente y se hubiese quedado con ganas de más. *Maldita sádica.*

—Podrías no llamarla, pero, si me pides mi opinión, creo que las dos necesitáis hablar —se sinceró Ronda.

Llamar a Tracy, mucho más fácil decirlo que hacerlo, como la mayoría de las cosas trascendentes. Estuvieron juntas seis meses, y había sido tan increíblemente fácil hablar con ella de cualquier cosa, reírse de gilipolleces, que el contraste con el momento presente dolía un poco. Con miedo de coger el puto teléfono y elegir su contacto. «Hola, Tracy. ¿Cómo estás?» en plan diplomático, u optar por la vía de la sinceridad con un simple «Estoy temblando como un puto flan solo por tener que llamarte y odio que sea así», «¿Podemos vernos?». Verla. Volver a estar con ella cara a cara, por primera vez desde su ruptura, cinco meses después. Joder, quería, pero no quería y, en el fondo, sabía que necesitaba hacerlo, por mucho que le incrementase las pulsaciones. Enfrentarse de nuevo a sus ojos verdes, sabiendo que no iba a encontrarse lo de siempre reflejado en ellos. Que habían tenido que dejar de ser para dar paso a algo aún mejor, pero su camino había sido increíble de todas formas, hasta llegar a aquel desvío.

«Tú has sido una de las mejores cosas que me han pasado este último año». Vamos a quedarnos con eso, recordarlo por encima de cómo acabaron. A ella le había valido la pena por Claire y, a pesar de todo, esperaba que a Tracy al final se la valiera también... con esa tal Janice.

De pronto, sus teléfonos móviles sonaron a la vez, anunciando la llegada de un mensaje, el mismo para ambas o la casualidad más sincronizada del mundo de la tecnología. Uno de los grupos que compartían, seguro. Las dos se apresuraron a consultar sus teléfonos al mismo tiempo, y a Ronda se le salió un poco de cerveza por la nariz de la impresión.

Claire Lewis creó el grupo: «¿Olivia folla de nuevo?»
Claire Lewis, Ronda, Tú
CLAIRE: Es bastante probable que Olivia esté follando de nuevo. Ya.
RONDA: Me cago en la puta. Argumenta, Lewis, joder.
CLAIRE: Está muy rara.
RONDA: Olivia «es» rara, espero que tengas algo más.
CLAIRE: Acaba de llegar ahora y ha mentido diciendo que ha comido en casa de sus padres.
RONDA: ¿Y de dónde acaba de llegar?
CLAIRE: No lo sé, pero llevaba puesta la misma ropa que ayer.
RONDA: Dios bendiga tu memoria fotográfica.
CLAIRE: Estoy casi segura al cien por cien de que no ha pasado la noche aquí.
RONDA: ¡Necesito ese «casi» fuera de la ecuación, pero ya!
ASHLEY: Mira en la basura.
CLAIRE: ¿Perdona?
ASHLEY: Claire, en serio, mira en la basura.
CLAIRE: Vale, estoy mirando la basura. ¿Qué se supone que tengo que ver?
ASHLEY: ¿Hay cáscaras de naranja?
CLAIRE: No, no hay cáscaras de naranja.
ASHLEY: Joder, está follando de verdad.
CLAIRE: Creo que me he perdido algo...

ASHLEY: Todos los domingos Olivia desayuna zumo de naranja natural con miel.

ASHLEY: Tiene algo que ver con purificar el aura o los chacras.

RONDA: Pues le han purificado las cañerías. Menos espiritual, sí, pero da más gustito.

RONDA: ¡Maldita sea! No me puedo creer que esté fornicando a nuestras espaldas.

CLAIRE: Aún no sabemos si está... fornicando, solo que ha pasado la noche fuera.

RONDA: Parece mentira que después del meneo que le has dado a Ashley seas tan inocente.

ASHLEY: Puede que haya sido la primera vez y nos lo fuera a contar luego.

RONDA: ¿Luego cuándo?

ASHLEY: Coño, luego, que si por ti fuera retrasmitiría los orgasmos en directo.

RONDA: Las cosas tienen emoción si se viven en tiempo real.

RONDA: Vivimos en la sociedad de lo inmediato, a ver si te enteras de una vez.

CLAIRE: Está bajando otra vez, se ha duchado y se ha cambiado de ropa.

RONDA: La ducha poscoito, es matemático.

—¿Crees que estará follando con Erik? —inquirió mirando a Ronda.

—¿Con quién si no?

—Bueno… no sabemos nada de él desde antes de Navidades. Puede que en todo este tiempo haya conocido a alguien nuevo —barajó aquella posibilidad.

Ronda la miró como si lo que acababa de decir fuera el peor de los sacrilegios y se hubiese condenado a ir directa al infierno por la vía rápida y menos transitada para evitar los atascos.

—Cuando conocí a Leo y os escribí para contároslo aún podía ver su culito sabrosón meneándose mientras se alejaba calle arriba. Cuando conociste a Amy te requisaron el móvil por utilizarlo en mitad de clase porque no podías esperar quince putos minutos y cuando conociste a Tracy nos mandaste una foto suya, robada, en plan acosadora psicótica, desde detrás de uno de los *stands* de la tienda de discos. No me digas ahora que crees que Olivia ha conocido a alguien hace semanas... ¡o meses!, y no nos ha dicho nada, porque eso es que la estamos perdiendo, Ashley —dijo visiblemente alterada—. ¡Perdiéndola te digo! —dramatizó tomándola por ambos brazos y sacudiéndola para dar más énfasis a la situación.

—Tienes razón —la calmó levantando las manos—. Seguramente será Erik.

—¿Cuánto tiempo crees que lleva escondiéndolo? Porque nos hemos enterado ahora gracias a que tenemos a Lewis de infiltrada en su casa.

—Si damos por sentado que se han acostado, un par de semanas mínimo. Olivia no es de las que entregan la flor en la primera cita —le recordó y Ronda puso los ojos en blanco.

—Diez meses, Ashley, a estas alturas entregaría la floristería entera y al segundo minuto —exclamó la castaña convencida.

Las dos se acomodaron en el sofá, mirando sus botellines de cerveza, pensativas. Ronda seguramente intentaba dar forma a un plan de los suyos, con objetivo desenmascarar a Olivia, ponerla en evidencia y cara a cara con sus mentiras. ¿Ella? Ella pensaba en Claire, porque hablar de follar así en general se había vuelto de repente un poquito particular y con base en la rubia.

Joder, es que después de lo que habían compartido en las últimas horas, aquella noche se le iba a hacer muy muy larga.

9
¿Olivia folla de nuevo?

Le sonrió tras darle un sorbo a su café y por encima del paquete de cereales, Claire le devolvió el gesto mientras a su alrededor Ronda y Olivia parloteaban de cosas que en comparación carecían de importancia.

Era jueves y tocaba desayunar en casa de la morena, la noche anterior Claire y ella habían tenido una conversación bastante interesante vía WhatsApp y, por eso, acompañó su beso de buenos días con un «por favor, duerme en mi casa hoy», susurrándolo contra sus labios en cuanto se separaron apenas unos milímetros. La rubia había vuelto a besarla como respuesta, mordiendo su labio inferior, así que se había tomado eso como un «sí, por supuesto».

Volvió a sonreírle, mordiendo después su tostada, porque Claire no dejaba de mirarla mientras desayunaban y le gustaba la sensación. El no poder dejar de observarse, porque cada vez que sus miradas conectaban, segregaban endorfinas, sentaba demasiado bien como para renunciar a ello. Y es que no podía dejar de mirarla, de tocarla y de sonreírle, y no sabía si se debía a una simple fase del enamoramiento, pura química, o en el fondo era Claire. Apostaba más por la segunda opción, porque había estado enamorada antes y nunca había sido tan intenso. El martes la rubia había dormido en su casa, y utilizaba el verbo «dormir» en un sentido muy poco literal. En su cama, ¿cuántas veces se había imaginado poder hacerle de todo en aquella cama? Joder, muchas, muchísimas incluso, y no decía infinitas por no exagerar, pero seguro que se acercaba bastante. Y habían hecho unas cuantas cosas, en particular Claire, porque debía tener el orgullo un poquito herido después del resultado inconcluso de su primera práctica de sexo oral lésbico y se había propuesto «compensarla». En honor a la verdad, no duraba mucho la pobre, pero su ejecución era jodidamente interesante.

Claire le sonrió de esa forma increíble que le encantaba, con aires inocentes porque tan solo estaban desayunando y seguro que no tenía ni idea de que su cabeza estaba llena de aquellos pensamientos pervertidos. En su defensa tenía que aclarar que había sido la rubia quien inició la famosa conversación de WhatsApp la noche anterior, al parecer no podía concentrarse mucho en la lectura de *El retrato de Dorian Gray* y decidió compartir sus inquietudes con ella. «Me encanta tu culo», así había iniciado la charla, se le había escapado una sonrisa al leerlo y había dejado abandonado sobre la mesilla el último *best seller* que le había prestado Ronda. Le había respondido con un «Él también te tiene aprecio», que le valió un «Imbécil. Me encanta sentirlo contra mí» y se le quitaron las ganas de seguir diciendo tontadas, porque se acordó de lo que le había encantado a ella su ataque por sorpresa el martes por la noche en su cocina, por sorpresa y por detrás.

Al final una cosa había llevado a la otra y a ella a confesarle que no podía dejar de pensar en sus pechos. A lo mejor por eso Claire había decidido ponerse aquella camisa increíblemente ceñida justo esa mañana, y se había soltado un par de botones para incrementar el impacto visual. Y le había salido de puta madre la jugada, porque sus ojos se desviaban una y otra vez a aquella parte de su anatomía, aprovechando los momentos en que Claire estaba distraída.

—Olivia, esta noche duermo en casa de Ashley —anunció de pronto la rubia.

Conectó sus miradas y ella le sonrió, porque acababan de cerrar el trato y le encantaba tener a la rubia en su casa. Borró su sonrisa en cuanto vio a Ronda sacándole la lengua y moviéndola en plan guarro entre dos de sus dedos. Le propinó una patada por debajo de la mesa y la castaña se quejó soltando un taco.

—De todas formas, llegaré un poco tarde hoy. Toca comprobar las caducidades de los medicamentos en la farmacia —dejó caer la morena mientras se untaba una tostada.

Ellas tres intercambiaron unas cuantas miradas significativas, a lo mejor porque, a la luz de los últimos acontecimientos, no se creían demasiado que aquella fuera la verdadera razón de que fuese a llegar más tarde aquella noche.

—Debe de ser bastante aburrido el tener que comprobar las caducidades de los medicamentos en la farmacia —dijo la rubia.

Ronda y ella se sonrieron disimuladamente porque Claire ya les había hablado de aquella técnica infalible de presión psicológica.

—Sí, bueno, no es la parte del trabajo que más me gusta.

—¿Y tienes que hacerlo tú sola? Comprobar las caducidades de los medicamentos en la farmacia —insistió la rubia bebiendo tranquilamente de su café después.

—Eh... a veces sí —Olivia contestó en un tono que indicaba que tanto hincapié en la mierda de las caducidades de los medicamentos de la farmacia comenzaba a parecerle sospechoso.

—¿Y tienes que hacerlo mucho? Ya sabes, el comprobar las caducidades de los medicamentos de la farmacia —Ronda aportó su granito de arena.

Ella tuvo que darle un mordisco a su tostada para camuflar una sonrisa divertida, porque Olivia se empezaba a poner nerviosa de verdad.

—De vez en cuando. ¿Podemos hablar de otra cosa que no sean las malditas caducidades de los medicamentos de la farmacia? —sugirió alzando las cejas.

—Por supuesto —decidió echarle un cable, era su mejor amiga, al fin y al cabo.

—Gracias, Ashley. —Le sonrió y todo.

—Hoy llegan al zoológico unas cuantas crías de varias especies trasferidas desde Miami y tenemos que revisarlas una a una antes de ponerlas en cuarentena. No es mi parte favorita del trabajo, pero no es tan aburrida como, digamos... comprobar las caducidades de los medicamentos de la farmacia.

Olivia soltó un resoplido molesto y se levantó de la mesa, llevándose con ella sus cubiertos, que dejó en el fregadero.

—Os habéis despertado las tres muy graciosas hoy. Voy arriba a terminar de prepararme, tengo que irme en diez minutos. No os atragantéis con el desayuno —les deseó antes de desaparecer de la cocina sin más.

Y era algo cruel por su parte, pero aun así se rieron, intentando no hacer mucho ruido, eso sí. Claire dedicó una mirada preventiva a la puerta, a lo mejor para comprobar que Olivia se había ido de verdad, antes de rebuscar por uno de los bolsillos de los pantalones que había elegido llevar ese día. Ceñidísimos también, por cierto, a juego con la maldita camisa, muy conjuntado todo. Ronda y ella la miraban con curiosidad y con paciencia, porque le estaba costando un poco recuperar lo que quiera que fuera que estaba buscando.

—Esta mañana he encontrado esto en el suelo del baño —reveló por fin, sujetando frente a sus narices los restos de un envoltorio entre sus dedos índice y pulgar.

Frunció el ceño porque no distinguía muy bien qué era lo que tenía de especial aquel desperdicio, decidió examinarlo más de cerca, así que lo cogió prestado adentrándolo más en su campo visual. Ronda se inclinó hacia ella con bastante prisa y las dos lo observaron juntas por un momento. Lo leyó, «Trustex», y comenzó a sospecharlo; fue con el «lubricados» cuando sus conexiones neuronales terminaron de unir cabos. Un acto reflejo eso de tirar a un lado el envoltorio del condón de Olivia acompañando el gesto con un «Puaj», un mero automatismo y por definición involuntario desde todo punto de vista; que cayera justo dentro de la taza del café de Ronda fue pura coincidencia y una mala suerte tremenda.

—¡Ashley! —protestó la castaña pegándole en el brazo, pero enseguida se le pasó el enfado y recuperó el envoltorio flotante—. «Trustex. Lubricados» —leyó en voz alta—. Condones —confirmó lo que todas sabían ya.

—A lo mejor eso sí que es una prueba de que está follando con alguien—aventuró Claire hablando en susurros.

—Tiene que ser Erik, seguro —dijo Ronda levantándose de la mesa para tirar los restos de su café por el fregadero y el envoltorio del preservativo a la basura—. No me puedo creer que lo esté manteniendo en secreto.

—A lo mejor quiere esperar para ver si la cosa funciona antes de decir nada —barajó aquella posibilidad por darle un respiro a la morena—. La hemos estado presionando bastante con eso de «Olivia folla de nuevo».

—«Presión», «sincera preocupación de amigas», sinónimos en el fondo, Ashley —rebatió la castaña tomando prestada su taza de café y dándole un sorbo—. ¿Deberíamos decirle algo?

—¿Algo como qué? —quiso saber antes de pronunciarse.

—Tal y como yo lo veo tenemos dos caminos aquí: abordarla con algo sutil como «¿Tienes algo que decirnos? Porque sabemos que estás usando condones en tu tiempo libre», o ir a por todas, en plan más directo con un «Sabemos que estás follando, desembucha».

Intercambió una mirada indecisa con Claire, porque ninguna de aquellas posibilidades le sonaba muy bien.

—También podríamos darle tiempo y que ella nos lo cuente cuando esté preparada.

—Pero ya lo sabemos, Ashley —dijo Ronda.

—Pero ella no sabe que lo sabemos.

—Pero sabemos que no sabe que lo sabemos.

—No sabemos seguro si sabe que lo sabemos o no lo sabe —dijo recuperando su taza de café.

—¡Pero nosotras sabemos seguro que lo sabemos! —una exclamación susurrada con mucho sentimiento.

—¡Basta! —intervino Claire—. Parad, que parecéis un concurso de trabalenguas. Sí, lo sabemos, pero creo que Ashley tiene razón y lo mejor es que Olivia haga las cosas a su ritmo. Conocerlo no nos obliga a hacer nada al respecto.

—Pero el conocimiento es poder y a mí el poder me corrompe —reconoció la castaña.

Antes de que pudieran decir nada más, la protagonista de los últimos minutos hizo acto de aparición en la cocina de nuevo. Parecía lista para salir hacia la farmacia, bolso colgando del brazo incluido.

—Me voy ya, Robin está madrugando últimamente y no le gusta mucho que llegue más tarde que él.

—¿Te has puesto pintalabios? —inquirió la castaña frunciendo el ceño—. Nunca te pones pintalabios para ir a trabajar —insinuó y ni se inmutó cuando ella le pegó una patadita disimulada por debajo de la mesa.

—¿Sabe Leo que te fijas tanto en mi boca? —preguntó la morena.

—Sí, y desde que me metiste morro en Año Nuevo está preocupado —dijo guiñándole un ojo.

—Pues dile que no se preocupe tanto —la dio por imposible directamente, sin entrar a rebatir quién «metió morro» a quién aquella noche—. Suerte con el piso, Claire, y si no te convence no lo cojas, sabes que me encanta tenerte aquí. No hay prisa, ¿de acuerdo?

Sí, el piso. Claire había concertado una cita con el propietario para aquella misma tarde, le encantaba en las fotos que habían colgado en internet, pero faltaba el cara a cara, la primera impresión en directo que es la que cuenta, al fin y al cabo. Lo habían hablado la noche anterior y pasaría a recogerla a la salida del trabajo con el tiempo justo de llegar a la dirección de la vivienda a la hora acordada. Después, la invitaría a comer a algún sitio, pero esa segunda parte del plan aún era un poco secreta.

—Gracias, Olivia. —Además de guapa, educada.

—Ronda, suerte en el hospital, que no te vomiten hoy encima —se dirigió a la castaña.

Y es que el día anterior un niño con gastroenteritis había vomitado en su consulta. Y en sus zapatos. Y en sus pantalones. Y un poco en su camisa. Un trabajo de riesgo ese de pediatra.

—Suerte tú en la farmacia, que no se te alargue mucho eso de las caducidades —rescató aquel tópico.

—A ti que te den —dijo la morena señalando a Ronda—. Ashley, Claire, si no nos vemos, pasadlo bien esta noche —les deseó guiñándoles un ojo.

Sin más, salió de la cocina y gritó un «hasta luego» antes de abandonar la casa. La castaña volvió a quitarle su taza, retándola de una forma silenciosa pero muy efectiva, porque sabía que no se atrevería a rechistar, ya que la pérdida de su café al parecer había sido «culpa suya».

***

Joder, hostia puta y me cago en la leche, además. ¿Por qué tenía que ser tan condenadamente difícil? Solo era una llamada de teléfono, *a priori* no era complicado, a menos que tuvieras cien años y ni idea de utilizar un móvil. La otra opción que lo haría casi una misión imposible era que tuvieras que llamar a Tracy Simmons. Menuda suerte.

Observó a las jirafas y envidió un poco la simplicidad de su existencia, apoyada en la verja de madera de su recinto y desde esa perspectiva, su vida parecía bastante relajada. Descansó la barbilla sobre sus brazos y las miró un poco más, a lo mejor si se le pasaba la hora del descanso y tenía que volver obligatoriamente al trabajo se sentía menos culpable por no poder llamarla. Una excusa de las baratas y de las malas, pero la tensión era tal que la daba por buena sin necesidad de pensárselo mucho. La procrastinación se estaba convirtiendo en su mejor amiga.

Joder, Ashley, venga, coge el maldito teléfono y busca su contacto. Adelante, valiente, que tú puedes y luego te vas a encontrar mucho mejor.

Respiró hondo mientras sacaba su teléfono de uno de los bolsillos del chaleco y se obligó a buscar su nombre en la agenda. Recordó la cantidad de veces que había realizado aquella sencilla acción con anterioridad, para decirle cosas como: «¿A qué hora paso a recogerte esta tarde?» o «Tengo unas ganas increíbles de verte». Muchas, muchas veces, y se le aceleraron las pulsaciones porque habían pasado poco más de cinco meses, pero parecía una vida entera. Eso pendía entre ambas en el momento presente, una puñetera vida entera y aquel miedo estúpido de volver a escuchar su voz. Recordar aquel «Te quiero, Ashley. Pero no quiero esto», lo último que Tracy le dijo: «Lo siento», a pesar de que quien tenía que sentirlo de verdad era ella.

Un último vistazo a las jirafas y pulsó el botón de llamada sin darle más vueltas, de lo contrario era bastante probable que se echara atrás. Se llevó el móvil a la oreja y se le encogió un poco hasta el puñetero estómago al escuchar el primer tono. Joder, es que en cualquier momento Tracy iba a descolgar el teléfono y ella se iba a quedar sin nada que decir, en blanco, jodidamente bloqueada en uno de los exámenes más trascendentes de su vida. Caminó un par de pasos hacia la derecha con el corazón trepándole por la garganta y con el segundo tono deshizo el camino retrocediendo hacia la izquierda. Incapaz de estarse quieta. Con el tercero se permitió tragar saliva, aun a riesgo de atragantarse, y se preguntó si Tracy estaría al otro lado de la línea mirando su nombre en la pantalla, instándose a sí misma a contestar y con el corazón haciéndole la competencia al suyo. Concurso de taquicardias, ¿quién da más? Algo así. Era una posibilidad o, a lo mejor, ni siquiera se había dado cuenta de que la estaba llamando.

Cuarto, quinto y sexto tono. Estaba a punto de colgar, inmensamente aliviada e increíblemente decepcionada a partes iguales. Un contraste paradójico quizás, pero convivía a la perfección con sus ganas de gritar «cógelo, maldita sea, porque no sé si tendré el valor de intentarlo de nuevo». Y, de repente, descolgó y todo su organismo se quedó en pausa, la gravedad parecía haber duplicado su fuerza de repente y todo le pesaba el doble en consecuencia. Joder, Tracy había cogido el puto teléfono. Se apoyó de nuevo sobre la valla de madera y, justo al mismo tiempo, escuchó su voz después de cinco meses.

—¿Ashley? —lo preguntó como saludo, porque sabía de sobra que era ella.

Difícil, la hostia de difícil y lo odiaba con toda su alma. A lo mejor porque si simplemente llamarla por teléfono era tan complicado, aquello de «poder ser amigas algún día» quedaba fuera de lugar y no era más que una quimera. Algo que se dijeron en su momento para suavizar las cosas.

—Ey, Tracy —le salió torpe y tras un par de segundos de silencio.

La pelirroja también tardó en contestar, dolorosamente incómodo por primera vez.

—Hola. —Simple y conciso, quizá igual de torpe que lo suyo.

Era evidente que a Tracy aquello la había tomado por sorpresa y no le extrañaba que no se le ocurriese nada más que decir. Ella había tenido días enteros para prepararse la conversación y no tenía muchas más ideas, jugaba con ventaja, pero no iba a notársele por lo visto.

—¿Cómo estás? —preguntó tirando de tópicos como forma de romper el hielo; si la cosa no mejoraba, terminarían hablando del tiempo.

—Estoy... bien, ¿cómo estás tú? —le devolvió el interés.

—Yo también estoy bien —respondió.

Muy pobre y sin intenciones de añadir nada más y Tracy la había conocido mejor que nadie durante seis meses, así que seguro que se daba cuenta de lo difícil que le estaba resultando aquella conversación. Para la pelirroja tampoco estaba siendo nada fácil, ella también la conocía bastante. Silencio al otro lado de la línea y silencio en el suyo. ¿Cómo demonios iba a pedirle que se vieran cara a cara si ni siquiera podían mantener una jodida conversación telefónica?

¿Tan fácil era el pasar de todo a nada? A lo mejor sí. A lo mejor lo difícil era que quedara simplemente algo donde una vez fue todo. Tal vez eso del fénix resurgiendo de sus cenizas no se aplicaba a su caso. Un «fue bonito mientras duró» y ahora que había acabado no podía ser de ninguna otra manera. Quizás solo tenían cenizas a su alrededor.

Y, de repente, Tracy dijo algo que le hizo cuestionarse todo de nuevo, desde la perspectiva de su tono desenfadado.

—*¿Crees que si reconocemos directamente lo incómodo que está siendo esto, lo será menos?*

—No lo sé, pero podríamos probar. Está siendo increíblemente incómodo.

—*Dolorosamente incómodo* —dijo ella, siguiendo un juego que hacía mucho que no practicaban.

—Jodidamente incómodo —añadió con media sonrisa, había una igual al otro lado. Seguro.

—*Extraordinariamente incómodo* —puntualizó la pelirroja.

Otro par de segundos de silencio y la situación ya no era tan desagradable, e iba a hablar ella, pero Tracy se le adelantó.

—*Hola, Ashley.* —Así de simple, dejando atrás el tortuoso inicio de aquella conversación.

—Hola, Tracy —le respondió, apoyándose de nuevo en la madera y paseando su vista por el recinto africano.

Seguía siendo raro, pero con muchos matices nuevos y la mayoría le gustaban. Como si la pelirroja hubiera decidido ayudarla a derrumbar aquel estúpido muro y entre las dos todo fuera mucho más fácil. Repartirse las piedras, trabajo en equipo.

—Siento haber tardado tanto —dijo, porque era verdad y quería que al menos lo supiera. Que no le gustaba en lo más mínimo su versión cobarde.

—*Si hubieses tardado menos, a lo mejor no habría estado preparada para coger el teléfono.*

Casi había olvidado lo buena que era Tracy quitando importancia a asuntos potencialmente complejos.

—El momento perfecto —bromeó.

—*Algo así* —confirmó la pelirroja. Escuchó una sonrisa en su voz y le encantó la sinestesia.

—Quise llamarte en tu cumpleaños —confesó, porque aquello de «le decepcionó que no la llamases» lo había interiorizado a lo bestia.

—Me habría gustado —admitió la pelirroja—. Al menos podrías haberte trabajado un poco más el mensaje de WhatsApp, ¿lo sacaste de una plantilla en Google?

Ella tuvo que sonreír al escuchar aquel tono en su voz, porque Tracy estaba bromeando y sentaba muy bien. Abría una ventana a la esperanza o algo igual de poético y metafórico.

—«www.felicitacionespenosas.com» —contestó apoyándose de espaldas a la verja esta vez.

Ya no necesitaba visualizar a las jirafas para relajarse. Escuchó su risa al otro lado de la línea y aquello de pedirle que se vieran en persona cada vez le sonaba menos a locura transitoria. ¿Y si realmente ambas se encontraban en un sitio que les permitía comenzar a ser solo amigas por primera vez?

—Muy de tu estilo —dijo su exnovia.

—¿Verdad? —convino en tono divertido. Después, dos segundos de silencio, dos segundos de reloj, y volvió a hablar con un tono distinto—. Tracy, han pasado...

—Cinco meses —completó su frase. Debía de haber detectado la temática a tratar en su tono. Menuda habilidad.

—Cinco meses —confirmó—. ¿No crees que a lo mejor es hora de...?

—¿Quedar cara a cara? —Joder, lo estaba haciendo de nuevo.

Es que a lo mejor las dos tenían lo mismo dándoles vueltas en su cabeza, y quizá Tracy también se había planteado llamarla alguna vez.

—¿Es un sí?

—Es un «quitémoslo de en medio de una vez», sería bonito poder volver a ir por la calle sin miedo a encontrarme contigo de repente a la vuelta de cada esquina.

Su tono no era serio, pero en el fondo algo de eso había, y le sonaba en realidad.

—Sí, es bastante agotador —coincidió con ella—. He tenido que buscarme otra tienda de discos.

—Seguro que ha sido más fácil que encontrar otro zoo —aventuró la pelirroja.

—Hay muchas —dijo—. Pero la tuya es la más rápida con los pedidos.

Una pausa, como contraste a la fluidez de su conversación, un punto dramático para que lo siguiente que dijo Tracy resaltara más su trascendencia.

—Sí *que me gustaría verte, Ashley.*

Sonaba convencida, y el «aunque me da miedo» no lo dijo, pudo escucharlo igualmente. Un sexto sentido o que a ella le pasaba lo mismo, una de dos. Porque necesitaba verla, «quitarlo de en medio», y dejar de anticipar. Aligerar su lista de «cosas pendientes», que llevaba meses monopolizada por aquel asunto, y simplemente descubrir cómo reaccionaría al volver a tenerla frente a ella. Quizás sería más correcto formularlo desde la otra perspectiva... necesitaba saber cómo se sentiría Tracy en un encuentro cara a cara, ese punto de inflexión que les indicaría el camino a seguir: el inicio de algo diferente o el final de una etapa en los mejores términos posibles, esperaba que menos amargo de lo que había sido hasta entonces.

—¿Cuándo podrías quedar? —Y le costó un poco tragar saliva después de formular aquella pregunta.

—¿*Este sábado te viene bien?*

—El sábado estoy de guardia localizada, pero podríamos arriesgarnos.

—*Tengo la tarde libre, así que me parece un buen plan, más emocionante* —Tracy bromeó, pero el concretar la estaba poniendo nerviosa.

—¿Quieres quedar a tomar algo o...? —dejó abierta la puerta a otras sugerencias.

—¿*Te importa si quedamos para darle una vuelta a Darwin? Me gustaría verlo a él también.*

Buf. No sabría explicar el porqué, pero aquella petición le había estrujado un poquito el corazón en el pecho, no se lo había esperado y tuvo que respirar hondo antes de contestar.

—Claro que no me importa, seguro que se pone muy contento al verte.

—*Eso si se acuerda de mí.*

—¿Quieres apostar? —y lo dijo dándolo por sentado, porque Darwin iba a volverse loco al verla.

—*Recuerdo que nunca me ha ido muy bien apostando contra ti.*

—Tomaré eso como un «no». ¿A las cinco y media en el parque? ¿O prefieres algún sitio más cerca de tu casa?

—*En el parque está bien.*

—Genial, pues a las cinco y media allí —cerró aquella negociación; no había sido tan terrible, al fin y al cabo.

Misión cumplida, un par de «hasta luego» y habría sobrevivido a aquella llamada. A lo mejor, el haberla temido tanto había estado un poco fuera de lugar a la vista de los resultados. La cara oscura de su amiga, «la procrastinación». Iba a despedirse con un «Nos vemos el sábado», pero Tracy se le adelantó y por su tono supo que iba a decir algo que estrujaría su corazón un poco más.

—*Ashley...* —y es que lo dijo como sopesando si era buena idea seguir hablando.

—¿Sí? —le dio pie, expectante.

—*Me alegro mucho de que me hayas llamado. Sé que no habrá sido fácil.*

—Me alegro de que hayas cogido el teléfono. Tampoco habrá sido fácil.

—*Nos vemos el sábado* —se le adelantó en la despedida.

—Hasta el sábado —lo dijo con media sonrisa y una presión no del todo desagradable en el pecho.

Colgó el teléfono y dejó escapar todo el aire que se había acumulado en sus pulmones sin que se diera apenas cuenta. Guardó el móvil en el bolsillo y volvió a apoyarse en la verja, de cara a las jirafas, que seguían con su vida igual de tranquilas que siempre, porque para ellas nada había cambiado en los últimos minutos. Seguramente el que acabase de hablar con Tracy después de cinco meses en aislamiento total no les importaba demasiado. Normal, tenían otras cosas en las que pensar.

***

Ashley iba a ver a Tracy el sábado y ella había quedado con Nick aquella misma tarde y con sus padres el fin de semana. Daba la impresión de que ambas intentaban atar cabos sueltos o cerrar asuntos pendientes, algo de ese estilo. Ordenándolo todo a su alrededor, ahora que entre ellas todo estaba en su sitio y por fin tenían tiempo. Y, en realidad, tal vez los acontecimientos no siguieran esa lógica y simplemente se habían dado de esa manera, pero ella lo sentía así y le gustaba.

Otra cosa que le gustaba era cuando Ashley la tomaba de la mano de la forma en que lo hacía en aquel preciso momento, y caminar junto a ella sin tener que preocuparse de nada, porque ya no importaba quién pudiera verlas. Le gustaba mucho, y aún más que comenzara a sentirse como algo normal, la novedad se diluía poco a poco y ella no iba a echarla de menos, aquella sensación era mucho mejor.

Habían dejado el coche de la veterinaria aparcado a unos cuantos metros del portal de su nuevo piso en potencia y llegaban con el tiempo justo, así que tiró de ella instándola a caminar más rápido.

—Vamos, Ashley, ¿quieres que lleguemos tarde y dar mala impresión?

—No especialmente —le contestó con toda la tranquilidad del mundo, pero aceleró el paso.

—Maldito señor McMahon. —Y es que por culpa del director del instituto había salido casi un cuarto de hora más tarde de lo previsto.

—Sí, maldito señor McMahon y su manía de hacerle saber a la nueva profesora de Literatura lo contentos que están todos en el centro con su trabajo. Jodido sádico —masculló la veterinaria.

Sonrió, estrujándole ligeramente la mano como reprimenda por aquella burla. Aunque Ashley tenía razón, en el fondo le había gustado que el director la hubiera buscado a la salida de su última clase solo para alabarla de aquella forma. Un soplo de aire fresco a su orgullo y la ratificación de que estaba haciendo las cosas muy bien, sí, pero es que habría preferido que hubiera elegido cualquier otro día para comunicarle el aprecio que le tenían en aquel instituto.

—Claire, relájate, no creo que el llegar cinco minutos antes o cinco minutos después vaya a darle muchas pistas al casero sobre tu potencial como nueva inquilina —dijo la veterinaria justo cuando llegaban al portal.

—Lo siento, te parecerá una tontería que esté nerviosa por esto, pero es la primera vez que voy a vivir sola y quiero que todo salga bien —indicó llamando al automático del piso correspondiente—. Además, le pedí a Olivia que me dejara quedarme en su casa un par de días y ya llevo allí dos semanas.

No pudo decir más al respecto porque el casero respondió a su llamada y tuvo que identificarse para conseguir acceso al edificio. Sujetó la puerta para que Ashley pasara primero y la siguió hasta el ascensor.

—Sabes que a Olivia le encanta tenerte en casa —dijo la veterinaria retomando aquel tema mientras esperaban.

—Sí, lo sé. Pero ahora que está follando de nuevo seguramente agradecería un poco más de intimidad.

—Si quieres darle intimidad para follar y este piso no te convence, podrías venir unos días conmigo, ¿sabes?

Mientras terminaba de pronunciar aquella generosa oferta llegó el ascensor y ella entró primero. Aquello de irse unos días con Ashley a su casa le sonaba escandalosamente bien, más aún cuando la vio apoyarse contra uno de los laterales del aparato y mirarla de aquella forma tan increíble en que lo hacía: una mezcla perfecta entre «eres increíblemente especial para mí» y «las cosas que me muero por hacerte». Sonaba jodidamente bien. Le sonrió y se acercó a ella tomándola por el cuello de su abrigo.

—Gracias por acompañarme, Ash.

—La excusa perfecta para escaparme veinte minutos antes del trabajo.

—En tal caso, de nada.

Ashley le colocó un mechón de pelo tras la oreja y a ella le encantó el gesto, el verde de su mirada la invitó a inclinarse un poco más, así que aceptó la oferta y la besó mientras le acariciaba el cuello. Tuvieron que separarse apenas tras haberlo iniciado, porque era un cuarto piso y el viaje no dio para más.

—Podrías haberte fijado en un noveno o en un décimo —protestó la veterinaria y ella le sonrió, depositando un fugaz beso en su mejilla antes de salir.

—Cleo y yo moriríamos si algún día se estropease el ascensor —rebatió accediendo al rellano.

Lo localizó antes de dar el segundo paso incluso, asomado a una puerta semiabierta porque debía de estar esperándolas. Un hombre de edad avanzada y escasa estatura, con ascendencia asiática a juzgar por sus rasgos faciales. Su posible casero. Las invitó a pasar con una amable sonrisa y no se entretuvo antes de comenzar a mostrarles la casa, quedaba claro que aquel individuo no había ido allí a perder el tiempo. Ni a perder el tiempo ni a hacer amigos, cortesías las justas.

Se debía de haber aprendido el discurso de memoria, porque lo recitaba de carrerilla y perfectamente sincronizado con la entrada y salida a las diferentes habitaciones. «Mucha luz y calefacción individual, que ya se sabe lo que pasa con las centrales», «una comunidad de vecinos muy silenciosa y tranquila», «parada de autobús casi frente al mismo portal», «cocina de vitrocerámica, con horno y microondas, electrodomésticos de última generación», «el sillón del salón listo para estrenar, y la televisión de cuarenta pulgadas y apenas dos años», «colchón viscoelástico con viscogel de última generación y una cómoda con amplios cajones y con separador para los calcetines y todo». Una maravilla. Y la coletilla «para una chica tan guapa como tú», que soltaba casi detrás de cada frase, comenzaba a incomodarla un poco y ella nunca había sido dada a seguirles el rollo a los aduladores, pero es que el colchón era de visco gel y la televisión de cuarenta pulgadas y París bien valía una misa, así que le sonreía de vez en cuando porque quería ese piso.

Siete minutos de *tour* doméstico después, le pidió a aquel hombre un momento a solas con Ashley en la cocina antes de darle una respuesta definitiva, y él accedió, porque «no podía decirle que no a una chica tan guapa como ella». ¿Pervertido? ¿Gran vendedor? ¿Un poco de cada?

—Está genial, Claire —reconoció Ashley—. Mejor incluso que en las fotos.

—¿En serio? —quiso asegurarse, porque iba a ser su piso, pero era importante que a Ashley le gustara también—. ¿Te ves pasando aquí un fin de semana? —preguntó tomándole una mano entre las suyas.

—Vaya, la última vez que hablamos era «alguna noche» —indicó, y su media sonrisa delató que aquel ascenso a primera le había encantado.

—Exactamente. La del viernes y la del sábado, por ejemplo —concretó entrelazando sus dedos.

Se perdió un par de segundos en su verde favorito y le subió un poco la adrenalina cuando la media sonrisa pasó a ser una entera. Por Dios, es que le sorprendía la facilidad con la que Ashley conseguía desequilibrar la neuroquímica de su organismo al completo. Subiendo y bajando neurotransmisores con cada movimiento y a golpe de mirada. Increíble.

—Sabes que no puedo decirle que no a una chica tan guapa como tú.

Y utilizó el mantra del casero para molestarla, seguro, así que ella sonrió y le pegó en el brazo llamándola imbécil.

—Ubicación perfecta, dimensiones perfectas, precio del alquiler aceptable —realizó el recuento contabilizando con los dedos—. ¿Tú que crees?

Y es que estaba nerviosa. *Mierda, Claire, no seas ridícula.* Solo vas a alquilar un piso, una decisión perfectamente reversible en cualquier caso, y se sentía como si estuviera comprometiéndose con una hipoteca a cuarenta años. Un poquito exagerado todo, pero su sistema nervioso y ella se conocían desde hacía mucho tiempo, así que no iba a empezar a sorprenderse a aquellas alturas del partido.

—Di que sí —la animó con toda la seguridad del mundo y ella le sostuvo la mirada por un par de segundos—. Creo que deberías decir que sí.

—Estoy nerviosa —reconoció con media sonrisa, porque eran nervios de los buenos, de los que te hacen hormiguear el estómago, pero sin llegar a vomitar.

—Si hubiese esperado a dejar de estar nerviosa para independizarme, esta noche dormiríamos con mi madre en la habitación de al lado.

—Ya —lo dijo por decir, y no muy convencida.

—¿De qué tienes miedo? —le preguntó directamente.

Exacto, ¿de qué tenía miedo? ¿Y era miedo? Porque a lo mejor solo se trataba de sana inquietud ante lo desconocido. Tal vez estaba arrastrando tras ella la cascada de cambios que había inundado su existencia de repente y con el ruido ambiente le costaba identificar correctamente sus emociones. Sabía con certeza que se le aceleraba el organismo entero cada vez que pensaba en vivir sola en aquel piso, pero los orígenes de aquella revolución se movían en el terreno de las hipótesis.

—Puedes dejar la luz de la mesilla encendida por las noches —bromeó la veterinaria ante su silencio. Después adoptó un tono más serio y buscó su mirada antes de volver a hablar—. Claire, vivir sola no significa estar sola. Solo significa que si dejas platos sucios en el fregadero al irte a trabajar van a seguir en el mismo sitio cuando vuelvas. ¿Tan terrible es eso?

—Depende, ¿de cuántos platos sucios estamos hablando?

Y cuando vio sonreír a la veterinaria, se le contagió el gesto, porque, debajo de las bromas, lo que Ashley decía tenía sentido para ella de alguna forma. Como si hubiera hecho diana en algún punto desconocido, pero increíblemente preciso, de su psique más profunda, seguro que sin tan siquiera pretenderlo. Era un maldito don de verdad.

—De los que tú quieras, es tu casa —argumentó encogiéndose de hombros.

—No suena mal del todo.

Miró fugazmente en dirección a la puerta de la cocina, su casero oriental debía de estar poniéndose un poco nervioso y se le escuchaba caminar de un lado a otro del salón, quemando adrenalina y calorías, dos en uno.

—Claire Lewis, ¿quieres tener platos sucios en el fregadero de tu casa?

Cómicamente trascendente, la verdad, porque aquella era una especie de metáfora estúpida pero sus cimientos le aceleraron un poco la tasa cardíaca. Buscó un punto de apoyo y lo encontró casi de inmediato, esperándola, en aquel tono verde que casi le hacía creerse eso de ser valiente con tan solo mirarla.

—Quiero tener platos sucios en el fregadero de mi casa —decidió con una sacudida afirmativa de cabeza y un amago de sonrisa en los labios.

—Esa es mi chica-cerda —bromeó la veterinaria, impostando orgullo, al oírla tan convencida.

Un pequeño terremoto que la hizo vibrar por dentro, porque Ashley acababa de referirse a ella como «su chica». Vale, su «chica-cerda», pero iba a obviar la segunda parte de aquel binomio, porque la primera le gustaba más y le estaba produciendo sensaciones muy muy interesantes en mitad del pecho. Justo en el medio, menuda puntería. Madre mía, es que realmente quería ser la chica de Ashley y viceversa. Y nunca, jamás, había contemplado la posibilidad de «tener una chica» y en el momento presente no podía pensar en otra cosa, extremo y dicotómico, muy dicotómico todo.

Y debería protestar, porque en realidad el apelativo había sido chica-cerda, dos en uno, y Ashley la miraba con aquel gesto divertido, en espera de su contrarréplica, adoptaba el mismo cada vez que comenzaba uno de sus juegos. Y debería contestarle, algo ingenioso, darle pie a más, pero en lo único en lo que podía pensar era en la facilidad con la que la veterinaria sabía qué decir o qué hacer en cada momento. «Vivir sola no significa estar sola», y es que a nivel consciente lo sabía, pero su inconsciente ya era otra historia. Cuando Ashley lo decía, a ella le llegaba a todos los niveles y le devolvían el mismo mensaje por unanimidad: «Te quiero», y por eso, en ese momento, no podía pensar en nada ingenioso para devolverle lo de chica-cerda. Si a Ashley le extrañó que no le siguiera el juego en aquella ocasión, no lo demostró. Seguro que lo achacaba a su nerviosismo por la trascendencia del momento: «Irse a vivir sola por primera vez en la vida».

—Tu casero se muere por saber si va a ser tu casero, Lewis —dijo la veterinaria.

Aquella inquietud de nuevo, porque últimamente se estaba pasando con aquello de innovar. Demasiadas primeras veces, una detrás de otra.

—No puedo creerme que esté a punto de hacer esto —admitió, y se giró hacia la puerta, con la anticipación colapsándole las terminaciones nerviosas—. ¿Por qué estoy nerviosa? Solo voy a alquilar un estúpido piso. —Lo pensó en voz alta, devolviendo su mirada a Ashley por si tenía una respuesta. Y ¿cómo no?, la tenía.

—Porque es tu primer estúpido piso en solitario. Vas a pagar el alquiler tú sola por primera vez. Además, llevas casi una semana sin fumar, así que ya estabas nerviosa de entrada.

Los cigarrillos, ese era un tema aparte, porque le gustaría decir que no echaba de menos fumar, pero sería mentira. Maldita adicta a la nicotina. La noche anterior, cuando por fin quedó en verse con Nick aquella misma tarde, habría dado cualquier cosa por uno solo de sus Camel. Recordar que iba a encontrarse con su exnovio en apenas unas horas le hizo desear tener un paquete entero esperándola en las profundidades de su bolso. Le habría dado una inmensa, falsa y patológica sensación de seguridad. Tóxica, sí, pero inmediata y muy efectiva.

No le gustaba la Claire Lewis que fumaba. La nueva era mucho mejor, más feliz, más divertida y un poco más segura de sí misma. Maldita sea, había construido una vida en Cleveland desde cero y ella sola, porque Nick no había ayudado demasiado. Quería que se quedara, aquella versión suya, necesitaba que se quedara y seguir construyendo.

Tomó la cara de Ashley entre las manos, decidida, y la besó de forma increíblemente intensa. Casi sonrió al sentirla ronronear contra sus labios en señal de agrado. Después se apartó, un final igual de brusco que su principio, y se alejó hacia la puerta con paso firme y mariposas en el estómago.

Adiós, queridos cigarrillos, y hola, nuevo casero de ascendencia oriental.

***

La observó mientras metían libros en una de las cajas. Las estanterías de la habitación que Nick utilizaba como despacho estaban repletas de ellos y cada vez que Ashley se estiraba un poco para coger los situados en las baldas superiores, se le subía un poco la camiseta y ella alcanzaba a distinguir unos centímetros de su abdomen. No muchos, pero los suficientes como para que el no dejar de mirar valiese la pena. Continuó con la recolección de clásicos de las baldas inferiores, porque sentada en el suelo tenía asientos de primera fila al torso de Ashley.

Por el amor de Dios, Lewis, céntrate, porque estás recogiendo tus últimas pertenencias de la casa que hasta hace quince días compartías con tu novio y en un par de horas vas a tener que retomar una de las conversaciones más dolorosas de tu vida.

¿Por qué no le afectaba tanto en aquella segunda ocasión? ¿Se sentía más libre? ¿Menos culpable? O completamente segura de lo que quería.

Metió *Historia de dos ciudades* en la caja, antes de desviar de nuevo la vista, atraída por la forma en que la camiseta de Ashley se adhería con bastante empeño a sus pechos. La veterinaria se estiraba, de puntillas y todo, y aquella tensión muscular le sentaba bastante bien a su anatomía al completo.

Crimen y castigo. Menudo culo le hacían aquellos pantalones. Es que parecía que se los habían confeccionado a medida y la chica sabía llevarlos muy bien. Ashley es que todo lo llevaba muy muy bien.

Anna Karenina. Le recorrió las piernas con la vista, tirando de memoria sensorial, táctil más concretamente, y recordó lo suaves y firmes que se sentían bajo las palmas de sus manos.

—Vaya, a alguien le gustó de verdad *Cementerio de animales* —dijo la veterinaria de pronto, mostrándole dos libros extra de Stephen King.

Uno en cada mano y una de sus sonrisas pseudoengreídas asomando a sus labios. *Misery* y *Cujo*, los había comprado unas semanas atrás al verlos de oferta en una de las librerías que frecuentaba, *Cementerio de animales* no había estado mal, y a Ashley le gustaban.

—Me gustó de verdad, por eso te dije eso de «me ha gustado de verdad» —puntualizó devolviendo su vista a los clásicos.

—¿No lo dijiste solo para seducirme? —inquirió, fingiendo sorpresa.

Adivinó media sonrisa juguetona dibujada en su boca mientras la observaba depositar aquellos dos *best seller* en la caja que tenía a su lado en el suelo, y le salió otra parecida. Alzó una ceja cuando Ashley la miró y evitó su verde favorito centrándose de nuevo en su tarea de recolección literaria.

—¿Debo entender entonces que tu interés por Poe y Emily Brontë era simplemente una táctica de seducción?

Y ya sabía que no de antemano, pero quería descubrir dónde la llevaría seguirle el juego en aquella ocasión, porque siempre le habían gustado sus destinos finales.

—E infalible a la vista de los resultados —alardeó estirándose de nuevo para continuar cogiendo libros.

—Usa una silla, ¿quieres, Romeo? No mides uno noventa precisamente —señaló, en parte para molestarla y en parte porque alcanzaría mejor la estantería superior si utilizase una.

—Suplo mi falta de estatura con asombrosa elasticidad —explicó con la voz teñida por el esfuerzo que le estaba suponiendo tratar de hacerse con aquellos ejemplares.

Y no podía ser de otra manera, y además era imposible que no sucediera algo parecido, porque Ashley se la estaba jugando por cabezota, así que un par de libros de los que intentaba coger escaparon a su agarre y cayeron desde una altura considerable justo sobre su cabeza.

—¡Me cago en la leche! —exclamó, porque trató de protegerse del impacto demasiado tarde.

Se llevó las manos a la boca, porque no quería reírse, pero le daban ganas. A la veterinaria se le había agotado la chulería por la vía rápida a golpe de libro, y a lo mejor se había hecho daño de verdad, así que se levantó para acercarse a ella.

—¿Estás bien? —preguntó tomando su cara entre las manos, y trató de mantener el gesto serio, pero le daba la sensación de que sin mucho éxito.

—No, y tú te estás riendo —la acusó Ashley. Sí, sin mucho éxito, definitivamente.

Lo negó con la cabeza, pero era consciente de que, a la vez, estaba sonriendo; comunicación no verbal totalmente incoherente y la veterinaria frunció el ceño, medio indignada, medio divertida por la situación. Mantenía una de sus manos cubriendo el punto exacto del impacto más potente y se resistía a otorgarle el privilegio de echar un vistazo.

—No seas niña, Ash. Déjame ver —insistió tratando de establecer contacto visual sobre la zona de la catástrofe—. ¿Te duele? —preguntó cuando, por fin, Ashley cedió retirando su mano.

—Menos que mi orgullo —admitió y aquella respuesta la hizo sonreír más y la veterinaria terminó contagiándose del gesto.

—Era hora de que alguien te lo rebajara un poco —bromeó acariciándole la zona afectada con suavidad—. Gracias, John Grisham —añadió tras consultar la identidad del autor de uno de los libros en cuestión.

—Muy graciosa, Lewis. —Sonrió y trató de que sonara irónico, pero era obvio que le había hecho gracia de verdad—. En vez de burlarte de mí, deberías agradecerme que arriesgue mi vida ayudándote con la mudanza.

Le sostuvo la mirada y, a los dos segundos, Ashley le dedicó media sonrisa. Era una de sus preferidas, de las de «vamos a tontear un poco, anda, que sé que a ti te encanta también».

—Pensaba que lo hacías porque te gustaba pasar tiempo conmigo —dijo, comenzando a juguetear con el cuello de su camiseta.

—El tiempo se puede pasar de muchas formas, Claire —insinuó la veterinaria alzando una ceja, y es que a Ashley le encantaba que toqueteara su ropa y se lo había aprendido rápido.

La veterinaria la estaba mirando de una forma que le hacía muchas cosas a su interior, cosas interesantes, entre ligeramente eróticas y francamente sexuales. En los últimos días había pasado de preguntarse «¿cómo será?» a repetirse «quiero hacerlo otra vez» en cuanto Ashley la miraba un poco más de la cuenta.

—Se me ocurren unas cuantas —reconoció bajando la voz, acarició la línea de su mandíbula con el dedo índice y notó un escalofrío cuando Ashley bajó la vista a sus labios.

—A mí también. Elige una —le cedió el honor conectando de nuevo sus miradas, y utilizó un tono erótico exagerándolo hasta el extremo.

De repente, era como estar en una película porno, de las malas, además. Por favor, le encantaba que fuera tan increíblemente imbécil.

—¿Qué te parece si pasamos los próximos cinco minutos bajando estas cajas al coche? —le siguió la corriente imitando su forma de hablar.

—Joder, Claire, sí, hagámoslo —continuó con su juego y a ella se le escapó una sonrisa.

—Eres muy idiota —dijo recuperando su tono normal y la apartó, empujándola un poco por el pecho.

Ashley cargó con una de las cajas y la besó fugazmente al pasar por su lado.

—Y a ti te encanta —se lo recordó con una sonrisa de las que le desmontaban el alma por piezas.

Buf, es que le encantaba de verdad.

***

«Pensaba que lo hacías porque te gustaba pasar tiempo conmigo».

Claire lo había dicho bromeando, pero no tenía ni idea de hasta qué punto era verídica aquella afirmación. Joder, no podía ser más cierto. Adicta a su compañía, desde hacía meses, pasarse un día entero sin verla era impensable a esas alturas. Impensable y una pérdida de tiempo.

La observó desde una de las sillas de la isleta de la cocina mientras la rubia recogía las cosas de Cleo de una de las baldas superiores del armario, una cantidad sorprendente de latitas de comida húmeda y de bolsas de chucherías para perros, menuda mascota más mimada. Su organismo sonrió por dentro, porque a ella con Darwin le pasaba un poco de lo mismo, y recorrió el perfil de Claire sin prisas. Le gustaba hacerlo, mirarla a veces mientras ella hacía cualquier cosa. La rubia tenía algo que la idiotizaba con vergonzosa facilidad, tan solo contemplarla le generaba una sensación interna francamente indescriptible, le encantaba y por eso seguía mirando.

—Le cogí muchas de estas porque sale en la tapa —explicó la rubia de repente mostrándole la cubierta de una de las latas.

En ella aparecía un ejemplar de jack russell y tuvo que sonreír al oírla, porque a veces le parecía adorable de una manera muy muy intensa y le daban ganas de besarla simplemente por eso. Claire sonrió también, a lo mejor impulsada por su forma de observarla, y se acercó a la isleta con todas las pertenencias de Cleo en brazos. Las depositó frente a ella. Y, una vez libre de su carga, la tomó por las mejillas con una sola mano y la besó fugazmente.

—Deja de desgastarme con esa mirada tuya y mete esto en bolsas, por favor.

Y era más fácil decirlo que hacerlo, por su forma de juguetear con su ropa, de tocarle la cara, por cada gesto que tenía hacia ella y porque muchas veces era la rubia quien la desgastaba, escaneándola con ese azul tan jodidamente bonito. Todo con Claire estaba cargado de algo que la impulsaba a mirarla una y otra vez, como si fuera a perderse la mejor parte si desviaba su atención a cualquier otra cosa tan solo un segundo de más.

—¿Deberíamos llevarnos también el kétchup? —la escuchó preguntar mientras buscaba una bolsa en uno de los cajones. Sonrió, porque luego era ella la idiota.

—No, gracias, de momento voy a prescindir de él un poco más —contestó de espaldas a la rubia.

—En algún momento tendrás que probarlo otra vez.

Le dio la sensación de que trataba de atraer su atención con aquella insistencia en el dichoso kétchup, pero continuó con su búsqueda de la bolsa perfecta, al fin y al cabo, la había regañado hacía nada por «desgastarla con esa mirada suya».

Dos segundos después escuchó el sonido de algo cayendo a plomo al suelo y se giró, casi involuntariamente, un automatismo. Localizó a Claire apoyada en la puta encimera y un jodido bote de kétchup aún rodando por las inmediaciones. ¿Cuántas veces había imaginado que era ella quien le comía la boca a la rubia en aquel mismo escenario? Unas cuantas, alguna más de las que estaba dispuesta a admitir. Y se le aceleró un poco el pulso, porque hacía no mucho que había descubierto que Claire lo había pensado también, y aquella forma de recostarse ligeramente sobre el mármol sugería que era bastante probable el que se lo estuviera planteando en aquel mismo momento.

—Las fobias se superan con exposición, ¿sabes? —comentó con total tranquilidad, recostándose un poco más.

Y es que a lo mejor la rubia no se estaba dando cuenta de lo increíblemente bien que aquella jodida camisa le marcaba todo, o quizá era muy consciente y por eso la miraba de ese modo. Se olvidó del cajón, ya daba lo mismo porque no se acordaba de lo que estaba buscando y no le importaba. No iba a reconocer en voz alta que se había puesto un poco cachonda antes mientras recogían los libros con la gilipollez esa de hablar en tono porno, pero había sucedido así y a ella misma no podía engañarse. Así que en ese mismo momento llovía sobre mojado, y aquella expresión jamás había sido utilizada en mejor contexto.

Claire la miraba con una de esas sonrisas suyas, de las que le hacían pensar «mierda, eres lo más sexi que he visto nunca» y «cómo puedes ser tan jodidamente adorable» al mismo tiempo. Cuando aparecían, sus circuitos se freían un poco tratando de integrarlo todo, así que dejó de intentarlo y recortó el espacio que las separaba, dándole un buen repaso a su anatomía entera por el camino. Cuando llegó junto a ella, conectó sus miradas, porque con Claire el contacto visual era jodidamente necesario en aquellas situaciones. Apoyó las manos en la encimera, junto a las de la chica, una a cada lado de su cuerpo. Increíblemente cerca y sin tocarse, porque su único contacto era ocular.

—Joder, Claire, sí, hagámoslo —rescató aquella frase de su teatro porno, porque sabía que la haría sonreír, y centró la atención en su boca cuando la rubia lo hizo porque le encantaban las vistas.

—¿Quieres llevar cosas al coche ahora? —preguntó divertida, y ella conectó sus miradas de nuevo y negó con la cabeza, adoptando un gesto serio.

Claire dejó de sonreír, no de golpe, gradualmente y manteniendo el contacto visual. Ya empezaba, aquella anticipación nacida en la boca de su estómago se extendía por su organismo al completo, impulsado por cada latido más fuerte que el anterior. A veces hacían aquello, tan solo mirarse intensamente, porque le encantaba dejarse fundir por dentro por los ojos de Claire y ella parecía disfrutar también perdiéndose en el verde de los suyos, así que las dos ganaban.

—¿Qué quieres hacer? —la rubia lo preguntó a media voz y bajó la vista a sus labios, un juego distinto al anterior.

—Joder, muchas cosas —reconoció y le salió un tono algo ronco, porque en la periferia de su campo visual el pecho de Claire había comenzado a subir y a bajar más deprisa de lo normal.

Su respiración se había acelerado ligeramente, a imagen y semejanza de la de la rubia, y bajó la vista a aquella puta camisa y, cuando decía «aquella puta camisa», quería decir a sus pechos enmarcados en la tela de aquella puta camisa.

—Hazlas. —La voz de la rubia reflejaba sus mismas ganas. «Hazlas».

Una simple palabra o el pistoletazo de salida que no sabía que estaba esperando, porque en cuanto la escuchó estrelló sus labios en un beso que de delicado no tenía nada de nada, y colisionó el resto de su anatomía contra ella, presionando a la rubia contra el mármol y la madera de la encimera, de golpe y sin ningún cuidado. No había sido así de brusco entre ellas nunca, pero en ese momento no podía ser de otra manera y la tomó por los muslos mientras Claire profundizaba el beso a lo bestia. La rubia gimió contra su boca al sentir cómo la subía a la encimera con mucha prisa, y ella la acercó a su cuerpo de un súbito tirón de la cintura de sus pantalones porque quería sentir su intimidad contra el abdomen. Nuevos gemidos por ambas partes y un «estoy muy cachonda, Ashley» jadeado contra su boca que la hizo gruñir una vez más.

Paseó las manos abiertas por sus piernas, por sus caderas, quería tocarlo todo con muchas ganas y, mientras, Claire la estaba besando de una forma increíblemente necesitada y casi brusca, porque la temperatura había subido de golpe y perder el control de aquella manera era lo puto mejor del mundo. Sintió las manos de la rubia despeinándola en su ímpetu por acercarla más e invadió su boca, con poca suavidad y bastante lengua, y se inclinó sobre ella sin dejar de atacar sus labios, obligándola a recostarse aún más sobre el mármol y contra la pared, porque quería comprimir su anatomía bajo la suya y la altura del jodido mueble no le permitía sentirla donde más lo necesitaba.

Claire le mordió el labio inferior y ella abandonó su boca para hacer lo mismo con su cuello, arrancándole un ronco gemido a la garganta de la rubia; intentó crear movimiento de fricción entre sus cuerpos, pero sus caderas quedaban a la altura del primer cajón y la sensación resultaba extraña y algo perturbadora. Follar con madera no era lo suyo. Se conformó con los movimientos que Claire realizaba contra su abdomen, porque esos sí que le gustaban de verdad, y sintió cómo comenzaba a despojarla de su camiseta, así que se incorporó para ayudarla a deshacerse de ella. La prenda terminó sobre el grifo del fregadero y las piernas de Claire rodeándole la cintura, se dejó tomar posesivamente por la nuca y recibió uno de los besos más húmedos que nadie le había dado jamás. Aquella chica besaba increíblemente bien y la presión que estaban realizando sus gemelos sobre su trasero era la hostia de interesante.

—Quítame la puta camisa, Ash, joder —lo exigió entre besos y a ella oírla hablar así le aceleró el sistema nervioso, porque no solía hacerlo y aquel era el contexto perfecto para empezar.

—No sabía que hablases así de mal, Lewis —bromeó entre jadeos.

Claire la atrajo con brusquedad hacia ella, obligándola a chocar con el mueble con su mitad inferior, se le escapó un gemido y se le quitaron las ganas de seguir bromeando. Menuda eficacia. Guio sus manos a ciegas hacia los botones de su camisa, porque volvían a besarse de aquella forma tan jodidamente erótica, y comenzó a desabrochar el primero y era la hostia de difícil, con tanto movimiento por todos lados era casi imposible atinar. El ojal era ridículamente pequeño, los botones muy grandes o tanta excitación le sentaba un poco mal a su motricidad fina. Al final, Claire la ayudó entre jadeos, besos y el calor de su respiración descontrolada quemándole la boca de forma intermitente. Menudo acompañamiento a todo lo demás.

En cuanto desabrocharon el último botón, la deslizó sin ningún cuidado y con mucha prisa por sus brazos, dejando al descubierto la parte superior de su cuerpo y comenzó a besar su escote, mientras Claire intentaba liberar sus manos de los puños de la prenda, sin mucho éxito. Joder, la visión de los pechos de la rubia encerrados en aquel sujetador negro la impulsó a sujetarla fuerte por la cintura y presionarla contra su abdomen mientras ella seguía retorciéndose, tratando de liberar sus manos, porque seguramente se moría por tocar. La dejó a solas en su lucha y lamió el hueco entre sus pechos, subió por su escote y su cuello, hasta llegar a las inmediaciones de su oreja.

—Claire, me pones... muy cachonda —lo dijo en dos tiempos, jadeando, y ella se estremeció ante la sensación de su aliento en la oreja.

Por fin, la rubia consiguió la libertad para una de sus manos y llevó ambas de inmediato a sus pantalones, con la camisa colgando de una de ellas. Las coló en sus bolsillos traseros e intentó acercarla a su cuerpo, pero el mueble hacía tope y ella estaba tan necesitada que aquella presión contra la madera comenzó a gustarle de forma ligeramente preocupante. Fue al sentir el mordisco de Claire en su cuello cuando decidió que ya no podía más. Y, joder, es que no podía, porque le había mordido muy bien y con mucha puntería.

Bajó a la rubia de la encimera en un solo movimiento, tirando de la cintura de sus pantalones, la aprisionó contra el mueble maldito y, madre mía, aquello estaba mejor, porque las manos de Claire seguían en sus bolsillos traseros y apretaban, mucho. Tuvo que mover sus caderas contra ella y gimió en uno de sus espectaculares besos al sentir cómo Claire buscaba más contacto a su vez. Sujetó las manos de la rubia cuando trató de desabrocharle los pantalones y esta alzó la vista en busca de una explicación.

—Aún no, Lewis —fue todo lo que dijo antes de girarla, sujetándola por las caderas.

De espaldas y completamente pegada a ella, es que las formas de Claire encajaban jodidamente bien con las suyas. Como hechas a medida. Le acarició el abdomen con las palmas abiertas, y le besó el cuello cuando Claire inclinó la cabeza a un lado, apoyándose en su hombro. Esta vez fueron las caderas de la rubia las que se encontraron con la madera de la encimera cuando se presionó aún más contra su cuerpo y la escuchó jadear. Comenzó a moverse, el culo de Claire era mucho mejor que la estúpida madera, y le mordió el cuello al oír un gemido en forma de «Mierda, Ashley». Bufff...

Le desabrochó los pantalones, sin más, porque tenía mucha prisa y muchas ganas. Aquel iba a ser su primer polvo rápido, su polvo de la paz con el kétchup. Le bajó la cremallera y Claire buscó su boca, girando un poco la cabeza hacia ella, se besaron de forma torpe y resbaladiza, jodidamente sexi, porque mientras tanto la rubia la ayudó a bajar un poco sus pantalones. En cuanto hubo espacio suficiente deslizó su mano derecha hacia abajo, por su abdomen, su bajo vientre y dentro de su ropa interior, porque se moría por tocarla. Madre mía, la visión de aquellas bragas negras asomando sobre sus pantalones ligeramente bajados aumentaron las ganas que le tenía por cinco y se movió más fuerte contra ella, jadeando en su oído. Gruñó al sentir los dedos empaparse nada más entrar en contacto con los pliegues de Claire, y la chica gimió de forma ronca cuando comenzó a acariciarla lentamente.

Se tragó un «ay, por Dios» al verla inclinarse hacia delante, apoyando la parte superior de su cuerpo sobre la encimera, porque lo hizo de forma brusca y buscando presionarse aún más contra sus caderas. Hostia puta, es que estaba follándose a Claire Lewis contra la encimera de su jodida cocina y en aquella postura. Una perspectiva increíblemente erótica. Se inclinó sobre ella, sin dejar de estimularla dentro de su ropa interior y besó su espalda, Claire comenzó a moverse contra su mano con consecuencias bastante placenteras para ella, porque con cada suave embestida se creaba un ritmo perfecto y el culo de la rubia encontraba una y otra vez sus caderas.

El sonido de su móvil se entremezcló con los jodidamente sexis gemidos de Claire y ella gruñó un «Me cago en la puta» con mucho sentimiento, porque era el tono que había asignado al teléfono del trabajo.

—No pares... mi amor... un poco más —la rubia casi lo suplicó, aunque no le hacía falta, y aceleró los movimientos contra su mano y, en consecuencia, contra ella.

«Mi amor».

—Joder, Claire... —lo gruñó.

Y decidió que a la mierda todo y se abandonó a aquella increíble sensación, acomodando el ritmo de sus caderas a la cadencia marcada por la rubia. Cada vez que la escuchaba gemir y jadear de esa manera se moría un poquito por dentro, y Claire lo hacía cada vez más alto y más seguido, lo que contribuía a aumentar aquella presión insoportablemente placentera entre sus piernas. La sintió tensarse bajo su cuerpo, y dedicó los últimos segundos a estimular su clítoris mientras jadeaba junto a su oído. Supo que Claire acababa de correrse porque su último gemido fue la hostia de revelador.

—Joder... —lo suspiró, parando todo movimiento y besando el hombro de la rubia.

La abrazó contra su cuerpo, apoyando la mejilla en su espalda y pudo escuchar cómo su corazón latía a mil por hora. Sacó la mano, colocándole bien la ropa interior, y cubrió con la palma su bajo vientre, acariciándoselo con suavidad. Otro beso en su espalda, porque el teléfono había dejado de sonar hacía un par de minutos y debería ir a contestar la llamada, pero necesitaba un poco más de aquello antes, así que la abrazó fuerte. Sonrió cuando la rubia acarició su nuca, porque aún llevaba la camisa colgando de aquel brazo, y besó su mejilla en el momento que Claire giró ligeramente la cabeza para poder mirarla.

—Deberías haber contestado, ¿verdad? —aventuró incorporándose y volviéndose hacia ella.

—Contestaré ahora —resolvió mientras le colocaba bien los pantalones.

Claire le sonrió cuando le subió la cremallera y ella le devolvió el gesto abrochándole el botón. La rubia tomó su cara entre las manos y unió sus labios de forma suave. Un beso muy diferente a los que acababan de compartir, uno de los de «eres lo mejor del mundo», así que se lo devolvió, acariciando sus costados rítmicamente.

Claire reclamó de nuevo sus labios al sentir que iba a separarse y ella sonrió aceptando su boca una vez más. Tenía cierta prisa por responder la llamada, pero no tanta. Sintió su mano acariciándole la mejilla, justo antes de finalizar el beso, y cuando abrió los ojos, se encontró con aquel azul esperándola. Le sonrió de medio lado, pero Claire continuó mirándola con gesto serio, nuevo, desgastándole un poco las facciones, como si estuviera sopesando si decir algo en voz alta. Ella ensanchó su sonrisa y frunció el ceño.

—¿Qué pasa? —preguntó, colocándole un mechón de pelo tras la oreja.

—Ashley...

Y el puto teléfono sonando otra vez cortó lo que Claire iba a decirle, le sostuvo la mirada, haciéndole saber que tenía unos segundos para escucharla si elegía finalizar su frase, pero la rubia desvió su vista hacia la puerta que daba al salón.

—Cógelo, anda, ya van dos veces —dijo sonriendo y la besó fugazmente después.

—Dos segundos y retomamos el momento —pactó ella antes de correr hacia la mesa del salón para contestar la llamada. Cuando regresó, lo hizo un poco malhumorada, la verdad.

Porque seguía bastante cachonda y por culpa del gilipollas de Dwain, que no contestaba al teléfono, le tocaba a ella ir al zoológico de forma inminente. Joder, tenía guardia localizada el sábado, no el jueves a las siete de la tarde. ¿Y por qué las cabras tenían la manía de comerse todo lo que se encontraban por el camino?

—Tengo que ir al zoo —anunció recuperando su camiseta del fregadero y colocándosela de mala gana.

Le dolió todo aún más cuando vio a Claire con su camisa puesta y abierta de par en par. Y la mirada que le dedicó la rubia era de compasión total, porque a lo mejor le llegaba su calor corporal desde allí.

—¿Qué ha pasado? —se interesó y ella también parecía decepcionada.

—Una de las cabras se ha comido una cuerda. Kris está de tarde, pero hay que operarla, se necesitan dos personas y Dwain está apagado o fuera de cobertura en estos momentos. —Joder, cómo odiaba a ese tío.

Se dirigió a la puerta de entrada y Claire la acompañó, abrochándose la camisa por el camino. En cuanto llegó a la altura de la puerta, se volvió hacia la rubia. Puta camisa del demonio, y Dwain, menudo cabrón.

—No sé cuánto nos llevará, te aviso desde allí —aseguró poniéndose el abrigo—. ¿Vas a estar bien? —preguntó, porque la rubia había quedado con su exnovio allí mismo en una hora.

Sonrió cuando Claire le colocó bien el cuello y, después, se dejó besar y acariciar la cara, porque esa chica podía hacer lo que le apeteciera con ella y mucho más.

—Voy a estar bien —aseguró colocando ambas manos sobre su pecho—. Ahora vete a salvar a esa cabra —le ordenó besándola fugazmente en los labios y abriendo la puerta de salida.

—Mi odio por Dwain ha aumentado en un doscientos por cien —dijo abandonando la casa.

Salió a la calle y al momento más incómodo de toda su existencia a la vez. Porque localizó a Nick bajándose de su coche a apenas ocho metros de distancia, el chico llegaba con una hora de antelación, y gracias a Dios que no había aparecido diez minutos antes. Nick también la vio a ella cuando comenzó a caminar hacia la casa, no tenía muy buena cara y no la saludó cuando se cruzaron, mucho mejor así, porque era evidente que el chico no tendría nada excesivamente bonito que decirle. Apartó la mirada al pasar por su lado y continuó caminando hacia su coche.

Volvió la vista atrás un par de segundos después, lo justo para ver a Claire despedirla con un discreto movimiento de mano.

10

Olivia folla de nuevo

Ashley le dedicó una pequeña sonrisa antes de seguir caminando hacia su coche y, a pesar de lo incómodo de la situación, su corazón se saltó un latido. Seguramente lo hizo para animarla a desglosar, tratando de diferenciar una cosa de la otra a nivel emocional, porque mientras Ashley se alejaba a su derecha, Nick caminaba hacia ella a su izquierda. Incómoda situación. Un triángulo, de los isósceles, que al final había pasado a convertirse en una línea recta. La distancia más corta entre Ashley y ella. Lo que acababa de pasar entre las dos en la encimera de la cocina seguía sintiéndose igual de bien, a pesar de que el encontrarse cara a cara con Nick estuviera removiéndole algunas cosas por dentro. No había espacio para la culpabilidad por estar con la veterinaria, al menos no en aquel aspecto. Y ahora sí se había acostado con ella, pero aquel «no todos se follan a la primera que se les cruza en el camino» no podía afectarle porque simplemente sabía que no había sido así y con que ella lo tuviera claro bastaba. Y había aceptado que nunca iba a conseguir que él lo entendiera, pero tampoco lo necesitaba.

El chico llegó a su altura y ella le sostuvo la mirada, hacía dos semanas desde su tensa conversación. Quince días desde aquel «se acabó». A lo mejor habían estado posponiendo el momento, o quizá ambos habían necesitado aquel tiempo para recolocar el desastre que había dejado a su paso su «Yo quiero estar con ella». Y es que quería de verdad, pero a pesar de todo, cuando sus miradas conectaron, todo comenzó a pesarle el doble de nuevo. La otra cara de la moneda, lo que había dejado atrás para poder seguir adelante. Un daño colateral por muy frío que aquello sonase, porque en toda aquella historia no había ni malos ni buenos y le había costado un poco hacer las paces con eso. Que Nick y Tracy se habían llevado la peor parte sin buscarlo ni merecerlo, pero el error no habían sido Ashley y ella, lo que no encajaba había sido lo de antes.

—Hola —saludó al chico cuando llegó a su altura.

Nick la miró por unos segundos, gestionando lo que tuviera que gestionar al verla de nuevo en aquel escenario desconocido para ambos. En la puerta de la casa que habían alquilado juntos hacía medio año y sin saber qué decir más allá de un simple «hola». Y podría pensar que era imposible que seis años de relación acabasen así, pero es que no lo era, ¿por qué no iban a poder quedarse mudos si ya no había nada más que decir? «Ya no eres lo que necesito». Le había costado un infierno emocional aceptar que aquello no era egoísta, y que podía decir «quiero algo distinto» sin sentirse el ser más horrible del planeta. Que habían estado seis años juntos, pero eso no significaba que le debiese nada.

—No sabía cuándo ibas a venir a por el resto de tus cosas —señaló Nick.

Dando por sentado que aquella era la razón de su presencia allí una hora antes de lo estipulado. Habló con tono neutro, y lo conocía demasiado bien, así que entendía que era el único que podía utilizar.

—Acabo de alquilar un piso y entro la semana que viene —dijo, retirándose de la puerta para permitirle pasar.

—¿Tiene suficientes estanterías? —preguntó mientras se desprendía de su abrigo.

Aquello de meterse con ella por la cantidad de libros que tenía lo había hecho desde el principio, casi desde su primera cita, que lo rescatara en aquel momento lo convertía todo en un poco más agridulce. Sonrió levemente y Nick se apoyó de espaldas en la pared junto al perchero, con las manos escondidas en los pantalones del traje y la mirada fija en ella.

—¿Qué tal en Boston? —lo preguntó por decir algo y porque de verdad quería saberlo. Y se cruzó de brazos, no en actitud defensiva, pero aquella postura le hacía sentir mejor.

—Bien. Necesitaba desconectar. Coger distancia, ¿no es eso lo que se dice? Una nueva perspectiva, aunque en el fondo es la misma todo el tiempo. —Se masajeó las sienes con una mano. Conocer del todo a una persona es difícil, y conseguirlo tenía cosas buenas y otras no tan buenas. En ese mismo momento, Nick era todo fachada, y el chico necesitaba que siguiera siendo así, seguro. No iba a ser como a ella le habría gustado, no iban a tocar material sensible, únicamente lo justo para cerrar su episodio. Lo había visto muchas veces a lo largo de aquellos años: en las discusiones con su padre, problemas con amigos y dificultades laborales. Y a veces podía parecer insensible, como si hablase de negocios en vez de sentimientos, pero él funcionaba así y lo hacía para no romperse. Durante mucho tiempo ella había tenido el privilegio de estar al otro lado de la fachada, pero ya no.

—¿Qué tal están todos? —preguntó, cambiando el peso de su cuerpo de pie.

Pensar en sus padres, en su hermana y en los niños la obligó a tragar fuerte, porque si Nick no se rompía, ella tampoco podía permitirse hacerlo.

—Están bien —aseguró—. Aún no se lo he dicho. Así que, si hablas con ellos, te agradecería que no dijeras nada.

Nick aprovechó la coyuntura para pedirle aquel favor y el nudo de su garganta se hizo un poco más grande. Aceptación. El «podemos arreglarlo» había quedado atrás en el camino y ahora solo les quedaban las deferencias, un «dame la oportunidad de decirlo a mi manera».

—Tranquilo. Mañana voy a Boston a hablar con mis padres, pero les pediré que no digan nada —accedió, respirando hondo.

Nick asintió y fijó su vista en el suelo.

—¿Qué vas a decirles? —le preguntó tras unos segundos de silencio—. Porque llevo todos estos días dándole vueltas y no sé cómo hacerlo —reconoció conectando sus miradas.

Y lo entendía perfectamente, porque le pasaba lo mismo. Sus padres adoraban a Nick y los padres de Nick la adoraban a ella, y no iba a ser nada fácil, para ninguno de los implicados. Pensar en eso le humedeció los ojos, se los secó con el dorso de la mano y el chico bajó la vista al verla. Y ya la conocía, así que seguro que no le sorprendía que se emocionase en ese preciso momento. Detrás de aquella fachada había algo parecido, aunque ella ya no tuviera derecho de acceso.

—Nick, si lo necesitas, podríamos decírselo juntos a tus padres y a Nora y los niños —ofreció aquella posibilidad, pero él se negó con un movimiento de cabeza.

—Prefiero decírselo yo —aclaró después.

De nuevo aquel silencio entre ambos y tuvo que secarse los ojos otra vez. *Mierda, Lewis*, y es que le habría gustado ser un poco más dura, pero le era imposible y tenía que aceptarlo. Y había algo que quería preguntarle a Nick, porque todo aquello era terreno desconocido y aún no se sabía las reglas, o a lo mejor no existían normativas predeterminadas y las tenían que acordar entre los dos.

—¿Te importaría que siguiera viéndolos de vez en cuando si ellos quieren? —preguntó refiriéndose a todos en general y a sus sobrinos en particular.

—Joder, Claire, son tus sobrinos, lo que me importaría es que no lo hicieras —reconoció el chico—. Y con mis padres haz lo que quieras, ya sabes lo pesados que pueden llegar a ser —dijo bajando la cabeza, porque mantener aquella conversación le estaba costando la vida entera.

Ella sonrió un poco entre las lágrimas, porque era verdad, pero le gustaba que fueran así. No le hizo falta aclararle que él era libre de hacer lo que necesitase hacer con respecto a su familia y estaba segura de que, de una forma u otra, iba a continuar en contacto con sus padres y yendo a ver a los Red Sox con su hermano de vez en cuando.

—Así que te mudas... —Nick rescató aquel tema. No lo sabía con seguridad, pero le dio la sensación de que de un modo u otro el confirmar que no estaba viviendo con Ashley era importante para él. Y podía llegar a entenderlo. Ni en un millón de años iba a tratar el tema directamente, pero seguro que necesitaba saber ciertas cosas.

—Cerca del instituto.

—Mucho más práctico. Yo estoy buscando algo por la zona del bufete —señaló—. Le diré al casero que la casa se queda libre el mes que viene —dijo mirando a su alrededor.

Más práctico, sí. Y eso era todo lo que iban a sacar en claro de aquella conversación. Quién le dice qué a quién, quién puede seguir viendo a quién y qué hacían con la casa. ¿Cerraban el trato? Porque a ella le daba igual romperse y llorar y decirle que a pesar de todo iba a echarle mucho de menos. Habría preferido que Nick le dijera que estaba muy enfadado con ella y con él, por no haber sabido hacerlo mejor, que no podía creerse que seis putos años hubieran quedado reducidos a «la casa se queda libre el mes que viene». Y estaba todo ahí, en su trastienda, pero no iba a decírselo simplemente porque no podía, y ella tenía que entenderlo igual que él comprendía que fuera de lágrima fácil.

—¿Cómo va a ser a partir de ahora entre tú y yo?

Nick la sorprendió tras unos segundos de silencio y cuando conectó sus miradas distinguió algo más debajo de la superficie de dudas prácticas y terrenales. Una especie de «¿Y ya está?», porque aparte de eso no quedaba mucho más que decir.

—¿Cómo pueden ser las cosas a partir de ahora entre tú y yo? —respondió con otra pregunta y perdió el contacto con su mirada.

—No lo sé. Joder, Claire, no lo sé. —Se frotó la nuca—. Ni siquiera estoy seguro de que puedan ser de alguna manera. —Suspiró golpeándose la cabeza suavemente contra la pared—. ¿Tú qué crees?

Y a lo mejor habría preferido que todo se quedara como un cierre de negocios, aséptico y formal, sin descargas emocionales de ningún tipo. Al estilo Nick. Porque solo el hecho de que no estuviera siendo así indicaba lo verdaderamente importante que era para él, tenía que significar mucho si le valía la pena el esfuerzo.

—Yo quiero que sigan siendo, del modo que sea —se sinceró—. Eres muy importante para mí y eso no va a cambiar, Nick.

El chico se apartó de la pared y comenzó a caminar hacia la cocina, demasiado intenso y necesitaba una pausa, una excusa en forma de vaso de agua. Tocar retirada antes de derrumbarse, porque recordaba las veces que habían salido precipitadamente de casa de los padres de Nick y él se había pasado el camino de vuelta a su apartamento llorando en el coche. En esa ocasión, iba a aguantar el tipo hasta que ella se marchara.

Lo siguió al interior de la cocina, las cosas de Cleo seguían sobre la isleta y el bote de kétchup en el suelo. Nick se agachó a recogerlo y seguro que aquella situación tenía algo de irónico escondido por alguna parte, debajo de tanta incomodidad, seguramente. Y es que hacía apenas quince minutos ella lo había tirado encimera abajo con el único propósito de provocar a Ashley bajo el pretexto de una terapia de exposición. El chico lo colocó de nuevo sobre la superficie de mármol y se apoyó en ella, como si nada. Tuvo que apartar la vista porque a un nivel inconsciente e irracional tenía miedo de que adivinase de pronto lo que habían estado haciendo en aquel mismo lugar justo antes de que él llegara. Se había cruzado con Ashley, pero no iba a mencionarla, y así era más fácil.

—¿Cómo está Cleo? —preguntó tras localizar las latas de pienso sobre la isleta.

—Está bien. Bueno, ahora seguramente a punto de reventar en casa de Olivia —dijo haciéndose con una bolsa y comenzando a introducir en ella la comida.

—¿Te queda mucho que recoger? —preguntó cogiendo un vaso y acercándose al fregadero, porque tener las manos ocupadas ayudaba un poco.

—No, hemos bajado todos los libros, así que solo falta esto —contestó refiriéndose a las pertenencias de su mascota.

Aquel «hemos» congeló los movimientos de Nick, tan solo un segundo, y después continuó llenando su vaso con aparente normalidad. Probablemente de no haber estado sobre aviso ni se habría dado cuenta de la pausa. Discreta, aunque muy significativa. Porque, hasta hacía muy poco, su «hemos» le incluía a él.

—Puede que llegues a tiempo para que no reviente, entonces. Un «no tardes demasiado en irte, porque no voy a aguantar mucho más». Y le dolía y lo entendía a partes iguales, que necesitara que se marchara, para poder romperse tranquilo, porque había dejado de ser también su paño de lágrimas y su hombro ya no le servía. Era alucinante la cantidad de implicaciones que tenía una ruptura, miles de matices que no ves hasta que estás así de cerca y pequeños detalles que hacen daño porque ni siquiera habías pensado en ellos antes de que se estrellasen contra tu cara y sin avisar.

—Seguro, su vejiga cada vez es más grande —dijo con media sonrisa.

Nick se la devolvió, y aun así era todo muy triste. Se dirigió de nuevo a la puerta de salida y el chico la siguió sin añadir nada más. Raro e incómodo, bastante descorazonador, porque la persona que tenía al lado había sido su mundo entero durante mucho tiempo y de repente no podían conversar más de diez minutos seguidos porque a él le dolía demasiado.

Justo cuando iba a abrir la puerta principal, el chico se interpuso entre ella y el picaporte. Inseguro, como si se dispusiera a saltar al vacío a sabiendas de que el paracaídas no iba a abrirse por mucho que tirase de la cuerda.

—Sabes que siempre he sido un puto retrasado emocional, Claire. Yo también quiero que sigamos siendo, de alguna manera. Y ahora lárgate, antes de que Cleo se lo haga en la alfombra. No creo que su vejiga sea tan grande como dices —dijo abriéndole la puerta sin más, suplicándole sin palabras: «vete ya, por favor».

—No eres tan retrasado como crees. —Sonrió a medias y él bajó la vista al suelo.

Se marchó sin añadir nada, con la sensación de que quedaban muchas cosas por decir, pero elegían no decirlas. Una opción perfectamente válida. Sin profundizar más, porque nadie les obligaba a hacerlo y a Nick no se le daba bien. ¿Qué más daba ya si él no lo entendía o si ella lo había interpretado mal? Un punto final civilizado era mucho más de lo que esperaba obtener después de todo. El saber tan a ciencia cierta que el seguir con él habría sido un error ayudaba a justificar aquellas emociones desordenadas. Tener a alguien como Ashley a su lado tampoco estorbaba precisamente, la veterinaria lo hacía todo mucho más sencillo. Porque su «Quiero estar contigo, Claire» la ayudaba a relativizar todo lo demás con asombrosa eficacia. Las cosas con Nick habrían terminado igual, con o sin Ashley, pero la transición habría sido mucho más dura sin ella, eso seguro.

Consultó su teléfono móvil, y descubrió que tenía mensajes pendientes de dos conversaciones diferentes. Abrió primero la de Ashley, porque hasta su maldito nombre escrito en una pantalla la atraía de aquella manera tan primaria.

«Ashley Darwin»
Última conexión 19:21
ASHLEY: Siento haber tenido que irme así.
ASHLEY: Ha sido jodidamente increíble y me encanta cuando me llamas «mi amor».
ASHLEY: El imbécil de Dwain no aparece y Saltitos se ha tragado la cuerda entera.
ASHLEY: Vamos a anestesiarla y a operar, puede alargarse bastante.
ASHLEY: Te aviso cuando termine.
ASHLEY: Espero que la conversación con Nick no haya sido muy horrible.

«Me encanta cuando me llamas "mi amor"».
Una simple frase y ya la tenía sonriendo como una idiota, porque a ella le encantaba llamárselo y es que, además, le salía solo. De momento, en escenarios sexuales en exclusiva, pero si a Ashley le gustaba tanto podía plantearse el generalizarlo a otras situaciones. A todas las demás. Y se preguntó si la veterinaria

solía utilizar también ese tipo de apelativos con sus parejas, no recordaba haberla oído usándolos con Tracy, aunque no las había visto interactuar demasiado. ¿Que si le gustaría que Ashley la llamara «mi amor» o «cariño»? Sí, y mucho, la verdad, pero tampoco iba a obligar a la pobre chica si aquel no era su estilo.

CLAIRE: Yo también siento que te hayas tenido que ir «así».

CLAIRE: La conversación con Nick ha ido mejor de lo que esperaba.

CLAIRE: Supongo que estarás en mitad de la operación, así que voy a casa de Olivia.

CLAIRE: Me gustaría pasar la noche contigo hoy, espero que no acabes muy tarde.

¿Cuánto podría tardarse en operar a una cabra? Le había asegurado a Olivia que aquella noche dormiría con Ashley, pero de momento aquel plan quedaba entre interrogantes, y no le venía nada bien, ya se había hecho ilusiones. Sobre todo, después de aquel «espontáneo» encuentro, porque la veterinaria se había quedado con el calentón y ella con ganas de hacerle de todo. Y urgía un cambio de tema de forma inmediata, porque era posible que tuviera que aguantárselas todo el fin de semana si al final a Ashley se le alargaba la operación.

Resignación, Lewis. Algunas veces era mejor no pensar mucho, sobre todo si el tema en cuestión te hacía aquellas cosas tan interesantes en el cuerpo entero, porque sin Ashley cerca, más que interesantes eran una putada, así que: siguiente conversación de WhatsApp, por favor.

«Tommy»
Última conexión 18:57

TOMMY: ¿A qué hora llegas mañana? Puedo recogerte de camino a casa de papá y mamá.

TOMMY: Por cierto, las apuestas están dos a uno a que estás embarazada.

TOMMY: Podrías darme la exclusiva, soy tu hermano favorito.

Genial. Simplemente genial. Porque ahora, además de a Nick, sus padres iban a perder un hipotético nieto. Dos en uno y el mismo fin de semana. Una maravilla de viaje. Y que no sería fácil ya lo sabía desde el principio, precisamente por eso le había pedido a su hermano que fuese a cenar al día siguiente a casa de sus padres y él le había dicho que sí, porque ella también era su hermana favorita. Apoyo moral.

CLAIRE: Porque eres el único que tengo.
CLAIRE: El vuelo llega a las seis y media.

Se guardó el móvil en el bolsillo del abrigo lo justo para poder abrir la puerta de la casa de Olivia, y Cleo se abalanzó sobre ella como si hubiera pasado semanas sin saber de su paradero. Menuda efusividad. Sonrió y le acarició la cabeza antes de cerrar la puerta tras ella, y dejó que la siguiera hasta su habitación. Porque la ropa que llevaba era perfecta para atraer la atención de Ashley y de hecho había cumplido con creces su cometido, pero en cuestión de comodidad dejaba mucho que desear y prefería cambiarse a un chándal. Cuando volvió a consultar su móvil, unos minutos después y ya acomodada en el sofá, descubrió que su hermano le había contestado y continuaba «en línea».

TOMMY: ¿Y mi exclusiva?
CLAIRE: ¿Quién piensa que estoy embarazada?
TOMMY: ¿Todos?
CLAIRE: ¿Todos quiénes?
TOMMY: Todos, papá y mamá.
CLAIRE: ¿Y tú?
TOMMY: Me gusta contrastar la información antes de difundirla. ¿Exclusiva?
CLAIRE: ¿Por qué tendría que estar embarazada?
TOMMY: Porque has convocado al clan de los Lewis al completo.
TOMMY: Estás creando grandes expectativas, espero que estés a la altura.
CLAIRE: No me pongas más nerviosa, ¿quieres?

Y, en un primer momento, pensó que se lo había tomado al pie de la letra, porque se desconectó del WhatsApp sin escribirle nada más, pero pocos segundos después la pantalla del móvil se iluminó anunciando su llamada. No contestar fue una posibilidad que sopesó seriamente, pero durante un par de tonos nada más, y descolgó al tercero.

—Si vas detrás de esa exclusiva, pierdes el tiempo, Thomas —adelantó sin necesidad de saludar primero. Eran hermanos y tenían esa prerrogativa.

—*Son papá y mamá los únicos que van detrás de esa exclusiva. No insultes mi inteligencia, sé que no tiene nada que ver con eso.*

—¿Por qué estás tan seguro? —preguntó acogiendo a Cleo en su regazo.

—*Hablé ayer con mamá y me dijo que Nick no iba a venir.*

—Mamá es una bocazas.

—*¡No! ¿En serio?* —fingió sorprenderse y ella sonrió un poco—. *No tienes que darme ninguna exclusiva, Claire, solo quiero saber si estás bien* —añadió adoptando un tono más serio. Su voz de hermano mayor.

—Estoy bien ahora, pero no sé cómo voy a estar este fin de semana.

—*Me arriesgo y descarto embarazo y boda.*

—Nick y yo hemos roto —optó por aclararlo de una vez porque era ridículo no hacerlo a esas alturas.

—*Demasiado salomónico. ¿Ha sido él o has sido tú?*

—He sido yo —especificó—. ¿Por qué no pareces más sorprendido?

—*Bueno, hace tiempo que no estáis bien. Y en Navidades mamá me dijo que te pilló fumando de madrugada en el salón. Le dijiste que ya no te sentías igual por él.*

—Mamá necesita salir más o engancharse a otra telenovela —dijo algo molesta por la facilidad con que aquella mujer iba retrasmitiendo su vida a diestro y siniestro.

—*Perdónala, está siempre sola en casa y se aburre* —salió en defensa de su progenitora—. *Joder... vamos a matar a papá.*

Oh, mierda, es que era verdad y ya lo sabía, pero ratificado por la voz de su hermano se convertía en más real. Casi podía ver a su padre levantándose de golpe de la mesa, con una mano sobre su pecho antes de desplomarse contra el suelo, sujetándose al mantel en su caída y desparramando el salmón por todo el comedor. Un infarto fulminante y una pena, porque a su madre le llevaba toda la tarde preparar aquel plato. Y... espera, ¿Thomas había dicho «vamos»?

—¿«Vamos» a matar a papá? —preguntó y dejó de acariciar a Cleo. Toda su atención concentrada en lo que su hermano fuera a decir al otro lado de la línea.

—*Pensaba aprovechar que venías y contártelo cara a cara, mañana.*

—Y yo pensaba contártelo cara a cara mañana, pero te lo he contado teléfono a teléfono, hoy. ¿Qué pasa, Thomas?

—*Dani y yo vamos a adoptar* —reveló, su hermano nunca había sido mucho de hacerse de rogar y ella se llevó su mano libre a la boca al escucharle—. *Iniciamos los trámites hace casi dos años.*

—¿Dos años? ¿Por qué no me lo has dicho? —exclamó. Oh, madre de Dios, es que su hermano iba a ser padre y ella tía.

—*Te lo digo ahora.*

—Sí, porque vamos a matar a papá —le quitó mérito a aquella revelación.

—*Por eso y porque el mes que viene nos marchamos a Kenia y no se nos ha ocurrido nada mejor para justificar una estancia de dos meses en África.*

—Oh, joder, Tommy, vamos a matar a papá, pero estoy muy contenta por ti —admitió, y es que lo estaba y su hermano tenía que oírselo en la voz porque estaba por todas partes. Increíblemente contenta.

—*Lo sé, y por eso quería contártelo a ti primero. Apoyo moral, ya sabes.*

Siempre solían hacerlo, contarse las cosas primero antes de a sus padres, tenían asientos con preferencia, primera fila previa al desastre. Y aún había algo que Thomas debía saber, pero aquello no quería contárselo por teléfono. De Ashley quería hablarle cara a cara, así que se centró en la sorprendente exclusiva de su hermano. Kevin, su sobrino iba a llamarse Kevin y ella iba a llorar al verlo, seguro.

***

Se había pasado casi una hora al teléfono con Thomas y después había salido a pasear a Cleo y a Darwin, aprovechando la copia de las llaves de casa de Ashley que Olivia guardaba para casos de emergencia como ese. Sus mascotas necesitaban hacer pis y ella airearse y recolocar muchas cosas. Es que le habían caído encima casi de golpe y había mucho que gestionar y muy poco tiempo para hacerlo. Una gigantesca cascada de necesidad de adaptación, y demasiadas emociones refrescándose bajo el agua. Al día siguiente viajaba a Boston, con noticias que podían ser buenas o malas, según como se mirasen, pero es que su padre siempre las veía desde el mismo ángulo y no le favorecía mucho la perspectiva. Su «ya no era feliz con él, papá» no iba a impresionarle, le conocía demasiado bien como para tener eso claro y no había mucho más que pudiera decir, ninguna otra forma de justificar su decisión, porque el «soy feliz con ella» iba a posponerlo para más adelante.

No necesitas su bendición, Claire. Ya no eres una niña.

«Basta con que te haya impresionado a ti, ¿sabes?», «No hace falta que impresione a ningún Lewis más». Nicole tenía toda la razón del mundo, pero aquello era más fácil entenderlo desde fuera, porque sin tantas implicaciones emocionales la vida se veía de otra manera.

Ya eran casi las diez y Ashley aún no había dado señales de vida, esperaba que la operación no se hubiera complicado, por el bien de Saltitos. Había decidido cenar algo porque empezaba a tener hambre y comenzaba a hacerse a la idea de que aquella noche iba a dormir con aquel inquietante cuadro de chacras y Cleo como única compañía.

Dwain, cómo odiaba a ese tío.

Estaba terminándose los huevos revueltos mientras se entretenía consultando las redes sociales en su teléfono móvil cuando por fin apareció una notificación suya en la pantalla. *Dios, Claire, relájate, porque solo es un maldito mensaje de WhatsApp.* Inútil repetírselo a su organismo, podría quedarse afónica de tanto explicarlo y daría igual, iba a seguir acelerándose de esa manera tan vergonzosamente intensa cada vez. *Acéptalo y sigue con tu vida, Lewis. Y no te quejes tanto, porque te encanta la sensación.*

«Ashley Darwin»
En línea
ASHLEY: La operación ha sido un éxito.
ASHLEY: Pero hay que esperar un poco a que despierte de la anestesia.
ASHLEY: Si todo va bien, en media hora salgo para allí.
ASHLEY: Es un poco tarde, pero por favor, por favor, por favor, duerme conmigo esta noche.

Y sonrió al leerlo, porque le encantaba que Ashley fuera tan evidente con las cosas que quería o sentía en cada momento. Muy diferente a Nick, y nada parecido a ninguna de las relaciones que había tenido antes, en realidad. Lo hacía todo maravillosamente sencillo y como extra le despertaba mariposas en el estómago, todas de golpe.

CLAIRE: ¿Tantos «por favor»?
ASHLEY: Y si necesitas más, creo que tengo alguno por aquí.
CLAIRE: Guárdatelos, por si los necesitas en el futuro.
ASHLEY: ¿Eso es un sí?
CLAIRE: No te hagas la sorprendida, lo sabías antes de suplicar.
ASHLEY: Sí, pero a las chicas os encanta.

Sonrió abiertamente pensando «a mí me encantas tú». No podía decirlo más claro, pero eso Ashley ya lo sabía y aquel trato estaba cerrado desde el principio. Recogió la cocina y subió a la habitación para preparar las cosas que necesitaría a la mañana siguiente: ropa para ir al trabajo, por ejemplo. La pequeña maleta que pensaba llevarse a Boston estaba preparada desde el día anterior en un rincón de la habitación, y si su madre se enterase, la regañaría porque tanta antelación daba como resultado ropa el doble de arrugada, pero en aquellas cuestiones ella era una rebelde.

Cleo la observaba inquieta, porque sabía que se iba a algún lado, pero aún desconocía si estaba invitada a acompañarla y llevaba bastante mal eso de la incertidumbre. Lo tenía todo listo y se disponía a salir de la habitación cuando escuchó la puerta de entrada abrirse y cerrarse. La dueña de la casa por fin llegaba de «comprobar las caducidades de los medicamentos de la farmacia». Y estaba pensando para sus adentros algo así como «sí, claro, las caducidades de los medicamentos de la farmacia», pero congeló todo movimiento, físico y mental, al escuchar una risa masculina en respuesta a algo que había dicho su amiga en el piso inferior.

«Esta noche duermo en casa de Ashley».

Oh, Virgen Santísima. ¿La morena pensaba que tenía vía libre y había decidido aprovecharla? ¿Un nuevo envoltorio de condones en el suelo del baño al día siguiente? ¿Podría ser? ¿Podría ser aquel el misterioso amante de Olivia?

—Tienes los labios más sexis que he visto en mi vida. —El misterioso amante de Olivia, mierda.

La conversación se oía con una claridad absoluta y pensó que sería una buena idea dar a conocer su presencia en la casa, de todos modos, ya la había pillado, y la morena se vería obligada a presentarle a su acompañante; a lo mejor incluso era Erik y sobraban las formalidades.

Se acercó a la puerta dispuesta a bajar a la planta inferior y saludar a los recién llegados, pero se paró con el pomo en la mano al escuchar un gemido alto y claro en el piso de abajo.

—Joder, llevas toda la tarde poniéndome jodidamente cachondo.

¡Oh, Dios! ¡Oh, Dios!

Regresó al interior de la habitación, cerrando la puerta con cuidado, y se apresuró a coger a Cleo en brazos para impedir que delatara su presencia, porque la fiesta había comenzado en el piso inferior antes de lo previsto y la ventana temporal que le permitiría decir «Al final Ashley ha tenido que irse a trabajar y estoy aquí» se había cerrado. Para siempre.

Ay, madre mía, es que se estaba poniendo un poco roja y le estaba entrando mucho calor, porque ella no debería estar allí escuchando aquellas cosas, y no le interesaban. ¿Sordera temporal, por favor?

—No puedo creerme que ya la tengas tan dura...

Y justo después, un gemido masculino y ronco que no dejaba lugar a la duda de cómo Olivia conocía el estado de su... miembro viril. Después de aquello no podría volver a mirar a la farmacéutica a la cara. Nunca más. Nunca. Y a esas alturas la sordera podría ser permanente y le parecería igual de bien, gracias.

Le tapó las orejas a Cleo, no sabía por qué, una gilipollez, pero es que estaba tan nerviosa que le costaba filtrar comportamientos desadaptativos. Ay, señor, un golpe muy muy fuerte, claro indicio de que alguien acababa de ser estampado contra algo y aquellos sonidos claramente sexuales continuaban *in crescendo.*

Tranquila, Claire, recomponte, que es algo natural, como si tú no lo hubieras hecho jamás.

Y lo había hecho, muchas veces, pero esperaba que nadie la hubiera escuchado así nunca, porque se moriría de la vergüenza. ¿Si alguien hubiera oído lo que Ashley y ella habían hecho aquella misma tarde en su cocina? Muerta. Roja, y muy muerta.

Mantén la calma, Lewis.

Solo tenía que esperar a que aquellos dos subieran a la habitación de la morena y podría salir de la casa con total discreción. Mientras tanto simplemente tenía que evitar centrarse en el sonido ambiente. *Piensa en cosas bonitas, piensa en cosas bonitas...* Julie Andrews y «pequeños ponis, pastel de manzana, campanilleos y carne con tarta... gansos salvajes en vuelo sin fin... cosas tan bellas me gustan a...».

—Mierda, Olivia, vamos a la habitación o te follo aquí mismo.

No, no estaba funcionando y, por el amor de Dios, «habitación», que Olivia eligiera la habitación, porque si no lo hacía, la dejaría sin escapatoria. Y seguía tapándole las orejas a Cleo sin razón lógica aparente.

Oh, genial, subían por las escaleras. Olivia y su «misterioso amante» estaban subiendo por las escaleras. Dos segundos y un sospechoso estruendo después, Olivia y su «misterioso amante» estaban casi follando sobre las escaleras y ya no sabía dónde meterse. Aquellos dos se reían entre jadeos y a ella no le hacía ni una pizca de gracia.

Gracias a Dios, volvió a escucharlos retomar su torpe ascenso escaleras arriba. Ya casi estaba, ya casi estaba. Muy bien, chicos, unos pocos escalones más y a la izquier... ¡Mierda! Dio un respingo cuando chocaron sin previo aviso contra su puerta cerrada con fuerza y gimiendo, y lo sentía mucho por Cleo, pero usó las manos para tapar sus propios oídos, porque los estaba escuchando en Dolby Surround y algunas cicatrices no sanaban nunca. Tenía que destapárselos de vez en cuando, solo para comprobar si existía la posibilidad de salir corriendo, pero es que al hacerlo escuchaba cosas que no quería escuchar.

—Dime dónde quieres estos labios tan sexis...

En tu habitación, Olivia, maldita sea.

Y seguro que a Ronda le habría parecido muy, pero que muy divertido, incluso Ashley podría encontrarle el lado gracioso. ¿Ella? Ella no. Ella estaba pasando uno de los peores malos ratos de su vida entera y es que sus mejillas debían de estar al rojo vivo y solo pensaba en salir de allí lo antes posible.

—Joder, nena, ya lo sabes.

¿«Nena»? Madre mía.

Pasos. Pasos torpes. Pasos torpes alejándose. ¡Pasos torpes alejándose!

Al loro, Lewis, que casi ha llegado el momento.

Se acercó a la puerta tratando de no hacer ningún ruido, con Cleo bajo un brazo y la bolsa con su ropa para el día siguiente bien sujeta en la mano. Se tomó unos segundos para escuchar con atención, porque por nada del mundo quería salir y encontrarse a la pareja haciendo «cosas» en mitad del pasillo. La serenata sexual parecía haberse trasladado a la habitación de la morena definitivamente, así que abrió la puerta, despacio, muy despacio y con mucha mucha cautela y cara de «por favor, no estéis aquí, por favor, no estéis aquí». Cleo, mientras tanto, disfrutaba del momento, meneando su cola y con la lengua colgando.

Bendita ignorancia.

Casi soltó un suspiro de alivio al encontrarse el pasillo desierto, y se dirigió hacia la salida más cercana a la velocidad máxima permitida, sin hacer ruido y sin perder tiempo. Señor, podía escuchar frases inconexas y gemidos a sus espaldas, así que, una vez en las escaleras, aceleró el paso sin mirar atrás. Debían de quedarle tres o cuatro peldaños, tan cerca y tan lejos a la vez, un pequeño paso para Claire Lewis y un gran paso para la humanidad.

Y entonces lo escuchó.

Alto y claro.

Y el «misterioso» amante de Olivia dejó de ser misterioso de golpe.

Las tres palabras en forma de gemido más reveladoras de la historia de la sexualidad.

***

—¡¿«Dios, Aaron, sigue»?! ¿Aaron? ¿Dios? ¿Sigue? ¿«Dios, Aaron, sigue»? ¿Sigue? ¿Aaron?...

—Ronda, cariño, has entrado en bucle, podrías repetirlo hasta el infinito y seguirá siendo verdad —dijo Leo, sentado a su lado en el sofá y manteniendo la calma.

Claro que había buscado refugio en casa de Ronda y Leo. Necesitaba un sitio donde poder esperar a Ashley, y vagar por las calles con un perro debajo del brazo y sin rumbo fijo no le parecía de las mejores ideas a aquellas horas de la noche. La viva imagen del trastorno por estrés postraumático y es que, menos el temporal, cumplía todos los criterios.

Y los había interrumpido, seguro, parecía ser que Ashley y ella eran las únicas personas en todo Cleveland que no estaban follando a aquellas horas. Porque Ronda le había abierto la puerta toda despeinada y con un albornoz rojo con su nombre bordado sobre el bolsillo derecho, y a los dos minutos Leo había aparecido en el salón con uno igual, pero en tonos azules. Y sospechaba que ninguno de los dos llevaba nada más bajo aquel atuendo.

—Mamón —dijo de pronto Ronda—. Mamón. Le estaba llamando mamón. Un apelativo cariñoso.

Ella intercambió una mirada significativa con Leo.

—¿«Dios, mamón, sigue»? —lo cuestionó el chico en tono escéptico, devolviendo la vista a su novia.

—Es la única explicación lógica —dio por sentado la castaña.

—O realmente Olivia se está acostando con Aaron. —Ella se atrevió a explorar aquella otra opción desde el otro lado del sofá.

—He dicho «lógica», Lewis —puntualizó su amiga, así que levantó las manos en señal de rendición.

Porque a Ronda la posibilidad de que Olivia estuviera acostándose con su exnovio parecía estar sentándole mal, tirando a fatal. Y se había vuelto completamente loca.

—¿Dónde demonios está Ashley? —preguntó la castaña consultando su reloj.

Increíblemente sincronizado, porque casi no había terminado de pronunciar el nombre de la chica cuando sonó el timbre. Leo se levantó a abrir y ella casi sonrió al escuchar la voz de la veterinaria.

—Ey, Leo, bonitas piernas.

—Ey, Woodson, bonita cara, ¿cuántos días dices que llevas sin dormir? —se la devolvió el chico.

Bonitos piropos, y Ashley entró en el salón de la casa pocos segundos después, acariciando a Cleo que había salido a darle la bienvenida como una bala en cuanto la escuchó hablar.

Saludó a Ronda y luego le dedicó a ella un «Hola, Claire» en exclusiva y con distinto tono, sonrisa incluida, y así era como conseguía que su corazón se saltara latidos cada vez que la veía. Infalible. Se dejó caer a su lado en el sofá y la besó con naturalidad, aún tenía que acostumbrarse a que Ashley la besara así en público. Y le daba un poco de vergüenza, pero le encantaba a la vez, así que respondió a su gesto, aceptando sus labios y acariciando su mejilla con suavidad. Al finalizar su cariñoso saludo se dio cuenta de que Leo tenía razón, parecía realmente cansada, y le acarició la cara un poco más.

—Pensaba que ibas a esperar en casa de Olivia.

—Woodson, pregúntale a tu chica qué ha pasado —le instó la castaña, interrumpiéndolas y deseosa de compartir la nueva información con Ashley.

Ay, «su chica», es que sonaba mejor sin el «cerda» como sufijo y, cuando Ashley la miró interrogante, se le hinchó un poquito el pecho, porque ya era oficial. Después se acordó de que la «nueva información» la colocaba a ella en un lugar francamente comprometido, se le deshinchó el pecho y le empezaron a quemar las mejillas. No quería acordarse de las cosas que Olivia y Aaron se habían dicho cuando pensaban que nadie los escuchaba y menos reproducirlas delante de terceras personas, pero es que Ronda y Leo la observaban interesados, los dos sentados juntos en el sofá con sus albornoces a juego y bebiendo de sendos vasos de agua, porque se habían quedado sin cerveza. Ashley también la miraba en espera de una explicación que justificara su repentino cambio de planes, así que se removió un poco incómoda sobre los cojines del sofá y abrazó uno contra su pecho.

—Olivia está follando de nuevo —dijo utilizando el nombre de aquel grupo de WhatsApp mientras bajaba la vista a las costuras del cojín.

Ashley compartió una rápida mirada con sus amigos antes de volver a buscar sus ojos.

—«Olivia está follando de nuevo». ¿Cómo lo sabes?

«¿Cómo lo sabes?». La pregunta del millón y su peor pesadilla. En vivo y en directo, así lo sabía. La prueba definitiva, irrefutable, y adiós a los interrogantes. Aquellos gemidos no habían dejado lugar a la imaginación.

—Los he... oído —señaló y Ashley frunció el ceño.

—Los has oído... ¿qué? —solicitó más información antes de llegar a sus propias conclusiones.

Y dijo «follando» en voz muy baja y jugueteando con la funda del cojín, porque es que no había querido darle más detalles a Ronda antes, pero estaba segura de que iba a pedirlos ahora.

—Perdona, Claire, ¿has dicho que los has oído follando? —quiso asegurarse la veterinaria.

Y lo estaba preguntando con media sonrisa. Porque todo aquello debía de parecerle bastante divertido a la muy tonta.

—Sí, ¿vale? Follando. Los he oído follando —confesó—. Estaba recogiendo algunas cosas para pasar la noche en tu casa y Olivia ha llegado pensando que no había nadie, porque supuestamente yo estaba contigo, y venía con alguien y han empezado a decir... —lo dejó en el aire, carraspeando y jugueteando de nuevo con las costuras del cojín.

—Han empezado a decir... —le dio pie Ashley.

—Cosas... —completó mirándola—. Sexuales.

—Cosas sexuales como «Dios, Aaron, sigue» —intervino Ronda, incapaz de permanecer callada por más tiempo.

Ashley se volvió con rapidez hacia la castaña al oírla y ya no sonreía tanto.

—¿Aaron? ¿Aaron? ¿«Dios, Aaron, sigue»? —preguntó con el ceño fruncido—. ¿Aaron?

—Podrías seguir repitiéndolo hasta el infinito y seguirá siendo verdad —dijo la castaña.

Leo asintió, completamente de acuerdo con aquella afirmación, y Ashley se dejó caer contra el respaldo del sofá, con su vista fija en algún lugar indeterminado.

—¿Estás segura de que ha dicho Aaron? —preguntó mirándola de nuevo.

—No descartamos la posibilidad de que haya dicho «mamón», pero la consideramos mucho más improbable —reconoció el chico.

Ashley se levantó del sofá y comenzó a pasearse nerviosamente por el salón, parecía igual de afectada que Ronda por la nueva noticia.

—¿Cómo coño ha podido pasar? —preguntó en voz alta sin dirigirse a nadie en especial, pero mirando a Ronda—. ¿En qué demonios está pensando?

—¡No lo sé! Dímelo tú, es tu mejor amiga —señaló la castaña bastante exaltada.

—¡Pues te lo voy a decir! «Nueve de cada diez ginecólogos dicen que si sobrepasas la barrera del año, te vuelve a crecer la virginidad» —le recordó aquella conversación de WhatsApp—. La hemos estado agobiando tanto con eso de que no folla, que al final ha follado.

—¿Qué estás insinuando? ¿Que es culpa nuestra? Porque si estás insinuando eso, me caigo muerta aquí mismo —exclamó Ronda al oírla.

—¿No te parece que es posible? Joder, si hasta le hicimos dibujos guarros y se los dejamos en el puto buzón —recordó la veterinaria.

—Irrelevante, tú recibiste *Oda gráfica a una vagina* y no has perdido el culo por follarte a Joanna —desmontó aquella relación de causalidad.

—¿Qué más has oído? —preguntó de pronto Ashley y tomó asiento junto a Ronda en espera de su respuesta.

Se estaba dirigiendo a ella de nuevo, abandonando aquella estúpida discusión con la castaña, porque debía de haberse dado cuenta de que no iba a llevarlas muy lejos. De repente, todas las miradas volvían a estar fijas en ella, hasta la de Cleo, aunque no se enterara de nada, a la pobre le gustaba participar.

«Tienes los labios más sexis que he visto en mi vida». Aquella primera frase, registrada en su conciencia cuando aún pensaba que tendría la oportunidad de revelar su presencia en la casa, fueron buenos tiempos.

—Él le dijo que tenía los labios más sexis que había visto en su vida —indicó, un poco incómoda ante tanta expectación, porque lo siguiente no era tan suave y no quería tener que decirlo en voz alta.

—Una hipérbole para meterse en sus bragas —masculló Ronda—. El truco más viejo del mundo. Cualquiera podría haber dicho eso.

Y pudo escuchar a Leo preguntándole en voz baja a su novia si, cuando le decía a él que tenía los labios más sexis del mundo también era una hipérbole para meterse en sus calzoncillos. Pero el pobre no recibió respuesta, porque Ronda la miró a ella en busca de más. «Joder, llevas toda la tarde poniéndome jodidamente cachondo». No, imposible, no podía seguir con aquello porque le quemaba la cara entera, y aún no había dicho nada remotamente comprometedor.

—De verdad que no quiero repetir en voz alta nada más de lo que dijeron —se disculpó, buscando ayuda en Ashley con la mirada.

—¡Vamos, Lewis! Seguro que hemos oído cosas peores —insistió la castaña.

—Ronda, dale un respiro. —La veterinaria salió en su defensa y ella la quiso un poco más.

—Está bien, está bien —cedió la aludida—. No tienes por qué decirlo en voz alta. Díselo a Ashley al oído y que ella lo repita.

Ehhh... una posibilidad que no le convencía en exceso, la verdad, porque iba a ponerse igual de roja y porque seguían siendo palabras salidas de la boca de Olivia. De su amiga Olivia, por el amor de Dios. ¿Y qué iba a pasar cuando la morena se enterase de que lo había escuchado todo?

—Joder, Lewis, seguro que le has dicho cosas mucho más guarras a Ashley que lo que quiera que sea que has oído —dijo la castaña, seguramente frustrada.

El ansia por saber de la pediatra y su evidente indecisión no eran una buena mezcla, pero es que Ronda no tenía ni una pizca de razón, porque ella nunca había sido de decir cosas guarras en la cama. Ni en la cama ni en ningún sitio, si tenía que ser sincera. Pero se estaba sintiendo un poco tonta en todo aquel contexto con la reina del *dirty talk* mirándola de esa manera y con Ashley observándola con aquel gesto divertido en la cara. Seguro que estaba pensando «qué mona es» o derivados, y no, muchas gracias, porque no quería que la veterinaria la encasillase en la categoría de «modositas».

—Está bien —accedió tras carraspear y Ronda lanzó un gritito de júbilo alzando los brazos al aire y todo. Expresividad en grado extremo.

Le hizo una seña a Ashley para que se acercase de nuevo a su sofá y abrazó el cojín contra su pecho en cuanto la vio aproximarse. La veterinaria se sentó a su lado y le acarició la pierna cariñosamente.

—No tienes que hacerle caso a Ronda si no quieres, ¿sabes? —indicó, provocando protestas por parte de la aludida.

La tomó por el cuello de la camiseta y la acercó para poder hablarle al oído, parapetándose estratégicamente tras ella porque así se ahorraba que el palco sur la viera colorada. Lo susurró sin perder tiempo, no fuera a echarse atrás, y sintió a Ashley estremecerse levemente al sentir la calidez de su aliento directo contra su oreja.

—Él le dijo que lo había tenido cachondo toda la tarde —la oyente retrasmitió la información en voz alta y Ronda asintió complacida, con un profundo gesto de orgullo aderezando sus facciones.

—Esa es mi chica —señaló e iba a añadir que solo le faltó aplaudir, pero es que lo hizo. Un par de palmadas, tras un «Sí, señor», y antes de pedir nueva información.

Y ánimo, Lewis, que ahí empieza la cuesta arriba.

Volvió a acercar a Ashley, tirando de su camiseta y de nuevo se escondió tras ella porque las cosas eran más fáciles así. Lo siguiente que susurró a su oído provocó que la veterinaria arrugase la cara en señal de desagrado y sacudiera su anatomía al completo con genuino disgusto. Definitivamente, Ashley era muy gay, y ella casi sonrió ante su reacción desmesurada.

—Olivia le dijo... —Respiró hondo, tomándose un momento antes de continuar—. Le dijo que no podía creerse que ya la tuviera tan dura.

Ronda soltó un «ay» entre sorprendido y agitado, sujetándose dramáticamente a los cojines del sofá, y después comenzó a abanicarse con ambas manos, acalorada tras escuchar aquella afirmación tan rotunda a la par que gráfica. Terminó de coreografiar su reacción dejándose caer contra el respaldo del sofá.

—¡Virgen Santísima, Olivia! Tanto hablar de chacras, energías e inventarios de farmacia y se guarda para ella lo más interesante.

Sonrió divertida cuando al tirar de nuevo de su camiseta encontró resistencia por parte de la veterinaria, aquello de hablar de miembros viriles y sus estados de tumefacción no parecía ser lo suyo. Lo intentó con más fuerza y, al final, Ashley cedió, prestando su oído a la causa.

—Olivia le pidió que le dijera dónde quería esos «labios tan sexis» —reprodujo algo reacia, seguramente porque se imaginaba cuál era la respuesta más probable a aquella demanda.

Ronda soltó dos «ay». Dijo: «Ay, ay». En plan: «No puedo creerme que Olivia diga estas cosas, por el amor de Dios». Y sin más cogió el vaso de agua que descansaba frente a ella en la mesa, medio lleno o medio vacío, dependiendo del optimismo de cada uno, y se lo vació contra su propia cara. Le extrañó que no saliera humo, pero fue igual de expresivo.

—Él le dijo «Joder, nena, ya lo sabes», y después oí a Olivia decir lo de «Dios, Aaron, sigue», y Cleo y yo nos largamos de allí —esto último lo dijo ella misma y con bastante prisa por finalizar su papel protagonista en toda aquella historia.

Ashley y Ronda se volvieron hacia ella a la vez y después compartieron una mirada bastante significativa que le llevó a sospechar que algo de lo que acababa de decir tenía mucha mucha trascendencia.

—«Nena». ¿La llamó «nena»? —quiso asegurarse Ronda y, cuando ella asintió, las dos soltaron un bufido casi a la vez.

—Habría sido bonito lo de «mamón» —reconoció Ashley y la castaña asintió apesadumbrada.

—No me puedo creer que la hayamos empujado a los musculosos brazos de ese estúpido-neandertal-jugador de *hockey*.

¡Malditas servilletas porno! ¡Maldito grupo de WhatsApp! ¡Y maldita Olivia! Podría habernos dicho que, en su total desesperación, estaba sopesando volver a follarse a don «mira qué bíceps tengo, toca, toca».

¿Y en realidad era para tanto? Vale, que a ella le faltaba información en todo aquel asunto, pero... ¿tan terrible era que la morena hubiera tirado de agenda para poner punto final a su, por lo visto, dilatada etapa de escasez de contacto físico? Se lo preguntó para sus adentros, pero prefirió no expresar sus cavilaciones en voz alta, porque aquellas dos parecían genuinamente afectadas y tampoco quería poner en tela de juicio su experiencia emocional.

—Tenemos que preguntarle qué demonios está haciendo —sentenció la castaña.

—No podemos preguntarle qué demonios está haciendo, Ronda. Por lo que ella sabe, nosotras no sabemos que esté haciendo nada —rebatió la veterinaria.

—¡Pero lo está haciendo! Y no podemos dejar que siga haciéndolo.

—¿Y crees que podemos hacer algo para que no lo haga? —lo dudó Ashley.

Y otra vez empezaron con aquella guerra de trabalenguas a la que solo ellas dos parecían encontrar sentido, y el verbo «hacer» nunca había sido conjugado en tantas formas verbales diferentes en tan corto espacio de tiempo, seguro. Aguantó todo lo que pudo, de verdad que sí, al fin y al cabo, era una recién llegada al grupo y no tenía autoridad para cuestionar su funcionamiento interno, pero es que le salió sin más porque era tan evidente que le sorprendía que nadie más se diera cuenta.

—¡Basta! ¡Las dos! —exclamó. Ronda y Ashley se volvieron hacia ella, sorprendidas y guardando silencio. Carraspeó, quizá había sido un poco brusca, pero necesitaba decirlo—. Olivia es adulta, es perfectamente capaz de decidir con quién quiere acostarse.

—Pues ha decidido muy muy mal —espetó la castaña.

—Pues para ser tan mala decisión parecía estar pasándoselo muy bien.

—No conoces a Aaron, Lewis —insistió Ronda.

—Pero Olivia sí.

—Olivia está cegada por la falta de sexo y a todo le ve forma fálica.

Ashley se frotó la cara con ambas manos, recostándose a su lado, contra el respaldo del sofá. Realmente parecía cansada, y debía estarlo después de haberse pasado la mañana entera trabajando, media tarde acompañándola a ver el piso, empaquetando libros y otras actividades más placenteras, y el resto en el zoológico operando a una cabra de extrema urgencia.

—Ronda, estoy igual de cabreada que tú, pero Claire tiene un poco de razón —dijo la veterinaria mirándola fugazmente.

—¿Estás diciendo que crees que deberíamos quedarnos de brazos cruzados? —la castaña lo dijo con una voz tan aguda que casi solo Cleo pudo escucharla.

—Estoy diciendo que tal vez solo sea sexo —barajó aquella posibilidad.

—¿Y eso es menos malo porque...? —dejó la frase inacabada en espera de que Ashley la finalizara.

—Porque no tiene que significar necesariamente que vaya a volver con él. A lo mejor solo quiere un par de polvos, puramente físico.

—Es imposible follarte a un ex y que sea «puramente físico».

—¿Lo has intentado?

—No. ¿Y tú?

—No.

—Entonces supongo que tendremos que preguntárselo a Olivia, para que nos saque de dudas —sentenció la castaña.

Ashley suspiró con paciencia al escucharla insistir en destapar todo el asunto y se incorporó en el sofá.

—¿Sabes qué? No quiero seguir discutiendo esto ahora, me he pasado dos horas y media en el quirófano y no puedo pensar bien —anunció—. ¿Puedes al menos prometerme que no le vas a decir nada a Olivia en las próximas veinticuatro horas?

—Puedo prometerte intentarlo —evitó comprometerse demasiado.

—Es más de lo que esperaba —admitió la veterinaria levantándose.

Y menos mal que había decidido marcharse ya, porque podrían haberse pasado la noche entera discutiendo para nada; empezaba a darse cuenta de que Ronda podía ser terriblemente cabezota algunas veces. Era parte de su encanto. Le gustó que Ashley le tendiera la mano, con intención de ayudarla a levantarse, y entrelazase sus dedos en cuanto tuvo oportunidad. El gesto no era nuevo, pero de alguna forma parecía diferente al hacerlo público. Como una declaración de intenciones de carácter no verbal, un «ya sabemos lo que somos, y no importa que los demás lo sepan también». Disfrutó del calor de la palma de Ashley en la suya mientras se dejaba llevar hacia la salida de la casa con Ronda pisándole los talones, como buena anfitriona.

Cuando llegaron a la puerta, y sin previo aviso, la castaña la estrechó entre sus brazos, ella continuaba cogida de la mano con Ashley así que le devolvió medio gesto, un poco extrañada.

—Suerte en Boston, Lewis —le deseó antes de apartarse, con eso lo entendió todo un poco más y se lo agradeció con una pequeña sonrisa—. Ashley, mañana avísame cuando la hayas dejado en el aeropuerto, tenemos asuntos que tratar tú y yo.

—Nos veremos mañana para desayunar, pero vale. Buenas noches, Ronda —se despidió, abriendo la puerta—. Buenas noches, piernitas de oro. —Alzó un poco la voz para que Leo pudiera escucharla y antes de salir se le escuchó refunfuñar.

11

It's the end of the world

Para el ojo inexperto y del resto de pasajeros del vuelo A319 con origen Cleveland, su destino final era el aeropuerto Logan, en Boston, Massachusetts. ¿Para ella? El puto fin del mundo tal y como lo conocía hasta entonces, muchas gracias por preguntar. Perdía su vista por la ventanilla intentando ignorar aquella desagradable sensación, como volver a tener diecisiete años a los veintiséis, y un «ya verás cuando se lo diga a mi padre...», terriblemente angustioso, alojado a todo confort en el rincón más privilegiado de su mente consciente. Es que era bastante ridículo y, aun así, lo estaba viviendo a lo grande y recreándose en cada pequeño detalle.

«Vamos a matar a papá».

Al principio, eso de exterminar a su progenitor con aquellas buenas nuevas iba un poco en plan de broma, una expresión que usaba al hablarlo con Ashley y con Thomas porque a los dos les gustaba el dramatismo, pero a medida que Cleveland se quedaba atrás mientras Boston se aproximaba, ella reflexionaba profundamente acerca del verdadero potencial letal de las noticias que cargaba a sus espaldas, y aquella expresión cada vez se le antojaba menos graciosa y más inquietante.

«Papá, he dejado a Nick». Madre mía. Ya podía ir pensando en la corona de flores, la encargaría justo antes del sepelio para que al menos estuviesen frescas. «Papá, Nick y yo lo hemos dejado». Le quitaba parte de culpa, desde luego, y repartida al cincuenta por ciento disminuía su porción de responsabilidad en su deceso. «Papá, Nick y yo ya no estamos juntos». Así, en abstracto, apelando a agentes externos, circunstancias de la vida, y allí no había culpables, solo víctimas. Una lástima, pero hay que seguir adelante. *Para.*

Para, Lewis, porque estar rumiando sobre el mismo tema todo el viaje no va a facilitarte nada y es una pérdida de tiempo.

Y lo era, una gigantesca pérdida de tiempo, y como plus la hacía sentir muy disgustada. Empecinarse en aquel curso de acción era un maldito sinsentido, así que guiaría su embarcación hacia aguas más cálidas, y seguro que el resto del viaje sería más placentero.

«Cálidas», «placentero». Así que automáticamente se acordó de Ashley, porque así funcionaban sus conexiones neuronales y porque la veterinaria disfrutaba de un lugar privilegiado entre sus temas favoritos de reflexión. ¿Cuánto tiempo podía haberse pasado la noche anterior mirando aquella cara mientras dormía? Mucho, por lo menos hasta que ella también se rindió al sueño. Y por la mañana ya no quedaba ni rastro de la Ashley agotada, pero todas sus demás versiones le encantaban de igual forma, así que ya volverían a encontrarse en un futuro.

«Vas a llorar seguro y, aun así, todo va a ir bien», eso le había dicho Ashley justo antes de que tuviera que embarcar. La muy imbécil le había regalado un paquete de pañuelos, envuelto y todo, y le pidió que no lo abriese hasta estar en el avión, por eso no había podido pegarle por ser tan gilipollas y se había limitado a sonreír como una tonta. Eso conseguía siempre la veterinaria, hacerla sentir mejor.

Se le aceleró el sistema nervioso al completo cuando dijeron por megafonía que en diez minutos tomarían tierra en el Logan y guardó el libro de *Misery* en su bolso. No había podido avanzar mucho con eso de imaginarse el óbito de su padre en todos los tamaños y colores, veinte páginas a lo sumo, pero lo que había leído no estaba mal. Tenía que darle las gracias a Ashley por introducirla en un mundo maravilloso de sexo lésbico y novelas de Stephen King.

Y en eso pensaba mientras caminaba por las instalaciones del Logan arrastrando su maleta, en el sexo lésbico con Ashley, un tema lo suficientemente potente como para desactivar intrusiones indeseadas de cualquier otro tipo. Porque aquello de «Papá, he roto con Nick» palidecía en comparación con su última sesión subida de tono sobre la encimera. Pensar en el sexo con Ashley la llevó a pensar en Ashley y en que había prometido avisarla al aterrizar en Boston, así que buscó su contacto en el móvil para ser fiel a su palabra. Contestó al segundo tono y su voz al otro lado de la línea le hizo cosquillas en la boca del estómago, adoraba cómo sonaba. Su particular fetiche.

—*Clínex, de marca, de nada y utilízalos sabiamente* —dijo como todo saludo.

—Tonta, de nacimiento, pero me gustas a pesar de todo eso —contestó con media sonrisa.

—*«Me gustas». Esperaba algo un poco más fuerte, pero seré paciente.*

—¿Me encantas? —probó suerte, la escuchó resoplar y sonrió más.

—*Lento, pero seguro.* —Suspiró cómicamente al otro lado.

—¿Y no lo prefieres así?

—*Contigo sí* —admitió, y ambas guardaron un par de segundos de silencio, para dejarlo reposar—. *¿Estás nerviosa?*

—Un poco.

—*Esta noche podría desestresarte, sé que te mueres por mi voz telefónica* —sugirió y seguro que se puso un poco roja ante aquella insinuación. Acalorada, allí mismo, en mitad de la terminal.

—Tú y yo no vamos a hacer nada esta noche.

—*Pareces muy segura de ti misma.*

319

—Lo estoy —afirmó, y convencida, además, porque por nada del mundo iba a hacer nada con ella bajo el techo de sus padres aquella noche.

—*Puedo ser muy insistente, Lewis.*

—Y yo colgarte el teléfono, Woodson. Ash, creo que veo a mi hermano —le informó al localizar a Thomas en la lejanía—. Sí, es mi hermano. Tengo que colgar, mi amor, ¿hablamos luego?

Supo que la veterinaria estaba sonriendo al otro lado de la línea tras aquel «mi amor», no lo había dicho a propósito, le salía solo cuando hablaba con ella y a Ashley le encantaba, igual que le volvía loca que jugase con sus cremalleras y que le acariciase la nuca.

—*Hablamos luego* —aceptó, y su tono, levemente atontado, le confirmó que, en efecto, estaba sonriendo—. *Claire...* —añadió, y a ella le dio una pequeña arritmia ante la forma en que había dicho su nombre.

Porque Ashley lo había dicho como si fuera a seguirle algo importante y nuevo, muy nuevo. Como si ella también quisiera llamarla «mi amor» y no encontrase la manera. Le sonó a eso y a algo más, y casi contuvo el aliento.

—Ashley... —le dio pie a continuar cuando el silencio al otro lado constató que no iba a seguir hablando.

—*Suerte con tu padre* —resolvió la veterinaria.

Supo que aquel no era el mensaje original, pero su corazón se saltó al menos un latido de todos modos, simplemente por el tono con que había pronunciado aquel «Claire» y porque aquello las estaba sobrevolando. Y cuando Ashley la llamara «cariño», «mi amor» o cualquier otro apelativo cariñoso por primera vez, iba a darle un microinfarto y le haría compañía a la angina de pecho de aquel «mi chica-cerda». Se lo agradeció antes de despedirse y colgar.

Antes de que pudiera guardar el móvil en el bolsillo de su abrigo, el aparato volvió a sonar y sonrió porque Ashley era muy tonta y estaba segura de que la llamaba de nuevo para insistir en aquello del sexo telefónico. Es que era ella seguro, tal era su convencimiento que ni siquiera comprobó su identidad en la pantalla antes de descolgar.

Ay, qué mala es la soberbia.

—Deja de acosarme, te repito que tú y yo no vamos a hacer nada por teléfono esta noche, «mi amor» —y resaltó las últimas palabras. Qué vergüenza.

—*Las madres no acosamos, Claire, nos preocupamos por nuestros hijos, y esta noche «tú y yo» vamos a estar cara a cara, «vida mía».*

La voz de su madre, ¡de su madre!, le contestó al otro lado de la línea y ella paró su avance en seco con su organismo en suspensión y un nudo cerebral bastante importante. ¿En serio acababa de decirle a su madre «tú y yo no vamos a hacer nada por teléfono esta noche, mi amor»?

La gente continuaba caminando, sorteándola y empujándola sin querer o queriendo, pero es que a ella le daba igual. El final de una era, el final de la mejor etapa de su vida, la anterior a decirle a su madre «tú y yo no vamos a hacer nada por teléfono esta noche, mi amor». La iba a echar mucho de menos, mucho, estaba segura.

—Mamá...

¿Mamá, qué, Lewis? No hay nada que puedas decir después de esto, y viajar en el tiempo no es una opción.

—*Tranquila, Claire, tú y yo no vamos a hacer nada por teléfono esta noche. Y ahora, dime, ha ido tu hermano a recogerte, ¿no?*

Oh, Señor, jamás iba a superar aquel trauma, estaba segura de ello y casi le daban ganas de llorar. Se tuvo que aclarar la garganta un par de veces antes de obligarse a contestar aquella pregunta.

—Sí, está aquí —confirmó, notando cómo su cara ardía. Ardía mucho, se atrevería a decir que más que nunca—. ¿Papá está ya en casa?

—*¿Tu padre? ¿En casa a las seis y media de la tarde? Parece mentira que no lo conozcas* —su sutil manera de decir «No, qué cosas tienes».

Llegó junto a su hermano con el teléfono en la oreja, y en cuanto le dijo «Es mamá», Thomas le arrebató el aparato y ambos comenzaron a caminar hacia la salida.

—Hola, mamá... en una media hora estaremos allí —aseguró el muchacho liberándola de la pequeña maleta que arrastraba. Tommy, el caballero andante—. Ajá... —Una pausa larga—. Sí... —Media sonrisa dibujándose en el rostro del chico—. Vale, tendremos cuidado —aseguró, después colgó y le devolvió el teléfono—. Hola, Claire, cuánto tiempo... ¿sexo telefónico? —inquirió mirándola con una ceja alzada.

Uf. ¿Acaso su madre no podía dejar pasar el episodio más traumático de toda su existencia? No, claro que no. Tenía que contárselo al idiota de su hermano.

—Eso... ha sido un malentendido —aseguró apretando un poco más el paso.

—Has llamado «mi amor» a mamá, si me pasara a mí me suicidaría —dijo divertido, ella lo miró enfadada, pero continuó con su camino. Llegando a la altura de su coche, Thomas adoptó un tono más serio—. Ey... si ya no estás con Nick, ¿a quién estabas llamando «mi amor»? —quiso saber con el ceño fruncido, porque, con su exnovio fuera de la ecuación, la X era más misteriosa que nunca.

Buf... a Ashley. Estaba llamando «mi amor» a Ashley y aquel apelativo nunca había encajado tan bien con nadie antes. Se apoyó de espaldas contra la carrocería del todoterreno de su hermano y se cruzó de brazos conectando sus miradas.

—Esa es una de las cosas de las que quería hablar contigo —reconoció—. Pero... ¿podríamos encargarnos de ese tema más tarde? —casi lo imploró.

Porque la garganta se le cerró un poco, y bastante tenía con el anuncio especial a sus progenitores a la hora de la cena. Su viejo amigo, el cortisol, tenía por delante un fin de semana entero de intensa maratón por su sistema circulatorio. Su hermano la observó, intrigado, mientras acomodaba su equipaje en el maletero del coche y una vez hecho se plantó frente a ella de nuevo.

—Lo dejamos pasar si me prometes que estás bien —trató de pactar y ella le sonrió levemente.

—Estoy bien, Tommy. Es solo que... estoy nerviosa por tener que contárselo a papá.

—¿No crees que somos ya demasiado mayores como para seguir teniendo miedo de hablar con él? —frunció el ceño—. A Dani le parece ridículo.

—Porque no es su padre —dio por sentado ella.

—Eso le digo yo, y a él le parece más ridículo aún. —Medio sonrió—. Lleva un mes llamándome «ridículo» mínimo dos veces al día.

Sabía con exactitud a qué estaba refiriéndose su hermano, y es que él también tenía cosas que contarle.

—Voy a ser tía —dijo sonriéndole abiertamente y él le devolvió el gesto multiplicado por dos.

—Iba a esperar a estar en casa, pero... ¿quieres ver una foto? —preguntó Thomas, casi le salían estrellitas por los ojos, y a ella el corazón le dio un pequeño vuelco y se llevó las manos al pecho.

—¡Joder, sí! Idiota, tendrías que haberme contado todo esto mucho antes —le regañó colocándose a su lado mientras el chico sacaba su teléfono del bolsillo de los vaqueros.

Dio un par de saltitos, impaciente, mientras su hermano buscaba en la galería de imágenes y cuando por fin le cedió el aparato, ella se lo arrebató enfocando la fotografía en cuestión. Se tapó la boca con una de sus manos al verlo mientras con la otra sostenía el móvil frente a sus ojos, no tendría más de seis o siete meses y unos enormes ojos marrones que miraban directamente a la cámara. Un flechazo tía-sobrino instantáneo.

—Es guapísimo, Tommy —señaló a media voz—. Oh, Dios, es guapísimo —lo repitió sin quitarle ojo a la fotografía.

—¿Verdad? Tiene siete meses y está empezando a gatear —comentó recuperando su móvil y admirando la instantánea brevemente antes de guardarlo en su bolsillo de nuevo.

—Dios, mi hermano va a ser padre —meditó en voz alta y le escuchó reír mientras rodeaba el coche para colocarse al volante.

—Sí, y esperaba que mi hermana fuera madre pronto para que mi hijo pudiera ser primo —admitió, y le dedicó una mueca de las de «¡qué contrariedad!» antes de desaparecer en el interior del vehículo.

Eso de que «su hermana» fuera a ser madre iba a tener que esperar, porque con Nick tenía las cosas muy claras y, a lo sumo, habrían esperado uno o dos años, pero ya no estaba con él y, por lo tanto, la posible maternidad se posponía hasta nuevo aviso. Ni siquiera sabía si Ashley quería o no quería tener hijos algún día, la veterinaria nunca se había pronunciado a aquel respecto, y acababan de empezar a salir, así que incluso tan solo planteárselo era una completa locura. Y aun así ella sabía positivamente que quería ser madre, en el caso de que Ashley opinara de forma diferente... ¿no supondría aquello un problema importante? Eran maravillosamente compatibles en todo lo demás, ¿lo serían también en eso? Y le dio unas cuantas vueltas mientras veía las calles pasar a través de la ventanilla del coche de su hermano. ¿Demasiado pronto para preguntárselo a Ashley? Pero... ¿no sería peor descubrir que diferían en algo tan importante como aquello demasiado tarde?

El tópico «maternidad, ¿sí o no?» ocupó la totalidad de sus pensamientos hasta que el vehículo enfiló su calle y divisó la casa de sus padres en la lejanía. Adiós a la imagen de potenciales bebés con grandes ojos verdes y hola al «Papá, mamá, Nick y yo hemos roto», esta segunda opción le gustaba un poco menos y la angustiaba mil veces más. Salía perdiendo con el cambio, eso seguro. Observó el porche de la casa con el corazón tamborileando con mucho ímpetu contra sus costillas y se desabrochó el cinturón de seguridad sin demasiadas ganas.

—«Estás arruinando tu vida», «No me esperaba esto de ti», «Espero que sepas que me has decepcionado» —escuchó a Tommy a su lado y lo miró molesta.

—¿Se puede saber qué haces? —preguntó con el ceño fruncido.

—Calentar —explicó el aludido y a ella se le escapó media sonrisa antes de propinarle un suave puñetazo en el hombro—.

Vamos, Claire, la buena noticia es que nos quiere demasiado como para morder después de ladrar.

—Espera... ¿vas a contarle lo de la adopción? —quiso saber antes de descender del coche. Necesitaban organizar la logística.

—¿Estás loca? ¿Quieres matar al viejo de verdad? —exclamó como si lo que acababa de preguntar fuera una completa insensatez. Y seguramente lo era—. Daré tiempo a que regenere su tejido coronario y vendré a comer en un par de domingos —explicó bajándose después del vehículo.

Un buen plan, es que su hermano siempre había sido muy previsor.

Observó el porche una última vez antes de respirar hondo y apearse del coche ella también. Hacía un poco de frío, quizá algo más que en Cleveland, pero, al llegar a la puerta de la casa, se acordó de que había aclarado «tú y yo no vamos a hacer nada por teléfono esta noche, mi amor» a la persona equivocada y, de repente, en aquella ciudad hacía mucho mucho calor.

***

«Mi amor».

Claire la había llamado «mi amor» por segunda vez en menos de veinticuatro horas, y sin contexto sexual ni nada. Joder, es que esas dos palabras nunca le habían sonado tan bien antes. Cuando era la rubia quien las pronunciaba, dirigiéndose a ella, conseguía que su corazón duplicara la potencia de sus sístoles y diástoles, y todo lo que pasaba por ahí adentro se convertía en mil veces más intenso. Dos jodidas palabras y su mundo se desordenaba de punta a punta por un «mi amor» en su voz al otro lado de la línea telefónica. Casi sonreía al recordarlo, porque su interior al completo había hecho un doble mortal con tirabuzón o algo igual de asombroso y, de repente, Claire y ella eran más novias que nunca.

Joder, Claire Lewis era su novia de forma objetiva y mesurable, validada empíricamente porque se acostaban juntas, dormían juntas, ella la llevaba al trabajo y al aeropuerto, Claire la llamaba «mi amor» y le acariciaba la cara de aquella forma tan jodidamente devastadora... y nunca se había sentido así antes. Un «esta es la buena, Ashley», y sin ninguna duda, porque era imposible tenerlas cuando todo estaba tan cristalinamente claro.

—¿Qué puta mierda es esta? —escuchó a Ronda a su lado y la miró frunciendo el ceño.

Tras hablar con Claire por teléfono había salido a pasear con Darwin y con su invitada de honor, y Ronda los había interceptado justo cuando los tres regresaban del parque. Ya llevaban por lo menos veinte minutos sentadas en las escaleras de su porche y su amiga lo justificaba aludiendo a que hacía muy buena temperatura, pero no era del todo cierto: primero, porque estaba anocheciendo y hacía un poco de frío y, segundo, porque estaban allí única y exclusivamente por las vistas. Una panorámica inmejorable a la casa de su vecina y mejor amiga, Olivia.

—Qué puta mierda es ¿qué? —inquirió asomándose al teléfono móvil de la castaña.

—Dime qué ves aquí —le pidió facilitándole la vista de la pantalla de su móvil.

—Veo una fotografía de un partido de los Monsters —admitió, no era difícil porque se apreciaban perfectamente los colores del equipo de *hockey* local—. ¿De dónde la has sacado?

—Del Instagram de Aaron, *hashtag* «los Monsters nunca decepcionan», *hashtag* «echaba de menos esto» —dijo mostrándole las etiquetas bajo la fotografía—. ¿Y qué ves aquí? —pidió su opinión de nuevo.

—Una fotografía de una mano sujetando dos entradas para el partido de ayer de los Monsters —describió el contenido de la nueva instantánea.

—¿Qué ves en la esquina inferior derecha, Ashley? —especificó perdiendo la paciencia.

Vaya.

La bota de Olivia.

—No me jodas... —masculló acercando la pantalla a su cara para verlo mejor.

—Eso se lo dejo a Claire, si no te importa —rehusó la castaña quitándole el móvil de las manos—. *Hashtag* «Olivia, no te reconozco» —añadió mirando la instantánea una última vez.

—¿Vuelve a ir con él al *hockey*? —exclamó incrédula.

—Follan y van juntos al *hockey*. Bienvenida a febrero de 2018, el principio del fin —vaticinó.

Febrero de 2018, aciago mes en el que Olivia les presentó a un musculitos con cara de modelo profesional llamado Aaron. Para su primera cita la llevó al Quicken Loans Arena, a ver los entrenamientos de los Monsters de Cleveland, por lo visto era amigo de la mitad de la plantilla y Olivia se volvió loca porque consiguió que todos le firmaran una camiseta. Así dieron comienzo ocho intensos meses de *hockey* sobre hielo y sexo descontrolado, de «creo que me he enamorado» y «es el amor de mi vida». Nunca habían visto a Olivia de esa manera por nadie antes, hasta octubre de 2018, aciago mes en el que la morena anunció su separación. Un *shock* para todos, además de un drama de proporciones considerables, especialmente por las circunstancias en las que se produjo la ruptura.

—¿Crees que van a volver a salir juntos? —preguntó mirando a Ronda.

—Joder, Ashley, ¿te has quedado tonta de tantos orgasmos? —farfulló la castaña—. Follan y van juntos al *hockey*. Es más, Olivia nos miente para poder follárselo e ir con él al *hockey*.

No le contestó, se limitó a observar el porche de su amiga en silencio, porque, en un principio, dio por sentado que la morena no les había dicho nada precisamente porque no había nada que contar. Un par de polvos a sus espaldas para evitarse la bronca de «amigas preocupadas» y poner a cero el cuentakilómetros de la conversación de «Olivia folla de nuevo», pero si no estaban solo follando, la cosa cambiaba. Si Aaron había vuelto a entrar en la vida de su amiga como algo más que un alivio momentáneo, necesariamente habría supuesto un terremoto emocional para Olivia. Y ellas dos siempre se lo habían contado todo, al menos lo importante. ¿Por qué esta vez era diferente?

—¿Ahora estás de acuerdo conmigo? —preguntó la castaña y ella la miró, saliendo de sus cavilaciones.

—¿En qué? —exigió más información antes de pronunciarse.

—En que es imposible follarte a un ex y que sea «puramente físico» —rescató su sentencia del día anterior.

—Es difícil generalizar —dijo, y centró de su nuevo su vista en el porche de Olivia.

En serio, ¿por qué la morena no le había contado nada?

—Pues particularicemos entonces —ofreció Ronda—. Es imposible que Olivia se folle a Aaron y que sea «puramente físico».

¿Tan desconectada había estado de todo lo demás? Y la verdad era que Tracy, Nick y Claire se habían convertido, de la noche a la mañana, en los protagonistas indiscutibles de los últimos cinco meses de su vida. Su atención completamente monopolizada por las subidas y bajadas de su particular montaña rusa emocional y, en consecuencia, se había perdido la de su amiga. Cuestión de perspectiva y de prioridades. Algo comenzó a pesarle un poquito dentro del pecho.

—¿Y dónde está? ¿Cree que no tenemos nada mejor que hacer en la vida que acechar su casa? —protestó la pediatra, y se revolvió en el sitio, inquieta. Ronda nunca había destacado por su gran paciencia precisamente.

—No es necesario que te quedes si tienes cosas que hacer —dijo distraída apoyando el mentón en las palmas de las manos con los codos posados sobre las rodillas y su vista fija en la puerta de la casa de Olivia.

Increíble, Ashley, que ocurra algo de estas dimensiones en la vida de tu mejor amiga y que no te des ni cuenta.

Se acordó de las veces que Olivia había dedicado su tiempo a consolarla tras su ruptura con Tracy o a animarla en su historia con Claire, y se sintió peor aún.

—Olivia y tú sois mis mejores amigas y acecharé vuestras casas el tiempo que sea necesario —dio por sentado la castaña imitando su postura—. ¿Cuándo crees que ha empezado?

—No lo sé.

—Joder, creía que ya lo tenía superado. —Suspiró Ronda—. Hace más de un año y últimamente ya ni hablaba de él.

Y al parecer ni lo tenía superado, ni hacía mucho que no hablaba de él, pero a lo mejor no habían sabido verlo.

—*¿Echas de menos más cosas de él?*

—*Algunas. Aparte de ser un cabrón, era muy romántico, era divertido, nunca me aburría con él. Supongo que siempre hay alguna cosa que se echa de menos al dejar una pareja.*

Así que Olivia había estado soltando pistas y se le habían pasado todas, o simplemente la morena hablaba por hablar y a ella también le había tomado por sorpresa aquella recaída en viejos hábitos romántico-amatorios. La falta de sexo había debido de nublarle la mente a su amiga y ahora estaba bien, pero bien jodida, porque... ¿Aaron?

¿Y qué había sido de Erik? A él le gustaba ella y a ella le gustaba él. Casi babeaba por el abogado aquellas Navidades. ¿Tanto había llovido desde entonces? Trató de recuperar el sabio punto de vista de Claire, seguramente la distancia emocional permitía a la rubia pensar mejor, porque eso de «Olivia es mayorcita para decidir con quién quiere o no quiere acostarse» tenía su lógica en sentido racional, pero a ella le chirriaba en todos los demás. ¿Aaron? *Joder, Olivia. Y joder, Ashley, porque tenías que haber estado más atenta y mirando.*

—La cacatúa canta a las diez en punto —señaló Ronda de pronto, tensándose a su lado.

—¿Perdona? —preguntó frunciendo el ceño.

—Coño, Ashley, controlarás de veterinaria, pero te veo muy perdida en todo lo demás. A las diez en punto —protestó la castaña al no conseguir que le siguiera la corriente. Después suspiró pesadamente, en plan «qué cruz, Señor» y se dio por vencida—. Que allí viene Olivia —simplificó la información señalando la calle a su izquierda.

Mucho más claro, y sin comparación, porque en efecto la morena caminaba tranquilamente por la acera, como si no tuviera ninguna preocupación en el mundo. Como si no le hubiera dicho a Aaron «No puedo creerme que ya la tengas tan dura» hacía menos de veinticuatro horas. Y, espera, ¿eso que llevaba debajo del abrigo era una sudadera de los Monsters?

—Ashley, dime que no lleva puesto un puto jersey de los Monsters —suplicó Ronda a su lado.

—Ojalá pudiera —respondió lo único que podía responder, porque acababa de distinguir el maldito logotipo.

Y para colmo de males, Olivia las vio y se cerró el abrigo con muy poco disimulo, seguro que para ocultar pruebas que pudieran relacionarla en lo más mínimo con aquel equipo de *hockey* y, por lo tanto, con Aaron. Y de nuevo a ella el pecho le pesó un poco más. ¿Acaso no tenían la suficiente confianza como para compartir algo así? Porque cuando empezó a sentir cosas por Claire estando con Tracy también tuvo miedo de su reacción, pero supo que podía contar con ella igualmente. ¿Y Olivia no lo sabía?

La morena cruzó la carretera con la evidente intención de acercarse a ellas y Ronda empezó a parlotear de cosas inconexas y a pedirle que se riera para disimular, como si estuvieran sentadas en las escaleras de su porche por afición y ni siquiera hubieran reparado en su presencia allí. Y estaba hablando de antidiarreicos cuando Olivia llegó a su altura.

—¿Se puede saber que hacéis aquí fuera? —preguntó la morena mientras acariciaba las cabezas de Darwin y Cleo. Habían salido a su encuentro los primeros, grandes anfitriones.

—Disfrutando de las vistas y del aire puro. ¿Se puede saber de dónde vienes? Llevamos horas esperándote —exageró la castaña.

—Había quedado —dijo impertérrita.

—¿Con quién? —cotilleó Ronda sin ningún pudor.

—Con gente. No sois mis únicas amigas —aclaró y Ronda se llevó la mano al pecho dramáticamente al escucharla afirmar algo así.

Mientras la castaña escenificaba su particular papel de amiga despechada, ella se dedicaba a mirar a Olivia, con cara de perro abandonado, seguro. Con un «si últimamente no he sido la mejor amiga del mundo, perdóname por favor y cuéntame lo de Aaron ya mismo» empapándolo todo. Y necesitaba aclarar aquel particular asunto con la morena, pero no era el momento ni el lugar; colgársele de la pierna en mitad de la calle suplicando su absolución no sería lo más adecuado.

—Pero somos las mejores —señaló ella, con intención de confirmarlo, porque Olivia podía tener otras amigas, claro que sí, pero de segunda.

—Si seguís vigilando mi casa, voy a tener que replanteármelo —y bromeaba, claro, pero en las presentes circunstancias no le hizo gracia.

—¿Tu casa? ¿Acaso tu casa es el centro del universo, o tienes un mayordomo macizo que limpia los cristales en pelota picada? Porque, de no ser así, no sé por qué íbamos mi amiga Ashley y yo a perder el tiempo mirando tu triste fachada —aclaró muy digna—. Anodina, por cierto. Deberías plantearte poner unas flores.

—¿Algo parecido a los hierbajos que tienes tú en tu porche? —preguntó Olivia con evidente desprecio.

—Es hierbabuena, ideal para la halitosis, por cierto, no te iría mal —la castaña respondió a su ofensa y Olivia entrecerró los ojos, seguramente en busca de una contrarréplica, así que decidió intervenir antes de que se le ocurriera.

—¿Unas cervezas en el Happy Dog? —propuso incorporándose, dispuesta a meter a Darwin y a Cleo en casa.

—Sí, gracias.

Olivia accedió con sospechosa rapidez. Si no lo supiera ya, pensaría que escondía algo, y continuaba ocultando aquella maldita sudadera de forma jodidamente eficiente. Porque aquel equipo de *hockey* estaba irremediablemente ligado a su historia con Aaron, y la asociación no le convenía. De todas maneras, era solo cuestión de tiempo, en el Happy Dog hacía mucho calor y Olivia iba demasiado abrigada.

Bueno, bueno, la hora de la verdad se acercaba, y su lastimero «¿por qué no me lo has contado antes?» la esperaba a minutos de distancia. Prepárate, Olivia, porque las comidas fantasmas en casa de tus padres y la comprobación de las caducidades medicamentosas en la farmacia han vuelto para morderte el culo. Un cara a cara con sus mentiras y a ver si se caían bien.

No tenía salida.

Tic, tac, tic, tac...

—Paso un momento por casa, necesito ir al baño y la última vez allí no había papel —indicó la morena, meramente informativo, porque ni necesitaba su permiso ni se lo pidió.

Y la cuenta atrás se paralizó hasta nuevo aviso, porque minutos después reapareció con un inocente jersey turquesa asomándole debajo del abrigo.

Vaya, qué astuta.

***

Ronda se había ofrecido a pedir en la barra y Olivia y ella se habían quedado solas y cara a cara en su mesa habitual. Observó a su amiga mientras ella paseaba su mirada distraídamente por el local, y se lo preguntó de nuevo para sus adentros, porque en ocasiones como aquella le gustaba perseverar. La morena devolvió la vista a su mesa y la sorprendió escaneándola en silencio y, a pesar de que estaba bastante segura de que todavía no podía leerle el pensamiento, algo debió de mosquearle en su forma de mirarla porque frunció el ceño, apoyó los brazos cruzados sobre la superficie de la mesa y alzó las cejas, interrogante.

—¿Por qué tienes esa cara de pena? —preguntó de viva voz cuando ella no reaccionó a su gesto.

—No tengo cara de pena —lo negó a pesar de las evidencias y Olivia ladeó la cabeza, evaluándola.

—¿Recuerdas cuando teníamos diez años y tu madre no dejó que te quedaras con ese perro que encontró tu padre en una caja?

—Box —rememoró el nombre de aquel pequeño cachorro.

—Tienes la misma cara que se te quedó entonces diecisiete años después. ¿Qué pasa? —preguntó sin rodeos, porque para eso sí que había confianza.

Echó un rápido vistazo hacia la barra y localizó a Ronda pagando sus consumiciones, un detalle por su parte y poco tiempo para tratar aquel tema con la morena de forma discreta. No quería que la pediatra la acusara directamente de acostarse con Aaron a sus espaldas y sabía que lo haría de tener oportunidad, seguro.

—Hace tiempo que no hablamos tú y yo —dijo conectando sus miradas de nuevo.

—Unas doce o trece horas, dado que hemos desayunado juntas esta mañana —concretó, y le dedicó media sonrisa.

—No me refiero a eso, hace tiempo que no hablamos tú y yo a solas —aclaró la idea principal.

Olivia la observó en silencio por unos segundos y ella le sostuvo la vista. A la morena no le hizo falta preguntar «¿a qué viene esto precisamente ahora?» en voz alta porque se conocían así de bien y se limitó a bajar la mirada a la superficie de madera.

—¿Tienes algo que contarme? —Su amiga probó suerte buscando sus ojos de nuevo.

—Algunas cosas —reconoció abiertamente—. ¿Y tú a mí?

Lo supo por su forma de cambiar de postura en el asiento y, posteriormente, el silencio y su manera de mirarla lo terminaron de confirmar. Se quedó con las ganas de exclamar «pues dímelas, joder» porque Ronda apareció de repente depositando sus consumiciones en mitad de la mesa.

—A esta invito yo, pero espero reciprocidad —aclaró la castaña colándose en el asiento junto a Olivia—. ¿Tus otras amigas también son tan generosas?

—Y sin esperar reciprocidad —la picó la aludida acercando su cerveza.

—Cuánto altruismo —opinó sin dejarse impresionar—. Mañana Ashley y Tracy han quedado —introdujo el tema sorpresivamente y sin ninguna vergüenza.

—¿En serio? —preguntó la morena centrando su vista en ella.

—Iba siendo hora, ¿no? —Se encogió de hombros mirando su botellín de cerveza.

—Depende —respondió Olivia tan críptica como siempre.

—¿De qué?

—De si tú sientes que es hora —aclaró la chica dando un sorbo a su cerveza—. ¿Tú sientes que es hora?

—Supongo que sí.

—¿Lo sabe Claire?

—Joder, Olivia, pues claro que lo sabe —se le adelantó Ronda—. ¿Acaso crees que Ashley quedaría con su exnovia a espaldas de Claire aprovechando que está pasando uno de los peores fines de semana de su vida en Boston? —exigió saber, sorprendentemente ofendida. Qué empática—. Lo sabe, ¿verdad? —quiso asegurarse después, centrando en ella su mirada.

Y si no se sintiera un pelín culpable por todo el asunto de Olivia y su repentina necesidad de guardar secretos de estado a salvo de miradas ajenas, seguro que aquella desconfianza la habría ofendido más. No era su estilo jugar a las espaldas de nadie, lo de Nick había sido una excepción, porque por Claire merecía la pena el esfuerzo.

—Claro que lo sabe —dio por sentado—. Y de todas formas fue ella quien me animó a llamar a Tracy.

—Claire cada vez me gusta más para ti —aseguró Olivia señalándola con su botellín de cerveza—. Tracy y tú tenéis buen gusto para las chicas. Jamie también lleva días insistiéndole con que deberíais hablar.

Janice.

Guapa, divertida, cantante de un grupo y con tatuajes. Justo cuando empezaba a pensar que no podía ser más perfecta, resultaba que intercedía en su nombre ante Tracy, a imagen y semejanza de Claire, pero al otro lado de aquella ruptura. A lo mejor debería dejar de llamarla «Janice».

—Jamie y ella... ¿están saliendo? —preguntó jugueteando con la etiqueta de su botellín de cerveza.

—Algo así —confirmó a medias Olivia—. ¿Te molesta?

Y la verdad era que no lo sabía, ¿le molestaba? Desde luego no en plan «estoy celosa de que mi exnovia esté saliendo con alguien, porque sigo sintiendo cosas por ella», pero quizás sí en un egocéntrico «no me gusta que pueda estar con alguien que sea mejor que yo para ella». Irracional, ya lo sabía, porque Claire era mejor para ella y eso no implicaba que Tracy fuera menos alucinante. Al parecer tenía cosas que trabajar en el departamento de gestión de emociones completamente disfuncionales y muy poco adaptativas.

—No me molesta, pero es raro —admitió dando un sorbo a su cerveza.

—Supongo que igual de raro será para ella que tú estés saliendo con Claire —aventuró Ronda—. El complicado universo de las relaciones de pareja. Volver a ver a los ex nunca es fácil. ¿Verdad, Olivia?

Ronda Parker, señoras y señores, pura discreción.

La morena bebió de su botellín a la vez que se encogía de hombros. «Ni sí, ni no, ni todo lo contrario», elegante manera de evadir preguntas capciosas, Olivia es que siempre había sido muy sofisticada. La castaña esperó pacientemente a que despegara su boca de la botella, en silencio, metiendo presión, porque la sentía hasta ella. Acorraló a su amiga entre un incómodo silencio y los ecos de su pregunta anterior, contestar en formato verbal era la única salida.

—Supongo que depende de los casos —la morena cedió y ni le tembló la voz, pero se había puesto un poco a la defensiva.

—Contigo siempre depende —suspiró Ronda—. Todo es relativo para ti.

—Es que suele serlo —argumentó la aludida.

Supo que lo siguiente que iba a decir la castaña estaría relacionado con Aaron de muchas formas, de modo que se le adelantó propinándole una patada por debajo de la mesa y cortando de raíz sus sibilinas intenciones. Su amiga la miró con el ceño fruncido y ella alzó las cejas en silenciosa advertencia, Ronda se apoyó en el respaldo del asiento, frustrada seguramente. Olivia mientras tanto paseaba su mirada de nuevo por el local, evitando el contacto visual, y, para ella, era respuesta suficiente. En lo concerniente a su amiga y Aaron, la relatividad sobraba desde todo punto de vista.

Habían pasado casi hora y media hablando de todo y de nada a la vez, comentando el nuevo programa de talentos de la NBC, los sueños erótico-perturbadores de Ronda y habían criticado al adolescente que repartía los periódicos los domingos por la mañana porque siempre los tiraba demasiado lejos de la puerta. En aquellos momentos, Olivia comentaba las últimas novedades de sus clases de biodanza, pormenorizadamente, y ella intentaba centrarse en su maravilloso efecto regulador de la actividad neurovegetativa, pero con demasiada frecuencia su mente viajaba a Boston, sin billete y sin permiso, una temeridad. ¿Cómo le estarían yendo las cosas a Claire?

La rubia se había marchado convencida de que terminaría llorando, y la verdad era que tenía muchas papeletas; por no decir todas. La chica era sensible, una de las cosas que la enamoraron de ella. Hacía media hora había recibido un «Deséame suerte, vamos a cenar ya», en forma de mensaje de WhatsApp y, desde entonces, su cuerpo entero estaba en tensión, a lo mejor por eso se sobresaltó en su asiento cuando su móvil comenzó a sonar sobre la mesa y su nombre apareció en la pantalla.

—Desde Boston, con amor —dijo Ronda con media sonrisa mientras ella contestaba.

—Ey, Claire —saludó de forma un poco aséptica porque sus dos amigas la estaban mirando interesadas.

—¿Puedes hablar? —escuchó su voz al otro lado de la línea y, si no estaba llorando ya, le faltaba poco.

***

Seguro que el salmón estaba riquísimo, pero sus papilas gustativas se negaban a colaborar con ella, a lo mejor porque estaban demasiado ocupadas colapsando, como el resto de su anatomía. Jugueteó con el pescado en su plato, la anticipación de aquel cataclismo no le abría el apetito precisamente, y su hermano la miraba, insistente. «No esperes al postre, Lewis», porque sabía que el tiempo jugaba en su contra, y la tensión en su interior crecía de forma directamente proporcional a los segundos que pasaba sin decidirse a hablar.

Y es que la situación de por sí era bastante inquietante, y si le sumaba aquel «tú y yo no vamos a hacer nada por teléfono esta noche, mi amor» dedicado a su madre, el fin de semana se le antojaba insostenible. Un desafío de desmesuradas proporciones. Había cambiado su tono de llamada al *Mamma mia* de Abba para evitar futuros malentendidos, aprendiendo de los errores y adaptándose al medio. Facilitándose la vida, que bastante compleja era ya desde que Ashley se coló en ella. Compleja y una pasada a la vez; adrenalina y oxitocina por los cuatro costados. Se estaba agobiando, bastante, y ya llevaba dos fallidos «a la de tres» seguidos nada más que por silencio, su sistema fonatorio la traicionaba cada vez. Una insurrección fisiológica muy poco conveniente dadas las circunstancias, aconsejándole «calladita estás más guapa, Lewis», pero es que a ella el físico en aquel momento no le preocupaba en exceso. «No quiero ser guapa, quiero ser libre» podría ser su nuevo mantra o su grito de guerra, tal vez un poco dramático, pero increíblemente cierto. Y había iniciado la tercera «a la de tres» cuando su padre la finalizó por ella, justo en el dos.

—¿Cómo está Nick? Creía que vendría contigo —señaló tras depositar su copa de vino sobre la mesa.

El inicio de una taquicardia especialmente intensa, una mezcla entre «mierda, ya ha llegado el momento» y «por fin ha llegado el momento», interesante dualidad. Miró a su hermano fugazmente y se encontró con aquel gesto alentador en su cara, como cuando de pequeños la animaba a saltar desde lo alto del sofá mientras jugaban a «los *lemmings*». Le infundió un poquito de valor, lo justo para volver a enfrentarse a la mirada de su padre, porque al menos tenía un aliado en aquella mesa.

—Nick está bien, papá, y yo... —trató de soltarlo así, de golpe, porque no quería alargar su agonía.

—¿Por qué no ha venido? Quería consultar con él un caso en el que estoy empezando —se lamentó interrumpiendo su intento de confesión.

—Papá, he venido porque quiero contaros algo a mamá y a ti —lo intentó de nuevo.

—De acuerdo, cariño, pero dile que le llamaré a lo largo de la semana, quiero saber su opinión sobre algunas cosas —insistió en aquel punto. Un hombre de negocios, ante todo.

—Arthur, deja hablar a la niña, te está diciendo que ha venido a contarnos algo —intervino su madre, impaciente, y de pronto todas las miradas se centraron en ella.

Su progenitora, con una sonrisa anticipatoria muy mal escondida asomándole a los labios, y seguro que esperando escuchar que iba a ser abuela. *Un poco de paciencia, mamá, en un par de fines de semana.* Su padre la observaba con el ceño ligeramente fruncido, siempre había sido un hombre muy intuitivo, la ayudaba en su vida profesional y a ellos les dificultaba la personal, la conocía lo suficiente como para saber que de ser buenas noticias ya las habría anunciado. Le inquietó un poco su gesto y de nuevo buscó apoyo en Thomas, lo vio respirar hondo y guiñarle un ojo, en un silencioso «seguiré estando aquí por muy mal que vaya, y veo que no estás comiendo demasiado, ¿puedo quedarme tu postre?».

A la de tres, Claire, y sin excusas, que esta vez tienes audiencia. El corazón comenzó a aporrearle aún más fuerte las costillas, casi podía escucharlo exigiendo «Dilo ya», «Dilo ya», «Dilo ya», con cada latido aumentaba el volumen, a lo mejor porque no iba a soportar aquella tensión por más tiempo. Ella era más bien de vida sedentaria y esos repentinos acelerones no debían de sentarle del todo bien a su sistema cardiovascular.

Uno.

Dos.

Oh, joder, ¿cómo iba a reaccionar su padre?

—Claire... —fue precisamente él quién pronunció su nombre, instándola a revelar el motivo de su visita.

Tres.

—He roto con Nick.

Y fue como si alguien lo hubiera dicho por ella, casi una experiencia extracorpórea, porque a veces la ansiedad extrema tenía ese efecto en la gente, pero reconoció su voz. ¿Debería sentirse aliviada? Se había quitado un peso de encima y ya no tendría que repasar más el discurso, había usado la versión breve y directa, sin florituras, porque solo estorbaban, simple y conciso para que el mensaje llegara al receptor con la mayor claridad posible. Reglas básicas de una buena comunicación. A lo mejor el alivio se hacía de rogar porque sabía que aún quedaba la peor parte y casi podía sentir su interior temblar. Thomas tenía toda la razón, aquello resultaba tremendamente ridículo, porque ya no eran niños, pero parecía que seguían temiendo igual sus rapapolvos.

El hombre intercambió una mirada desorientada con su madre, dejando la copa de vino sobre la superficie de la mesa antes de establecer contacto visual con ella de nuevo. Todavía no parecía enfadado, necesitaría tiempo para recuperarse de la sorpresa inicial. Por un momento nadie dijo nada, lo interpretó como «la calma antes de la tormenta» y le aumentaron las pulsaciones.

—¿Qué ha pasado? —quiso saber su madre acariciándole el brazo.

Seguro que recordaba su charla navideña de aquella madrugada, su padre mientras tanto la observaba en silencio, en espera de una explicación más pormenorizada. «Es importante escuchar a las partes antes de formular tus propias conclusiones, Claire», su consejo de abogado experto, e incapaz de desprenderse de aquella faceta de su identidad. Arthur Lewis nunca había podido ser «padre» a secas.

—Las cosas no iban bien, desde hace mucho tiempo —argumentó, y se lo explicaba a su padre, a pesar de que no era él quien lo había preguntado.

—¿Te ha faltado al respeto? —preguntó el hombre, repentinamente en guardia.

Si la respuesta fuera afirmativa, le patearía el culo a Nick, seguro, y a ella le diría algo así como «Tranquila, princesa, no te merecía», le daría un beso en la frente y todo el apoyo emocional y material que pudiera soportar; Arthur Lewis podía ser así de encantador si no se desviaban del camino que había diseñado para ellos mientras esperaba que la matrona le dijera «niño o niña». Por desgracia, la respuesta no era afirmativa y aquel camino ya casi ni lo veía. Un puntito casi imperceptible en el horizonte.

—No, papá, no ha sido por eso —reconoció.

«Ya no tienes diecisiete años, Claire», «Entonces, y con todos mis respetos, que le den a tu padre». Intentaba aferrarse a aquellos puntos de vista, tan extraordinariamente razonables considerándolos desde fuera, desde Cleveland, pero, perdiendo la ventaja que le otorgaba la distancia, todos comenzaban a distorsionarse un poco, la verdad. Aquel dicho de «Es más fácil decirlo que hacerlo» jamás le había parecido tan acertado como en ese mismo momento.

—¿Por qué ha sido entonces? —preguntó abandonando toda intención de continuar con su cena y apoyando ambos brazos sobre la mesa.

—Nos hemos distanciado, las cosas ya no eran como antes —trató de explicarlo lo mejor posible aun a sabiendas de que su padre no iba a entender nada.

—Por supuesto que las cosas no eran como antes, Claire, lleváis seis años juntos, no puedes esperar que todo siga igual —la rebatió del mismo modo de siempre, como si lo que él decía fuera lo más obvio del mundo y ella demasiado tonta para darse cuenta.

—Me he dado cuenta de que él y yo queremos cosas distintas. Nick quiere vivir para trabajar.

—¿Y qué quieres tú? —lo preguntó en aquel tono, como si su respuesta le pareciera estúpida antes incluso de haberla escuchado.

—No quiero eso —admitió centrando su vista en el salmón sobre su plato, el pobre había muerto para nada.

—En la vida no siempre tenemos lo que queremos, Claire. Es importante que vayas aprendiéndolo si es que no lo sabes ya —la aleccionó y su tono comenzaba a teñirse de reproche.

Lo odiaba, en serio, odiaba cuando le hablaba con esa suficiencia, como si por ser más viejo a él no le quedara nada por aprender. Debía de pensar que lo sabía todo, o que tenía la verdad absoluta de su lado, para poder hablar con esa soberbia había que estar convencido de algo por el estilo. Rabia, le producía rabia y eso podía soportarlo, era la inseguridad que la acompañaba lo que llevaba peor. Culpa de alguna etapa infantil no superada o resquicios del pensamiento mágico de la niñez, ese que te hacía dormir sintiéndote totalmente seguro porque tus padres eran todopoderosos y nada malo podía sucederte si les hacías caso, completamente omnipotentes, y no había nada que no supieran. Casi superhéroes.

¿Cuántas veces tenía que estrellarse contra la misma pared antes de desenmascarar a Arthur Lewis? Porque detrás del traje había una persona que no lo sabía todo, y porque la experta en Claire Lewis era ella misma.

—No lo quiero, papá. Eso también debería ser importante, ¿no crees? —No estaba acostumbrada a retarle, pero la situación lo requería.

Lo vio endurecer el gesto y recuperar la servilleta que había colocado en su regazo para limpiarse los labios. Después la depositó de forma algo brusca sobre la mesa, se le debía de haber quitado el apetito y aún le quedaba medio salmón en el plato. Menudo desperdicio. El hombre miró a su madre, con el enfado tomando forma en cada una de sus facciones, y no era nada nuevo, así que no le sorprendió que su interior se tensara un poquito más, testando su elasticidad.

—Todo esto es culpa nuestra, ¿sabes? —se dirigió a su madre.

—Arthur... —La mujer trató de suavizar la situación, y después cuando hablasen a solas lo trivializaría con un «ya sabes cómo es tu padre» que no arreglaba nada, un parche temporal que lo justificaba hasta la próxima.

—Es culpa nuestra por consentirle siempre todo lo que se le ha antojado —continuó hablando de todos modos—. La hemos criado como si el mundo le debiera algo, a los dos, y ahora nos encontramos con esto —manifestó arremangándose las mangas de la camisa, porque debía de empezar a tener calor.

Ya estaba allí, el jodido nudo justo en mitad de su garganta, y sabía que iba a pasar, todos lo sabían en realidad, pero le habría gustado innovar por una vez. Compartió una mirada con su hermano, tenía tensa la mandíbula, por la situación en general y por alusiones en particular, Thomas trató de reasegurarla con una pequeña sonrisa, pero no le salió del todo bien y a ella se le frunció el ceño y el nudo le apretó un poco más, una advertencia de lo que estaba por venir.

—Estás siendo muy injusto —no supo cómo, pero consiguió decirlo. A media voz y con la mirada baja, pero era un triunfo igualmente.

—¿Injusto? ¿Crees que es injusto? Injusto es que me haya pasado los últimos veintiséis años intentando que entiendas que la vía fácil no es la solución, y sigues escogiéndola una y otra vez, Claire. Que a veces las cosas no son sencillas y requieren esfuerzo. ¿Qué piensas hacer? ¿Iniciar otra relación y dejarla a los seis años porque «ya no es como antes»? La vida no funciona así.

—Eres tú el que no lo entiende —señaló, y sentía arder sus ojos. Seguro que desde fuera también se notaba que estaba a punto de echarse a llorar, pero no podía hacer nada por remediarlo, así que le daba lo mismo—. Para ti todo con lo que no estás de acuerdo es «la vía fácil».

—No, Claire, para mí no esforzarte por las cosas que quieres es «la vía fácil».

—¡Pero es que no queremos lo mismo que tú, papá! Nos esforzamos por otras cosas que de verdad queremos, pero tú ni siquiera las ves —sollozó frustrada—. Fui la primera de mi promoción y Thomas tuvo más matrículas de honor que nadie antes durante toda la carrera, y a ti te da igual porque no quisimos estudiar Derecho.

—Fuiste la primera de tu promoción para pasarte la vida dando clases en un instituto, ¿y debería estar contento? —lo preguntó sorprendido, como si realmente nunca se le hubiera pasado por la cabeza que aquella fuese una opción.

Solo son palabras, Claire. No dejes que te hagan demasiado daño.

—Es lo que quiero y me gusta —defendió su posición lo mejor que pudo.

—Muy bien, hija. Tú sigue haciendo lo que quieres y lo que te gusta, a ver dónde te lleva. De momento a tirar por la borda seis años de relación con un chico realmente prometedor.

—Es imposible hablar contigo. —Se sorbió la nariz tras decirlo, así que tal vez no quedó tan elocuente como esperaba.

Le gustaría decirle que su «chico realmente prometedor» nunca estaba en casa, que el gran licenciado en Derecho por la Universidad de Harvard actuaba como si la abogacía fuese lo más importante, y es que tal vez para él realmente lo era. Que ya no era feliz con Nick, y que cada vez le recordaba más a él y, justo por eso, no le gustaba. Le encantaría explicarle que lo que él llamaba «la vía fácil», era una de las cosas más difíciles que había hecho en su vida y que, para sus hijos, intentar llevarle la contraria era como escalar el Everest tres o cuatro veces seguidas, sin oxígeno y con climatología adversa. Que, para ellos, todas las vías eran difíciles simplemente por no ser la que él quería. «Tu punto de vista no es mejor que el de nadie, papá, así que deja de ser tan engreído».

Le gustaría, pero no iba a servir de nada y lo sabía de antemano. *Elige tus batallas, Claire, no te desgastes que aún te queda una especialmente complicada por delante.* Se disculpó y se levantó de la mesa, le escuchó decir «aún no hemos terminado de cenar, ¿tampoco tienes modales?», pero su madre le pidió que se callara y que la dejara ir. Se lo agradecía, aunque lo habría hecho de todos modos.

Se fue directa a su habitación y, otras veces, tras discutir con su padre, sobrevenía un espacio de tiempo baldío y estéril en el que solo quería llorar para desahogarse y que los demás la dejaran en paz. Era su momento de reflexión y recogimiento, como un ritual practicado tantas veces que ya formaba parte de la tradición Lewis, casi inmodificable, y, aun así, esa vez era distinto.

Se tumbó en la cama, sorbiéndose la nariz y secándose las mejillas con las mangas de su jersey, adolescentemente dramático, pero es que las discusiones con su padre eran la máquina del tiempo más poderosa de la historia de los inventos asombrosos. Sorprendentemente eficiente. Alcanzó su teléfono móvil, lo había dejado sobre la mesilla tras avisar a Ashley de que la cena con sus padres, también conocida como «el maldito fin del mundo», estaba a punto de comenzar. Buscó su contacto en la agenda y tan solo ver su nombre en la pantalla generó una cálida sensación justo en el centro de su pecho, un efecto placebo realmente efectivo.

Se sorbió de nuevo la nariz mientras escuchaba sonar el primer tono y, antes de que llegara el segundo, Ashley contestó la llamada. Así de rápido, como si hubiera estado esperándola, y lo mejor era saber que lo había estado.

—Ey, *Claire* —escuchó su voz al otro lado y se le llenaron los ojos de lágrimas un poco más.

—¿Puedes hablar? —lo preguntó porque, por el sonido ambiente, Ashley no estaba en casa.

—*Contigo sí. Dame dos segundos para que salga fuera.*

Escuchó movimiento, música y conversaciones varias mientras se dirigía a la salida del local y aprovechó el trayecto para sonarse la nariz.

—*Veo que te ha gustado mi regalo, no has podido esperar a usarlo* —dijo al otro lado de la línea.

—Mucho más práctico que unas flores o bombones —le siguió el juego, porque sentaba increíblemente bien poder hacerlo.

—¿*Tu madre ha cocinado para nada?* —preguntó, y ella sonrió un poco, Ashley tenía una forma tremendamente sutil y efectiva de tratar temas espinosos.

—Han sacado la conversación demasiado pronto.

—*Ya se lo has dicho.*

—No me siento mejor, no ha sido un éxito precisamente. —Suspiró y volvió a sorberse la nariz.

—¿*Ese era el objetivo? ¿Sentirte mejor?*

—No, el objetivo era que se enteraran de que Nick y yo no estamos juntos por mí, y no por una vecina cotilla en el supermercado —aclaró frotándose los ojos con el dorso de la mano.

—¿Y se habían enterado por una vecina cotilla en el supermercado?

—No.

—Entonces sí que ha sido un éxito.

—¿Según tú que esté llorando tumbada en la cama de mi habitación es un éxito?

—Bueno, entraba dentro de nuestras previsiones. Eres predecible, Lewis.

—¿Eso es bueno o es malo?

—Supongo que depende de a quién le preguntes.

—Te lo pregunto a ti.

—La incertidumbre me pone nerviosa —respondió, y ella sonrió ligeramente al oír su contestación—. ¿Ha sido muy horrible?

Horrible. ¿Era aquella la palabra? Porque su padre también era muy predecible y no había sucedido nada que no se esperara de antemano. Sin novedad, como suele decirse. Había sido doloroso, pero como siempre.

—Siempre es lo mismo, Ash. Habla como si lo supiera todo de todo y de todos. Y dice las cosas tan convencido que al final... —Se sonó la nariz de nuevo, sin previo aviso y seguro que Ashley tuvo que apartarse el móvil del oído ante el repentino estruendo, pero no se quejó.

—Dice las cosas tan convencido que al final... —le dio pie a continuar.

—Que al final te hace cuestionarte todo. Odio que consiga hacerme sentir así cada vez. Como si lo estuviera haciendo mal simplemente por no hacerle caso.

—¿Haciéndole caso te iría mejor?

—Según él, sí.

—Por supuesto. ¿Y según tú?

—No. Sería una aburrida abogada, hasta arriba de papeleo y obsesionada por hacerme con un caso lo suficientemente importante como para salir durante meses en las noticias de las diez.

—No me las perdería ni una noche, seguro que quedas genial en cámara.

—Sé que no me iría mejor, pero a veces me gustaría... no sé, que algo me dijera «Este es el camino correcto para ti, lo estás haciendo bien» —explicó, sería mucho más sencillo de esa manera—. ¿No sería genial que hubiese señales por la vida que te dijeran lo que tienes que hacer?

—Y dime, Claire, ¿en qué autoescuela te sacaste el carné? Porque se debieron de saltar un par de temas —bromeó, y ella sonrió porque era muy tonta.

—Sé que me has entendido perfectamente y solo intentas hacerme reír.

—¿Y lo consigo?

—Esta vez sí.

Se secó los ojos de nuevo con el dorso de la mano y se acomodó aún más sobre el colchón, le gustaba poder simplemente estar allí escuchando su voz a través del teléfono, la tranquilizaba y hacía que el resto del fin de semana no pareciera tan malo, estaba segura de que estaría esperándola en el aeropuerto cuando regresara el domingo. No habían quedado en eso de forma explícita, pero Ashley le había preguntado su hora de llegada, indicio más que suficiente, iba a estar allí. Seguro.

—Hay un problema de base en las relaciones paternofiliales, Lewis. Los padres siempre quieren lo mejor para sus hijos.

—¿Y eso es malo?

—Sí. Si piensan que saben lo que es.

—Mi padre piensa que lo sabe todo.

—Arthur Lewis contra Sócrates, menudo contraste —bromeó y le sacó otra sonrisa.

—Seguro que piensa que Sócrates es un gilipollas —aventuró, y probablemente lo pensaba de verdad.

—Uno de los mejores pensadores de todos los tiempos y un gilipollas, eso sí que es un contraste.

Asombrosa su capacidad para llevarla a cuestionar la solidez de los cimientos con los que, casi inconscientemente, había alzado a su padre al pedestal del conocimiento más absoluto. Y lo conseguía entre bromas. Porque podía pensar que Arthur Lewis sabía más que ella... ¿pero más que Sócrates? No. Más que Sócrates no. Por muy padre suyo que fuera, el griego salía ganando y ella también.

Una conversación de apenas cinco minutos y ya se sentía más fuerte. Ashley era mejor que las espinacas y tenía que saberlo.

—Eres mejor que las espinacas —le informó con media sonrisa y sin ganas de llorar.

—Gracias. *Es lo más raro que me han dicho nunca, pero me encanta tu originalidad.*

—Imbécil. Eres mejor que los cigarrillos porque me haces sentir bien sin nicotina y mejor que las espinacas porque me haces sentirme fuerte sin tener que comérmelas, y saben asquerosas —explicó su metáfora perfecta.

—*Ahora todo encaja mucho mejor* —reconoció en tono divertido.

Mejor que los cigarrillos, mejor que las espinacas y su nueva «carrera de Literatura», incluso más importante. Ashley era su motivo perfecto y, después de casi diez años, enfrentarse a la ira de Arthur Lewis volvía a merecer la pena. Si su padre no podía ver que la veterinaria era perfecta para ella, entonces el gilipollas era él y Sócrates seguía ganando.

Y a lo mejor sí que existían aquellas señales, al fin y al cabo.

A lo mejor Ashley era la más grande de todas.

12

I saw the sign

«¿No sería genial que hubiese señales por la vida que te dijeran lo que tienes que hacer?».

Pues sí, la verdad. Claire tenía razón y a ella también le vendrían bien de vez en cuando. En ese mismo momento, por ejemplo. Porque mientras Cleo y Darwin se peleaban a lo largo y ancho de aquel parque por una pelota, su cabeza le planteaba la posibilidad de largarse de allí una y otra vez, sin descanso. Y añadía un «date prisa, que Tracy es muy puntual» para aumentar la presión.

Iban a volver a verse después de cinco meses con contacto cero y, a pesar de que su conversación telefónica no fue del todo mal, aquello era un cuerpo a cuerpo sin tecnologías tras las que camuflar su inseguridad. Volver a ver a Tracy en vivo y en directo le ponía especialmente nerviosa. ¿Y si era demasiado raro? Incómodo incluso. ¿Y si habían encajado como pareja, pero no servían para ser nada más?

Cleo llegó corriendo a toda velocidad, con la pelota en la boca y mucha prisa, porque Darwin le pisaba los talones gruñendo de una forma un poquito amenazante. Soltó el juguete a sus pies, suplicando un «cógela, cógela, este tío se ha vuelto loco y ya no la quiero» cuando, en realidad, quería decir «tírala bien lejos que me encanta patearle el culo a tu amigo». Una pequeña y adorable manipuladora peluda. Sería un poco incómodo el tener que explicarle a su exnovia que el cachorro que acompañaba a Darwin era el perro de su novia actual, pero no había sido capaz de dejar a la pequeña jack russell sola en casa. Habría sido una crueldad y Cleo sabía cómo tocarle las teclas como una puñetera pianista profesional. Podía hacer con ella lo que quisiera, exactamente igual que su dueña.

Lanzó la pelota lo más lejos que pudo para complacer a sus acompañantes peludos y los observó salir a la carrera tras el juguete. Sonrió al ver a Cleo afanándose con todas sus fuerzas en ser más veloz que su amigo mayor, y era más rápida que cuando la conocieron, pero aún le faltaba mucho entrenamiento si quería dejar atrás al border collie. Y solo hacía seis meses desde aquel «Tu perro es el primero que no hace a Cleo salir corriendo en la dirección contraria», pero parecía una vida entera.

¿Cómo funcionaban las cosas antes de que ellas dos apareciesen haciéndolo encajar todo de aquella forma jodidamente perfecta?

Darwin fijó su vista en algún punto a su derecha, y dejó caer la pelota al suelo para alegría de Cleo. La pequeña se apresuró a hacerse con ella y alejarse a toda velocidad, por si cambiaba de opinión, pero su perro estaba demasiado ocupado, su completa atención centrada en una sola cosa. Avanzó dos pasos como por instinto, y parecía estar preguntándose «¿es ella de verdad?». Siguió el curso de su mirada y la localizó a unos veinte metros, reduciendo las distancias a un ritmo constante.

Tracy, las cosas antes de que ellas dos apareciesen funcionaban con Tracy.

Darwin salió corriendo hacia la pelirroja tras decidir que sí, que era ella seguro, y, por un momento, no supo si sería mejor acercarse también o ser testigo de su reencuentro desde una distancia prudencial. Tracy se agachó para recibir a Darwin y se dejó saludar con un lametón en la mejilla antes de deshacerse en caricias hacia el animal. De repente, Cleo entró en escena como una exhalación, porque si alguien estaba siendo tan cariñoso con su amigo debía serlo con ella también, ¡faltaría más! La pelirroja estuvo a la altura de las circunstancias y comenzó a rascarle la cabeza, acelerando con ello la velocidad del vaivén de su cola.

Sonrió ligeramente al verlos de aquel modo, aquellos vaqueros no iban a salir indemnes del reencuentro, pero seguro que a Tracy le daba un poco igual. La pelirroja rio cuando Cleo comenzó a lamerle toda la cara y sus miradas conectaron justo cuando intentaba escapar de los efusivos besos de la pequeña jack russell, alzando la cabeza para quedar fuera de su alcance. Por un momento, la sonrisa de su exnovia se congeló en sus labios, luego se trasformó en otra del tipo «no sé si esto va a ser un completo desastre, pero espero que no», y se incorporó tras rascar la cabeza de los animales una vez más.

Venga, Ashley, que solo faltas tú.

Se obligó a devolverle la sonrisa, porque aquello era jodidamente extraño e increíblemente necesario, casi en igual medida, y caminó hacia ella con el corazón acelerado. *Mierda, Woodson, si quieres que esto funcione, haz el favor de calmarte.* Justo cuando llegaba a su altura, Tracy sacó una pequeña bolsa del bolsillo de su abrigo y ella sonrió al reconocer aquellas chucherías para perros. Solía comprarlas cuando empezaron a salir, decía que para ganarse a Darwin, aunque tuvo al animal rendido a sus pies casi desde el minuto uno.

—Menuda memoria, chico —dijo cuando Darwin se sentó frente a ella en espera de su recompensa. Cleo lo imitó y la pelirroja rio y les premió a ambos.

—Qué generosa —indicó al llegar a su altura.

—Para ti también hay —le informó contagiándole media sonrisa.

—No, gracias, acabo de comerme un par de huesos y estoy llena.

—Sabía que dirías algo así —dijo la pelirroja divertida.

—Supongo que algunas cosas no cambian —admitió escondiendo las manos en los bolsillos de su anorak.

—Entonces te seguirán gustando —aventuró ella, ofreciéndole una piruleta.

Eso solía hacerlo también cuando empezaron a salir y le daba chuches a Darwin, abortaba de forma radical sus protestas tontas tipo «te gusta él más que yo» de aquella manera. El detalle la hizo sonreír.

—Son mis favoritas —reconoció aceptando el regalo—. Y una buena forma de romper el hielo.

—Era esto o abrazarte directamente y lo segundo me pareció más violento.

—Siempre has sido muy cuidadosa con los protocolos.

Unos segundos de incómoda indecisión, de ¿debería abrazarla o será demasiado raro? Cambió el peso de su cuerpo de pie, sopesando, hasta que cayó en la cuenta de que era una gilipollez el obligarse a racionalizar, porque tantos «debería» terminaban asfixiando lo que realmente quería hacer. Tracy había dado el primer paso, recuperando la tradición de la piruleta, así que ella le correspondió con la segunda mejor opción. Avanzó un par de pasos y la abrazó sin pensarlo más. Gracias a Dios su exnovia se lo devolvió casi al instante, habría sido bastante violento de otro modo. Joder, se habían abrazado incontables veces antes, pero evidentemente así no lo habían hecho jamás. El gesto se sentía familiar y extraño al mismo tiempo, como una especie de «sigue siendo increíble, pero de un modo diferente» y le gustó no notarla tensa entre sus brazos.

—Primera fase superada —la escuchó decir cerca de su oído y sonrió mientras ambas se separaban.

—¿Acaso lo dudabas? —bromeó, porque ella un poco sí.

—A medias —reconoció y, paradójicamente, tanta sinceridad facilitaba el proceso—. Apuesto que tú también.

—He estado a punto de salir corriendo dos o tres veces mientras te esperaba.

—Me alegro de que no lo hayas hecho —dijo mientras ambas comenzaban a caminar.

—Me alegro de que no hayas tardado cinco minutos más —indicó agachándose para recuperar la pelota.

Cleo la había dejado allí tirada, sin más miramientos, en cuanto reparó en las atenciones que aquella chica pelirroja dedicaba a Darwin. Se incorporó con ella en la mano y se dio cuenta de la forma en que Tracy miraba al cachorro. Su exnovia tenía buena memoria, así que no le sorprendió lo que dijo a continuación.

—Es el perro de Claire —señaló. El tema tenía que salir tarde o temprano, así que asintió, acompañando el gesto con un «ajá», porque no sabía si con aquel comentario buscaba solo confirmar o si quería obtener más información—. Ha crecido un montón —observó, y sonrió acariciándole tras las orejas cuando Cleo se encaramó a su pierna.

—Ya sabes lo que dicen, cinco meses en la vida de un perro son casi tres años y medio en la de un humano —bromeó y le alivió verla sonreír—. Claire está en Boston y estoy haciendo de canguro.

Unos cuantos segundos incómodos tras la aparición de la rubia en la conversación, porque solo hablar de ella le removía por dentro y no se sentía cómoda dejándose remover con Tracy delante. La pelirroja le quitó la pelota de entre las manos y se la enseñó a los animales consiguiendo que se sentaran, increíblemente obedientes. Les felicitó por sus modales antes de lanzar el juguete a unos cuantos metros de distancia. La primera parte de su encuentro había sido sorprendentemente fácil y esperaba que las cosas no se complicasen de ese momento en adelante.

—Claire y Jamie —indicó Tracy sin más volviéndose hacia ella—. Decidamos si vamos a hablar de ellas, porque si decidimos que no, podríamos relajarnos.

Bajó la mirada al suelo, porque la posibilidad de relajarse le apetecía bastante, pero no sabía hasta qué punto se limitaría a una tranquilidad artificial si dejaban aquel tema de lado. Casi deseó que la avisasen del zoológico, aprovechándose de su guardia localizada, en ese mismo instante. Que decidieran por ellas que ese no era el momento adecuado, aunque tenía que serlo. ¿No habían quedado para aclarar cosas?

—Si no lo hablamos ahora, estaríamos tensas la próxima vez —reconoció al fin alzando su vista, se encontró con la mirada de Tracy y la chica sonrió de forma casi imperceptible.

—Si no podemos hablarlo, no sé si debería haber una próxima vez, Ashley.

Brutalmente sincera, y es que, además, tenía razón, así que no les quedaban muchas opciones, a menos que quisiera que todo acabase así. Una conversación civilizada acerca de Darwin y Cleo, un par de «me alegro de haberte visto» y la seguridad de poder encontrarse por la calle de vez en cuando y dedicarse un «hola, ¿cómo te va?» antes de seguir caminando en distinta dirección.

—Estamos saliendo. Claire y yo. Rompió con Nick hace tres semanas.

Algo en la mirada de Tracy sugirió que sus esquemas se habían roto, al menos un poco. Le dio la impresión de que pensaba que Claire y ella llevaban juntas mucho más que tres semanas.

—Lo tenías complicado —dijo la pelirroja observando distraídamente a los perros.

—No ha sido fácil —reconoció desviando la vista también.

—Puede que te suene cínico, pero me alegro de que te haya salido bien —señaló conectando sus miradas, a lo mejor para darle más veracidad.

—Es raro, pero no suena cínico.

—Me ha costado meses de duro trabajo —resaltó el esfuerzo realizado y se sonrieron y se sostuvieron la mirada en silencio por unos segundos.

—Siento la forma en que sucedió todo —confesó, no podía decir que se arrepentía de haberse enamorado de Claire, de modo que se disculpó por la coreografía.

—No habría sido más fácil de cualquier otra manera —reconoció la pelirroja—. Visto con cierta distancia, fue mejor así. Pero la verdad es que me hubiera gustado poder odiaros un poco a Claire y a ti. Eso sí que habría ayudado.

—No es tu estilo.

—Claramente no, acababa defendiéndoos a las dos cuando mis amigas intentaban animarme. Podrías haberte colado por otra Joanna, pero Claire es un amor.

—Las dos lo sois —matizó y le sostuvo la vista cuando ella la miró—. Nunca fue de «quién es mejor que quién» —aclaró.

No sabía si Tracy lo pensaba, pero, si lo hacía, quería desterrar aquella idea de su mente para siempre.

—Lo sé. Y, para que lo sepas, tampoco lo es con Jamie.

Y lo dijo como si supiera algo, como si una morena o una castaña se hubiesen ido de la lengua con ella. Eso o Tracy la conocía realmente bien y se lo había imaginado sin necesidad de más pistas.

Bajó la vista al suelo, encajando que, tal vez, la Jamie de Tracy era su Claire, la pelirroja había iniciado aquel símil y, para su sorpresa, no le chirrió tanto como había esperado. Porque las dos lo habían dicho, alto y claro, que nada de aquello iba de «quién es mejor que quién» y, tal vez, «quién encaja mejor con quién» les funcionaba más.

—¿Tiene tatuajes? —preguntó alzando una ceja y le gustó que Tracy riera ante la pregunta, su reacción la hizo sonreír a ella.

—Tiene alguno, no demasiados.

—La cantidad perfecta.

—Bueno... no me importaría que tuviese alguno más —reconoció mientras ella se agachaba y le pedía a Darwin que le diese la pelota.

—Para ti nunca es suficiente —bromeó lanzando el juguete de nuevo, sonrió al verla fruncir el ceño, divertida ante aquella acusación.

—¿Cómo podía ser suficiente contigo? No tienes ninguno.

—Tengo fobia a las agujas.

—Una excusa muy conveniente —concedió observando a los perros, y al ver como ella sonreía ante el comentario, la pelirroja negó con la cabeza mientras imitaba su gesto.

No sentaba mal, sorprendentemente, no sentaba nada mal poder estar de pie, la una junto a la otra, en mitad del parque y hablando de otras chicas. Sonreír y conseguir que Tracy hiciera lo mismo no resultaba más difícil que cinco meses atrás, la incomodidad hacía acto de aparición de forma puntual, casi programada, y después desaparecía por la puerta de atrás, sin molestar demasiado, porque ellas volvían a estar cómodas y no querría importunar. Cuánta consideración y menudo alivio, que la llamasen del zoológico ya no le apetecía tanto.

—Respóndeme a una pregunta: esa tal Jamie... ¿canta mejor que yo? —preguntó y, tal y como esperaba, Tracy se echó a reír—. Tengo que saberlo.

—Oh, joder, sí. Canta bastante mejor que tú —le informó y ella frunció el ceño fingiendo estar molesta.

—¿*Heavy metal*? —probó suerte—. Porque esos registros no me hacen justicia —defendió sus dotes para la música.

—*Rock* alternativo, y sigue cantando mejor que tú.

—*Rock* alternativo, tu preferido —dijo y la vio sonreír mientras miraba el lago y asentía con la cabeza.

—Tatuajes y canta extremadamente bien *rock* alternativo, ¿qué más se puede pedir? —preguntó Tracy mientras ambas comenzaban a caminar hacia la orilla.

—No lo sé, ¿que esté buena? —ella respondió de todas formas y la sonrisa de la chica se hizo más ancha, como si se lo hubiera estado esperando.

—Bueno... no quería entrar en esos detalles contigo, pero ya que preguntas... —lo dejó en el aire, siguiéndole el juego, y ella sonrió.

—El *pack* completo.

Sentaba de puta madre poder hacerlo, aquello de que no se trataba de «quién era mejor que quién» le daba una nueva perspectiva a toda su historia. Y casi pudo escuchar a Olivia diciendo eso de «Al dejar una pareja, ya sabes lo que dicen: pierdes algo y ganas algo». Tal vez hablar de «mejor» o «peor» en aquellos contextos carecía de sentido.

—Ahora respóndeme tú a una pregunta —le pidió su ex—. ¿Claire canta mejor que yo? —la formuló mientras se sentaba en un banco y la miraba interesada.

—Joder, Tracy, cualquiera canta mejor que tú —dio por sentado, acomodándose a su lado y observando el lago.

—Menuda gilipollas.

Se pasaron hora y media allí sentadas, hablando de Jamie, de Claire, del zoológico y de la tienda de discos, de lo jodidamente raro que resultaba el que todo aquello no lo fuera más, de Ronda, de Olivia y del nuevo novio de Rachel. De todo, hablaron de todo y seguramente habrían continuado hablando de más si el móvil de Tracy no las hubiese interrumpido.

—Oh, vaya... —musitó la pelirroja—. Lo siento —se disculpó antes de descolgar. Vio su nombre en la pantalla antes de que la chica se lo llevase a la oreja—. Hola, Jamie —pudo escuchar su voz al otro lado de la línea, acelerada—. Para, no hace falta que finjas, todo va bien —lo anunció sonriendo y mirándola a ella de reojo—. No, sigue en pie. —Una pequeña pausa mientras escuchaba a la chica al otro lado—. Porque tengo ganas de verte...

¿Que si era extraño escucharla dirigiéndose así a otra chica? Un poco sí, la verdad, extraño, pero no desagradable, así que no podía quejarse. Seguro que a Tracy también le descolocaría un poco escucharla hablar con Claire, sobre todo si la rubia la llamase «mi amor».

Joder, es que Claire la llamaba «mi amor» muy bien.

—Lo siento —se disculpó su exnovia tras colgar.

—Jamie al rescate.

—No me juzgues, pensaba que todo esto iba a ser mucho más incómodo y necesitaba un plan de escape —reconoció casi avergonzada—. Hemos quedado en media hora, y no está siendo para nada incómodo, pero no quiero darle plantón.

—Comprensible —asintió ella mirándola.

—De verdad que no pensaba que fuera a ser tan fácil estar contigo... así —indicó la chica señalándolas a ambas.

—Yo tampoco. Es decir, quería que lo fuera, pero no creía que fuera a serlo.

—Yo también quería que lo fuera.

Definitivamente lo era, porque ya había pasado hora y media, pero tenía la sensación de que Tracy acababa de llegar. Era evidente que había más que cenizas a su alrededor y la idea de retomar una relación diferente con ella ya no sonaba tanto a estúpida utopía. El primer paso había sido bastante firme.

—¿Prueba superada? —probó suerte observando a la pelirroja.

—Parece que sí. Casi me da pena tener que irme —admitió con media sonrisa.

Iba a decirle algo así como «genial, no te hará falta plan de escape la próxima vez», pero inhibió el impulso porque le parecía algo arriesgado dar por sentado aquello de «la próxima vez». A ella le gustaría poder repetir, tantear el terreno y probar hasta encontrar la fórmula perfecta que funcionase para las dos. ¿Querría Tracy?

Su exnovia se levantó del banco y ella hizo lo mismo. Cleo y Darwin se acercaron, alerta al detectar movimiento. No habían olvidado que aquella chica tenía una bolsa llena de chucherías y suplicar no sería un problema para ninguno de los dos. Miraban a la pelirroja fijamente, moviendo la cola a un ritmo constante, casi sincronizados, y consiguieron hacerla sonreír. Qué bien sabían jugar sus cartas.

—Una para cada uno por haberos portado tan bien —concedió ofreciéndosela—. Y otra por ser tan guapos —accedió al comprobar que continuaban mirándola en actitud suplicante—. Las demás me las llevo para la próxima vez.

Sonrió, por aquel «para la próxima vez», porque Tracy también quería y, cuando sus miradas conectaron, la pelirroja le devolvió el gesto.

—Lo siento, no tengo más piruletas para ti —se disculpó y consiguió hacerla reír.

—Esperaré hasta la próxima vez.

Cuando Tracy desapareció de su vista, sacó el teléfono móvil y no le sorprendió encontrarse con mensajes pendientes en cuatro conversaciones de WhatsApp diferentes: Claire, Olivia, Ronda y, en una reunión, como síntesis de todo lo anterior, «Mafia Intercomunicada 24h». Abrió la de la rubia en primer lugar.

¿Y era normal que su corazón se contrajera con inusual fuerza solo con ver un nombre en una pantalla? Suponía que sí, cuando se trataba de «su» nombre era jodidamente inevitable.

«Claire Lewis»
Última conexión 18:47
CLAIRE: Mi padre sigue sin aparecer.
CLAIRE: Lleva fuera todo el día.

CLAIRE: Tommy dice que no es muy probable que esté tirado en una cuneta.

CLAIRE: Así que estará cabreado y evitándome. Mejor que muerto, supongo.

CLAIRE: No estés nerviosa, todo va a ir genial con Tracy.

CLAIRE: Sé que es una gilipollez porque te vi ayer, pero te echo de menos.

Pues si era una gilipollez, estaban siendo gilipollas juntas, porque ella también la echaba un poco de menos. Seguro que se debía a la intensidad característica de los primeros momentos de una relación, consecuencia de aquella desesperante necesidad de tenerla a su lado constantemente, de tocarla, incluso sin connotaciones sexuales. Apenas hacía veinticuatro horas desde que se había despedido de sus jodidos ojos azules en el aeropuerto y casi le resultaba imperativo el verlos de nuevo. Maldito síndrome de abstinencia, de los fuertes. Claire Lewis era la droga más adictiva de la historia de los estupefacientes y ella completamente dependiente de sus efectos. *Muy bien, Ashley, porque el primer paso siempre es reconocerlo.*

Se disponía a contestar a sus mensajes, pero aquellas últimas cuatro palabras la disuadieron justo antes de empezar a escribir. Se tomó su «te echo de menos» como una invitación a trasformar su interacción en otra mucho más personal, si no podía verla, escucharla a través del teléfono era su segunda mejor opción. Un «lo tomas o lo dejas» al que ella contestaba: «Lo tomo, lo tomo», sin necesidad de pensárselo y con mucho entusiasmo, porque la voz de Claire a través del móvil era su segundo sonido favorito en el mundo entero. ¿El primero? Su voz en directo, naturalmente, si se situaba justo junto a su oído, mejor, incrementaba la acústica y sus ganas de callarla de mil formas diferentes.

Escuchó el primer tono y Cleo se subió al banco y se sentó a su lado, como si hubiese adivinado a quién llamaba y también se muriera por escuchar su voz, por eso o por otra galleta para perros. Le rascó detrás de las orejas, informándole en un susurro de que ella no tenía más chuches, y lo dijo bien claro, para evitar malentendidos desagradables.

—*Hola, Ash* —Claire la saludó al otro lado del teléfono.

¿Ash? ¿Cómo que «Ash»? ¿Dónde estaba su «mi amor»? A lo mejor se había acostumbrado demasiado rápido a aquel apelativo y sus exigencias resultaban un poquito desmesuradas, sobre todo porque su forma más cariñosa de dirigirse a ella hasta la fecha había sido «mi chica-cerda».

—Es una gilipollez, pero yo también te echo de menos —la informó de entrada.

—*Las grandes mentes piensan igual* —la citó con una sonrisa en su tono.

—¿Alguna noticia sobre el paradero de tu padre? —preguntó sosteniéndole la mirada a Cleo, la muy tonta no debía de haber pillado eso de la falta de chuches y la observaba casi sin pestañear.

—*No, pero seguramente estará en el Anderson Memorial, pensando si saltar o no.*

Adorablemente dramática.

—Saltar nunca es la solución —dijo y le sopló a Cleo a la cara, el cachorro se lamió el hocico impaciente y continuó mirándola. Como una estatua de sal peluda y con hambre.

—*¿Ni cuando la egoísta de tu hija deja al yerno perfecto sin importarle su profundo conocimiento del mundo de la abogacía?*

—Especialmente cuando la egoísta de tu hija deja al yerno perfecto sin importarle su profundo conocimiento del mundo de la abogacía.

Sonrió ante el silencio de Claire, porque sabía que estaba haciendo lo mismo al otro lado, seguro que era una de esas medio tristes, pero jodidamente preciosas. En sus facciones le gustaban todas las tipologías.

—*Imbécil, deberías animarme y decirme que no soy egoísta.*

—Muy en el fondo ya sabes que no lo eres. Ser autodidacta es la mejor forma de aprender.

—*Y decirle a tu novia lo que quiere oír, la mejor forma de ganar puntos.*

Ay, joder. «A tu novia». Y lo había dicho como si nada, como si no fuese la primera vez que se refería a ellas dos de aquella manera tan explícita y verbal. Le gustó, le gustó mucho, en especial la forma en que su pulso se aceleró al escucharlo de su voz.

—¿Necesito ganar puntos? —preguntó, jugando con ella y con una sonrisa increíblemente tonta en la cara.

**

¿Ganar puntos? No. Ashley no necesitaba ganar puntos con ella, porque ya los tenía todos, incluso repetidos y le sobraban, pero se moría por escucharla llamándola algo más que «Claire», «Lewis» o «mi chica-cerda». A ella los «mi amor» le salían solos casi cada vez que se dirigía a la veterinaria.

—Si lo necesitaras... ¿cómo lo harías? —curioseó, empujándola un poco.

—*Demasiada distancia entre nosotras para enseñártelo* —indicó y tuvo que sonreír al oírla.

—Podrías decírmelo, a la velocidad del sonido no hay distancias.

—*Está bien, para ganar puntos contigo, mañana te llevaría algo increíblemente cursi cuando te recoja en el aeropuerto.*

No era exactamente eso lo que estaba buscando, pero le intrigó aquella idea. ¿Qué sería algo «increíblemente cursi» para Ashley? Y, aunque ya lo sabía, la veterinaria acababa de dar por sentado que iba a recogerla en el aeropuerto, sin darle la menor importancia, porque esos detalles a aquella chica le salían solos y ganaba puntos por todos lados, hasta sin darse cuenta.

—Extraordinariamente romántico —dijo acomodándose un poco más en el columpio de mimbre del porche de sus padres. Lo habían comprado hacía un par de años, una inversión muy acertada, porque se estaba muy bien allí cuando no hacía mucho frío.

—*Soy extraordinariamente romántica* —alardeó la veterinaria.

Y lo decía en broma, pero no había conocido a nadie antes que pudiera compararse a ella en aquel aspecto, porque a Ashley no le hacía falta regalarle flores para hacerla sentir de mil maneras diferentes, cuidada, casi mimada, y sin necesidad de grandes gestos. No tenía ni idea de cómo lo conseguía, pero le salía perfecto.

—¿Qué tal con Tracy? —preguntó tras una pausa, comenzando a mecerse ligeramente—. Apuesto a que no ha sido tan terrible.

Ashley no había tratado demasiado el tema del encuentro con su exnovia los días anteriores, al menos no con ella, pero sabía de sobra que había estado nerviosa y temiendo que resultara un gigantesco y horroroso desastre.

—*Digamos que me alegro de que me animaras a llamarla. Ha sido raro, pero un raro bueno.*

—¿Habéis podido resolver esas «cosas pendientes»?

—*Nuestra principal «cosa pendiente» eras tú.*

—Oh, ¿y habéis podido resolverme?

—*Creo que sí. Supongo que ha ayudado que la tal Jamie tenga tatuajes de verdad y cante increíblemente bien. Mejor que yo* —puntualizó y ella sonrió ante su tono.

—No, ¿en serio? —le siguió el juego.

—*Cuesta creerlo, ¿verdad?*

—No mucho, pero tienes otras muchas cualidades —y lo dijo para molestarla, porque la pobre tampoco cantaba tan mal.

Le sobresaltó el sonido de la puerta principal abriéndose y se llevó la mano al pecho en un movimiento reflejo. El corazón se le había acelerado sin pedir permiso ante la posibilidad de que fuera su madre quien accedía al porche en aquel preciso momento, y se apaciguó gradualmente al reconocer a Thomas.

—Ashley, mi hermano acaba de llegar —informó mientras Tommy se acomodaba a su lado en el columpio—. Viene a molestar, como siempre.

Rio cuando el chico le apretó la rodilla con sus dedos, en el punto exacto que la hacía retorcerse cada vez, llevaba haciéndolo desde los nueve años y no había perdido su toque.

—*Seguro que tenéis que hablar de tu padre y del Anderson Memorial, y Cleo, Darwin y yo deberíamos volver a casa. ¿Te llamo luego?*

—Sí, llámame luego.

Y miró a su hermano fugazmente. No podía notarlo, ¿verdad? Era imposible que lo adivinase con solo escuchar una conversación telefónica, seguro que su *gaydar* no era tan potente.

Devolvió rápidamente la vista al frente, porque su cara sí que podía delatarla, y seguro que lo haría si a Ashley se le ocurría decir alguna de sus tonterías, esas que la hacían sonreír como si fuera idiota o como si estuviera enamorada de una.

—*Claire...* —la llamó y dejó su nombre en el aire, cuando lo pronunciaba en aquel tono a ella se le aceleraba el organismo entero.

—Ashley... —siguió la tradición a pesar de la indeseada presencia de Thomas a su lado.

—*Si es una gilipollez, soy más gilipollas de lo que pensaba* —y Ashley lo dijo en clave, pero a ella no le dio tiempo a disimular su sonrisa.

—Gilipollas y encantadora a tu manera.

Podía sentir la mirada de Tommy escaneando su manera de sonreír, pero no se dejó intimidar por la intensidad de su escrutinio. Necesitaba contárselo de todas formas, que lo supiera él antes que nadie, escucharle decir que no pasaba nada y que todo iría bien, porque lo sabía por propia experiencia. ¿Qué mejor garantía? Así que sonrió sin restricciones, como una idiota, ante aquel «es ridículo, pero te echo de menos más de lo que me esperaba» codificado en voz de la veterinaria. Ashley y su asombrosa capacidad para hacerla caer cada vez un poco más, aunque *a priori* le pareciese imposible.

—*Hasta luego, Claire.*

Y su corazón comenzó a bombear sangre con mucha prisa, anticipando lo que estaba a punto de ocurrir, era un momento grande de verdad y necesitaba aporte de oxígeno al por mayor.

¿Preparada para lo que vendrá a continuación, Lewis?

«Nací preparada».

Perfecto. Entonces, adelante.

—Hasta luego, mi amor —impecablemente ejecutado y con voz de tonta, además.

Tommy lo tenía fácil, una pequeña ayuda a su *gaydar*, por si la necesitaba. Colgó el teléfono y conectó sus miradas, en espera de la reacción de su hermano a la última frase de su despedida. Una pausa, dramática o simplemente necesaria, un poco de tiempo para que el chico encajara aquella pieza discordante al compararla con las del resto de su vida. No escondió su mirada, porque, aunque tenía un poco de taquicardia, con él no le costaba apenas trabajo ser valiente. Tras unos segundos de inmovilidad pétrea, su hermano alzó una ceja, acompañando el gesto con el inicio de una sonrisa, ladeada y con un ligero toque de incredulidad.

—¿Quieres matizar algo o puedo saltar directamente a las conclusiones?

Nunca pensó que pudiera descargarse tanta adrenalina tan solo pronunciando palabras, de verdad, porque a lo largo de los años Tommy y ella habían hablado de muchas cosas, pero solo recordaba una ocasión en la que el tema de discusión resultara tan trascendental. ¿Su hermano también sufrió taquicardia cuando le dijo que era gay?

Matiza, Lewis.

—La quiero, Tommy.

Y bajó la mirada al móvil que aún sostenía entre sus manos, porque, a pesar de la confianza, le daba un poco de vergüenza confiarle algo así a su hermano mayor. Sintió cómo cambiaba de postura a su lado, cuando levantó la vista comprobó que se había girado hacia ella para poder mirarla mejor.

—Claire, estoy esforzándome al máximo por no gritar, porque no quiero llamar la atención de mamá, pero... ¡joder! —exclamó en un susurro, una mezcla casi imposible, pero si alguien podía conseguirla ese era Tommy—. ¿Cuándo ha pasado? ¿Cómo ha pasado? ¿Quién es? —inquirió en voz baja y exageradamente acelerado.

—Se llama Ashley, la conocí poco después de que nos mudásemos a Cleveland. Su perro se nos acercó a Cleo y a mí un día en el parque.

«Perdónale, es un perro un poco pesado».

—¿Cómo se pasa de saludar a una desconocida en un parque a despedirte de ella llamándola «mi amor»? —preguntó con genuino interés, se moría por saber y era obvio. Casi transparente.

—No lo sé, Tommy —reconoció con media sonrisa—. Primero era una desconocida, después «la dueña de Darwin», luego una amiga y de repente no podía dejar de pensar en ella.

—Todo un recorrido —opinó su hermano—. ¿Te había pasado antes? Ya sabes, con otras chicas.

—Nunca.

—¿Instituto? ¿Clase de gimnasia? ¿Duchas? —probó suerte, tratando de explorar su desarrollo psicosexual desde los cimientos. Le golpeó el brazo con media sonrisa y él rio.

—Ashley es la primera.

Y, Dios, es que de verdad Ashley era la primera para ella en muchas cosas.

—¿Por eso has dejado a Nick?

—Es una de las razones, pero no la más importante. Nick y yo habríamos terminado igual si no la hubiese conocido. Y no tiene nada que ver con lo que dice papá, tenía mis motivos.

—Lo sé, eso ya lo sé. Y no tienes que justificarte delante de él, ¿sabes? —dijo acariciándole el brazo, una muestra de apoyo silencioso.

—A veces me hace sentir que sí.

—A mí también —admitió, ella le dedicó media sonrisa triste y él le devolvió el gesto.

—¿Crees que se enfadarán?

—¿Recuerdas la noche que les dije que era gay?

—Vívidamente.

—¿No responde eso a tu pregunta?

—Vívidamente —repitió respuesta, porque encajaba igual de bien y la anticipación de la tragedia entorpecía su búsqueda de alguna más original. Casi sintió un escalofrío recorrer sus terminaciones nerviosas.

—Misión cumplida —se dio por satisfecho esbozando media sonrisa.

Ambos se quedaron en silencio unos segundos, demasiado tiempo para pensar, porque si su padre se había tomado así de mal perder un yerno, no quería ni imaginarse el impacto que tendría en él la segunda parte de sus noticias. Bendita pausa publicitaria. Thomas le propinó un golpecito en la pierna, captando de nuevo su atención, y cuando le miró descubrió aquella sonrisa en su cara. Casi supo lo que iba a decir sin necesidad de escucharlo.

—¿Has dicho que la quieres? —rescató su afirmación y a ella empezaron a quemarle un poco las mejillas—. ¿Cómo es?

Su hermano le estaba preguntando cómo era la chica de la que estaba enamorada, una posibilidad surrealista si se la hubieran planteado meses atrás, pero sentaba muy bien que fuese una realidad tangible en aquellos momentos. A pesar de la vergüenza inicial, ella también se acomodó en el columpio, quedando frente a frente con Tommy y reprimiendo una sonrisa de las estúpidas. ¿Cómo era Ashley?

—Es muy divertida, creo que no me había reído tanto con nadie antes —inició su descripción de la veterinaria y su hermano se revolvió en el asiento presa de la emoción—. Es superatenta y muy cariñosa, con ella todo ha sido fácil desde el principio. Y es guapa, es muy guapa, Thomas —confesó, esbozando media sonrisa porque se acordó de aquellos ojos verdes y su interior burbujeó un poco.

—En serio, Claire, tengo muchas ganas de gritar muy alto. Vale, céntrate, Thomas. ¿Qué es lo que más te gusta de ella?

Sus ojos verdes, su increíble sonrisa y su culo. Pero eligió únicamente las dos primeras, porque estaba hablando con su hermano mayor.

—Tiene unos ojos verdes increíbles y su sonrisa. —Aunque la volvía loca el conjunto, Tommy le había pedido que concretara.

Su hermano frunció el ceño al escucharla, en un gesto de concentración extrema, un poco fuera de lugar en su contexto actual si le pedía su opinión.

—Espera, espera, espera… ¿estás saliendo con *Cleveland Hottie*? —exclamó abriendo los ojos desmesuradamente, señal de un impacto emocional bastante considerable.

—¿Quién es *Cleveland Hottie*? —indagó un poco desorientada por el giro en la conversación.

—*Cleveland Hottie* es la chica que sale contigo en tus fotos de perfil de WhatsApp.

—No, «Ashley» es la chica que sale conmigo en mis fotos de perfil de WhatsApp —le corrigió un poco molesta—. ¿Dani y tú no sois demasiado mayores y demasiado gais para jugar a estas cosas?

—Nosotros sí, pero el hermano de Dani es un adolescente hormonado —reveló la identidad de la mente prodigiosa que se escondía detrás de aquel estúpido apodo—. Y seguro que ha pasado muy buenos ratos gracias a tu novia.

—¡Puaj, Thomas! —manifestó su disgusto verbalmente a la vez que le propinaba un golpe en el brazo, de los fuertes.

No necesitaba saber eso. Y no quería ser egoísta, pero que adolescentes hormonados utilizaran la imagen de Ashley para hacer ciertas cosas debería estar penado por la ley. Se recordó que ella había utilizado imágenes mentales de la veterinaria para muchas cosas durante bastante tiempo, antes y después de aquel beso que lo cambió todo, y se revolvió en el asiento. Al menos lo suyo se justificaba porque el interés romántico acompañaba al sexual, y todo quedaba mucho menos depravado de esa manera.

—Sí, es guapa —confirmó su hermano cotilleando su foto de perfil—. Para ser una chica —añadió, porque aquella coletilla no podía faltar—. Hacéis buena pareja —opinó y se pasó unos segundos en silencio con los ojos fijos en la foto de ambas, interiorizando la idea de que su hermanita pequeña estaba saliendo con otra mujer—. ¿Estás segura de esto? ¿Vas en serio con ella?

—Muy muy segura y voy muy en serio con ella.

—Vamos a matar a papá —Tommy repitió aquella lúgubre profecía sin levantar la vista de la fotografía—. Al menos dime que es una aburrida abogada.

—Veterinaria —le contradijo—. Trabaja en el zoo.

—Oh, joder... vamos a matar a papá. Aunque ya no podrá quejarse de no ir a tener una nuera.

Los dos sonrieron y antes de que se diera cuenta estaba entre los brazos de su hermano. Thomas no solía abrazarla mucho, pero lo hacía bastante bien en momentos trascendentes como aquel, de alguna manera detectaba cuándo ella necesitaba uno de verdad. Acomodó la mejilla en el hombro del chico y simplemente se perdió en el gesto, correspondiéndolo, porque su hermano mayor la hacía sentir muy segura de aquella manera, pero él también tenía batallas que librar. Un *quid pro quo* fraternal en toda regla, ambos necesitaban uno de esos de vez en cuando.

—Espero que la tal Ashley lleve buenas intenciones, dile que si no, no va a importarme que sea una chica.

Sonrió al escucharle, porque era muy chulito cuando se ponía en plan hermano mayor y porque aquello de las posibles intenciones de Ashley la llevaban a recordar su «Claire, quiero estar contigo» a las orillas de un río. «Quiero estar contigo», simple y conciso, justo lo que ella quería también.

Segundos después, ambos escucharon el sonido de un coche y Thomas debilitó su abrazo empujándola ligeramente, se giró para poder seguir el curso de su mirada y localizó el Mercedes de su padre aparcando justo frente al porche de la casa.

—Si al final ha saltado, le ha dado tiempo a secarse —indicó su hermano y el comentario le habría hecho gracia de no ser por aquella repentina taquicardia.

Ambos observaron cómo su padre se apeaba del coche y enfilaba el camino hacia la casa, un porte impecable, con su maletín en la mano, trajeado y con semblante serio. No sabía qué esperar de él tras su discusión de la noche anterior, tal vez nada, con un poco de suerte pasaría de largo con un simple «¿No hace frío para que estéis ahí?» o algo por el estilo. Los dos lo seguían con la mirada como cuando eran pequeños y habían hecho alguna travesura, casi conteniendo la respiración y con un «¿nos va a echar la bronca?» atascado en sus gargantas. Su padre se detuvo ante ellos, buscando las llaves en los bolsillos de su chaqueta.

—La compañía de mudanzas del hijo de uno de los socios del bufete nos descuenta el veinte por ciento si pueden hacerlo a final de mes —le informó a ella en particular.

Y por un momento no supo muy bien qué pretendía su padre transmitiéndole aquella información, después se dio cuenta de que no era su intención trasmitirle nada, simplemente lo había dado todo por sentado y tenía la deferencia de consultarle la fecha. Casi tenía que darle las gracias. Compartió una rápida mirada con Thomas y su hermano le acarició la pierna, casi podía escucharle animándola a aclarar aquel malentendido. De nuevo, aquella tensión anidando en el centro de su pecho, tiempo de migraciones. Se aclaró la garganta antes de hablar, seguro que le salía la voz un poco más digna de esa manera.

—No voy a volver, papá.

Su padre la miró por unos segundos, interiorizando el mensaje, y buscándole la lógica seguramente. Mierda, es que lo había dado por sentado de verdad, solo porque ya no estaba con Nick, Arthur Lewis no contemplaba la posibilidad de que pudiera querer quedarse en Cleveland por ningún otro motivo.

—No digas tonterías, Nick casi tuvo que llevarte a rastras.

Y sí, al menos ahí tenía que darle la razón, porque mudarse a Cleveland nunca había sido la ilusión de su vida y, de hecho, lo convirtió en todo un drama casi desde el principio. Pero eso había sido antes de muchas cosas, en particular antes de ella, y, en el momento presente, regresar no era una opción.

—Ahora es distinto, no voy a volver —repitió el mensaje principal para que fuese cogiendo fuerza.

—¿No pretenderás quedarte en esa ciudad tú sola?

—No estoy sola, tengo amigas allí y un trabajo que me gusta —defendió sus motivos.

Todos menos el principal, porque era un poco pronto todavía para explicarle a su padre que no estaba dispuesta a regresar a Boston dejándola a ella en Cleveland. Y esta vez, cuando se endurecieron sus facciones, le dieron ganas de decirle «enfádate todo lo que quieras, porque ya está decidido», o algún sucedáneo con la misma idea principal.

—Aquí tienes a tu familia, a tus amigos y un trabajo mejor pagado, estarían encantados de que volvieras. Podrías plantearte hacer el doctorado y seguro que terminarías dando clases en la universidad.

—No es lo que quiero, si quisiera hacer eso ya lo habría hecho, papá. Me gusta dar clases en el instituto —lo repitió de nuevo, tal vez por millonésima vez, Arthur Lewis era duro de mollera.

—¿Y sabes lo que quieres? ¿O simplemente haces lo que te apetece a cada momento? —preguntó el hombre levantando el tono.

Y de nuevo giraban ambos en la misma rueda de siempre, se sabía de memoria el recorrido y cada una de las paradas y no le gustaba el trayecto. Esta vez tenía las cosas tan claras que quedarse hasta el final carecía de sentido, se había cansado de dar vueltas alrededor de aquella abstracción inalcanzable. Nunca iba a querer lo mismo que su padre y él jamás iba a entenderlo, el acuerdo no era posible por mucho empeño que se pusiera desde ambos bandos. Lo más inteligente era aceptarlo y seguir adelante sin más dramas. Por muchas explicaciones que quisiera darle, a él no iba a valerle ninguna, así que se levantó del columpio, impulsada por la rabia que le generaba su inflexibilidad.

—No paro de decirte lo que quiero, pero tú no quieres escucharlo. Quiero dar clases de literatura en un instituto, quiero quedarme en Cleveland y quiero que lo respetes —dejó claro pasando por su lado y entrando en la casa sin más.

Lo oyó seguirla al interior de la vivienda, llamándola, casi exigiendo que detuviese su ascenso escaleras arriba. Y no habría parado, de no ser porque su madre emergió de la cocina al escuchar aquel escándalo.

—¡Por el amor de Dios! ¡Basta! ¡Los dos! —exclamó la mujer.

Y aunque ella no se consideraba culpable de nada, paró en seco y se volvió hacia ellos. Podía sentir los latidos de su corazón golpeándole las costillas de forma muy poco delicada, brutalmente activado, a juego con el resto de su organismo, una mezcla de enfado, rabia e impotencia lo aceleraba al máximo.

—¿Sabías que tu hija no tiene planeado volver a Boston? —preguntó el hombre dirigiéndose a su mujer.

Su madre la miró un instante, secándose las manos con un paño de cocina, porque todo aquel drama debía de haberla pillado en mitad de los preparativos de la cena. Devolvió la vista a su padre y suspiró, aparentemente cansada de aquella situación.

—Arthur, la niña tiene un trabajo allí en el que está contenta y tiene veintiséis años, no dieciséis. ¿Podemos, por favor, tener la cena en paz hoy? Estoy preparando espaguetis con albóndigas y espero no tener que tirarlos.

—Precisamente porque tiene veintiséis años debería estar más centrada, y si no fuésemos tan permisivos, tal vez lo estaría —exclamó frustrado por la repentina falta de apoyo.

—¡Ya está bien, papá! Estoy cansada de escuchar esta conversación cada vez que Thomas o yo hacemos algo con lo que no estás de acuerdo. —Alzó la voz, y esta vez estaba dispuesta a seguir levantándola, aunque se le rompiera—. Me da igual que no te parezca bien que no quiera volver, no me importa que pienses que dejar a Nick ha sido el error más grande de mi vida o que consideres que ser profesora de instituto es un trabajo de mierda. No somos tú, papá. Ni Tommy ni yo.

—No me levantes la voz, Claire —le advirtió Arthur, contenido y con tono pausado. Cuidando las apariencias—. No intentes pintarme como el malo de todo esto, solo quiero lo mejor para vosotros dos.

—¿Y quién decide qué es lo mejor para nosotros, papá? ¿Tú? —lo cuestionó y supo que su padre estaba esforzándose al máximo por no perder los papeles, pero estaba un poco rojo y nada acostumbrado a sus réplicas.

—Los dos podríais estar haciendo cosas mejores, valéis para mucho más —aseguró, parecía que el que no se dieran cuenta de aquello le desesperaba de una forma especialmente intensa.

«Cosas mejores», que en el dialecto de su padre significaba «más renombre y más dinero». Ser grandes abogados en vez de periodista *freelance* y profesora de instituto, eso era para Arthur Lewis hacer cosas mejores. El sueldo de un cirujano y gran dedicación laboral, porque aquellos eran sus valores, y los demás o se conformaban o tenían que conformarse, así de claro. Y lo quería con toda el alma, pero odiaba aquella parte. Un ejercicio importante de inteligencia emocional el conseguir condensarlo todo sin disociarse.

—No quiero esas «cosas mejores», quiero esto. No necesito ganar más dinero y no quiero vivir para trabajar. Y tampoco quiero estar con alguien que piense que todo eso es lo más importante y yo algo con lo que rellenar sus ratos libres —le sorprendió que su voz se escuchara tan firme por fuera, porque estaba temblando por dentro.

—Claire... —Su padre utilizó un tono de advertencia, haciéndole saber que se estaba pasando de la raya, la dejó atrás y no le importó.

—No quiero ser como tú, y no puedo estar con alguien que sea como tú. Y me encantaría que lo entendieras, pero que no lo hagas no va a cambiar nada.

—Se acabó, no pienso permitir que me faltes al respeto en mi propia casa —exclamó el hombre y lo dijo en tono enfadado, pero era evidente que había dado en una diana especialmente sensible.

Tal vez aquel «No quiero ser como tú» había sonado un poco despectivo, aunque no había sido esa su intención, y algo se le removió por dentro, porque su padre parecía haberse quedado sin palabras, fuera de juego, y aquella era la primera vez. Quiso decir algo que suavizara las cosas, pero no supo qué y aquella intensa activación interna, mezcla de rabia y frustración, no le permitía dar marcha atrás. Un secuestro emocional en toda regla.

Cuando su mirada se cruzó con la de su padre, le pareció que él estaba en una situación parecida. Una reacción en cadena que terminó con Arthur diciéndole «Con esa actitud no vengas a esta casa» en vez de «me has hecho daño y no sé actuar de otra manera»; y con ella recogiendo sus cosas en su habitación con lágrimas nublándole la vista, mientras que su madre trataba de arreglar aquel desastre siguiéndola de un lado a otro del cuarto. Su «ya sabes cómo es» había dejado de valerle hacía mucho tiempo y, diez minutos después, abandonaba la casa de sus padres llorando y con la sensación de haberlo hecho todo mal.

13

Do you wanna be my baby?

Catedrático de Derecho Penal en la Universidad de Harvard, socio fundador de uno de los bufetes de abogados más prestigiosos de Boston, consultor en tropecientas mil empresas diferentes y liderando estadísticas en cuanto al porcentaje de casos ganados a lo largo de su carrera.

Joder con Arthur Lewis, el puto Elvis Presley del mundo jurídico, como Madonna en los noventa. Un jodido ídolo de masas, aunque enfocado a otro sector de la población. Un tío importante y el padre de Claire.

Casi llevaba una hora de reloj metida en la cama con su ordenador sobre las rodillas y haciendo una extensa búsqueda de todo lo relacionado con esa estrella de la abogacía. Y es que había muchas cosas, tantas que casi intimidaba sin necesidad de conocerlo en persona. Las instantáneas que lo retrataban abundaban por la red y el hombre imponía, un hecho completamente objetivo. Trajes de diseño, sonrisa de ganador y mirada penetrante, un «no me importa si lo has hecho o no, vas a pasarte lo que te queda de vida en la trena» condensado en aquel intenso azul. Claire había heredado sus ojos, pero no su forma de mirar. Gracias a Dios.

—Vaya con el abuelo, ¿eh, Cleo? —comentó, pero ella dormía panza arriba a su lado y no parecía muy impresionada. Una perrita dura de roer, seguro que le destrozaría los zapatos y sin temblarle el pulso. Y debería, joder, sí que debería. Se había pasado hablando con Claire casi tres cuartos de hora por teléfono aquella misma noche y su chica iba a quedarse a dormir con Nicole, porque las cosas habían ido demasiado lejos con su padre. El gran Arthur Lewis podría comerse el mundo entero, pero en su propia casa era un puto desastre. Excelente abogado, pésimo hombre de familia. Como suegro no tendría precio, seguro.

Sonrió al encontrarse de pronto con una foto de «la familia de Arthur Lewis» en una de esas cenas de abogados que Claire odiaba tanto. Tenía fecha de hacía un par de años y un potencial destructor de gigantescas proporciones que amenazaba con arrasar hasta su última neurona activa, porque, joder, cómo le quedaba a la rubia aquel vestido, y miraba a cámara como sin darle importancia. Menuda humildad y menuda sonrisa. El chico que posaba a su lado debía de ser su hermano Thomas, y no era feo, pero le impactaba bastante menos.

Botón derecho, «Guardar como». Bendita tecnología.

El sonido del timbre resonó en mitad de aquel silencio, provocó que diera un respingo en la cama y un amago de muerte prematura. Seguidamente, se desató el escándalo característico de toda casa con perros, porque Darwin se puso a ladrar como un loco en el piso de abajo y Cleo dio un bote sobre el colchón, ladrando a su vez sin ton ni son y, aún medio dormida, se cayó de la cama. A su favor había que decir que no dejó que la vergüenza de aquel embarazoso momento la frenase, y se recuperó enseguida saliendo como una bala hacia la planta inferior, directa a unirse con su compañero en la lucha. A ella le habría hecho mucha gracia si su corazón no estuviera amenazando con salírsele del pecho en aquel mismo instante.

Dejó el ordenador sobre la cama y se apresuró a llegar a la puerta principal. Quien quiera que fuese la persona esperando al otro lado debía de tener algo extremadamente importante que contarle. Era casi la una de la madrugada. Antes de abrir la puerta, comprobó su identidad, porque era una chica precavida, y su preocupación aumentó de golpe cuando descubrió a Olivia esperado de pie en su porche.

—¿Qué pasa? —preguntó con el corazón en un puño en cuanto estuvieron cara a cara.

—¿Puedo entrar? —le devolvió otra pregunta, y ella se apartó de la puerta con rapidez.

—¿Estás bien? ¿Qué ha pasado?

—Estoy bien, pero no podía dormir.

La observó con el ceño ligeramente fruncido mientras cerraba la puerta, aún con el corazón acelerado, porque era de madrugada, joder. Y durante su escrutinio a la farmacéutica descubrió dos cosas: una, que Olivia parecía bastante nerviosa; y dos, que encima del pijama llevaba puesta una sudadera de los Monsters de Cleveland.

—He visto luz en tu habitación —señaló cambiando el peso de pie.

—Tenía la luz encendida, de momento todo cuadra.

Olivia sonrió levemente, su amiga estaba inquieta de verdad, y a ella se le empezaba a contagiar, porque iba a contarle lo de Aaron, seguro. Esa puta sudadera de los Monsters no dejaba lugar a la duda.

—Claire está en Boston, así que he supuesto que estarías sola —continuó justificando su presencia allí, obviando el hecho de que no necesitaba hacerlo.

—Me tienes fichada. —Sonrió de medio lado, un poco impaciente.

Dilo, Olivia.

Simplemente dilo.

«Estoy con Aaron». *Solo tres palabras, soy tu mejor amiga y no es tan difícil.*

Al parecer Olivia no lo debía de tener tan claro, porque paseó su vista por todas partes para no tener que mirarla a ella. Joder, aquello era ridículo, porque a los dieciséis la morena se había emborrachado por primera vez y le había vomitado encima a un tío con el que se estaba enrollando. Extremadamente embarazoso y, aun así, perdió el culo por ir a contárselo al día siguiente. ¿Qué le impedía confesar en aquel preciso momento? ¿Acaso era Aaron peor que el vómito?

—Tenías razón ayer en el Happy Dog —reconoció conectando sus miradas por fin.

—Sí, la NBC está sobrevalorada —repitió su comentario de la noche anterior.

—Claramente —confirmó reprimiendo una sonrisa—, pero sabes que no me refiero a eso.

—Es la una de la madrugada, así que espero que no.

Olivia cambió el peso de pie una vez más y a ella le dieron ganas de presionarla hasta romperla, hasta conseguir que confesara que había vuelto con Aaron, para poder preguntarle en qué demonios estaba pensando para hacer algo tan increíblemente estúpido. Y a lo mejor, justo por eso, la morena jugueteaba nerviosa con las mangas de su sudadera en vez de hablar. Quizá sabía lo que vendría a continuación y estaba haciendo tiempo.

Recuperó el sabio comentario de Claire y le dio un par de vueltas. Eso de que Olivia era mayorcita para saber con quién se acostaba y por qué debía de tener mucho sentido, aunque a ellas les costara verlo. Y se escondían tras su título de amigas preocupadas, blandiendo esa carta para justificar lo injustificable, bajo el mantra «todo vale, en el amor y en la guerra», porque ellas sabían lo que era mejor para su amiga, ¿verdad?

«Hay un problema de base en las relaciones paternofiliales, Lewis. Los padres siempre quieren lo mejor para sus hijos».

Menudo paralelismo y se le estrelló directamente en la cara. Porque eso de «lo mejor» era relativo y dependía de la perspectiva, y tal vez aquel problema de base no era exclusivo de las relaciones padres-hijos.

—Tenías razón cuando dijiste que hace mucho que no hablamos. —Olivia interrumpió sus reflexiones, avanzando hacía los escalones que llevaban al piso superior y sentándose en el segundo de ellos.

Joder, el corazón se le aceleró un poco, no demasiado, lo justo para llamar su atención en un silencioso «al loro, Ashley, que se está acercando». Se cruzó de brazos y se apoyó de lado en la pared, observando a su amiga, y quería decirle «siento no haberme dado cuenta antes», pero es que a esas alturas ya no importaba y ella solo quería facilitar el proceso.

—Bueno, podemos hablar cuando quieras —dijo sin desviar la vista.

—¿Incluso a la una de la madrugada? —probó suerte la morena y ella sonrió de medio lado.

—Es la mejor hora —aseguró mientras se acercaba. Tomó asiento a su lado y la miró—. El silencio me ayuda a concentrarme mejor.

Esperó al principio con mucha paciencia, pero se le fue gastando paulatinamente, a medida que Olivia jugueteaba nerviosa con las mangas de su sudadera, sin decidirse a hablar. Casi le dolía su ambivalencia, un «quiero, pero no quiero» evidente, y la pobre estaba sufriendo de forma totalmente innecesaria teniendo en cuenta que todas lo sabían ya.

—Dicen que los Monsters lo están haciendo bien esta temporada —indicó distraída, y desvió su vista al frente antes de que la morena la mirase.

—¿Desde cuándo estás tan puesta en *hockey*? —inquirió rodeando aquella conversación obligada.

—Desde que has vuelto a poner de moda esas sudaderas —respondió mirando la que llevaba puesta en ese momento.

Olivia sonrió de lado, muy levemente, en plan «vale, me has pillado, ¿desde cuándo coño lo sabes?» y apartó su mirada. Una reacción comprensible tras un *insight* así de revelador.

—Ash, si lo sabes, por favor, dilo y acaba con mi sufrimiento —suplicó escondiendo la cara entre las manos.

—Sé que te estás acostando con Aaron.

La morena alzó la vista de nuevo y conectó sus miradas, y, a pesar de que ya debía de sospecharlo, pareció momentáneamente sorprendida por la precisión de su respuesta. Normal, porque era de sobresaliente.

—¿Cómo lo sabes?

¿Se lo decía o no se lo decía? Un cruce de caminos interesante, una disyuntiva endemoniadamente complicada: de repente, le debía una explicación, y la que tenía era un poco embarazosa.

Intentó pensar algo rápido, un poco de inventiva por el amor de Dios, pero al parecer la creatividad no era lo suyo y le costaba mentir sin que se le terminara notando. En el póker no tenía ningún futuro, desde luego, pero se aceptaba tal y como era, un gran ejercicio de amor propio.

Adelante, Ashley, porque no hay salida.

—Bueno, en primer lugar, vas dejando los envoltorios de los condones tirados por tu casa. Y, en segundo lugar, Claire os oyó el jueves por la noche.

La morena pareció pensarse mucho eso de «el jueves por la noche», con el ceño fruncido y todo, como si estuviera intentando rememorar qué era aquello que había escuchado la rubia. Y supo que había dado con ello porque se puso muy roja de repente, volvió a esconder la cara entre las manos y musitó un «Oh, Dios mío» empapadito de sentimiento.

—¿Por qué no me lo dijiste? —quiso saber Olivia enfrentando su mirada. Juraría que jamás la había visto así de roja antes.

—Podría preguntarte lo mismo.

—Hazlo —le dio pie y la dejó un poco descolocada, la verdad.

¿Era una trampa? Era una trampa, seguro, pero una de las de sin salida, y se dirigía hacia ella sin pausa y con mucha prisa, impulsada por las circunstancias y por su necesidad de saber.

—Está bien —aceptó su desafío sosteniéndole la mirada—. ¿Por qué no me lo has contado?

La mitad de la respuesta ya se la sabía, sus vías de comunicación no habían estado especialmente abiertas aquellos últimos meses, primero porque se moría por estar con Claire y después porque ya estaba con ella, y el cien por cien de sus procesos cognitivos se habían dedicado en exclusiva a procesar aquel milagro.

—Joder, Ashley, es obvio —suspiró la morena y la miró en silencio durante un par de segundos antes de verbalizar la obviedad—: Ronda y tú no lo soportáis.

Coño, pues claro que no, y por una razón muy concreta.

—¿Y tengo que recordarte nuestros motivos? —Alzó una ceja, incrédula, y cuando Olivia bajó la vista, se dio cuenta de que aquella pregunta había sonado mucho a ataque personal y muy poco a apoyo moral. Cubrió la rodilla de la morena con su mano, bajó la voz y suavizó el tono—. Ese tío tenía novia y salía contigo como si nada.

—La dejó.

—La dejó cuando tú lo dejaste a él.

—Eligió y lleva más de un año intentando explicarse.

Tuvo que levantarse del escalón para agacharse frente a ella y mirarla directa a los ojos, porque la situación requería un contacto así de intenso.

—Durante ocho meses salió contigo mientras su novia estudiaba un jodido máster en Nueva York —expuso los hechos, increíblemente objetivos, y lo hizo con un toque de «despierta, Olivia, joder» en su tono—. ¿Qué explicación tiene eso?

—Que se enamoró de mí estando con ella. ¿Te suena de algo? —le devolvió el interrogante, y seguro que no era un reproche, pero le sonó parecido y se incorporó de golpe.

—¿De verdad me estás comparando con Aaron? —quiso saber, porque eso no se lo había esperado para nada, así que la había pillado con la guardia baja y no le estaba sentando bien.

—No estoy diciendo que sea exactamente igual, Ashley, pero tú también te enamoraste de otra persona teniendo pareja.

Y lo dijo como si pensase que necesitaba un recordatorio, por si acaso no había sido lo suficiente trascendente como para que aún lo recordase cinco meses después.

—Yo no engañé a nadie —se defendió, sin tener muy claro el motivo, en el fondo sabía que todo aquello no iba de ella.

—Porque Tracy te dejó —apuntó la morena, y ante aquella acusación el ceño se le frunció solo—. ¿Qué crees que habría pasado si no lo hubiera hecho?

Eso, Ashley. ¿Qué crees que habría pasado si Tracy no hubiera roto contigo? Y no era la primera vez que se hacía aquella pregunta, pero nunca la había contestado, un «¿Y si...?» que prefería en condicional, porque conjugarlo en cualquier otro tiempo verbal le daba un poco de miedo. Antes de Claire creía estar segura de muchas cosas y eso de «nunca digas nunca» le parecía nada más que una frase hecha y vacía de contenido. Hasta que la conoció a ella las circunstancias nunca habían contado como atenuante. Hasta que llegó creía que existían blancos y negros. Joder, había sido increíblemente ilusa antes de Claire.

—No lo sé —admitió al fin, asomándose un poquito a su sombra, Jung estaría orgulloso—. No sé lo que podría haber pasado.

Olivia se incorporó, alejándose de las escaleras, y apoyó su espalda contra la pared. Maldita fuera por siempre, ella y su facilidad para cambiarle las perspectivas. Aaron seguía siendo un cabrón, eso estaba claro, pero, tal vez, bajo las circunstancias adecuadas todos podían llegar a serlo. Una puta lección de humildad, eso seguro, y la convicción de que sus juicios de valor debían empezar a ser un poquito más conservadores.

—La noche que Claire y tú nos disteis plantón salí con una compañera de la farmacia —la escuchó decir y cuando la miró se encontró con sus ojos—. Aaron estaba en el último bar.

—Qué oportuno —dijo apoyándose a su lado y golpeando con suavidad la cabeza contra la pared.

—Al principio pensé simplemente en acostarme con él.

—Jodido «Olivia folla de nuevo» y jodida Ronda —señaló ella mirándola, y la media sonrisa de la morena se le contagió un poco—. ¿Y qué piensas ahora?

—No lo sé. Tú sabes lo que sentía por él y lo increíble que fue todo.

—También sé cómo te quedaste después —le recordó—. No quiero que vuelva a pasar. No quiero verte pasándolo mal otra vez.

Porque al fin y al cabo de aquello iba todo, de su mejor amiga arriesgándose a que el mismo tío le rompiera el corazón por segunda vez. Que a Ronda y a ella les tocara recoger los pedazos de nuevo era lo de menos. Olivia la cogió de la mano y se la apretó levemente.

—Si no apuestas, es imposible ganar, Ash.

—Pero seguro que no pierdes.

—Si pensaras eso de verdad, tu vida sentimental habría terminado después de Joanna —aclaró la morena. Y, como siempre, tenía razón—. No necesito que lo entiendas, ni que estés de acuerdo. Solo necesito que me apoyes. Bueno, y que me ayudes a decírselo a Ronda —añadió y ella sonrió de lado.

—Ya lo sabe, casi le da una embolia —le informó y Olivia rio al escucharla—. ¿Estás segura de todo esto?

—No —reconoció su amiga—. Pero si sale bien, será increíble.

—¿Y si no?

La morena le dedicó media sonrisa antes de formular una respuesta potencialmente trascendente.

—Si no me prepararéis un sándwich vegetal.

Y a simple vista podía no parecerlo, pero lo era.

Jodidamente trascendente.

***

Había pasado una noche horrible. Horrible de verdad. Apenas pudo dormir y, al final, perdió la cuenta de las veces que había recorrido aquel colchón de uno treinta a base de giros desesperados, con aquel «Con esa actitud no vengas a esta casa» de música de fondo. Su padre nunca le había dicho algo así, ni parecido, era la primera vez en veintiséis años. Seguro que fruto de una reacción impulsiva y poco meditada, porque ella había dado en la diana con su «No quiero ser como tú», justo en el medio y con una precisión envidiable. El hombre no se lo había esperado y ella tampoco, la verdad. Casi lo había visto tambalearse antes de caer.

Perdió la vista por la ventanilla de nuevo, había terminado el regalo de Ashley la noche anterior, así que se secó la mejilla con la manga de su chaqueta y respiró hondo. Tenía que recomponerse, porque la veterinaria estaría esperándola en la terminal y no quería llegar con cara de haberse pasado el vuelo llorando a moco tendido, pero aquel fin de semana la había agotado emocionalmente y sus ojos se empañaban con inoportuna facilidad.

Consultó su teléfono móvil. Como buena ciudadana en general y excelente pasajera de vuelos nacionales en particular, había activado el «modo avión» justo antes de despegar, así que no esperaba encontrar nada nuevo, pero no le importaba, porque solo quería repasar. Abrió su WhatsApp y accedió directamente a la conversación con Ashley, es que tan solo abrirla casi le hacía cosquillas en los dedos, una reacción puramente física con origen emocional. Somatizando de la mejor manera posible. Y es que habían estado enviándose mensajes justo hasta el último momento.

«Ashley Darwin»
ASHLEY: ¿Te quedas a dormir en mi casa?
CLAIRE: Dormí en tu casa el jueves.
ASHLEY: Vale. ¿Te quedas a dormir en mi casa «otra vez»?
CLAIRE: Depende…
CLAIRE: ¿Vas a ponerte a babear la almohada en cuanto apoyes la cabeza?
CLAIRE: «Otra vez».
ASHLEY: No te hagas la digna. Te encanta cuando babeo la almohada.
ASHLEY: Pero vale, intentaré quedarme despierta hasta que empieces a roncar.
CLAIRE: Imbécil, yo no ronco.
ASHLEY: Y yo no babeo… la almohada.
CLAIRE: Materia de debate, pero vamos a despegar ya.
ASHLEY: Claire…
CLAIRE: Ashley…
ASHLEY: Tengo unas ganas increíbles de besarte.
CLAIRE: Qué casualidad, yo tengo unas ganas increíbles de que me beses.

Sonrió como una idiota observando una de las fotos que la veterinaria le había enviado aquella misma mañana. Cleo parecía extremadamente cómoda, panza arriba en la cama y bien pegadita a ella, buscando su calor. Ay, el calor corporal de Ashley, le encantaba y lo echaba de menos, sentirlo contra su piel le hacía cosas geniales por dentro y dejarse envolver por él era lo mejor del mundo. Se fijó en la cara de la veterinaria, ese gesto fingidamente engreído en sus facciones y el pie de foto «Esta podrías ser tú, muñeca». Su imbecilidad no tenía límites. El vuelo se le hizo exageradamente largo, porque a veces la teoría de la relatividad jugaba en su contra y no le gustaba tanto. Para cuando llegaron al Hopkins había perdido la cuenta de las veces que había ensayado aquel «Te quiero» tirando de imaginación. Joder, es que sorprendía que algo tan simple pudiera tener tantos entresijos, elegir el lugar perfecto y el momento exacto no era tarea fácil y, a lo mejor, el principio de simplicidad era lo más adecuado en esos casos. Soltarlo sin más, en cuanto llegara frente a ella y en mitad de la terminal, tomarla del cuello del abrigo y besarla con más ganas que en toda su vida, porque sabía que a Ashley le encantaban esos preliminares.

Arrastraba su maleta entre la gente, impaciente y adelantando a otros pasajeros que no parecían tener tanta prisa, seguro que no tenían una Ashley esperándoles en el área de llegadas de vuelos nacionales. Su más sentido pésame, pero agradecería que se apartasen porque ella había tenido más suerte. Toda la del mundo. A pesar de las prisas, era una chica educada, así que adaptó su paso al del resto de pasajeros, porque eso de «no se empuja» lo había aprendido muy bien en la fila del colegio.

La localizó enseguida, por encima del peinado a lo afro de la anciana que caminaba frente a ella, y su corazón redobló la potencia de sus latidos, porque la veterinaria la había visto también. Le dieron ganas de gritar «señora, por Dios, acelere, ¿no ve esa sonrisa?», pero no lo hizo porque estaba demasiado ocupada devolviéndole el gesto a Ashley. Y volvió a experimentar esa oleada de «necesito sentirte ya» recorriendo su organismo al completo, porque estaba totalmente desgastada a nivel emocional, pero conservaba los automatismos, y aquel se había convertido en uno de los más básicos.

De pronto, la señora del peinado a lo afro realizó un sorpresivo giro de noventa grados, despejándole el camino, y aprovechó el momento para acelerar el paso. Cada vez que volvía de Boston aquella sonrisa era un poco más increíble. Soltó la maleta en cuanto llegó a su altura, la abrazó y se dejó abrazar porque sucedió todo a la vez, y cerró fuerte los ojos porque le picaban un poco y no podía volver a llorar. Era ridículo, una especie de «estoy a salvo, así que puedo dejar de ser valiente» con todas las emociones vividas los dos últimos días a flor de piel.

—Así que un gran fin de semana, ¿eh? —escuchó su voz justo junto a su oído y le golpeó el brazo, separándose ligeramente de ella para poder conectar sus miradas.

Bajar la vista a su boca en cuanto se encontró con su verde favorito fue automático, tomarla por la nuca y acercarla de un tirón también. Ashley se le adelantó y atrapó sus labios primero, porque debía de ser verdad eso de que tenía unas ganas increíbles de besarla. Enseguida la correspondió, adaptándose a aquel estilo que la volvía loca y la derretía por dentro indistintamente. Le acarició la mejilla cuando se separaron, Ashley le sonrió y ella hizo lo mismo, con el corazón aporreándole las costillas y muy poco oxígeno en sus pulmones.

—Con ese beso he debido de ganar por lo menos dos puntos —indicó la veterinaria, y su sonrisa se hizo más amplia al escucharla.

Así que Ashley había estado pensando en aquello desde su conversación del día anterior. Se acordó de su: «Te llevaría algo increíblemente cursi cuando te recoja en el aeropuerto», y fue entonces cuando cayó en la cuenta de que la veterinaria mantenía el brazo derecho escondido tras la espalda. El corazón se le saltó un latido cuando conectó con su mirada de nuevo, porque, por una milésima de segundo, le pareció que Ashley se había puesto nerviosa.

—Uno y medio —la corrigió con tono exigente y el organismo acelerado. Sonrió cuando la vio fruncir el ceño, un poquito indignada ante aquella baja puntuación—. ¿No tienes nada más? No llegas al cinco.

—Vas a tener que darme veinte de golpe.

Y le habría gustado contestarle con algo ingenioso y bajarle los humos, pero bastante tenía con mantener bajo control la creciente activación de su sistema nervioso central. Ashley le tendió un objeto de tamaño medio y forma cuadrangular, estaba envuelto en papel de regalo y pesaba un poco. Vaya... no sabía qué se había esperado, pero aquello no, y la sorpresa le ganó terreno al nerviosismo. Alzó su vista, interrogante.

—¿Qué es?

—A veces desenvolverlo ayuda.

Le sonrió nerviosa antes de lanzarse a romper el papel de cualquier manera, normalmente era mucho más cuidadosa, pero en ese preciso momento le faltaba paciencia y le temblaban un poco las manos, así que sobraban los formalismos. Le tendió los restos del envoltorio, admirando aquel imprevisto regalo y negó con la cabeza, no era lo que se había esperado, pero había conseguido hacerla sonreír de verdad después de uno de los peores fines de semana de su vida.

«Me gustaría que algo me dijera: este es el camino correcto para ti, lo estás haciendo bien. ¿No sería genial que hubiese señales por la vida que te dijeran lo que tienes que hacer?».

Y exactamente era eso: una maldita señal de tráfico. Ashley le había llevado una señal de tráfico al aeropuerto. Una de esas amarillas con una flecha negra, de las de «dirección única».

—Oh, Dios mío... Eres tan imbécil. —Rio.

—Dijiste que todo sería más fácil con una señal —Ashley contestó a media voz.

Le sorprendió su tono y cuando se encontró con sus ojos de nuevo el corazón se le saltó un latido ante su forma de mirarla. Frunció ligeramente el ceño, aguantando la taquicardia como una campeona.

—¿Por qué me estás mirando así? —lo preguntó sin rodeos, porque no podía permitirse dar rodeos en ese estado nervioso.

—Porque las señales hay que mirarlas bien.

Llegado ese punto era evidente que Ashley estaba un poco nerviosa y, cuando la veterinaria cambió de pie el peso de su cuerpo, a ella se le aceleró todo el doble. Devolvió la vista a aquel regalo y lo examinó una vez más, casi sentía el corazón latiéndole en la garganta y a la vez le estaba encantando aquel derroche de adrenalina en plan generoso. En cuanto se le ocurrió girarla, supo que era exactamente a eso a lo que Ashley se refería con «mirarla bien».

El mundo dejó de girar por un momento, al menos el suyo. Paralizado en cuanto le dio la vuelta a la estúpida señal de tráfico amarilla. Tardó un par de segundos en procesarlo, porque Ashley había escrito algo allí, y eran solo dos palabras, pero su cerebro estaba un poco ralentizado y le costó interpretar el mensaje. En cuanto lo hizo, todo aquello la golpeó bien fuerte y de la mejor manera posible.

«Te quiero», y en letras bien grandes.

Estaba demasiado agotada emocionalmente, así que ni se molestó en intentar inhibirlo, se llevó la mano a la boca y dejó que todo siguiera su curso. Ojos llenos de estúpidas lágrimas incluidos.

Muy bien, Lewis, monta una escenita en mitad del aeropuerto, que seguro que no te ve nadie.

La miró a ella y, aunque la veía un poco borrosa, seguía siendo la chica más increíblemente guapa e imbécil del mundo entero.

—Eres idiota —le informó, con el ceño fruncido y casi haciendo pucheros.

—Te quiero —contestó en ese tono, el mismo del «Quiero estar contigo, Claire».

Oírselo decir de aquella manera la desmontó del todo por dentro. Mierda, aquel sí que era el terremoto emocional más grande de toda la historia de los eventos sísmicos. Y le había robado el turno la muy gilipollas. Adiós a su primicia, pero le daba exactamente lo mismo porque ella no podría haberlo hecho mejor y estaba llorando como una tonta.

La abrazó por el cuello muy muy fuerte y sintió cómo Ashley cerraba los brazos en torno a su cintura. Y lo dijo como le salió, justo contra su oído.

—Te quiero. —Con voz poco firme, pero con muchas ganas.

Se apartó de ella lo justo para poder mirarla, y se enamoró una vez más del color de sus ojos y de su media sonrisa. Seguro que el corazón de la veterinaria le estaba haciendo la competencia al suyo. Estudió sus facciones tan solo un segundo y le acarició la mejilla antes de volver a decírselo, a la cara esta vez, porque no era ninguna cobarde.

—Te quiero, Ashley.

Casi no había terminado de decirlo y sus labios ya estaban ocupados en su tarea favorita: dejarse besar por la veterinaria mientras sentía sus pulgares acariciándole las mejillas. Lo que ella se temía, una escena en mitad del aeropuerto, pero se estaba tan bien allí, aceptando las suaves embestidas de la boca de Ashley una y otra vez, que la posibilidad de acabar siendo las protagonistas de uno de los vídeos más vistos de YouTube le importaba más bien poco, tirando a nada de nada. Dejó que la señal cayera al suelo y se perdió en el momento.

El último beso fue extraordinariamente suave y ella se separó de forma casi imperceptible, porque necesitaba parar un segundo y respirar. Asimilar lo que acababa de suceder, y mientras lo hacía apoyó su frente sobre la de Ashley, conectó sus miradas y se aferró al cuello de su abrigo.

—Veinte puntos, mínimo —dijo la veterinaria, ella rio al oírla y la besó de nuevo.

—Después de esto, te los doy todos —admitió y le encantó verla sonreír. Cuando lo hacía de esa forma el verde de su mirada era mucho más intenso.

—Pues los canjeo por que te quedes a dormir conmigo esta noche.

—Idiota, guárdatelos, porque voy a quedarme de todas formas.

—Mmmm... ¿voy a tener suerte? —bromeó alzando una ceja, inquisitivamente.

—Mucha suerte —confirmó atrapando sus labios.

Ashley sonrió en el beso y a ella le encantó.

***

Se había pasado todo el viaje en el coche abrazada a su señal de tráfico amarilla y rememorando su encuentro en el aeropuerto una y otra vez. De repente, aquel desastre de fin de semana se había convertido en uno de los mejores de su vida. Madre mía, es que la veterinaria le había dicho «Te quiero» y, en honor a la verdad, ya lo sabía, porque se hacía más que evidente en cada una de sus interacciones. Ashley era muy expresiva en su lenguaje no verbal, pero escuchárselo decir lo elevaba todo a otro nivel de manera brutal.

En cuanto la veterinaria abrió la puerta de su casa y pusieron un pie dentro, Cleo la recibió apasionadamente, moviendo la cola a la máxima velocidad y tratando de escalar su pierna con mucho empeño. La tomó en brazos, besándole la coronilla repetidamente, ella también se alegraba mucho de verla, y su pequeña bola de pelo tenía que saberlo.

—Pregúntale si te cede su sitio en mi cama —escuchó a Ashley mientras esta cerraba la puerta principal, y se volvió hacia ella.

—Tendrás que decidir con quién prefieres compartirla —señaló, y usó un tono claramente insinuante, a juego con su mirada.

—Difícil elección.

Ashley la tomó con suavidad por la nuca y la besó, maravillosamente bien, como en el aeropuerto, pero sin público y con lengua. Ella le permitió la entrada, sentirla dentro de su boca siempre le provocaba esos pequeños escalofríos que terminaban convirtiéndose en pura necesidad física de más, de mucho más. Y Cleo se revolvió en sus brazos, incómoda, porque la habían aprisionado entre sus cuerpos y añoraba su libertad. Se la concedió, se sentía generosa e iba a necesitar los brazos y las manos para muchas cosas; cuando las patitas del cachorro tocaron el suelo, se sentó y las miró desde allí abajo, expectante, y con un «Que empiece el espectáculo» reflejado en sus pequeños ojillos marrones. Seguro que Cleo esperaba una lluvia de galletas para perros y juguetes de los que pitaban, pero iba a llevarse una desilusión bastante grande la pobre.

Devolvió su vista a Ashley, comprobó que se había quitado el abrigo y lo había colgado cuidadosamente en el perchero, junto a la puerta. Ella se deshizo del suyo tirándolo descuidadamente al suelo, la veterinaria siguió la trayectoria de la prenda y después conectó sus miradas y sonrió de lado.

—Si llego a saber que te ibas a poner así de cachonda, te lo habría dicho mucho antes —dijo acercándose a ella.

—No seas gilipollas —le pidió sujetándola por la cintura de los vaqueros—. ¿Desde cuándo podrías habérmelo dicho? —curioseó besando su barbilla.

—Desde hace mucho.

Se le escapó una sonrisa al escuchar su respuesta y Ashley la besó, lo hizo como si el no hacerlo no fuese una opción, y seguro que no lo era. Aceptó sus labios con los suyos entreabiertos y, cuando sintió la húmeda calidez de la lengua de la veterinaria acariciándole el inferior, su cuerpo reaccionó de la única forma posible, acelerando todos sus procesos y excitándose. La acercó más, tirándole de la cintura de los pantalones, y reclamó su boca con ganas y con un suave gruñido incluido. Sintió la respiración de Ashley escapando de forma desigual entre sus besos y escuchó un «Joder» ahogado y casi susurrado contra sus labios. Y una vez puesto en marcha aquello era imposible de parar, porque se encontró con la mirada ligeramente oscurecida de Ashley, y cada vez que la veía así se le olvidaba respirar.

Se acordó de su «Te quiero» en mitad del aeropuerto y una oleada de intensas emociones arrasó su interior al completo mientras se dejaba besar de nuevo. Y quería decirle muchas cosas a Ashley, por ejemplo, que creía que el «Te quiero» con que había respondido al suyo era el más sincero de toda su vida, que aquello no le había pasado tan rápido con nadie antes y que nunca había sido tan profundo, que era nuevo y le encantaba. Pero en vez de hablar, la besó, y en vez de pensar, avanzó, obligando a Ashley a retroceder hasta que su espalda se encontró con la pared y no tuvo más salida que dejar que la acorralase contra la misma. Y cuando era Ashley quien la atrapaba de esa forma era muy increíble, pero aquello no tenía mucho que envidiarle. Se apretó contra sus caderas, buscando presión y ofreciéndosela a ella, la escuchó ahogar un gemido y convirtió sus besos húmedos y necesitados en otros suaves y lentos, le gustaban todos, pero los quería así, y sintió las manos de Ashley enredándose en su pelo.

Comenzó a moverse contra ella, de forma pausada y sin dejar de besarla, buscando expandir el calor de su bajo vientre a todas partes. Coló una de las piernas entre las de la veterinaria y los puntos de contacto entre ambas se multiplicaron por mil. Presionó la entrepierna de Ashley y cuando la sintió moviéndose contra ella, cerró los ojos con fuerza escondiendo la cara en su cuello.

—Mierda, Ashley —lo jadeó contra su piel, porque aquello le estaba gustando demasiado y quería centrarse en ella primero.

Coló la mano entre sus cuerpos y la deslizó hacia abajo hasta tocarla por encima del pantalón, la sintió contener la respiración y lamió su cuello justo antes de morderlo, la escuchó gruñir y sonrió al sentir cómo comenzaba a moverse contra su mano. La pobre se había quedado con las ganas el jueves y no habían tenido ocasión de repetir.

Le quitó la camiseta y Ashley colaboró en todo momento, facilitándole la tarea, el pelo le cayó en cascada y se le quedó despeinado, tenía los labios ligeramente enrojecidos y aquella alucinante mirada. La tuvo que besar, porque sí, porque si no, moriría de las ganas, y esta vez fue ella quien deslizó su lengua por el labio inferior de la veterinaria, la coló dentro de su boca en cuanto tuvo la ocasión y llevó las manos al botón de sus pantalones. Se los desabrochó mientras continuaba comiéndosela a besos, y la escuchó gemir cuando le bajó la cremallera. Introdujo la mano dentro de su ropa interior y gimió contra la boca de Ashley. La veterinaria estaba muy mojada y ella el doble de cachonda de repente.

Acababan de decirse «Te quiero» y, cuando había iniciado aquello, su idea original era acostarse con ella despacio y suave, en la cama a ser posible, porque la ocasión lo merecía. Hacerle de todo contra la pared de la entrada sin terminar de desnudarla siquiera nunca había formado parte de ese plan y, sin embargo, era todo en lo que podía pensar en ese momento. Una paradoja muy interesante. «Te quiero, mi amor, pero necesito follarte aquí mismo».

Acarició sus pliegues, despacio, y podía hacerlo con total facilidad porque la veterinaria había lubricado muy bien. Ay, Dios, ponerla tan cachonda le ponía increíblemente cachonda a ella; un dos por uno muy eficiente. Ashley ya no la besaba, pero se dejaba besar, y se estaba moviendo muy despacio contra su mano. Cuando acarició su clítoris con los dedos, su chica jadeó, inclinando la cabeza hacia atrás, y se golpeó ligeramente contra la pared.

—Qué fácil eres, mi amor —lo susurró entrecortado contra su oído, acariciándole con suavidad el pelo sobre el lugar del impacto.

—Joder, Claire... sigue —escuchar su voz así de ronca y tan cerca envió descargas eléctricas directas a su entrepierna. Demasiada presión.

Conectó sus miradas y al encontrarse con aquella tonalidad de verde se le pasó por la cabeza, una forma simple de aliviar aquella tensión en su mitad inferior y de paso comprobar el efecto que tenía en Ashley. No se lo pensó demasiado, porque de haberlo hecho tal vez se habría inhibido, pero no tenía capacidad de frenar nada en esos momentos y la vergüenza la había perdido por el camino, así que se desabrochó el pantalón con la mano que tenía libre y la coló dentro de su propia ropa interior. Y al igual que Ashley, estaba muy mojada. Se acarició, de la misma forma en que la tocaba a ella y gimoteó un «Joder» que llamó la atención de la veterinaria. La vio mirar y quedarse enganchada a la escena con la respiración acelerada y los ojos fijos en lo que hacía su mano izquierda bajo la ropa interior.

—Oh, Dios... —lo musitó casi sin voz y sin desviar su mirada.

—Ash... —la llamó unos segundos después y consiguió que alzara la vista, se le secó la garganta al encontrarse con aquella expresión en su cara—. Ashley, cariño, avísame cuando casi estés, ¿vale? —lo pidió entre jadeos.

Y la pobre no tenía ni idea de a qué venía todo aquello, pero asintió sin cuestionarlo, seguramente en aquellos momentos su chica diría que sí a cualquier cosa. Y era un gran plan, extremadamente astuto, porque por todos es sabido que la inteligencia vale mil veces más que la fuerza, así que iba a salirle bien la jugada.

Tuvo que modular los movimientos de la mano con la que se autoestimulaba, porque la forma en que Ashley había comenzado a moverse contra ella amenazaba con acelerar su proceso de forma fulminante. Decidió jugar una carta más, un pequeño empujón que llevara a la veterinaria justo donde la quería, no creía poder aguantar mucho más.

—Ashley... vamos, mi amor —jadeado junto a su oído, porque sabía que la volvía loca.

El ritmo de su respiración se lo dijo antes que ella, y entonces lo paró. Todo. Detuvo sus movimientos y retiró las manos de la ropa interior de ambas. La veterinaria la miró sin comprender, así que la besó y le sostuvo la vista mientras se arrodillaba frente a ella. Ashley dejó de respirar, literalmente, y se golpeó la cabeza con suavidad contra la pared.

—Joder, Claire... joder, joder, joder —perseveró mientras ella lamía su abdomen de abajo arriba y le bajaba los pantalones.

La besó sobre la ropa interior, acariciando su culo con ambas manos y le encantó la forma en la que Ashley la estaba mirando. Casi podía escuchar un «Te quiero, pero necesito que me folles aquí mismo» idéntico al suyo con un «Ya» impaciente como coletilla para darle más énfasis al mensaje.

Vamos, Claire, que se te está dando de puta madre.

Arañó sus costados de forma suave, muy delicada y despacio, descendió por su cintura, y apenas había comenzado a retirarle la ropa interior, interceptándola a su paso, cuando sintió dos patitas apoyándose en su muslo. Paralizó sus movimientos y sonrió, sin despegar su vista de los ojos de Ashley, porque no necesitaba mirar a su lado para saber de quién se trataba.

—No me lo puedo creer —se lamentó la veterinaria tapándose la cara, pero sonriendo también a pesar de las circunstancias—. ¡Cleo! —gimoteó lastimera mirando al animal.

El cachorro se puso a mover la cola alegremente mientras las miraba a ambas con la lengua fuera.

—Cleo, largo, esto son cosas de mayores —explicó a su mascota tomándole las patas delanteras y depositándolas en el suelo.

La muy embaucadora se colocó en posición de juego, con el culo en pompa y meneando su cola mientras le gruñía, encantada por haber conseguido llamar su atención.

—Vale. —Suspiró tras observar a su mascota en silencio—. Traslademos estas cosas de mayores a la habitación —decidió incorporándose y subiéndole los pantalones a Ashley.

La tomó de la mano y tiró de ella hacia las escaleras, subieron deprisa con Cleo pisándoles los talones. Casi le dio pena dejarla en el pasillo, pero nada más cerrar la puerta Ashley la acorraló de frente contra la madera de la misma, pegándose a su espalda, y sintió el calor de sus manos acariciándole las caderas.

—Lo de ahí abajo ha sido jodidamente sexi —escuchó aquel tono ronco junto a su oído.

Le acarició la mejilla y la veterinaria le besó la palma de la mano y la hizo sonreír, cada vez que hacía eso conseguía derretirla un poco más por dentro, y sentirla completamente contra su espalda de aquella forma le gustaba demasiado. Cerró los ojos al comenzar a sentir besos húmedos en su cuello y apoyó la frente contra la madera cuando Ashley lo lamió de forma lenta, desde la base hasta el lóbulo de su oreja. Dejó escapar todo el aire de sus pulmones porque, de repente, las manos de la veterinaria habían encontrado las suyas, colocándolas contra la puerta, a ambos lados de su cabeza y con sus dedos entrelazados, y sentía su cálida respiración contra la oreja.

—Claire...

Aquel jodido tono otra vez, el que le aceleraba el organismo entero, solo que ya lo tenía acelerado por motivos evidentes. Aun así su corazón se saltó un latido al escucharla pronunciar su nombre de ese modo.

—Ashley...

Se obligó a darle pie, porque era tradición y porque se moría por saber qué venía a continuación. Pasaron dos segundos de silencio antes de volver a escucharla.

—Te quiero, mi amor —lo susurró junto a su oído y depositó un par de besos tiernos y húmedos en su cuello.

Las dos estaban increíblemente cachondas y aquella declaración se mezcló con todo lo demás, dando lugar a algo distinto y perfecto, porque Ashley se presionó levemente contra su culo y ella estrechó sus manos con más fuerza al sentirlo. Sonrió y la veterinaria besó la comisura de sus labios, sonriendo a su vez cuando le devolvió aquella presión en dirección contraria, como si fuera un juego. Y aquel «mi amor» seguía revoloteándole por dentro

—Dios, Claire, me muero por tocarte —lo soltó sin más tras un gruñido increíblemente sexi y como si no pudiera mantenerlo dentro por más tiempo.

Ashley liberó una de sus manos y deslizó la suya por su abdomen, despacio y hacia abajo, mientras volvía a lamerle el cuello de aquella forma tan jodidamente erótica. Recostó la cabeza contra su hombro, y dejó que se colara en sus pantalones, cerró los ojos cuando sintió cómo la acariciaba sobre la ropa interior. A continuación, Ashley tiró de la cintura de sus vaqueros, tratando de bajarlos, y ella la ayudó a hacerlo, meneó las caderas para facilitar el proceso y la escuchó reír junto a su oreja. Después, de nuevo aquellos besos húmedos en su nuca, y la sintió descender por su espalda a través del material de la camiseta mientras sus manos arrastraban los vaqueros, olvidando allí su ropa interior, pero dejándole las piernas al descubierto. Golpeó las caderas contra la puerta en un movimiento reflejo y se le escapó un «Mierda, Ash» y media carcajada, porque la veterinaria acababa de morderle suavemente el culo.

Sintió su lengua recorrer la parte posterior de uno de sus muslos y apoyó las manos y la frente contra la puerta, respirando por la boca y centrándose en cómo aquella cálida humedad le recorría las piernas. La veterinaria no tenía prisa, y a ella le encantaba que se tomara su tiempo para despertar hasta su última terminación nerviosa. Como en todo lo demás, en cuestión de sexo Ashley era una amante muy atenta.

—Voy a necesitar ayuda con esto. Pierna derecha —eligió primero, y notó cómo tiraba de la pernera de su pantalón.

Sonrió divertida, levantando la pierna para facilitarle la tarea a su novia—. Pierna izquierda.

En cuestión de segundos, la mitad inferior de su cuerpo solo conservaba la ropa interior. Se giró, porque necesitaba verla y llevaba demasiado tiempo contra la madera de la puerta de su habitación. Se la encontró arrodillada frente a ella y le sonrió, el corazón le latía raro, en parte fruto de la excitación y en parte desestabilizado por su «Te quiero, mi amor». Ashley le devolvió el gesto, lleno de complicidad, y le acarició con delicadeza las piernas con las palmas abiertas. En cuanto sustituyó las manos por la lengua, ella cerró los ojos y respiró profundo, porque aquel calor ascendiendo por la cara interna de su muslo le estaba elevando peligrosamente las pulsaciones.

Relájate y disfruta, Claire, y que sigan subiendo. Ashley y las pulsaciones.

Morir así merecería la pena. Una gran forma de marcharse.

Tomó aire de golpe y se le escapó un pequeño gemido al sentir la lengua de la veterinaria sobre su ropa interior, sus manos continuaban acariciándole las piernas y allí hacía mucho calor. Ashley besó la zona de su pubis y estiró su camiseta, haciéndose un hueco para colar la cabeza dentro y poder lamer su abdomen. Rio al sentirla moverse ahí debajo, porque comenzó a besarla por todas partes con mucha prisa y al final la sintió sonreír contra su piel y se le derritió un poco más el alma. Cuando emergió de nuevo, Ashley tenía el pelo completamente despeinado y una sonrisa de las impactantes en la cara, esas casi la partían por la mitad. Su novia se incorporó, tirando de la cintura de su camiseta hacia arriba, y levantó los brazos para permitirle deshacerse de ella. Su visión quedó comprometida mientras Ashley terminaba de desnudarla, sacándole la prenda por la cabeza, y cuando recuperó la vista de nuevo, se encontró con esos alucinantes ojos verdes justo frente a ella.

—Hola —la saludó la veterinaria con media sonrisa y acercándose a su cuerpo.

—Hola —le respondió sonriendo a su vez y tomándola por la nuca con ambas manos.

Le encantaba hacer gilipolleces como esas con ella, y aceptó sus labios aún con un amago de sonrisa en la boca. La atrajo hacia ella, profundizando el beso, y Ashley hizo lo mismo acercándose aún más, podía sentir la cintura de sus vaqueros arañando su bajo vientre mientras su chica se movía contra ella de forma suave y rítmica, placenteramente enloquecedora, porque con cada vaivén notaba cómo se mojaba un poco más y la boca de su novia continuaba robándole besos y ofreciéndole de los suyos a cambio. Crecientemente húmedos y descuidados, demandantes.

Dios, es que casi podía sentir cómo Ashley se estaba excitando cada vez más. Y abandonó su nuca para deslizar las manos por su espalda y terminó colándolas bajo su pantalón, Ashley no había vuelto a abrochárselo, de modo que le resultó sencillo acariciarle los glúteos por encima de la ropa interior, para pasar después a presionarlos contra ella. Acompañó el gesto con un movimiento de sus propias caderas y amortiguó en su boca uno de los gemidos más sexis que le había oído a Ashley hasta la fecha.

—Joder, vamos a la cama —la veterinaria lo susurró de forma entrecortada.

Consiguió decirlo sin dejar de atacar su boca una vez tras otra y ella asintió con un murmullo en forma de «ajá» contra sus labios. La empujó ligeramente y, mientras avanzaba, Ashley retrocedía a ciegas, aferrada a su cintura y besándola de forma torpe. Ella se los devolvía del mismo modo, con las manos sujetando la cintura suelta de sus vaqueros; justo cuando iban a chocar con el borde de la cama, la avisó con un «Cuidado» antes de empujarla sobre el colchón. Ashley la miró, si la brusquedad de su gesto le había sorprendido, no se le notaba nada.

Estaba observándola como si lo quisiera todo de golpe, y seguro que ella le estaba devolviendo el mismo gesto desde la ventaja en altura que le suponía su posición. Apoyó una rodilla en la cama y le quitó el pantalón, calzado y calcetines incluidos, los tiró a un lado y se sentó directamente sobre ella, a horcajadas justo encima de su bajo vientre. Casi de inmediato, las manos de Ashley estaban desgastando las curvas de sus caderas y la miraba de ese modo tan sexi. Se quitó el sujetador, sin más dilación, y lo mandó a hacerle compañía al resto de su ropa.

Como respuesta, Ashley rompió el contacto visual y su respiración se volvió mucho más rápida y superficial mientras examinaba la zona recién descubierta, acariciándola con aquel verde oscurecido.

Y eso necesitaba. Excitarla. Mucho. Tenerla casi ahí para que la segunda parte de su plan tuviera éxito. Había estado a punto, y lo habría conseguido si Cleo no fuera tan entrometida. Comenzó a moverse sobre ella, asegurándose de que pudiera sentir su humedad sobre el abdomen, y se mordió el labio inferior cuando la vio cerrar los ojos tras soltar un «Hostia puta» cargado de sentimiento. Ay, ver a Ashley así la ponía muy cachonda.

Enseguida volvió a encontrarse con su verde favorito y se movió, reajustando su postura, se sentó un poco más atrás, asegurándose de realizar aquellos movimientos justo sobre su intimidad. Y Ashley gimió y comenzó a mover sus caderas también, sujetándola fuerte por la cintura, por un momento se dejó llevar y entre las dos marcaron un ritmo perfecto. Dios, cada vez que Ashley jadeaba así ella estaba un paso más cerca. Apoyó sus palmas abiertas sobre el abdomen de su chica y cayó en la cuenta de que apenas podía mantener los ojos abiertos, así que se obligó a detener sus movimientos, sintió cómo la veterinaria continuaba buscando el contacto, así que se inclinó hacia ella y la besó.

—Ey, ey, mi amor —la frenó verbalmente y la sujetó por la cintura para impedir que continuara moviéndose—. No quiero que te corras así.

—Pues no hagas eso, joder. ¿Tú te has visto? —lo preguntó con la respiración acelerada y el ceño fruncido.

Volvió a besarla y le quitó el sujetador. Mientras terminaba de hacerlo, sintió sus manos acariciándole el trasero, Ashley le devolvió sus besos multiplicados por mil y gruñó un «por favor, déjame follarte» tratando de girar posiciones para quedar ella encima, pero la frenó, colocándole ambas manos sobre el pecho y empujándola de vuelta sobre el colchón.

—Luego —casi se lo prometió y la besó suavemente, mordiendo su labio inferior antes de arrodillarse a los pies de la cama.

Deslizó la ropa interior de su chica a lo largo de sus piernas y la tiró a un lado del colchón, acarició sus muslos, conectando sus miradas y le sonrió antes de tumbarse poco a poco sobre ella. La escuchó gemir al sentir su cuerpo completamente pegado al suyo. Las otras veces había sido Ashley la que había pasado más tiempo encima y a ella le volvía loca estar bajo el peso de su cuerpo, le encantaban las vistas desde aquella posición, pero es que arriba tampoco se estaba mal. Le apartó un mechón de pelo de la cara antes de besarla de forma suave y continuó mimando sus labios de esa manera mientras deslizaba una de sus manos hacia abajo, entre el calor de sus cuerpos. Rompió uno de sus besos solo para jadear «Dios, Ashley» en cuanto sintió en sus dedos lo mojada que estaba, y la veterinaria reclamó de nuevo sus labios y le gimió en la boca.

Se recreó en la sensación que le producía deslizar sus dedos por ella, seguía sintiéndose nuevo, a lo mejor porque llevaba diez años follando con tíos y solo una semana follando con Ashley. Iba a necesitar más tiempo para acostumbrarse a las nuevas texturas, los nuevos sonidos y sabores, a la suavidad que lo envolvía todo incluso cuando se ponían bruscas. Movió los dedos despacio, empapándoselos, todo estaba resbaladizo y caliente. Ashley jadeó primero y, después, gimió y comenzó a moverse contra su mano. Se dedicó a observar su cara mientras continuaba estimulándola, buscando que continuara gimiendo de esa forma y que frunciera el ceño así. La veterinaria se mordió el labio inferior, ahogando un gemido especialmente intenso cuando ella la penetró con dos dedos, suave y despacio. Unió sus frentes y observó sus párpados cerrados.

—Ash, mírame —lo pidió a media voz porque quería perderse en aquel verde oscurecido.

Sus miradas conectaron y ella comenzó a mover sus dedos dentro. A favor de la veterinaria había que decir que hizo un esfuerzo sobrehumano por mantener sus ojos abiertos el mayor tiempo posible, pero con mucha frecuencia se le cerraban solos e inclinaba la cabeza hacia atrás con los labios entreabiertos, y gemía o gruñía y el calor en su bajo vientre terminó por ser insoportable. Buscó contacto con algo, con lo que fuera, porque la presión que sentía en la entrepierna cada vez era más intensa, y lo encontró contra el muslo de Ashley.

Escondió la cara en el cuello de la veterinaria al sentir cómo su novia aumentaba la presión de la pierna contra su intimidad y trató de centrarse en continuar moviendo los dedos dentro de ella de la forma correcta, esa que conseguía que sus gemidos le hicieran papilla las neuronas. En serio, los sonidos sexuales de Ashley eran lo más sexi y erótico que había escuchado nunca. Había algo increíblemente adictivo en la manera en que gemía a veces su nombre. Y en esos gruñidos...

No te disperses, Lewis. Céntrate, que ha llegado el momento.

Y había llegado de verdad, porque Ashley ya era incapaz de mantener sus ojos abiertos y su forma de respirar anunciaba que no iba a aguantar mucho más. Le besó la barbilla y comenzó a retirar los dedos de su interior, despacio. Dibujó un camino de besos hasta llegar al destino que tenía en mente y lo lamió entero. Ashley soltó un taco bastante malsonante y enredó las manos en su pelo acercándola más, mientras comenzaba a moverse contra su boca. ¿Era normal que aquella Ashley demandante le pusiera tan cachonda?

Vamos, Lewis, aguantarás cinco minutos a lo sumo, utilízalos sabiamente.

La lamió de nuevo, explorando su entrada, con insistencia, y Ashley emitió un gemido grave y profundo cuando introdujo su lengua dentro.

La puta ama, Claire.

Se adaptó al ritmo de caderas de Ashley, se movía de forma suave, para asegurarse de no hacerle daño. Deslizó su lengua por toda su intimidad hasta llegar a su clítoris. Era la tercera vez que practicaba el sexo oral lésbico y no dominaba la técnica con mucha soltura, y aun así consiguió que Ashley gimiera mucho más seguido. Se centró en aquel tacto bajo su lengua, disfrutándolo, porque su objetivo final era conseguir que su chica se corriera, pero el camino era muy interesante para ella también. Desde que empezó a fantasear con la posibilidad de acostarse con Ashley, aquella había sido una de sus imágenes más cotizadas. Tal vez por eso sus dos fracasos anteriores le fastidiaban tanto. En su mente todo aquello le salía muchísimo mejor.

Tres minutos y bajando, por nada del mundo quería dejar a la veterinaria a medias otra vez, así que se centró en la zona de su clítoris y la sujetó por las caderas para ayudarla a marcar el ritmo. Comenzó a lamer un poco más deprisa, aun a sabiendas de que eso significaba menos tiempo de lengua activa a la larga, Ashley respondió con otro taco y sus movimientos se volvieron más rápidos y erráticos. Podría correrse por la forma en que estaba gimiendo en esos precisos momentos. Lo dio todo en aquella recta final. Y lo sintió, aquel glorioso momento en que consiguió que Ashley llegara al orgasmo, un hito en la historia de su sexualidad. Terminó con la cabeza atrapada entre sus muslos y escuchando su respiración descontrolada.

—Jodidamente... genial —la escuchó jadear.

—No estás fingiendo, ¿verdad? —quiso asegurarse escapando de entre sus piernas y trepando por su cuerpo hasta quedar cara a cara con ella—. No quiero orgasmos por lástima.

—Joder, Lewis, mira —rebatió falta de aire y guio su mano, colocándola bajo su pecho izquierdo.

Y su corazón iba realmente rápido, eso era verdad. Podía notarlo bombear sangre a toda velocidad. Retiró la mano y se acomodó sobre el cuerpo de Ashley, descansando su cabeza justo en ese lugar para escucharlo. El pecho de la veterinaria subía y bajaba deprisa, y simplemente esperó, atenta a los cambios que iban produciéndose en el organismo de su novia, quería seguir el proceso en vivo y en directo, hasta que su respiración se normalizase y su ritmo cardíaco descendiera a su línea base, pero Ashley se puso en marcha antes.

Sintió sus manos descender por su espalda para ascender después acariciándole los costados. Ella trató de incorporarse, pero antes de darse cuenta tenía a Ashley encima y era su corazón el que bombeaba de forma descontrolada. Acarició los brazos de la chica y los sintió tensos, sujetando el peso de la parte superior de su cuerpo. La inferior podía notarla jodidamente bien contra ella, la pierna de la veterinaria contra su intimidad y aquella humedad sobre su muslo.

—¿Ya es «luego»? —preguntó con sus miradas conectadas.

A ella se le hizo un poco difícil tragar al acordarse de aquel «Por favor, déjame follarte», y volvió a ser dolorosamente consciente de la presión contenida entre sus piernas. Le acarició la cara y Ashley sonrió. Se incorporó un poco para atrapar sus labios y la sujetó por la nuca para arrastrarla con ella de vuelta sobre el colchón y, cuando cayó sobre su cuerpo, la veterinaria comenzó a besarla con muchas ganas mientras creaba fricción con la pierna sobre su ropa interior. Se le escapó un gemido, porque Ashley empezaba fuerte y ella estaba más que preparada para todo, así que aquel ritmo le parecía perfecto. Enseguida la veterinaria se incorporó de nuevo, sustentándose en sus brazos, seguramente para poder moverse mejor, y de nuevo su respiración comenzó a volverse pesada. Ella se apretó contra su muslo y Ashley la besó con brusquedad gruñéndole en la boca al sentirlo.

—Ash... fóllame ya —lo dijo en un tono increíblemente ronco y contra sus labios.

Otro beso extremadamente desconsiderado, y esos solo se los daban en contextos sexuales cuando ambas estaban cachondas. Los besos bestias de Ashley conseguían que se mojara con una facilidad pasmosa, por su forma de atrapar sus labios y por la anticipación de lo que estaba por venir.

La veterinaria abandonó sus labios y le quitó la parte inferior de su ropa interior sin muchas contemplaciones. A lo mejor porque había captado a la perfección que el «fóllame ya» no era una sugerencia, o tal vez porque tenía tantas ganas de hacerle de todo que no podía esperar. Le separó las piernas y se inclinó sobre ella para lamer el abdomen. Se le escapó un gemido al sentir que Ashley había dejado su mano derecha atrás a propósito y en ese momento estaba jugando con los dedos, moviéndolos alucinantemente bien entre sus pliegues empapados.

Y estaba a punto de suplicarle que la penetrara ya, cuando sintió sus dedos entrando en ella con fuerza y gimió, en parte por la sorpresa, pero sobre todo por el placer. Jadeó al sentir cómo los movía dentro. Y aceptó otro de sus besos pasionales. Y no estaba siendo ni dulce, ni suave. Nada delicado. Ashley se lo estaba haciendo fuerte, seguramente porque la escuchaba gemir de aquella manera que la animaba a continuar follándosela de esa forma. La veterinaria comenzó a moverse sobre ella, golpeando su mano con cada embestida de sus caderas y escondió la cara en su cuello jadeando junto a su oreja de una forma increíblemente erótica, mezcla de placer y esfuerzo físico.

Mierda, porque le estaba encantando tanto que estaba a punto de correrse ya, pero quería seguir sintiendo a Ashley haciendo aquello por lo menos un año entero. Se le escapó un gemido ronco y le arañó la espalda, porque casi estaba, y cada uno de los bruscos movimientos de su novia expandía una ola de placentero fuego por toda su anatomía. Entera. Y quemaba muy bien.

Ashley jadeó un «Dios... Claire» sincronizado a golpe de cadera, y a ella le pareció extremadamente erótico escucharlo en aquel tono ronco. Se perdió en el verde oscurecido de sus ojos cuando la veterinaria abandonó el hueco de su cuello y unió sus frentes.

Recibió sus labios con la boca entreabierta y la besó casi sin ser consciente de lo que hacía, porque todo comenzaba a desenfocarse en su mente de una forma perfecta.

—Vamos... mi amor... —Ashley lo jadeó, conectando sus miradas.

Y apenas podía mantener sus ojos abiertos, pero hizo un esfuerzo antes de inclinar la cabeza hacia atrás de forma brusca, porque junto a su último movimiento de cadera la veterinaria había movido sus dedos dentro increíblemente bien y ella se corrió sin más, con un gemido ronco y sus procesos fisiológicos básicos fuera de control. Escuchó su «Bufff...» antes de sentir la húmeda lengua de Ashley recorrer su cuello desde la base hasta la barbilla, y después su novia se dejó caer sobre ella escondiendo de nuevo la cara en su hombro entre jadeos entrecortados.

—Y... mil puntos más —la escuchó, falta de aire y alardeando. Se rio y le propinó una palmada en el culo, la sintió sonreír contra su cuello y besó su pelo.

—Imbécil —lo susurró porque no tenía voz para hablar más alto.

Durante al menos dos minutos de reloj ninguna de las dos volvió a hablar ni se movió, seguro que Ashley también necesitaba centrarse por completo en recuperar el control de su cuerpo tras aquel derroche de adrenalina, taquicardia, sudor, gemidos y palabras malsonantes. Era la primera vez que follaban así, pero seguro que no iba a ser la última.

—Ashley... —la llamó, acariciando su espalda.

—Claire... —respondió incorporándose para poder mirarla.

—Me encanta cuando me llamas «mi amor» —le plagió la confesión, pero es que era verdad.

Menuda sonrisa le dedicó al oírla, y ella abandonó aquel verde momentáneamente porque no quería perdérsela. Le acarició la mejilla, pasando a escanear sus facciones, y se le hinchó el corazón en el pecho cuando Ashley besó la palma de su mano. Un gesto que le parecía especialmente íntimo. Sonrió cuando su chica abrió la cama, invitándola a colarse bajo las sábanas. En cuanto estuvo dentro se acomodó sobre la almohada y observó a Ashley. Se sostenía sobre su antebrazo, mirándola a su vez, y estaba preciosa en el posorgasmo.

—Siento que tu fin de semana haya sido un desastre.

—Ha sido como tenía ser.

Porque después de su estúpida señal de tráfico estaba más que convencida de lo que quería: a ella. A Ashley y a sus gilipolleces, a su forma de mirarla y a su facilidad para hacerla reír, a sus tacos y gruñidos mientras follaban y a su manera de tratar a Cleo. A sus «lo dicen los sabios» y «las grandes mentes piensan igual». Y si Arthur Lewis no podía entenderlo, al menos iba a tener que respetarlo.

—He googleado a tu padre —admitió Ashley y ella la miró alzando una ceja—. Quería saber con la hija de quién estoy jugando. El tío impresiona.

—Y es difícil de impresionar.

—Seguro que si le digo que me estoy follando a su hija sí que se impresionaría.

—Seguro, es muy tradicional —concedió, jugueteando con su pelo.

—¿Cómo de tradicional? —curioseó toqueteando su colgante, el antitabaco.

—De los que quieren que los pretendientes de su hija le pidan permiso para salir con ella, que le regalen flores y que la traten como a una princesa.

—Demasiado tarde.

—¿Estamos saliendo?

—No suelo hacer cosas como las cosas que acabamos de hacer con cualquiera. ¿Tú sí? —inquirió mientras dibujaba el perfil de uno de sus pechos con la mano.

—¿Con cuántas chicas has hecho «cosas como las que acabamos de hacer»? —aprovechó la coyuntura para preguntárselo.

Era algo que se le había pasado por la cabeza muchas veces, porque la veterinaria le había contado lo de sus tres novias formales, pero desconocía los detalles de todo lo demás.

—Cuatro. Tú eres la quinta afortunada.

—Amy, Joanna, Tracy... —hizo un rápido recuento y le mostró sus tres dedos levantados.

—Rebeca —completó la lista, levantándole el cuarto.

—¿Rebeca? Nunca has hablado de ella.

Ashley se dejó caer sobre el colchón en un gesto dramático y ella sonrió, incorporándose a su vez para poder mirarla.

—Mi primera vez y un puto desastre. A veces me gusta fingir que no pasó y que Amy fue la primera.

—«Un puto desastre», ¿lo hiciste mal? —se burló haciendo pucheros y Ashley le pegó en el brazo reprimiendo una sonrisa.

—Por supuesto que lo hice mal, Lewis, fue mi primera vez.

Y si ella lo decía, tendría que creérselo, pero tenía serias dudas, porque en la actualidad lo hacía muy bien.

—¿Qué pasó? —curioseó acariciando su antebrazo.

—Más bien, qué no pasó —Ashley la corrigió, esbozando una mueca de fastidio.

—De acuerdo, ¿qué no pasó? —continuó con su investigación.

—Fue en mi primer año de carrera —la puso en antecedentes—. Ronda se había pasado todo aquel verano agobiándome con que no podía llegar virgen a la universidad.

—Oh, así que Ronda siempre ha sido igual de Ronda.

—Sobre todo desde que ella la perdió a los quince. Rebeca estaba en mi clase y, en aquel momento, me parecía jodidamente perfecta.

—Así que te colaste por la chica «jodidamente perfecta» de tu clase —reflejó aquella idea principal y se acurrucó contra la almohada mirándola interesada.

Le encantaba ir descubriendo cosas sobre el pasado de la veterinaria, y ya había escuchado algunas historias de boca de Ronda y de Olivia en el Happy Dog, pero las prefería de primera mano. Ashley las contaba mejor y era más guapa.

—Completamente. A los cuatro o cinco meses de haber empezado el curso, en una de las fiestas de su fraternidad, Ronda me convenció para que intentara algo con ella. No paraba de decirme «¿Quieres morir virgen?», «¿Quieres morir virgen, Ashley?» —la imitó divertida y ella rio al escucharla—. Y yo no quería morir virgen, así que lo intenté.

—Y ya sé que lo conseguiste, porque si no no estarías contándome esta historia.

—Mi primera vez fue en su habitación de la residencia universitaria. Ella lo hizo jodidamente bien y yo jodidamente mal —recordó con media sonrisa—. Nunca quiso salir conmigo, ni repetir, pero me libré de la campaña de acoso de Ronda.

—¿Y te arrepientes?

—En realidad no, Rebeca lo hizo muy muy bien —bromeó y ella le golpeó el brazo, divertida—. Y mi primera vez con Amy fue mejor, porque yo no iba tan increíblemente acojonada. Tu turno, Lewis. ¿Con cuántos tíos te has acostado? —curioseó, y se giró hacia ella para quedar frente a frente sobre la almohada.

Y sabía que tenían que mantener aquella conversación tarde o temprano, de modo que le sostuvo la mirada, prolongando un poco el suspense, y sonrió cuando la veterinaria alzó una ceja, impaciente.

—Con tres.

—Tu primera vez a los diecisiete, tres minutos perdidos de tu vida —comenzó el recuento, y le gustó que se acordara de aquel detalle.

—Justin, y en su defensa diré que fue mejorando.

—Me alegro por él y, sobre todo, por ti.

Y sonrió divertida, porque hablar con Ashley de cualquier cosa cuando eran solo amigas le había parecido increíblemente fácil y seguía siéndolo tras su transición a mucho más. Hacía unos meses, ni se le habría pasado por la cabeza la posibilidad de estar desnuda con ella, en su cama, hablando de sus anteriores parejas sexuales después de haber follado extraordinariamente bien.

—El segundo fue Andrew —continuó con su lista.

—Me arriesgo y apuesto a que ese fue el «alguien importante» que te dejó después de dos años saliendo.

Menuda capacidad de análisis y síntesis la de aquella chica, porque había unido las piezas de su puzle con una facilidad envidiable y a toda prisa. Casi se le escapó media sonrisa porque, a veces, se le olvidaba que Ashley había estado interesada en ella prácticamente desde el principio y atenta a los detalles. Le dieron ganas de besarla muy fuerte.

—Arriesgas y ganas.

—¿Por qué rompió contigo?

—Por una chica de su clase de Derecho Mercantil.

—¿Crees que seguirán juntos? ¿Y vestirán a sus hijos con togas y pelucas grises?

—Imbécil. —Sonrió. Ashley le besó la punta de la nariz y ella aprovechó para atrapar sus labios fugazmente.

—Así que Justin, Andrew y Nick —enumeró la veterinaria volviendo a acomodarse contra la almohada.

—Y tú —la añadió a su lista—. Tú eres la cuarta afortunada —repitió su comentario anterior.

—Muy afortunada, a la luz de los últimos acontecimientos —indicó y seguro que eso sí que le puso un poco roja, pero aun así continuaba sintiéndose muy cómoda.

—Los «últimos acontecimientos» han sido muy interesantes —le siguió el juego, perderse en esas gilipolleces con ella era su pasatiempo favorito.

—La tarde entera ha sido muy interesante —matizó más seria y ella sonrió, porque se estaba refiriendo a su escenita en el aeropuerto.

Por un momento, simplemente se miraron en silencio, aquel jodido verde y su forma de desmontarla. Las ganas de besarla muy fuerte reaparecieron, insistiendo esta vez, así que la sujetó por la mejilla, acercándola y acercándose, y atrapó sus labios de forma suave. Un beso de los de «acabo de decirte que te quiero» y quiero que lo sientas, y muy diferente de los anteriores, de los de «joder, fóllame ya». Con Ashley le gustaban todos, pero aquel en particular conjuntaba mejor con el contexto. La veterinaria se lo devolvió enseguida y aquella suavidad le desgastó un poquito el alma. Ella le acarició la nuca y Ashley sonrió, atrapando sus labios de nuevo, y se estaba alucinantemente bien así, de modo que decidió continuar haciéndolo un poco más.

—Claire...

Lo murmuró contra sus labios minutos después, y continuó besándola, en espera de su respuesta. Esta vez fue ella quien sonrió en el beso antes de responderle.

—Ashley...

—Estoy pensando en tu padre —comenzó a explicarse.

—Qué perturbador —dijo ella atrapando sus labios de nuevo y la veterinaria rio apartándola ligeramente.

—Dices que es muy tradicional.

—Mucho —confirmó besándola de nuevo.

—Y no me ha quedado claro si le gusta que tus pretendientes le regalen flores a él o te las regalen a ti, pero algo de flores había —admitió haciéndola reír.

—Ash, no tienes que pedirle permiso a mi padre.

—Gracias a Dios. Me habría dicho que no, de todas formas.

—¿Eso significa que quieres que sea la quinta chica con la que te acuestas y tu cuarta novia formal? —indagó acariciándole distraída la cara y con media sonrisa divertida.

—Si te quieres poner técnica...

—Tú también eres mi cuarta «pareja» formal —señaló aquella coincidencia.

—Ya sabes lo que dicen... «a la cuarta va la vencida».

—Los sabios, ¿verdad?

—En su vigésimo primer Congreso Internacional.

—Cállate, ven aquí y bésame sin pensar en mi padre —exigió tomándola por la nuca.

—No puedo prometerte nada, pero lo intentaré.

Y era muy imbécil, eso era cierto, pero tenía unos ojos extraordinariamente bonitos y le sonrió de aquella forma increíble antes de atrapar sus labios, así que esperaba que los sabios tuvieran razón.

***

Era lunes, y ella odiaba los lunes. Los odiaba mucho. Intensamente. Sin embargo, aquel en particular no estaba resultándole tan desagradable como de costumbre. Aún quedaban cinco largos días para el fin de semana, pero en los dos últimos Claire y ella habían follado tan jodidamente bien que casi no le importaba estar empezando la semana. A lo mejor porque aún quedaban endorfinas dándole vueltas por el organismo.

Es que era perfecto, increíblemente perfecto, y le dio un beso en la cabeza al cerdo vietnamita que estaba examinando en ese momento de lo perfecto que era todo. Había pasado una semana desde el domingo que Claire regresó de Boston y durante todo ese el tiempo tenía la sensación de que las cosas estaban por fin donde debían estar. Ella estaba donde quería estar, eso seguro. El sexo era perfecto, la forma en la que podían hablar de cualquier cosa era perfecta, cómo se sentía tan solo estando con ella y poder perderse en sus jodidos ojos azules. Mierda, es que era perfecto de verdad.

Devolvió a «Babe» a su jaula de la zona de hospitalización y volvió a darle otro beso, se sentía especialmente cariñosa esa mañana. Es que solo le faltaban los pajarillos cantando a su alrededor y las campanas sonando a lo lejos, en aquellos momentos ella amaba a todas las criaturas del Señor y podría darse hasta una vuelta por el terrario besando reptiles.

Se quitó los guantes con los que había revisado a Babe y consultó su teléfono móvil al sentirlo vibrar. Mensajes de WhatsApp pendientes en la conversación de Claire. Excelente.

«Claire Lewis»
En línea
CLAIRE: No hace falta que vengas a buscarme a la salida del trabajo.
CLAIRE: Me ha surgido algo, ¿te aviso y pasas por mi piso?
CLAIRE: Traen el somier esta tarde.

Un somier nuevo, porque hacía un par de días Claire había decidido quedarse a dormir en su nuevo piso y descubrió su primera pega: el somier de la cama estaba roto por dos o tres sitios. Todos sus respetos para los anteriores inquilinos, pero su chica había tenido que regresar con Olivia y sus chacras hasta que le trajeran el nuevo. Su casero había asegurado que tardarían «tan solo un par de días para una chica tan guapa como tú». Pervertido, pero cumplidor.

Menuda contrariedad. Su plan original era comprar comida china para llevar, recoger a la rubia a la salida del instituto e irse a su piso, comer juntas y empezar a vaciar las cajas que la había ayudado a llevar allí. Tenía muchas, muchísimas, repartidas entre su nuevo piso y la casa de la farmacéutica, el caos típico de las mudanzas.

ASHLEY: ¿Va todo bien?

Y lo preguntaba porque aquella mañana había recibido otro parecido, poco después de levantarse, y bastante escueto, informándole de que no hacía falta que pasara a por ella porque Holly, alias Pitagordas, iba a llevarla al trabajo. Una buena noticia para Darwin, porque Ronda estaba de guardia y Olivia había pasado la noche en casa de Aaron, así que el desayuno se cancelaba y se añadía un cuarto de hora extra a su paseo de la mañana.

CLAIRE: Todo bien.
CLAIRE: Entro en clase.
CLAIRE: Nos vemos esta tarde, mi amor.
ASHLEY: Avísame cuando quieras que me pase.
ASHLEY: Y no les aburras mucho, son solo críos.

Intrigante, aquel «me ha surgido algo» añadía un toque de misterio a su lunes perfecto. El teléfono del zoo sonó en el bolsillo de su pijama y tuvo que marcharse al recinto de las jirafas, así que no le dio tiempo a darle más vueltas.

***

Había cambiado los planes, porque la vida era pura improvisación a veces y ella flexible ante las interferencias, y con una capacidad de adaptación bastante aceptable, así que después de comer se pasó por casa de Olivia. Recogería las últimas cajas de Claire, que llevaban dos días amontonadas en la entrada de la vivienda, y las llevaría a su piso en cuanto la chica le diera luz verde. Una planificación perfecta.

Su amiga estaba en casa, de modo que no tuvo que usar las llaves de reserva que llevaba en el bolsillo.

—Ey, Ash, no te esperaba.

—Ya me conoces, me gusta sorprender —bromeó accediendo a la casa en cuanto Olivia le cedió el paso—. ¿Interrumpo algo? —consultó al verla casi correr de vuelta al interior, acelerada.

—Estoy terminando de recoger, Aaron va a pasar a buscarme en diez minutos.

Ah, sí, Aaron.

La siguió a la cocina y, efectivamente, su amiga estaba ocupada lavando los platos que había utilizado para comer. Se sentó en la isleta central y la miró en silencio por unos segundos.

—Interpreto que todo bien con él —aventuró y Olivia la miró con media sonrisa que contestó por ella—. ¿Qué tal anoche? —curioseó toqueteado el frutero que su amiga tenía allí colocado.

—Los Monsters ganaron el partido. Y lo demás genial también —insinuó mientras aclaraba un vaso.

A ella se le escapó media sonrisa, porque, aunque fuese Aaron, su amiga parecía realmente contenta.

—«Olivia folla de nuevo» sería una de las conversaciones más activas ahora mismo —observó divertida—. Y tengo buenas noticias para ti, esta tarde le traen el somier nuevo a Claire, así que supongo que la casa vuelve a ser solo tuya.

—No es tan buena noticia, voy a echarla de menos —admitió mientras vaciaba los restos de uno de los platos en el cubo de la basura—. Me gusta tenerla aquí, las noches de *The Voice* no serán lo mismo sin... —Le llamó la atención aquella pausa inesperada en mitad de la frase y observó a su amiga en espera de una explicación a la misma—. Oh, joder... —lo dijo casi en un susurro.

Y le sonó al «ojalá no estuvieras aquí ahora mismo» más sincero del mundo.

—¿Qué? —preguntó, frunciendo el ceño.

—Nada —rehusó contestar la morena y continuó vaciando los restos de su comida.

—No sabes fingir, Olivia, por eso siempre te daban el papel de árbol en las obras del instituto —le recordó y saltó de la banqueta donde estaba sentada para acercarse a ella—. ¿Qué pasa?

Y lo preguntó con un ligero toque de aprensión instalándose en su pecho, porque su amiga la estaba mirando de forma extraña, y el «en serio, ojalá no estuvieras aquí ahora mismo» casi era tangible y ocupaba toda la cocina.

—Vale, Ashley —accedió en tono suave—. Voy a pedirte que respires hondo un par de veces.

Y en ese preciso momento tantas contemplaciones le estaban tocando un poco las narices, así que la empujó ligeramente para poder asomarse al cubo de la basura, porque era evidente que, fuera lo que fuera lo que había impactado de aquel modo a su amiga, estaba ahí dentro seguro.

Se le aceleró el pulso, de cero a cien en un segundo, y se mareó un poco.

—Me cago en la leche —le salió a media voz.

Y se apresuró a meter la mano en la basura, porque se le había olvidado eso de ser escrupulosa, así de golpe. Y porque aquella puta prueba de embarazo era todo lo que podía ver en ese momento, los restos de la comida de Olivia le daban un poco igual, se manchó la mano de tomate y ni pensó en limpiársela.

—Dime que es tuya —se dirigió a su amiga.

—Lo haría, pero no creo que ayude mucho —admitió, y la estaba mirando como si temiera que fuera a romperse en cualquier momento.

Miró la prueba una vez más y devolvió la vista a Olivia. Y aquello era lo que los expertos debían de conocer como «estado de *shock*» o «embolia masiva». Algo así, algo jodidamente fuerte.

—Creo que necesito sentarme —reconoció.

Y lo hizo allí mismo, en el suelo, porque ni se le ocurrió regresar a la banqueta.

Una isquemia cerebral de las grandes.

Porque es que la puta prueba era positiva y su lunes no tan perfecto.

14

Oh, baby, baby

Joder, es que era mucha información para asimilarla así de golpe.

Y lo de empezar a hacerlo poco a poco era una posibilidad, pero le daba pereza y, además, estaba muy ocupada observando el nuevo giro dramático de su vida, desde la distancia, una experiencia extracorpórea. Disociada, en una puta cuneta o sentada en el suelo de la cocina de casa de su amiga, porque el entorno físico le daba un poco igual y su líquido cefalorraquídeo parecía puré de repente, de los jodidamente espesos.

Sus ojos estaban fijos en aquella prueba de embarazo. Maldita Clearblue digital con indicador de semanas. Y es que casi veía aquellas letras dobles del rato que llevaba mirándolas, daba lo mismo, porque se le habían grabado a fuego en la puta retina.

«Embarazada. Más de tres semanas». Y lo de «más de tres semanas» se agradecía, la verdad.

Se golpeó la cabeza contra la puerta del lavavajillas de Olivia y sintió cómo su amiga cubría una de sus rodillas con la mano. Acababa de llamar a Aaron para cancelar su cita y, encima, había tenido el detalle de sentarse junto a ella en el suelo en vez de pedirle que se moviera, siempre tan considerada.

413

—¿Qué piensas? —le preguntó y ella cerró los ojos para poder concentrarse mejor.

—No lo sé.

—Algo se te estará pasando por la cabeza. Dilo sin más.

—Vale: «¿Qué mierda va a pasar ahora?».

—Y... ¿qué mierda va a pasar ahora? —preguntó apretándole cariñosamente la rodilla.

—No lo sé, por eso va entre interrogaciones, Olivia. Joder, joder... —masculló golpeándose de nuevo con suavidad contra el lavavajillas—. Si Claire está embarazada... —comenzó a hablar, pero se paró a mitad de frase, porque no sabía cómo seguir.

—¿Qué pasa si está embarazada? —inquirió y la tranquilidad de su tono la sacó de sus casillas.

—¡No lo digas como si no pasara nada, joder! —exclamó y su amiga levantó las manos en señal de paz—. Lo siento.

Olivia volvió a apretar su rodilla con cariño y perdió su vista al frente, le concedió unos segundos de tregua, seguramente para que se calmara antes de intentar abrir las vías de comunicación de nuevo.

—Sé que sí pasa, Ash —reconoció, validándola, ante todo.

—Joder, pasa mucho. —Suspiró mirando aquel estúpido palito electrónico.

—Si esto se confirma, tendrás que plantearte exactamente cuánto es ese «mucho» —opinó su amiga y ella la miró.

Seguro que tenía cara de querer morir en aquel preciso momento, lo sabía porque Olivia la observaba de aquella forma, como compadeciéndola. Algo similar al menos. Devolvió la vista a la prueba de embarazo y es que resultaba difícil de creer que algo tan pequeño tuviera unas implicaciones tan jodidamente colosales. Si Claire estaba embarazada, ¿en qué les afectaba a ellas? Joder, acababan de empezar a salir y, hasta llegar a aquel punto, había sido todo increíblemente complicado, desde el principio, pero es que de repente lo era mil veces más.

—Ese «mucho» es como tres toneladas de «mucho» —cuantificó—. Es un jodido bebé, Olivia. Llevamos saliendo tres putas semanas y, de repente, en nueve meses va a haber un bebé.

—Ocho meses —la corrigió y ella le dedicó una mirada molesta—. Es mucho que procesar —concedió observando la prueba ella también.

—Es improcesable —dijo agitándola con la esperanza de que cambiara su respuesta a un «Joder, no», pero no tuvo mucha suerte.

—¿Esa palabra existe?

—Claro que sí. «Improcesable», dícese de que Claire está embarazada de Nick y en ocho putos meses van a tener un bebé juntos.

Se levantó del suelo de golpe, porque, de repente, se veía incapaz de aguantar medio segundo más sin moverse de allí. Una activación repentina y unas ganas gigantescas de romper algo, se acordó de los putos enanitos de jardín de Ronda y Leo, y los clasificó como objetivo altamente probable. Porque su interior estaba en una extraña especie de ebullición y revuelto. Muy revuelto. ¿Qué cojones le pasaba por dentro? Porque estaba enfadada, sin saber con quién, increíblemente frustrada, el corazón le iba a mil y no era nada agradable. Como aquellas Navidades que confundieron los regalos y, por una milésima de segundo, creyó que aquella jodida bicicleta increíble que llevaba esperando todo el año era suya. Una sensación que se le acercaba bastante, como si hubiera estado todo aquel tiempo rozándolo con las puntas de los dedos y se hubiera alejado años luz en un segundo.

—Tengo que hablar con Claire.

—¿Qué vas a decirle? —preguntó Olivia incorporándose.

—No lo sé.

—¿Cómo piensas hablar con ella entonces?

—No lo sé, pero necesito hablar con ella —se empeñó.

—Lo que necesitas es que te diga que no es verdad y que todo va bien —aclaró tomándola por los hombros con ambas manos y sosteniéndole la mirada—. Y seguro que Claire no necesita eso ahora mismo, Ash.

Las putas palabras mágicas, de repente ya no tenía la acuciante necesidad de moverse tanto. Otra perspectiva completamente diferente, porque Olivia tenía para dar y regalar, y un contrasentido eso de no poder dejar de pensar en que Claire estaba embarazada y, a la vez, haberse olvidado de Claire. Todo aquello también la tocaba un poco a ella.

—Seguro que ella necesita oír que todo va a ir bien más que tú —insistió su amiga.

Y seguramente sí, porque conocía a Claire y porque Olivia siempre tenía razón, doble certeza y su responsabilidad. ¿Pero podía? ¿Podía plantarse delante de la rubia y decirle que no pasaba nada y que todo iba a ir bien? Un interrogante muy adecuado, por cierto, sobre todo teniendo en cuenta que no tenía ni puta idea de cómo iban a ir las cosas de ahí en adelante.

—No sé si todo va a ir bien —lo dijo dejando la prueba de embarazo sobre la superficie de la isleta.

—¿Qué opciones barajas? —la morena tomó asiento en una de las banquetas y la miró interesada.

—¿La primera? Que se replantee todo lo de Nick. —Por fin lo dijo en voz alta.

—Poco probable. —Olivia la desestimó con mucha ligereza—. ¿La segunda?

—Que no se lo replantee.

Y tenía que admitir, incluso ante sí misma, que estaba segura de aquel segundo desenlace a un noventa y nueve por ciento. Empezó a odiarse un poquito, porque tampoco le parecía totalmente satisfactorio.

—En ese caso, ¿te lo replantearías tú? —y lo preguntó sin pensar si debía, a la morena le gustaba cavar profundo.

—Es muy complicado —contestó conectando sus miradas.

—¿Quieres que lo hagamos más sencillo? —propuso su amiga y ella simplemente asintió, porque el agobio iba en aumento y no estaba segura de poder verbalizarlo—. ¿Dejarías a Claire?

Joder, a lo mejor tenía razón y no era tan difícil, porque tan solo que Olivia se lo plantease era una puta locura. Alejarse de Claire nunca había sido una opción y continuaba sin serlo.

—No, joder. Pero estamos hablando de un bebé, ahora —enfatizó aquel dato—. No sé si podría funcionar, no sé cómo podría funcionar, no sé si yo...

La interrumpió el sonido de una notificación llegando a su WhatsApp y se le ralentizaron las pulsaciones, porque era de Claire.

«Claire Lewis»
En línea
CLAIRE: Ya estoy en mi piso, Ash.
CLAIRE: Ven cuando quieras.
CLAIRE: ¿Puedes traer a Cleo?

Se quedó unos segundos de más colgada de aquellas tres sencillas frases, únicamente levantó la vista cuando la voz de Olivia atrajo su atención.

—Ashley, si lo que sabes es más importante que lo que no sabes, no es tan complicado.

***

Estaba moviendo su pierna tan deprisa que le extrañaba que no hubiera un agujero gigante en el suelo. Pasen y vean, el nuevo Gran Cañón en la sala de espera de una clínica ginecológica de Cleveland, Ohio. *No te dejes llevar, Claire. Respira, joder, y céntrate en otras cosas que pueden tardar un rato en salir a llamar.*

Paseó la mirada a su alrededor, una excursión visual breve y un poquito monotemática, porque se encontraba rodeada de mujeres embarazadas que pegaban de miedo con el resto del contexto. Se fijó en una en especial, en el tercer trimestre por lo menos y gemelos como poco, leía una revista de esas premamá y parecía especialmente contenta comentando algo con el chico que esperaba a su lado. El padre, lo más probable.

Mierda, había tenido que mentirle a Ashley, y no le estaba gustando nada la sensación. Consultó su teléfono móvil por si acaso la veterinaria había intentado ponerse en contacto con ella, no encontró llamadas perdidas, pero sí notificaciones pendientes.

«Ashley Darwin»
Última conexión 15:31
ASHLEY: Ya he salido del zoo.
ASHLEY: Me llevo a Cleo a dar una vuelta con Darwin.
ASHLEY: Espero que ese «algo» vaya bien.

«Me ha surgido algo». Mierda, es que no había podido inventarse nada mejor, bajo presión su capacidad cognitiva descendía en diez puntos por lo menos y ese «algo» visto desde la distancia resultaba muy sospechoso. ¿La habría notado rara? Pues por supuesto que había tenido que notarla rara, porque los últimos días las dos habían estado en plan «no puedo pasarme ni medio minuto sin tocarte o sin hablar contigo» y de repente «Me ha surgido algo» y punto. Con halo de misterio incluido.

Se fijó en un par de cuadros de la sala, seguro que los habían puesto allí para hacer el sitio un poquito más acogedor. Bebés sonrientes, de los equipados biológicamente para derretirte el corazón con ojos grandes y naricitas pequeñas, trucos de la madre naturaleza para perpetuar la especie. No les hacía falta hablar para decir «soy adorable, cuídame», esos en especial añadían «si estás ahí sentada mirándome, ya sabes lo que te espera».

Buf, estaba poniéndose tan nerviosa que casi podía escuchar los latidos de su corazón rebotando por las paredes de aquella maldita sala de espera, y seguía taladrando el suelo con la pierna a lo bestia y con mucha dedicación. Respiró hondo, tratando de mantener la calma, pero enseguida se cansó.

—Ronda, relájate, por el amor de Dios —le susurró a su amiga colocando la mano sobre su rodilla para detener su estereotipia.

—Ese niño me está mirando y me está poniendo nerviosa —acusó la castaña.

—No te mira a ti, mira a cámara, porque es una fotografía —aclaró, pero la chica continuó sosteniéndole la vista al dichoso cuadro—. ¿Has podido dormir algo esta mañana?

—Por supuesto que no, cada vez que cierro los ojos veo putos condones ecológicos bailando en círculo mientras cantan

«Te jodes, te jodes». Y voy a matar a Olivia, te lo juro, así que si tienes algo urgente que decirle hazlo antes de que yo la vea.

—Ronda, entiendo que estés alterada, pero no creo que culpar a Olivia... —comenzó a exponer su idea principal, pero la castaña se le adelantó.

—«Látex biodegradable, Parker, es el futuro» —rescató las palabras de la farmacéutica—. Es el puto futuro de la puta humanidad, porque es como hacerlo a pelo y yo me cago en el jodido medioambiente, Lewis, así te lo digo —dijo visiblemente afectada—. ¿Ahora qué? ¿Van a venir los del puto Greenpeace a hacerme de canguro? ¿Me van a pagar los pañales?

—No creo que entre dentro de sus prioridades —reconoció.

—Joder, joder, joder... que no podemos tener un hijo ahora. Que aún somos residentes y Leo sigue durmiendo con un pijama de Homer Simpson y comprando los cereales por los putos juguetes de la caja. —Suspiró escondiendo la cara entre las manos.

Le acarició la espalda, en parte porque era evidente que necesitaba sentir contacto humano de algún tipo y en parte porque no sabía qué más hacer. Y estaba segura de que su amiga iba a ser una madre de las geniales, pero seguramente a Ronda no iba a ayudarle mucho escucharlo en aquellos momentos.

—¿Qué posibilidades hay de que te digan que no estás embarazada? —preguntó, por darle un clavo ardiendo al que aferrarse hasta que la hicieran pasar.

—Reducidas, como las de Olivia de salir con vida en cuanto la vea —musitó la castaña sin levantar la mirada—. Dos de dos, es un puto castigo divino por jugar con el género del hospital durante las guardias. Puto Stevenson.

«Puto Stevenson» era su compañero residente de la especialidad de Psiquiatría, se había colado en su consulta de madrugada y a la voz de «Me aburro, Parker» le había propuesto el juego más estúpido de la historia. Solo unas mentes completamente desgastadas por veinticuatro horas seguidas de guardia podían concebir una gilipollez de aquellas proporciones. Porque Stevenson dijo: «Probemos estas pruebas de embarazo, las he encontrado abandonadas en un box de urgencias, y últimamente tengo mareos matutinos y una ligera ginecomastia», a lo que Ronda contestó «Si sale positivo prométeme que seré su madrina».

Y ese fue el principio del fin y lo que la llevó a llegar a casa de Olivia a horas intempestivas de la mañana, tras quemar el timbre de la de Ashley sin ningún resultado. Seguro que la veterinaria paseaba con Darwin mientras Ronda agonizaba en su porche, con la prueba de embarazo más eficaz del mercado quemándole el bolsillo de su pijama de quirófano.

Pobre. Aquel «Embarazada. Más de tres semanas» la había sumido en la crisis de ansiedad más aparatosa de la que había sido testigo hasta la fecha y, durante su curso, la castaña le había pedido que no se lo contara aún a Ashley ni a Olivia. Mucho menos a Leo. Antes quería «asegurarse», como si dos positivos dejaran mucho margen de maniobra, pero le concedió el deseo por su evidente fragilidad emocional en el momento de la petición. Así que le mandó a Ashley aquel maldito WhatsApp para evitar que pasara a recogerla, y ahí, justo ahí, había comenzado su andadura en el camino de la mentira patológica. Esperaba que la veterinaria la perdonara, sus circunstancias valdrían como eximente de responsabilidad penal.

Una simpática enfermera emergió por fin por el pasillo que llevaba a las consultas, con una carpeta sujeta contra su pecho y una sonrisa de esas agradables suavizando sus facciones y la situación.

—Ronda Parker —vocalizó alto y claro el nombre de su amiga y la castaña casi saltó como un muelle al escucharla.

Le susurró un «tranquila» cuando pasó frente a ella y la chica le tomó la mano antes de suplicarle «entra conmigo». Era la primera vez en todos aquellos meses que veía aquella versión de la pediatra, francamente vulnerable. ¿Y cómo negarse? Pues imposible, así que se levantó y la siguió pasillo adelante, directas al fondo y hacia la doctora Marshall, ginecóloga adjunta en el hospital de su amiga. Realizar la visita en su consulta privada resultaba mucho más discreto que dejarse caer por el Servicio de Ginecología y Obstetricia del Fairview.

Se saludaron con efusividad, por lo visto la doctora Marshall parecía tenerle especial aprecio a la residente de Pediatría.

Tras una breve presentación en forma de «esta es mi amiga Claire», iniciaron el protocolo médico-paciente y en menos de dos minutos su amiga estaba tendida en la camilla y sujetándole la mano con especial fuerza mientras respondía las preguntas preliminares.

—¿Cuánto hace de tu última menstruación? —preguntó aquella mujer.

—Alrededor de seis semanas —estimó la castaña—. He estado muy liada en el hospital, el último año de residencia, pensé que simplemente era un retraso por el estrés. Ya me había pasado otras veces.

—¿Qué te ha hecho cambiar de opinión?

Tuvo que reprimir una sonrisa divertida tras la mirada que le dedicó Ronda, un silencioso «me cago en la puta, Lewis». Normal, porque iba a ser interesante el ver a su amiga explicándole a un adjunto que se había pasado la noche jugando con pruebas de embarazo en el hospital durante su guardia.

—Hace un par de días que he empezado a encontrarme mal por la mañana —resolvió de forma admirablemente eficaz.

Menuda manera de manejarse bajo tensión y qué envidia, de haber poseído ella esa habilidad Ashley no habría sospechado nada de nada. Y tras un par de minutos, un ultrasonido transvaginal, que le sonaba a título de película de ciencia ficción, pero era lo normal en esos casos, el procedimiento estándar. Enseguida aquella pantalla reflejó el interior de Ronda y, en honor a la verdad, ella podía recitar a Shakespeare de memoria, pero en esas imágenes no distinguía una mierda.

Notó cómo su amiga le estrechaba la mano con la mirada fija en el aparato, viendo más cosas que ella, seguramente, y le devolvió el gesto, se le aceleró un poco la tasa cardiaca, porque de repente el ambiente se había cargado de algo nuevo y espeso.

***

Cinco semanas, su amiga estaba embarazada de cinco semanas, y a la castaña se le habían empañado un poco los ojos en la consulta, así que lo de matar a Olivia a lo mejor no seguía en pie.

Salían del edificio en completo silencio y Ronda parecía perdida en sus propios pensamientos, tal vez era mejor dejarla allí, al menos por un rato, para que colocara lo que tuviese que colocar dentro de su cabeza. Un bebé, ni más ni menos, no debía de ser fácil encontrarle el espacio. Madre mía, es que Leo y ella iban a ser padres de verdad, un momento trascendente.

—Gracias por acompañarme —la escuchó cuando se acomodaron en el interior del coche de la castaña.

—No seas tonta —le quitó importancia—. Tú habrías hecho lo mismo.

—¿Si Ashley te hubiera dejado embarazada? Por supuesto —confirmó, y ella sonrió al oírla.

Ronda perdió la vista por la ventanilla del vehículo y se golpeó suavemente la cabeza contra el asiento. Jugueteó con la ecografía entre sus manos, aún no la había guardado en el bolso, a lo mejor como recordatorio de que todo aquello era verdad.

—Puto Stevenson —masculló sacudiendo ligeramente la cabeza.

—El árbol sigue haciendo ruido al caer en el bosque, aunque no haya nadie para escucharlo —rescató aquel interrogante del budismo zen y le otorgó carácter de afirmación porque le venía bien en ese momento.

—No te pongas en plan Olivia —le advirtió señalándola con el dedo y ella se rio.

—Solo te faltaba descubrirlo, «Puto Stevenson» no te ha embarazado.

—Y menos mal, porque esa jodida nariz no hay cirugía que la arregle —admitió y, por lo menos, bromeaba—. Leo va a alucinar.

—Suspiró perdiendo de nuevo la mirada.

—¿Nunca os lo habíais planteado?

—En plan hipotético. En una galaxia muy muy lejana —reconoció, y ella sonrió de lado.

—Bueno, no estaba tan lejos, pero al menos los dos queríais llegar allí —observó y Ronda la miró al escucharla.

—Tiene sentido. Aunque nos hemos adelantado tres putos años mínimo.

—¿Cuándo vas a decírselo?

—Hoy está de guardia, así que mañana. El pobre capullo no sabe lo que se le viene encima. Jodidos condones biodegradables —masculló encendiendo el motor del coche.

Observó distraídamente las calles mientras estas pasaban a una velocidad constante frente a su ventanilla. Le había dicho a Ashley que la avisaría en cuanto estuviera de vuelta en su piso y tenía unas ganas bastante intensas de verla ya, se habían pasado el fin de semana muy muy juntas y comenzaba a notar los primeros síntomas de la abstinencia. Nada más pensar en ella y aquella agradable calidez en la boca del estómago aparecía de golpe, un condicionamiento de los potentes.

—¿Vas a ver a Ashley? —preguntó Ronda, estacionando en doble fila frente a su portal.

—Sí, vendrá en un rato. Si quieres contárselo tú, no le diré nada —ofreció soltándose el cinturón de seguridad.

—No tengo autoridad moral para pedirte algo así, le conté a Leo lo vuestro casi antes de haberme enterado —reconoció, aferrándose al volante.

La miró por unos segundos y suspiró, porque parecía que la lucha interna de su amiga continuaba en su apogeo y cada cosa que lo hiciera más real aún aumentaba su intensidad. Le acarició el brazo cariñosamente y se inclinó hacia ella, ofreciéndole un abrazo. Le gustaba abrazar y a Ronda le hacía falta uno de los extrafuertes. La castaña le correspondió enseguida, estrechándola por el cuello y apretando, como si necesitara sentir un apoyo físico real que le ayudase a sustentar el desorden que llevaba dentro.

—Todo va a ir bien —se lo dijo acariciándole la espalda y su amiga la estrujó un poco más.

—Voy a tener que creerte. Me alegro de que Ashley te encontrara en ese jodido parque y de que te llames Claire Lewis.

—Yo también —reconoció y aligeró la intensidad del abrazo. Ronda hizo lo mismo y, cuando se separaron, la castaña respiró hondo, como reuniendo fuerzas para enfrentar lo que se le venía encima.

—Intenta dormir, ¿vale? —le aconsejó y su amiga asintió.

Le dedicó una última sonrisa alentadora, antes de salir del vehículo, y la despidió con un gesto de la mano, caminando después hasta su portal. Aprovechó la subida en el ascensor para escribir a Ashley, porque cuanto antes le dijera que ya estaba allí, antes llegaría. Tremendamente sencillo.

***

Justo estaba colocando *La metamorfosis* de Kafka en una de las estanterías del salón cuando sonó el interfono, señal de que sus chicas favoritas ya estaban allí. Se apresuró en acudir a abrir y simplemente el oír su «Somos Cleo y Ashley» aumentó el ritmo de sus pulsaciones. ¿Su cuerpo terminaría acostumbrándose a todo aquello alguna vez? Jesús bendito, esperaba que no, le encantaba la facilidad con la que la veterinaria le aceleraba la vida entera.

Escuchó el sonido del ascensor llegando a su planta y no esperó a que llamasen al timbre, abrió la puerta sin más y sonrió cuando Cleo echó a correr hacia ella por el descansillo en cuanto la localizó asomada a la puerta del piso. La cogió en brazos, besando su coronilla y desvió su mirada a Ashley, que cargaba con un par de bolsas con las cosas de su mascota.

—Hola, mi amor —la saludó. La veterinaria estaba especialmente seria y ella frunció el ceño, extrañada, cuando llegó a su altura—. ¿Qué pasa? ¿Estás bien? —preguntó acariciando su mejilla.

—No sé cómo estoy —reconoció su novia y entró en el piso sin darle un beso ni nada.

Y le habría encantado que Cleo hablase su idioma para poder preguntarle «¿Qué bicho le ha picado a tu amiga, colega?» y que le contestara, pero por desgracia no manejaban el mismo dialecto y sus ladridos no iban a aclararle mucho las cosas. Regresó al interior del piso, cerrando la puerta tras ella, y observó cómo Ashley se paseaba nerviosamente por el salón mientras acariciaba el cuerpecillo de Cleo en espera de que la veterinaria dijera algo, porque la situación comenzaba a inquietarla un poco.

—Ash... —llamó su atención y fue como darle cuerda de repente.

—Lo sé, Claire —lo reveló como si esperase que ella supiera de qué demonios estaba hablando.

Así que *lo sabía.* ¿Se refería al embarazo de Ronda? La posibilidad de que la castaña la hubiera llamado para contárselo se le pasó por la cabeza, la consideró como probable tan solo unos milisegundos, porque aquella explicación no terminaba de justificar el estado actual de su novia. Se la veía bastante agobiada.

—¿El qué, Ashley?

Venga, una pista más, a ver si aclaraban algo.

—Olivia y yo lo hemos encontrado en la basura —soltó sin más, rebuscó dentro de una de las bolsas y le enseñó la prueba de embarazo de Ronda.

Así que sí se refería a eso, y menuda afición la de esas chicas a escudriñar los cubos de basura de la gente, por Dios. Se quedó un poco enganchada al verde de sus ojos, y se preguntó tan solo una vez por qué el embarazo de Ronda estaba afectando a Ashley de ese modo, y la respuesta se le presentó delante de sus narices así sin más, alta, clara y sin medias tintas, y es que su novia no pensaba que fuese Ronda la que estaba embarazada.

—Ashley, mi amor... —trató de acercarse a ella y aclarar aquel malentendido, pero su novia la frenó con un gesto de la mano.

—Sé que seguramente quieres escuchar que no pasa nada, que todo va bien y que no me importa. Pero sí que pasa, no va bien y sí que me importa, así que no puedo decirte eso.

—Ashley... —intentó frenarla una vez más, pero parecía que quería hacerlo de carrerilla.

—Escucha, Claire, joder. No tengo ni puta idea de cómo van a ir las cosas y ahora mismo no estoy preparada para algo así, pero tampoco estaba preparada cuando llegaste tú y al final no ha ido tan mal —indicó con un amago de sonrisa.

Y debía intentar frenarla, decirle que era su amiga Ronda la que estaba embarazada, pero aquella confesión inesperada de Ashley le estaba haciendo cosas muy interesantes a su interior, así que reprimió una sonrisa de las de «cómo te quiero, imbécil» y decidió dejarla finalizar.

—Y es posible que mañana tengas que recordarme todo esto, porque he oído que los altos niveles de estrés afectan a la memoria a corto plazo —la avisó antes de rebuscar de nuevo en la bolsa para recuperar un *body* diminuto con el dibujo de un bebé jirafa con chupete y tendérselo—. Toma, espero que el amarillo siga de moda dentro de ocho meses —añadió y ella sonrió al escucharla.

Aceptó la prenda con la mano que le quedaba libre mientras con la otra sostenía a Cleo contra su pecho, y observó el regalo por unos segundos, con el corazón bombeándole contra las costillas con muchas ganas. Porque aquel pequeño gesto por parte de Ashley era grande en realidad. Era muy grande, aunque hubiera equivocado el contexto. Conectó sus miradas y aquel verde la observaba, en espera de su reacción, derrochando incondicionalidad porque debía de sobrarle, y la quiso un poco más.

Llevó la mano que sostenía el *body* hasta su nuca y la acercó para poder besarla, porque era lo primero que necesitaba hacer después de aquella inesperada escena. Atrapó sus labios con una mezcla de muchas cosas, y recluyó a Cleo entre sus cuerpos mientras se perdía en la forma que tenía Ashley de responder a sus suaves embestidas, conteniéndolas durante microsegundos, antes de devolvérselas. Y es que le había regalado un *body* para bebés, así que tiró de su nuca un poco más y utilizó algo de lengua. Segundos después se separó ligeramente de ella y conectó sus miradas.

—No estoy embarazada —confesó y el ceño de Ashley se frunció al oírla.

Volvió a besarla porque era jodidamente adorable, pero la veterinaria la apartó, empujándola con delicadeza por los hombros.

—¿Cómo dices? —preguntó alzando una ceja.

—Eso no es mío, Ashley —aclaró, señalando la dichosa prueba de embarazo que continuaba sujetando en su mano.

La veterinaria miró la prueba durante un par de segundos, después a ella y de nuevo a la prueba antes de soltarla mascullando un «Puaj» bastante disgustado. Se restregó la mano contra el pantalón antes de centrar su atención otra vez en ella.

—No estás embarazada —repitió sus palabras.

—No estoy embarazada —confirmó, porque parecía bastante importante que aquella parte quedara clara en la mente de su novia.

—¿Estás segura? —quiso cerciorarse y ella sonrió, delineando el contorno de su mandíbula con el dedo índice.

—A no ser que tengas poderes de los que no me has hablado, es físicamente imposible.

—«Imposible» es mi puta palabra favorita ahora mismo —reconoció Ashley y se llevó las manos al pecho—. Necesito tumbarme, me va a dar un bajonazo de tensión ahora mismo.

Sonrió cuando la vio dejarse caer sobre el sofá con exagerado dramatismo, pero se lo perdonaba porque seguramente la pobre acababa de vivir momentos de mucha presión. Dejó a Cleo en el suelo, y su mascota aprovechó la oportunidad para saltar al sillón y acomodarse junto a Ashley. Una pequeña lapa peluda.

—Falsa alarma, colega, Darwin y tú vais a tener que esperar para tener un hermano humano —dijo la veterinaria rascándole la barriga al animal.

Y sin más dejó de ser necesario el preguntarle a Ashley si ella también quería tener hijos algún día, porque aquel malentendido había llevado a su novia al borde del colapso, pero a ella le había servido para confirmar que, en efecto, las grandes mentes pensaban igual. Y apenas llevaban saliendo un mes, pero simplemente lo supo, en ese mismo momento estuvo segura de que en un futuro Ashley iba a alegrarse mucho cuando una de esas estúpidas pruebas positivas fuese la suya.

Se acercó al sofá y se agachó frente a su novia, le acarició el pelo y sonrió cuando la veterinaria se posicionó de lado sobre los cojines para poder mirarla bien.

—¿Mejor?

—Mucho mejor —admitió con media sonrisa, aliviada.

—Gracias por reaccionar así —lo dijo tomándola de la mano y depositando un beso en su palma.

—De nada, siempre viene bien tener cerca a alguien que sucumbe bajo presión —dio por sentado y ella sonrió al oírla y le mordió la mano juguetonamente haciéndola reír.

—Ya sabes a lo que me refiero, idiota.

—La verdad es que... —seguro que iba a decir otra gilipollez, pero, en mitad de frase, algo pareció interrumpir el curso normal de sus pensamientos y frunció el ceño de golpe—. Eh, si esa prueba de embarazo positiva no es tuya... ¿de quién es?

Había tardado un poco en preguntarlo, pero sabía que aquel momento llegaría, tarde o temprano, y, contestase lo que contestase, Ashley iba a deducirlo de igual forma. Porque ya sabía que no era ni suya ni de Olivia, y si era importante el mantenerlo en secreto, no le dejaba muchas más opciones.

—¿Es de Pitagordas? Digo... ¿de Holly? —inquirió y ella reprimió una sonrisa pegándole en el brazo—. ¿Por eso te ha llevado al instituto esta mañana?

—Holly no me ha llevado al instituto esta mañana, mi amor —desmintió aquella información—. Me ha llevado Ronda.

Por un momento, Ashley se quedó inmóvil, atando cabos a partir de sus cuatro últimas palabras, y se incorporó de forma gradual sobre el sofá, apoyando el peso del cuerpo sobre el antebrazo.

—¿Ronda está embarazada? —preguntó y casi era retórica, pero se lo confirmó con un gesto de cabeza.

—Ayer durante la guardia ella y otro médico empezaron a hacer el tonto con unas pruebas de embarazo y se llevó una sorpresa. Esta mañana ha ido directa a tu casa, pero debías de estar paseando con Darwin, así que ha pasado por la de Olivia. Venía a repetir la prueba y cuando ha salido positiva también se ha vuelto loca y me ha pedido que no os dijera nada aún. Antes quería ir al médico.

—¿Y ha ido?

—Está embaraza de cinco semanas. Hemos salido hace un rato y me ha traído aquí.

—Oh, mierda, ¿cómo se lo ha tomado?

—Al principio bastante mal, decía que iba a matar a Olivia y algo de unos condones biodegradables.

—Putos condones ecológicos. —Suspiró Ashley, parecía familiarizada con el término.

—Ningún preservativo es eficaz al cien por cien.

—Puto sexo heterosexual. —Cambió el objeto de su ira y ella sonrió.

—Se ha emocionado durante la ecografía. Hemos escuchado el latido del bebé.

Ella también se emocionó un poco, porque había sido un momento de esos intensos de verdad, y cambió algo o lo cambió todo en el interior de su amiga, aunque Ronda necesitara una buena siesta y un poco de tiempo para darse cuenta. Ashley sonrió al escuchar aquello de «el latido del bebé».

—Quiero ir a verla —decidió tratando de incorporarse del todo, pero ella la frenó sujetándola por el brazo.

—No puedes ir a verla ahora.

—Claro que puedo, devuélveme el *body* —exigió tendiéndole la mano.

—Ashley, Ronda llevaba casi dos días despierta. Está agotada y posiblemente durmiendo.

—De acuerdo —su chica cedió ante aquellas razones de peso y se dejó caer de nuevo sobre los cojines—. Pero espero que entiendas que sin bebé no hay *body*, y que hay gente que lo necesita más que tú ahora mismo —dejó claro, y ella sonrió acariciándole la cara.

—Seguro que a Ronda le encantará.

Ashley besó el dorso de su mano y por unos segundos se observaron en silencio. Se acordó de aquel bebé jirafa con un chupete en la boca y se inclinó hacia la veterinaria atrapando sus labios con suavidad.

—No sabes cómo me alegro de que no estés embarazada —su novia lo musitó contra sus bocas y ella sonrió.

—Yo también.

Las cosas entre ambas estaban sólidamente asentadas, por fin, y un terremoto de aquellas proporciones lo habría desorganizado todo de nuevo. Sentaba bien saber que Ashley habría seguido ahí, dispuesta a ayudarla a recolocarlo otra vez. Aceptó sus labios cuando la veterinaria los buscó, porque a ella no podía negarle nada y besarla era lo mejor del mundo. Escuchó el interfono poco después mientras las dos seguían inmersas en un mar de «madre mía, besas alucinantemente bien» bastante intenso. Pensó en dejarlo pasar, porque no le interesaba lo más mínimo la identidad de quién esperaba en el portal, pero cuando llamaron por segunda vez sintió a Ashley sonreír.

—Están llamando —dijo como si pensara que se había quedado sorda.

—Da igual —le quitó importancia, atrapando sus labios de nuevo.

—Puede que traigan tu somier.

Ay, su somier.

Se incorporó con rapidez y se apresuró a alcanzar el automático. Llegó a tiempo, y menos mal, porque efectivamente le traían su nuevo somier y lo necesitaba mucho si pensaba quedarse a dormir allí aquella noche, y ese era, de hecho, el plan. Su primera noche en su nuevo piso, muchos «sus» después de tantos «nuestros», y le hacían sentirse extrañamente independiente; tras veintiséis años y una Ashley a prueba de embarazos sorpresa ya no le daba tanto miedo.

Desvió la vista hacia el salón y las vio asomadas por encima del respaldo del sofá, las dos observándola. La veterinaria en espera de que confirmara o desmintiera su predicción acerca de la identidad de los recién llegados y Cleo con la lengua fuera, expectante, y seguramente con la esperanza de que fuera una enorme caja de galletas para perros andante con destino: «Su boca».

—Es el somier.

—Joder, cada vez los hacen más inteligentes —admiró Ashley y ella sonrió.

—Solo lo mejor de lo mejor para «una chica tan guapa como yo». Dile algo a Cleo, está babeando el sofá.

Ashley miró a su compañera peluda, agarró su cuerpecillo y la llevó con ella de vuelta sobre los cojines. No las veía, pero escuchó gruñir a Cleo en plan juguetón, y después Ashley se le unió, de modo que podía imaginarse lo que pasaba al otro lado de aquel respaldo.

Tal para cual. Y a ella le encantaban así.

***

Una hora viviendo a solas en su nuevo piso.

No era tan difícil.

Ashley se había marchado en busca de Olivia primero y a casa de Ronda después, hacía sesenta minutos exactos, y Cleo y ella estaban perfectamente. Mejor que perfectamente. Había puesto música en su teléfono móvil, canciones de los ochenta, porque la veterinaria la había introducido en aquel mundo y le gustaba y estaba entretenida colocando libros en la estantería de su salón sentada en el suelo y con *I want to know what love is*, de los Foreigner, de banda sonora. De vez en cuando, gateaba hasta la mesita frente al sofá y le daba un mordisco a un trozo de la *pizza* que había pedido hacía quince minutos. Sorprendentemente rápidos.

Y sí, debería haberse hecho la cena ella misma, pero es que además de «más sano» aquello llevaba implícito un «pero más laborioso» y bastante trabajo tenía por delante con ir vaciando aquellas cajas poco a poco. Aquella noche no tenía tiempo de ponerse a jugar a las cocinitas.

Cleo se había cansado de mirarla con cara de pena, tratando de ablandarla para que compartiera su cena con ella, y estaba cómodamente tumbada en su cama, mordisqueando uno de sus juguetes con mucha dedicación. Perfectamente capaces de sobrevivir solas. Aquello estaba chupado, tan sencillo como robarle el sonajero a un bebé, pero mucho menos psicopático.

Sus ojos se desviaban una y otra vez a la dichosa señal de tráfico amarilla. La había dejado apoyada contra la pared hasta decidir su ubicación definitiva, y es que cada vez que la miraba se le hinchaba un poquito más el corazón dentro de pecho. Escuchó el aviso de la llegada de un nuevo mensaje al móvil y colocó su ejemplar de *Hamlet* en el último hueco libre del penúltimo estante antes de gatear hasta la mesa para consultarlo.

«Ronda»
En línea
RONDA: He dormido hasta hace dos minutos.
RONDA: Olivia y la idiota de tu novia me han despertado.
RONDA: Estoy mejor. Gracias por lo de hoy, Lewis.
RONDA: Si es niña, a lo mejor la llamo Claire en tu honor.
CLAIRE: Con ese nombre seguro que te sale guapa.
RONDA: No necesito tu estúpido nombre para eso, ¿tú has visto qué genes?
RONDA: Vente, tenemos cerveza para ti también.

Sonrió al leer la respuesta de su amiga. Tras el *shock* inicial parecía que la idea de ir a ser madre comenzaba a parecerle menos horrible, y se alegraba por ella y sobre todo por Olivia. Y la verdad era que le apetecía aquella cerveza, pero no era menos cierto que ya no vivía a cinco minutos de casa de la castaña y, sin asomo de duda, aquellas cajas no iban a vaciarse solas, de modo que le pidió que se la guardara para otra ocasión.

Qué responsable, Lewis.

Media caja de libros después, su teléfono móvil volvió a sonar, esta vez indicando una llamada entrante, *Mamma mia*, así que misterio resuelto desde el minuto uno. Se le aceleró un poco el ritmo cardiaco, desde aquel «tú y yo no vamos a hacer nada por teléfono esta noche, mi amor» vivía con miedo y un hipotético «Claire... ¿quién es "mi amor" si ya no estás con Nick?» planeaba sin cesar sobre su cabeza. No descansaba ni para recargar combustible. Y se había planteado muchas veces qué responder si aquella terrorífica abstracción se materializaba, pero no había llegado a decidirlo del todo. ¿Confesaba así sin más que se había enamorado de una chica? En algún momento tendría que hacerlo, no quería tener a Ashley escondida y estaba segura de que tras la sorpresa inicial la veterinaria iba a ganárselos a todos. Y cuando decía «a todos», quería decir «a todos».

Excepto a su padre, claro.

Se hizo con el teléfono y se dejó caer de espaldas en el sofá antes de descolgar.

—Hola, mamá —saludó, encogiéndose ligeramente cuando Cleo subió de un salto sobre su abdomen.

—*Claire, llevo toda la tarde insistiéndole a tu padre para que arregléis esto* —un gran saludo—. *Lleváis más de una semana sin hablar* —se lo recordó por si no llevaba la cuenta.

Suspiró porque sí, porque su padre sería muchas cosas, pero seguía siendo su padre y nunca habían estado sin hablar durante tanto tiempo. Cada vez que pensaba en él, se acordaba de la expresión de su cara tras aquel «No quiero ser como tú» y se le rompía algo por dentro. Lo peor de todo era que sabía que su padre no estaba enfadado, habrían hablado mucho antes si fuera eso, y que se sintiera dolido, era mucho peor. Ella era la niña de sus ojos y sabía que, a pesar de todo, su padre la adoraba. «No quiero ser como tú». Menuda bomba, y cría cuervos.

—Lo he llamado muchas veces, mamá. No quiere cogerme el teléfono.

—*Pues sigue llamando, el hombre va como un zombi por la casa. Ya sabes lo cabezota que es* —se lo recordó, y no le hacía falta, pero era muy cierto—. *Si hacemos presión entre las dos terminará cediendo.*

—Descuida, no voy a dejar de llamarlo.

—*¿Qué tal te va a ti? ¿Cómo estás, cariño?*

—Estoy bien, esta noche ya la paso en el piso nuevo.

—*¿Tú sola?* —lo exclamó como si fuera un sacrilegio.

—No estoy sola, mamá. Estoy con Cleo, me defendería hasta la muerte —aseguró acariciando cariñosamente a su mascota.

—¿Y qué harías después de ese minuto? —se metió con el animal.

Frunció el ceño, un poco indignada, y besó el morro de su mascota para compensarla por aquella ofensa.

—Protegerme tras las barricadas y usar las granadas de mano —se burló.

—No te pongas irónica conmigo. Es la primera vez que mi niña va a vivir sola —describió a la perfección el objeto de su preocupación.

—Tu niña tiene veintiséis años —se lo recordó, inútilmente, ya lo sabía.

—Para tu padre y para mí siempre tendrás cinco, y esos pequeños dientecitos manchados de chocolate.

—Esos «pequeños dientecitos» llevan por lo menos veinte años metidos en una caja de cerillas en el cajón de tu mesilla. Es hora de que te deshagas de ellos, porque resulta perturbador —indicó con media sonrisa, en el fondo le gustaba que su madre fuera así de «madre»—. Y de paso tira los de Tommy, es el doble de perturbador.

—Si tan perturbador te parece, no te importará que coleccione también los de mis nietos —dio por sentado, y la imagen de aquella estúpida jirafa con chupete regresó a su mente con fuerza.

—Podemos discutirlo llegado el momento.

—Y lo haremos, cariño —sonó a promesa. Menuda obsesión—. ¿Qué planes tienes para esta noche? ¿Vas a hacer algo por teléfono?

Lo preguntó así sin más, y ella se puso roja de golpe, muy roja, seguro. Casi se atragantó con su propia saliva y carraspeó. Ya le extrañaba que hubiera tardado tanto en sacarle el tema.

—Mamá, ese momento fue uno de los más embarazosos de mi vida, así que sería un detalle si no volviésemos a hablar de ello nunca más —optó por la más absoluta sinceridad y la escuchó reír al otro lado.

—No seas tonta, Claire. Tienes veintiséis años y sé que hace mucho que no te pasas las noches viendo dibujos en la televisión —lo soltó sin tapujos.

Oh, Dios mío. De dientes de leche a sexo desenfrenado en solo un segundo. Se tapó media cara con la mano y la sintió ardiendo.

—Mamá, de verdad que no me siento cómoda hablando de esto contigo —lo reconoció abiertamente.

—Y *yo no me sentía cómoda teniéndote que cambiar los pañales* —rescató aquellos sacrificios de la prehistoria—. *Claire, hay algo que no me estás contando y sé que se lo has contado a tu hermano. Cuando de pequeños os decía que teníais que llevaros bien no me refería a esto.*

Respiró hondo, cuando su madre se proponía algo era casi imposible desviarla de su objetivo. Como un misil teledirigido con brillos en el pelo. Aceptó que no iba a servirle de nada negarlo, sobre todo después de su metedura de pata al teléfono, así que se rindió a la evidencia.

—Te lo contaré cuando esté preparada —escueto, lo mínimo que podía darle.

—*¿Hay alguien especial?* —presionó víctima de su propia curiosidad. Pobre mujer.

—Me veo obligada a advertirte de que, si sigues así, tendré que colgar.

—*Sé que hay alguien especial, solo dime quién es. ¿Dónde lo has conocido? ¿Es un buen chico?*

Le dijo: «Adiós, mamá», con toda la sangre fría del mundo y escuchó su «Las madres sabemos esas cosas» y un «Llama a tu padre» justo antes de cortar la comunicación, porque las amenazas había que cumplirlas. Era profesora y lo había aprendido a la fuerza. Dejó el móvil a un lado en el sofá y tomó la cara de su mascota entre las manos.

—¿Es un buen chico, Cleo? —le consultó y el animal le contestó lamiéndose el hocico.

Y sabía que, en su idioma, quería decir: «No es un buen chico, pero como chica no tiene precio».

Le dio un beso en el morro y toda la razón.

***

435

Había dejado a Claire disfrutando aquella versión independiente de su vida, perfectamente feliz entre cajas desordenadas y libros por colocar. La rubia la había despedido en la puerta con uno de esos besos perfectos que daba ella, un poco húmedo, la verdad. Le había hecho replantearse su visita a Ronda y sopesar un plan alternativo y jodidamente apetecible: quedarse a probar el maldito somier. Es que hasta le había mordido un poquito el labio inferior, joder.

Pero no. Ella era gran amiga, además de gran amante, de modo que utilizó hasta la última gota de su fuerza de voluntad para conseguir decirle «Hasta mañana, mi amor» a aquella jodida sonrisa. Recogió a Olivia en casa de Aaron y no le preguntó qué habían estado haciendo, podía imaginárselo y ni necesitaba confirmación.

—Tienes pelo de follar —indicó poco después de haber arrancado el coche.

Sonrió cuando la vio peinándoselo con ambas manos y poniéndose un poco roja, todo al mismo tiempo.

—Y tú tienes cara de que Claire no está embarazada.

Había tenido que parar en un semáforo y aprovechó para estirarse un poco hacia el asiento trasero, recuperó el *body* que había comprado para la rubia y lo depositó en el regazo de Olivia.

—Oh, Ashley... —se enterneció al ver aquella prenda y ella la miró de reojo. El reloj biológico de su amiga hacía tictac muy alto—. ¿No te da un poco de pena no ir a tener un bebé? —preguntó, y aún observaba el puto *body* como si fuera lo más bonito que había visto jamás.

—No me da pena, porque sí que voy a tener un bebé y tú también —le informó, sintió su mirada fija en ella y le devolvió una fugaz antes de arrancar cuando el semáforo le dio vía libre—. La prueba era de Ronda, está embarazada de cinco semanas.

—¿Cómo lo sabes? ¿Te lo ha dicho ella? —pidió información, completamente tensa en el asiento del copiloto.

—Me lo ha dicho Claire, la ha acompañado al médico esta tarde para confirmarlo. Ronda está enfadada contigo y con tus condones biodegradables —añadió y Olivia bufó indignada.

—¿Por qué no se enfada con Leo? Seguro que ha tenido más que ver.

—El cincuenta por ciento, casi seguro.

Y Olivia volvió a mirar el maldito *body* con aquella cara de «futura mamá en un futuro no muy lejano». El puto efecto dominó, y Ronda había sido la primera ficha en caer.

Se plantaron en el porche de su amiga con unas cuantas cervezas sin alcohol, las habían comprado en un supermercado por el camino y tenían la esperanza de que la castaña no se las tirase a la cara. No sabían qué esperar de aquella Ronda hormonada y cabreada. Se miraron por un momento, respiraron hondo y Olivia presionó el timbre mientras ella sujetaba las cervezas contra su pecho. Esperaron unos segundos y, cuando se disponían a llamar de nuevo, escucharon pisadas acercándose a la puerta. Se abrió ante el empuje de una Ronda despeinada, en pijama y con cara de pocos amigos. Casi dieron un paso atrás.

—Ey, Ronda —saludó con media sonrisa mientras sentía cómo la morena se parapetaba tras ella.

—Ey, Ashley —correspondió a su saludo frotándose un ojo y ahogando un bostezo—. Olivia —masculló dedicándole una fugaz mirada a la farmacéutica.

Tras aquel intercambio de saludos, su amiga las observó en silencio, sin apartarse de la puerta. Ella carraspeó, cambiando el peso de su cuerpo de pie.

—Hemos pensado que a lo mejor te apetecía una de estas —señaló tímidamente tendiéndole uno de los botellines.

Por un momento, Ronda lo miró y permaneció inmóvil, después extendió su brazo para aceptarlo y cuando leyó la etiqueta se llevó su mano libre a la boca y frunció el ceño, seguro que estaba haciendo un esfuerzo bastante grande por no llorar. La observaron casi haciendo pucheros al verla tan afectada y de pronto la castaña avanzó hacia ella y la envolvió en un abrazo de los fuertes, la escuchó sorberse la nariz. A los dos segundos, Ronda le hizo un gesto a Olivia con su brazo libre, pidiéndole silenciosamente que se uniera a ellas, y la morena la complació estrechándolas a ambas y besando su pelo.

—Voy a tener un bebé por culpa de tus putos condones ecológicos —escuchó su voz, casi en un sollozo, amortiguada contra su hombro.

—Lo siento. —Olivia optó por el camino más sencillo para amansar a la fiera.

—Es muy pequeño y le late el corazón —añadió Ronda sorbiéndose la nariz de nuevo.

—¿Se parece a ti? —bromeó ella.

—No, es como un puto guisante deforme —admitió—. Se parece a Leo.

Permanecieron allí, abrazando a Ronda en el porche de su casa, hasta que la castaña se apartó de ellas secándose los ojos con la manga de su pijama. Entraron dentro y fueron directas al sofá del salón, Olivia y ella se sentaron una a cada lado de la principal afectada y le acariciaron los brazos casi a la vez.

—¿Os lo ha dicho Claire? —preguntó mirándolas alternativamente.

—Ha tenido que decírselo a Ashley, porque estaba hiperventilando pensando que la embarazada era ella —explicó Olivia.

—Lo que me recuerda que tenemos algo para ti —anunció, sacándose el *body* del bolsillo interior de su abrigo—. Iba a regalárselo a Claire, pero creo que te pega más —explicó tendiéndoselo.

De nuevo, al verlo Ronda se llevó su mano libre a la boca y frunció el ceño, antes de sorberse otra vez la nariz. Pobre, las hormonas debían de estar haciéndola polvo por dentro. Volvieron a abrazarla, una por cada lado, y la castaña se dejó estrujar, apoyando la cabeza sobre el hombro de Olivia.

—Gracias, pero no le vale aún, mide tres jodidos milímetros —dijo observando su regalo.

—No queríamos que le apretase —bromeó y su amiga sonrió entre las lágrimas.

En cuanto la castaña se recuperó un poco de la emoción inicial, ellas se quitaron los abrigos y repartieron las cervezas. Cuestión de minutos y Ronda ya les estaba enseñando la ecografía, quizás un poco ambivalente aún con eso de ir a ser madre, pero no paraba de repetir lo pequeño que era y lo bien que le latía el corazón. Excelente, porque poco a poco aquel día iría convirtiéndose en uno de los mejores de su vida, seguro.

—¿Has cenado algo? —lo preguntó casi una hora después de haber llegado, porque empezaba a tener hambre.

—¿Ahora vas a hacerme la cena? Si lo sé os habría llamado yo misma —bromeó la castaña, mientras ella se levantaba del sofá.

—Elige qué quieres cenar —le propuso.

—Huevos revueltos —decidió sin apenas pensarlo.

Mientras se alejaba hacia la cocina, sus amigas comenzaron a discutir acerca de los dichosos condones biodegradables. Olivia se atrevió a insinuar que tal vez el problema había sido que lo habían colocado mal y Ronda salió como una centella hacia su habitación para hacerse con el paquete y demostrarle que colocando preservativos en penes a ella no le ganaba nadie.

Lloros, abrazos, cervezas sin alcohol, concurso de colocación de condones en plátanos y huevos revueltos.

Tal vez a la tradición de la «cena de las rupturas» le había salido competencia.

15

Mamma mia!

Tarde de viernes. Las cinco y media, traspasando la puerta hacia el fin de semana entre las sábanas de su cama. Aquella mañana había sido especialmente intensa en el instituto y le había costado más de lo normal mantener el orden en su aula. A medida que avanzaba el curso, descendían las ganas que tenían aquellos adolescentes de permanecer sentados durante horas, malgastando su juventud entre cuatro paredes. Sus alumnos lo describirían como «trágico», ella se inclinaba más por un «increíblemente agotador».

Había empezado a verlo todo con un poco más de optimismo al localizar a Ashley esperándola a la salida del instituto. Llevaban saliendo dos meses y su organismo aún no se había cansado de acelerarse de esa manera cada vez que aquella chica le sonreía. La tarde anterior no habían podido verse, por incompatibilidad en sus horarios laborales, pero casi no le importaba, porque aquel fin de semana iban a pasarlo juntas en su piso. Así que desterró de su mente a aquel grano en el culo llamado Harrison y su «Profesora Lewis, ¿puede explicarme de qué va a servirme leer a Charles Dickens para ser bróker en Wall Street?», y besó a su novia con ganas de más.

Y precisamente había sido ese «más» el que las había llevado a ambas a estar desnudas bajo las sábanas a media tarde. El sexo con Ashley era igual de genial a cualquier hora del día. Observó su espalda desnuda y se acercó un poco más a ella para besarle el hombro, ni siquiera se movió, así que le mordió con delicadeza el cuello y consiguió que se removiera perezosamente.

—Debería darte vergüenza estar en la cama a media tarde de un viernes —le dijo al oído.

Rio cuando Ashley se volvió de forma repentina, atrapándola bajo el peso de su cuerpo y se perdió un poco en aquellos ojos tan verdes.

—A ti deberían darte vergüenza muchas de las cosas que has hecho hace un momento.

La veterinaria esbozó media sonrisa de las que le dificultaban respirar y ella le tapó la boca con la mano. Ashley trató de hablar, pero le era tremendamente complicado hacerse entender y al final optó por sacar la lengua y chuparle la palma, consiguiendo que riera y la liberase.

—¿Sigue en pie lo de ir al cine? —preguntó alto y claro esta vez.

—Solo si te apetece —dijo acariciando la línea de su mandíbula.

—Pues deberíamos darnos prisa —opinó incorporándose y saliendo de la cama.

La observó, porque le interesaba mucho aquella anatomía, mientras Ashley recolectaba su ropa recorriendo prácticamente toda la extensión de la habitación para recuperar las prendas.

—Ash, entendería que no quisieras ver esa película. Ni siquiera sabes de qué va.

—Claro que sí, de la vida de esa tal Abbot —se hizo la entendida dirigiéndose a la puerta.

—Alcott, mi amor —la corrigió.

—Eso he dicho —dio por sentado y ella le sonrió desde el colchón—. Escribió *Mujercitas*, yo soy gay, todo encaja —añadió abriendo la puerta de la habitación—. Cuidado con la fiera, no podré socorrerte desde la ducha.

Antes de que Ashley hubiese terminado de hablar, Cleo se materializó a su lado en la cama tras un espectacular salto y se tumbó junto a ella mirándola con la lengua fuera y bastante interés. Escuchó las pisadas de Darwin acercándose, el perro de su novia era mucho más respetuoso que el suyo con el espacio personal de la gente, y en cuanto vio su hocico aparecer, apoyado sobre el colchón, se lo acarició como premio por sus buenos modales.

Cleo y ella llevaban un mes viviendo en ese piso y ambas se habían adaptado a la perfección, a menudo tenían visita, como ese fin de semana, y eran grandes anfitrionas. Se estiró para recuperar su teléfono móvil de la mesilla y comprobar que no se había perdido nada interesante, porque le había quitado el sonido mientras hacía cosas aún más interesantes con Ashley.

Otra llamada perdida de su madre. Cristo Bendito, menuda insistencia por conocer los detalles de su vida sentimental, no recordaba que hubiera sido tan persistente en sus inicios con Nick, pero seguramente había borrado aquella información como mecanismo de defensa para conservar su capacidad de quererla como madre. También había mensajes de WhatsApp pendientes en la conversación con su hermano. Desde Kenia, con amor.

«Tommy»
Última conexión 17:05
Tommy: (Foto de Dani con Kevin en brazos)
Tommy: Va a caerte bien, es igual de llorón que tú.
Tommy: ¿Qué tal con papá?
Tommy: Cuidado con mamá.
Tommy: Cada vez está más insistente con lo de tu «amante telefónico».

Se quedó un poco enganchada a aquella foto de su cuñado y su nuevo sobrino, cada vez que lo veía era más guapo que la anterior. Su sobrino. Su cuñado no estaba mal, pero le transmitía mucho menos que aquel niño de grandes ojos marrones. Tenía ganas de conocerlo en persona ya, pero Tommy y Dani tenían que

443

quedarse en Kenia mes y medio más antes de poder llevárselo a casa. Oh, joder, iba a llorar al tenerlo en brazos por primera vez.

CLAIRE: Es mucho más guapo que vosotros, todos sabrán que es adoptado.

CLAIRE: Papá ha recuperado la comunicación para asuntos técnicos.

CLAIRE: Intereses del banco y declaración de la renta, sobre todo.

CLAIRE: Estoy pensándome si denunciar a mamá por acoso.

Y si no fuera su madre, y no la quisiera tanto en el fondo, lo haría. En vez de eso, decidió mandarle un mensaje, explicándole que estaba camino del cine y que la llamaría al día siguiente.

***

Iba camino del cine de la mano con Ashley, y le estaba encantando mucho la forma en que la veterinaria sonreía mientras miraba la foto de Dani y Kevin. Acababa de enseñársela y era obvio, por su forma de observarla, que le gustaban los bebés. Le devolvió el teléfono y ella se lo guardó en el bolso, entrelazando los dedos de sus manos después.

—¿Tienes ganas de conocerlo ya? —preguntó la veterinaria.

—Joder, sí —reconoció y la vio sonreír ante su tono impaciente.

—Es genial que hayan adoptado —comentó—. A mí me gustaría también.

—¿En serio? —se sorprendió un poco.

Adoptar era genial, pero sería un crimen contra la humanidad no hacer nada con esos genes. El mundo necesitaba bebés con esos preciosos ojos verdes, y esa sonrisa, y esos labios…

—Siempre lo he pensado.

—¿Y no querrías tener uno genéticamente tuyo? —tuvo que preguntarlo y Ashley la miró.

—No lo sé, ¿querrías tú?

Se lo preguntó, alzando una ceja y con ese gesto engreído en la cara, y ella sonrió porque la veterinaria hablaba medio en broma, medio en serio, perpetuando su forma de tantear el terreno sin ser demasiado obvias. A eso seguían jugando ocho meses después de haberse conocido: a conocerse un poco más.

—Si sigues siendo así de idiota dentro de tres o cuatro años, me lo plantearía —contestó, en su línea, trivializando, y según las reglas.

—Si sigo siendo así de idiota dentro de tres o cuatro años, a lo mejor quiero uno genéticamente tuyo.

—¿Tres niños?

—Y dos perros.

Ay, lo bien que le quedaba a la veterinaria decir esas cosas, y aquella sonrisa, y esa chaqueta que no le había visto nunca porque comenzaba el buen tiempo. Antes de que pudiera poner en duda el hecho de que a Cleo fuera a gustarle que tres niños le tiraran de las orejas, una chica que caminaba directa hacia ellas por su misma acera saludó a Ashley.

—Ey, Megan —su chica correspondió a su saludo, así que pararon en mitad de la acera.

Megan. Megan. Le sonaba aquel nombre, Ashley le había hablado antes de una chica llamada Megan, ¿pero en qué contexto?

—Tu padre está llorando por los rincones porque no le das «Me gusta» a sus fotos de Instagram —comentó aquella mujer sin mayor introducción.

Localizada. Megan era la pareja del padre de Ashley, y sonrió con aquello de «sus fotos de Instagram». Y no sabía cómo lo llevaría su novia, pero ella no podría vivir en un mundo en que su padre fuera virtualmente activo en las redes sociales. *Hashtag* «sin cuerpo no hay delito», *hashtag* «inocente hasta que yo demuestre lo contrario». Simplemente no podría.

—Dile que ponga fotos que me gusten —resolvió la veterinaria. Cuando se dio cuenta de cómo Megan la miraba de reojo a ella, reaccionó—. Megan, ella es Claire. Claire, Megan, mi madrastra —añadió y rio cuando la chica le pegó en el brazo al oírla denominándola de ese modo.

—Así que «la chica de tus fotos de WhatsApp» se llama también Claire —observó Megan tendiéndole la mano.

«La chica de tus fotos de WhatsApp», no estaba mal, no era un *Boston Hottie*, pero no iba a quejarse. Saludó a la mujer con una amable sacudida de manos, sonrisa a juego y un educado «encantada». *Muy bien, Claire, dando buena impresión, que es familia de Ashley.*

—En un par de semanas es el cumpleaños de tu padre, cae en sábado y coincide con la final de la liga de baloncesto de Nathan, así que, después del partido, vamos a organizar una barbacoa en casa —dijo Megan, consultando su reloj—. Iba a avisarte la semana que viene, pero ya que te he visto... Claire, estás invitada también —indicó acariciándole el brazo amistosamente—. Estoy segura de que tu padre querrá conocerla —añadió mirando a Ashley con picardía.

—Oh, sí, yo también estoy segura.

—Tengo que salir corriendo. Claire, encantada de haberte conocido —se despidió de ella en particular—. Ashley, hablamos y te doy los detalles —alzó la voz, porque ya se alejaba de ambas con bastante prisa.

La veterinaria la despidió con la mano y luego la miró a ella, con media sonrisa nerviosa.

—Ya has conocido a Megan —dijo tomándola de la mano de nuevo—. No tienes que venir si no te apetece.

—Bueno... no me importaría ir, si a ti no te importa que vaya —reconoció, cautelosa.

Cuidado, Lewis.

Y se lo advirtió a sí misma, porque recordaba lo agobiada que había estado Ashley con eso de presentarles a sus padres a Tracy. Después de cinco meses con la pelirroja, aún dudaba de que fuera el momento adecuado, y con ella llevaba solo dos.

—Te advierto que si vienes te arriesgas a salir en el Instagram de mi padre: *hashtag* «Felices 51» —lo dijo con un amago de sonrisa en los labios y a ella le gustó. No parecía agobiada—. Y, sorprendentemente, tiene muchos seguidores.

—No me da miedo, por lo que cuentas de él, es bastante parecido a ti. Además, seguro que si salgo en alguna de sus fotos, por fin le darás a «Me gusta».

***

Para su sorpresa, la idea de que Claire conociera a sus padres no la agobiaba como debería. A lo mejor, porque conocer a la familia de la pareja lleva implícita una especie de formalización social de la relación, pero la suya con la profesora se había formalizado sola antes incluso de empezar, y eso quitaba mucha presión. Toda, de hecho. Porque llevaban dos meses saliendo, pero todo había empezado mucho antes, y cuando le repitieran eso de «¿Esta es la chica de tus fotos de WhatsApp? ¿Estás saliendo con ella?», tan solo les diría: «Sí, y es jodidamente alucinante».

Y lo era, jodidamente alucinante y muy cotilla, porque se había pasado el resto del camino al cine preguntándole cosas sobre su infancia y su familia. Antes de que empezara la película, había conseguido que le enseñara la cuenta de Instagram de su padre y, encima, le había encantado. Se permitió un descanso, las dos horas que duraba la película, y había retomado de nuevo su interrogatorio mientras regresaban a su piso.

Había comenzado a anochecer y la temperatura era bastante más baja que cuando habían entrado, Claire le había rodeado los hombros con el brazo, en cuanto dijo que tenía frío, y ella había sonreído como una idiota. Claire Lewis, toda una caballera.

—¿Cuándo supiste que eras gay? —preguntó de pronto.

Y la pregunta la tomó un poco por sorpresa al corromper el cómodo silencio que se había instaurado entre ambas hacía un par de minutos. Entrelazó sus dedos con los de la mano de Claire que reposaba en su hombro y la miró con una ceja alzada.

—La respuesta perfecta sería que al conocerte a ti, pero empezó mucho antes —se disculpó con una mueca, y Claire sonrió.

Una de esas de «qué imbécil eres, pero cómo me gusta que lo seas». Sus favoritas.

—¿Cuánto de antes?

—Bueno, a los catorce me di cuenta de que definitivamente no me gustaban los chicos. Y a los quince me di cuenta de que definitivamente sí me gustaban las chicas. Seguro que te suena la historia del campamento del verano de 2008.

—Algo he oído. Algo como que te colaste a lo bestia por un diario.

—No me impresionas, Lewis. Esa parte de la historia se la sabe todo el mundo —le quitó mérito.

—Impresióname tú, ¿qué más hay que saber? —curioseó, interesándose de inmediato.

—La primera vez que besé a una chica fue en ese campamento —reveló, cayó en la cuenta de que Claire la miraba un pelín enternecida y frunció el ceño—. ¿Por qué me estás mirando así?

—Tu primer beso lésbico, seguro que eras adorable a los quince —dio por sentado y ella bufó.

—Adorablemente sexi —alardeó, consiguió que riera y ella sonrió satisfecha.

—¿Estabas nerviosa?

—Eh... por supuesto. Si tampoco me gustaba besar a chicas, estaba bien jodida. Me jugaba mucho.

—Interpreto que, afortunadamente, sí que te gustó —aventuró su novia.

—Fue jodidamente perfecto.

Acababan de llegar al portal, de modo que Claire rebuscó en su bolso distraída mientras la observaba con media sonrisa. Estaba segura de que quería preguntarle muchas más cosas, pero detectó algo en su gesto que indicaba un cambio de planes, de los repentinos. Normalmente, cuando la miraba así, era porque se avecinaba uno de esos comentarios dirigidos a molestarla, de los que iniciaban aquellos juegos que le gustaban tanto.

—Qué suerte. Ojalá mi primer beso con una chica hubiese sido igual de perfecto —dijo justo antes de colarse en el portal.

Reprimió una sonrisa, de esas de «qué imbécil eres y cómo me gusta que lo seas», y siguió a la rubia dentro del edificio. La alcanzó frente al ascensor y se quedó de pie a su lado, esperando la llegada del aparato.

—¿Y cómo fue? —inquirió, Claire estaba deseando que se lo preguntara, seguro, pero se hizo la tonta y se vio obligada a especificar—. Tu primer beso con una chica.

—Nada del otro mundo —lo desvirtuó encogiéndose de hombros. El ascensor llegó justo en ese momento—. Demasiada lengua —añadió antes de entrar.

Y ella nunca, jamás, había utilizado «demasiada lengua». Jamás. Se introdujo en el aparato y apoyó sus manos en la pared, a ambos lados de la cabeza de Claire.

—Me veo en la obligación de intentar compensarte por ese primer beso tan decepcionante.

—Creo que es lo menos que puedes hacer —le contestó, sujetándola por el cuello de su cazadora.

La besó. Atrapó sus labios justo en el momento en que Claire bajaba la mirada a los suyos y en cuanto sintió cómo la rubia respondía jodidamente bien, adaptándose a su ritmo, la utilizó. Más lengua de la que había usado en su vida. Lengua, lengua, lengua. Un poquito más de lengua, y con exageración.

Claire se echó a reír a los dos segundos, pero ella continuó aquel genial beso, a pesar de la dificultad añadida. Sintió cómo su novia la empujaba entre carcajadas y acabó riendo ella también, porque aquello era lo mejor del mundo. La vio restregándose los alrededores de la boca con la manga de su cazadora y sonrió divertida, porque Claire tenía aquella cara de «joder, cómo me encanta todo esto» y no le estaba saliendo nada bien tratar de esconderla.

—A veces eres un poco asquerosa —le informó cuando llegaron a su piso, ya abandonando el ascensor.

—Pero te encanto siempre —dio por sentado mientras esperaba que abriera la puerta de la casa.

Podía escuchar el sonido de sus patas al otro lado, Cleo y Darwin, comité de bienvenida. En cuanto abrió, su perro se sentó educadamente a la espera de su caricia de bienvenida mientras su compañera se lanzaba en su busca. Cleo siempre había sido una perrita de acción. Sonrió cuando Claire se agachó en mitad de la entrada, haciéndole carantoñas a ambos y preguntándoles si se habían portado bien.

—Cleo, no seas tan asquerosa como la asquerosa de Ashley —regañó a su mascota cuando comenzó a lamerle la cara, en una apasionada muestra de lo mucho que la había echado de menos.

—Ha aprendido de la mejor —alardeó cerrando la puerta tras ella y se agachó a su lado para saludar a los perros como era debido.

El teléfono de Claire comenzó a sonar en las profundidades de su bolso, y ella aprovechó la oportunidad para coger a Cleo de las patas delanteras y hacerla bailar al ritmo del *Mamma mia*, un intento un poquito desesperado por mejorar el humor de su novia, porque últimamente cada vez que hablaba con su madre se agobiaba un poco más, y ya estaba bufando mientras removía sus múltiples posesiones en busca del móvil.

—Por Dios, le he dicho que la llamaría mañana —suspiró, revolviendo el bolso, cada vez con menos delicadeza.

—¿Quieres que te ayude a...? —iba a ofrecerse a buscarlo ella misma, pero Claire vació todo el contenido en el suelo antes de que terminara de hablar—. Vale, veo que lo tienes bajo control.

Su novia descolgó el aparato levantándose del suelo y se dirigió hacia el salón mientras contestaba con un contenido «Hola, mamá». Cleo escapó del agarre de sus manos y comenzó a olisquear los objetos del bolso de Claire, desparramados por el suelo. Los recogió antes de que aquella bola peluda se comiera algo que no debía y accedió a la zona del salón, dejándose caer en el sofá junto a su dueña.

—Te he dicho miles de veces que estoy bien y que te lo contaré cuando esté preparada —dijo al teléfono y por su tono lo de las mil veces antes tenía que ser verdad—. Mamá, no. No es un expresidiario, no es treinta años mayor que yo y no vende droga. —Claire suspiró y cuando la vio a ella sonreír divertida le pegó un manotazo en el brazo—. No tiene nada de malo, simplemente no me apetece contártelo aún. —Una pausa mientras su madre hablaba al otro lado—. Porque eres muy pesada. —Otra pausa—. Sí, indígnate, como si no lo supieras ya.

Tras diez minutos más de conversación, Claire colgó el teléfono y lo tiró a un lado del sofá, se recostó contra el asiento y conectó sus miradas.

—¿Por qué tiene que ser así? —preguntó haciendo pucheros.

—No lo sé, ¿qué clase de madre no querría por yerno a un expresidiario, traficante de droga, de sesenta años? —bromeó y la vio sonreír levemente—. En realidad, todo este misterio me favorecerá a la larga. Salgo ganando en comparación.

—«Expresidiario, traficante de drogas, de sesenta años» o «veterinaria, sin antecedentes, de veintisiete». No sabría decidirme, lo dejaría en empate —bromeó, pero a continuación se quedó seria de nuevo—. Lo siento —dijo mirándola con ojos tristes.

Frunció el ceño al escucharla, y se acercó un poco más a ella, apoyando la cabeza muy cerca de la suya sobre el respaldo del sofá.

—¿El qué? —preguntó, escrutando su mirada.

—Esto, que todo conmigo sea tan difícil.

—Me gustan los retos —dijo con media sonrisa y Claire le acarició la mejilla.

—Hablo en serio, Ash, tus padres parecen tan... fáciles.

—Una cena, una copa de vino y serán todo tuyos —señaló y la rubia sonrió a pesar de seguir pareciendo especialmente triste.

—No sé qué va a pasar cuando se enteren de que tú eres mi expresidiario, traficante de droga de sesenta años. —Suspiró—. Y me da miedo por mí, pero me da más miedo por ti.

Cara de valiente, Ashley. Pon cara de valiente. Que Claire no note que, cada vez que piensas en su padre te dan ganas de santiguarte dos o tres veces, y sin ser creyente ni nada.

Porque era verdad que Arthur Lewis imponía y además Nick le había dejado el listón bastante alto. Ese «me da más miedo por ti» contribuía de una forma muy eficaz a aumentar su nerviosismo.

—No puede ser tan malo, al final aceptaron al novio de tu hermano.

—Sí, después de espantar a los tres anteriores. Dani fue el único lo suficientemente cabezota como para quedarse. Y mi padre se lo hizo pasar muy mal.

Menudo futuro más brillante. Qué maravilloso y esperanzador era todo de repente.

—Soy más cabezota de lo que parezco.

—No vas a gustarle a mi padre.

—No necesito gustarle a tu padre, necesito gustarte a ti —le respondió colocándole un mechón de pelo tras la oreja.

—Pero quiero que os llevéis bien, quiero que vea lo increíble que eres.

Oh, Claire diciéndole lo increíble que era casi la hacía olvidarse de la que se le venía encima. La familia política ideal. La besó fugazmente, atrapando sus labios de forma suave y rápida y se incorporó en el sofá.

—Al principio no le caeré bien, soy un chica y veterinaria —dio por supuesto haciendo una mueca disgustada y le gustó verla sonreír—. Pero luego me lo ganaré con mi gran sentido del humor —aseguró levantándose y tendiéndole la mano—. Me sé muchos chistes de abogados, ¿sabes? —alardeó mientras la acercaba a su cuerpo de un tirón.

—Eres muy imbécil —le susurró la rubia acariciándole la nuca con ambas manos.

Joder, Claire sujetándola así y mirándola de aquella forma era su puta kriptonita, de verdad. Y en aquellos momentos, Arthur Lewis y su potencial letal como suegro le importaba muy poco, tirando a nada de nada, porque solo podía pensar en su hija y en lo jodidamente increíble que era estar al otro extremo de aquellas caricias.

Es que le desmontaba su universo entero una vez tras otra y lo recolocaba aún mejor.

***

«Ronda hormonada»
Claire Lewis, Olivia, Ronda, Tú

RONDA: Dicen que el deseo sexual aumenta en el segundo trimestre.

RONDA: Como sea verdad ya podéis pensar dónde esconderos.

ASHLEY: Lo siento, trabajo de Leo.

RONDA: Pues esta noche he tenido un sueño guarro contigo.

OLIVIA: ¿Perdona?

OLIVIA: ¿Qué tiene Ashley que no tenga yo?

RONDA: Atracción sexual hacia integrantes de su propio sexo.

RONDA: Y por lo que he visto esta noche...

RONDA: Mucha experiencia en dar placer a una mujer.

ASHLEY: Puaj... casi es incesto...

RONDA: Cuidado, no se me vaya a ir la mano luego en el Happy Dog.

RONDA: No soy yo, son las hormonas.

ASHLEY: Pues diles que sueñen con ese médico sexi de tu hospital.

RONDA: ¿El doctor Conally? Sí, también estaba ahí esta noche.

Puaj. Puaj. Puaj.

Salió de aquella conversación de WhatsApp y escuchó a Claire reír a su lado en aquel banco. Habían tenido que parar para que la rubia descansara un poco, hacía dos meses que no tocaba un cigarrillo, pero aún le faltaba mucha práctica para poder seguirle el ritmo.

Tres semanas atrás, Claire había decidido que quería empezar a hacer ejercicio y le había suplicado con esa jodida cara que ponía que las dejaran salir a correr con Darwin y con ella de vez en cuando. ¿Cómo iba a negarse? Le encantaba pasar tiempo con ella y la ropa deportiva a ese cuerpo le quedaba de puta madre, así que le dijo que sí.

La primera semana aguantó cinco minutos corriendo y le dio el flato, la segunda elevó su marca personal a ocho y aquella tarde habían corrido quince minutos seguidos antes de que su novia rogara piedad y se dejara caer en aquel banco con cara de querer morir y suplicando en silencio «mátame ya». Cleo, por su parte, se había adaptado a la perfección a aquel nuevo ritmo de ejercicio físico, tanto que al ver que paraban había ladrado a su dueña en plan «no seas muermo, tía», pero enseguida se cansó y había terminado tumbada en el banco junto a ella con la lengua fuera. Tal para cual.

—Eres tan gay —escuchó a Claire a su lado y ella la miró.

—Gracias —se lo tomó como un cumplido y su novia sonrió divertida.

Le gustaba verla más animada que la noche anterior, le costó mucho esfuerzo sacarla del bucle en que la había sumido aquella llamada de su madre, y a ella también le había afectado un poco. Al principio no, porque era consciente de que al padre de Claire no iba a gustarle y aceptaba sus limitaciones. Pero después, poco a poco, había comenzado a tomar forma en su cabeza un pensamiento bastante perturbador, y la inquietaba sin pedir permiso.

Porque... ¿cómo de importante era para Claire que a su padre le gustara su pareja?

—Ronda tiene buen gusto para las chicas —la piropeó la rubia, ajena a sus actuales preocupaciones.

—Tú también —dijo esbozando media sonrisa—. ¿Estás muy cansada? —le consultó, y sonrió aún más cuando Claire dejó resbalar su cuerpo por el banco hasta terminar semitumbada y con la cabeza apoyada en la madera del respaldo—. ¿Tanto? —fingió sorprenderse.

—Lo sé, soy una vergüenza. Déjame aquí.

—Lo haría, pero te echaría de menos.

Ahí estaba de nuevo, su jodida sonrisa, una de las múltiples razones que le impedían abandonarla en aquel banco. Joder, es que la quería, a pesar de su baja capacidad pulmonar. Acarició a Cleo detrás de las orejas e inmediatamente el cachorro se giró, colocándose panza arriba en el banco y mirándola con sus ojillos brillantes, una invitación en toda regla. Un «rasca, rasca, no te cortes» bastante persuasivo, y no necesitó nada más para convencerla. Y es que aquellas dos podían conseguir de ella todo lo que quisieran, porque estaba loca por ambas y ni se molestaba en negarlo.

Le rascó la barriga a Cleo unos segundos para después pasar a hacer lo mismo con la de Claire, que rio retorciéndose sobre el banco.

—¿Crees que podrías volver a casa corriendo? —le consultó mientras se levantaba.

—No —contestó con total sinceridad y ella sonrió al oírla.

—¿Crees que podrías intentarlo? —probó suerte agachándose frente a ella y acariciándole los gemelos.

—No. —Debilucha, pero jodidamente mona.

—Venga, Lewis, podemos ir parando —ofreció, incorporándose y tendiéndole la mano.

—No sé si ha sido buena idea esto de hacer ejercicio juntas —reconoció estrechándosela—. Me caes un poco mal ahora mismo —añadió, poniéndose de pie con su ayuda—. ¡Cleo! Vamos.

A pesar del movimiento a su alrededor, el animal continuaba panza arriba en el banco, sin intenciones de emprender la marcha y evitando el contacto visual. Lo que decía, tal para cual.

—A ella también debes de caerle un poco mal ahora mismo —opinó ante la actitud de su mascota—. Creo que lo mejor será que Cleo y yo hagamos deporte solas.

—Cuando dices «hacer deporte solas»... ¿te refieres a ponerte el chándal e irte a comer helado en el banco del parque como el otro día? —quiso asegurarse y Claire bufó al escucharla.

Y podía refunfuñar todo lo que quisiera, pero así se las habían encontrado Darwin y ella cuando regresaban de correr la semana anterior, y era un hecho objetivo y sin margen a interpretaciones alternativas.

—Acabábamos de parar y hacía mucho calor —se justificó—. ¿Habrías preferido que nos desmayásemos por una bajada de azúcar?

E iba a contestarle, aún no había decidido el qué, pero el móvil de Claire comenzó a sonar en el bolsillo de su sudadera y la profesora gruñó muy muy frustrada, porque «*Mamma mia, here I go again*», y el asunto de tener que contárselo a sus padres cada vez le agobiaba más. Colgó la llamada y la miró, con una expresión un poquito descorazonadora en la cara, la verdad, como si quisiera estar enfadada con ellos, pero lo estuviera consigo misma.

—¿Debería denunciarla por acoso? —preguntó mientras ataba a Cleo para obligarla a abandonar su postura favorita sobre aquel banco.

—¿Qué más opciones tienes?

—Denunciarla por acoso o ceder y contarles que estoy contigo.

—Bueno... en la cárcel tienen derecho de llamada.

—Y más tiempo libre aún —estuvo de acuerdo esbozando media sonrisa, pero enseguida se desvaneció entre sus labios—. Tengo que contárselo ya —reconoció echando a caminar.

—Claire, tienes que contárselo cuando estés preparada para hacerlo —dijo acomodándose a su paso.

—¿Y si nunca lo estoy? Llevamos saliendo dos meses y aún no me apetece ni un poquito —confesó y ella sonrió.

Claire la cogió de la mano y cada vez que hacía eso a ella le gustaba más que la anterior, porque, aunque le diera tanto miedo contárselo a sus padres, no parecía importarle que lo supiera el resto del mundo. Entrelazó sus dedos y caminaron en silencio por unos segundos.

—¿Qué crees que pasará cuando se lo digas? —preguntó, porque a lo mejor le convenía saberlo para ir preparándose.

—Mi madre no se lo tomará mal del todo, aunque supongo que le costará hacerse a la idea. Y mi padre va a cabrearse, mucho. Cuando Tommy le dijo que era gay, estuvo un mes entero sin hablarle.

—¿Y luego?

—Luego se pasó un par de meses más contestándole con monosílabos.

—¿Y luego?

—Le dijo que llevara a cenar a su novio a casa.

—En tal caso, estimo que su invitación me llegará sobre mediados de julio.

Claire paró primero y tiró de su mano para que hiciera lo mismo y la mirase. Cuando lo hizo, su novia pareció dudar un par de segundos, seguramente sopesando si quería decir en voz alta lo que fuera que estuviera pasando por su cabeza en ese mismo momento. Ella le acarició el dorso de la mano con el dedo pulgar y aquel simple gesto inclinó la balanza, como si le hubiera ayudado a recordar que entre las dos no eran necesarios los filtros.

—¿La aceptarías? —preguntó, por fin. Sonrió de lado, acercándose a Claire un poco más.

—Nunca digo que no a una cena gratis.

—Puede ser un gilipollas esnob y estirado —la avisó jugueteando con la cremallera de su chaqueta deportiva. Joder, le encantaba que hiciera eso.

—Y yo evadirme de la situación metiéndote mano por debajo de la mesa.

Claire subió de golpe su cremallera al oírla, tratando de suprimir una sonrisa para parecer un poquito más amenazante.

—Sería lo último que harías en esta vida. Prométeme que, llegado el caso, no harás eso —demandó sosteniéndole la mirada.

—Lo prometo. —Y dibujó una cruz sobre su pecho como prueba gráfica de la veracidad de su compromiso—. Me comportaría extraordinariamente bien, puedo ser muy diplomática, le trataría de usted y usaría fórmulas de cortesía: «encantada», «por favor» y «gracias».

Claire sonrió al escucharla y tiró de su cremallera para poder atrapar sus labios en un beso bastante interesante por su fondo y por su forma, por la estructura y el contenido, y porque hubo un poco de lengua. Lo finalizó con otro menos intenso, aunque igual de alucinante, por supuesto, y le sonrió de nuevo, mirándola como si de repente fuera la cosa más jodidamente adorable del mundo. No sabía que a Claire Lewis le gustara tanto la diplomacia, pero iba a empezar a utilizarla más a menudo.

—Si mi padre no fuera tan idiota a veces, seguro que le encantarías —dijo acariciándole la cara—. Lo que veo más difícil es que él te guste a ti.

Y parecía que eso de que Arthur Lewis no llegara a gustarle nunca, como suegro en particular y como ser humano en general, era algo a lo que Claire estaba dando muchas vueltas últimamente. Cada vez más, *in crescendo* a medida que se acercaba el momento de destapar todo aquello ante sus padres. Sí que se acercaba, incluso ella podía sentirlo. Jodidamente tangible, en forma de llamadas telefónicas cada vez más insistentes y demandantes. Una dinámica familiar muy diferente a la que estaba acostumbrada, la verdad, sus padres siempre habían respetado su ritmo y a ella no iba a suponerle ningún drama si Claire terminaba no gustándoles a alguno de los dos.

Distintas, eran distintas en ese aspecto, pero si para su novia era importante, tenía que estar a la altura, adaptarse o, al menos, acostumbrarse a aquel funcionamiento. Al fin y al cabo, aquella chica había apostado fuerte por ella. Si para Claire significaba tanto que se llevara bien con su padre, iba a tener que empezar a prepararse desde ya. Mirar a aquel hombre desde algún ángulo distinto, porque desde aquel se le veía de puta pena, y era imperativo mejorar las vistas. Buscar en él algo positivo, aunque lo tuviese la hostia de escondido. Se acordó de la conversación que mantenía a veces con Ronda acerca de los padres de Leo y cómo tenía que quererlos porque sin ellos el culito sabrosón de su novio no existiría. A lo mejor, aquella premisa era un buen punto de partida.

—Eres mitad tu padre, y me encantas al cien por cien —indicó acariciándole la cintura con ambas manos—. Él me tiene que gustar, al menos al cincuenta por ciento —añadió besándole la punta de la nariz.

Claire sonrió un poco al escucharla, como si supiera que estaba diciendo todo aquello solo porque sabía que necesitaba oírlo y la quisiera un poco más por el detalle. La rubia le acarició los brazos, observándolos, y después conectó de nuevo sus miradas y ella le sonrió de lado.

—¿Cómo consigues que todo sea tan fácil contigo?

—No soy yo. Las matemáticas son una ciencia exacta.

Claire le dijo: «Ven aquí, ciencia exacta» mientras la tomaba de la nuca, la acercó a ella de un tirón y atrapó sus labios de la mejor manera posible. Sus besos siempre le decían muchas cosas, a veces «qué idiota eres», otras «eres increíblemente adorable», en gloriosas ocasiones «estoy muy muy cachonda», y siempre «te quiero». Como una constante. De alguna forma, desde el principio aquel último mensaje subyacía tras todo lo demás. Aquel en concreto parecía ser uno de los de «Gracias, por hacer que todo sea tan fácil» y ella quería devolverle el mismo mensaje. Utilizó un poco de lengua, lo justo, porque era importante que quedara meridianamente claro. Claire gruñó bajito al sentirla sobre su labio inferior, sonrió de manera casi imperceptible para el ojo desnudo, trató de acercarla más tirando de su nuca y profundizó el beso jodidamente bien.

Dios bendijera aquellas «gloriosas ocasiones».

***

Caminaba de la mano de Ashley hacia el Happy Dog y llegaban un poquito tarde. No le gustaba ser impuntual, pero, en esa ocasión en concreto, era en parte culpa suya. La veterinaria le había advertido que tenían el tiempo justo al entrar a su casa, le repitió que no iban a llegar a tiempo cuando se coló con ella en la ducha y al sentir cómo mordía su labio inferior acorralándola contra los azulejos de la pared, le avisó de que Ronda iba a cabrearse un montón.

Era verdad que Ashley lo había dicho alto y claro, eso había que reconocerlo, pero es que a la vez estaba sonriendo de esa manera que le aceleraba las pulsaciones y disparaba sus niveles de testosterona en sangre. Una doble comunicación que de confusa no tenía nada de nada, porque uno de sus canales ganaba al otro por goleada. Pura química, aderezada con aquella intensidad emocional.

Resumiendo, que llegaban tarde, pero en aquel momento, tal vez por su elevada concentración de endorfinas en sangre, las dos llamadas perdidas de su madre le daban un poco igual y ni se había molestado en leer sus mensajes. *Gran error, Claire, gran error*, pero es que los momentos posorgasmo con Ashley eran alucinantes y le impedían pensar con claridad.

La veterinaria abrió la puerta del Happy Dog y le permitió pasar primero, así que ella lideró el camino hacia la mesa donde estaban sus amigos tirando de su mano. Seguro que Ronda las saludaba con algo parecido a «empezad antes a echar el polvo si habéis quedado» e iba a delatarlas a ambas poniéndose un poco roja, pero le daba igual. Enlenteció la marcha al localizar una cara no conocida entre las de sus amigos y miró a Ashley en busca de confirmación. Porque era un chico, con pintas de modelo, un musculitos, potencial jugador de *hockey amateur* y, por si aquello fuera poco, su localización, sentado junto a Olivia, sumaba credibilidad a su sospecha.

—¿Es Aaron?

—¿La cara de Ronda lo ha delatado?

Y sí, la castaña estaba observando a aquel muchacho con los ojos entrecerrados, como intentando desintegrarlo con energía mental y mucha mala leche. Y habían quedado en que tenían que ser civilizadas y respetar lo que Olivia creyera mejor para ella, pero a la Ronda hormonada era mejor no pedirle muchos esfuerzos. Sufría cambios bruscos de humor, náuseas matutinas y antojos sexuales, soñar perversiones con su novia, al parecer. No podía culparla por su actividad onírica nocturna, escapaba a su control y ella conocía la sensación, además, la Ashley de los sueños era increíblemente... complaciente. Casi tanto como la real.

Para cuando llegaron a la mesa había confirmado la identidad del novio de Olivia y estaba más que preparada para las presentaciones. Aunque había oído hablar muy mal de él, sobre todo al principio, cuando descubrió de aquella forma, que no quería rememorar jamás, que él era el misterioso amante de su amiga. Al menos Ashley había suavizado su posición en lo referente al binomio Olivia-Aaron, en parte porque su mejor amiga se lo había pedido y en parte porque eso de intentar facilitar las cosas en la medida de lo posible, la veterinaria debía de llevarlo escrito en los genes.

—«Estábamos follando y se nos han alargado los orgasmos» no justifica vuestra impuntualidad —dijo Ronda en cuanto las localizó acercándose a la mesa.

Y, a pesar de que sabía a ciencia cierta que la bienvenida de la pediatra comenzaría con una introducción de ese tipo, sintió cómo le quemaban un poco las mejillas.

—Entonces no tenemos justificación —reconoció Ashley a su lado.

Tuvo que pegarle un codazo que solo consiguió que la muy idiota se riera y le besara la mejilla para disipar su enfado. Trató de obviar el hecho de que el calentamiento global había decidido instalarse en la totalidad de su cara por un rato y sonrió con amabilidad al recién readmitido al grupo cuando Olivia lo presentó con un típico «Aaron, esta es Claire. Claire, él es Aaron». Pelo moreno, ojos azules y facciones definidas, todo ello acompañado por una sonrisa fácil y bonita. El chico, además de un «pichafloja» según Ronda, era guapo. Un hecho obvio, innegablemente objetivo, y que Olivia lo miraba con cara de tonta enamorada era bastante evidente también.

—Encantada, Aaron. He oído hablar mucho de ti.

Y lo dijo como tópico, pura inercia y sin procesar, pero al pobre muchacho se le cambió la expresión al escucharla. Quizás imaginaba que las cosas que le habían contado no debían de ser halagadoras precisamente y se le quedó cara de perro abandonado en mitad de ninguna parte. Le dio un poco de pena, porque el pobre tenía razón. Toda la del mundo, además.

Se sentó entre Olivia y Ashley, sintiéndose un poco culpable del repentino cambio en el humor del chico, aquella nueva emoción casi le hizo sombra a la intensa vergüenza que aún se paseaba por su sistema nervioso.

—¿Qué quieres tomar? —escuchó la voz de la veterinaria a su lado y le sacó de su particular purgatorio privado.

Le sonrió, porque la primera respuesta que le venía a la mente era «a ti», así de automático, casi instintivo, y ser el centro de las atenciones de la veterinaria le hacía cosas muy interesantes a su interior. Cosas geniales. Con cada detalle que tenía Ashley, sus ganas por seguir sonriéndole de aquella manera lo que le quedara de vida aumentaban de forma exponencial y batiendo récords.

Al final se decidió por lo más simple, una cerveza, y la besó fugazmente como agradecimiento por encargarse de pedir y a lo mejor la observó un poquito de más mientras su novia caminaba hacia la barra. Su novia. Es que Ashley era su novia desde hacía dos meses y de la novedad quedaba más bien poco, pero se sentía incluso mejor que al principio. Se podría decir que ambas habían completado la transición «mejor amiga-novia» de forma más que satisfactoria.

—Relájate, Lewis, que no se va a perder —escuchó a Ronda justo enfrente.

Desvió la vista para enfocarla a ella y la vio sonriendo de esa forma tan característica. Solo le faltaba canturrear «Claire, está enamorada. Claire, está enamorada» en tono burlón, porque le pegaba mucho, y además era verdad.

—Prefiero tenerla localizada mientras estés cerca —bromeó alzando una ceja.

—Como si eso fuera a frenarme —la pediatra despreció aquella amenaza velada, dándole un sorbo a su vaso—. Menuda noche... —Suspiró apoyándolo sobre la mesa.

Leo le propinó un codazo en el costado y su amiga lo miró, molesta.

—Soy tu novio y estoy sentado aquí al lado —insinuó, con la justa indignación que la situación requería.

—Y yo tengo ojos y no estoy ciega —le contestó la pediatra—. No me digas que estás celoso por mi intenso sueño lésbico-sexual con Ashley, porque te he visto mirar con ojitos golosos a la nueva residente de cardiología y no te conviene que empiece a hablar —le avisó y Leo bufó al escuchar tal acusación.

—A ver si la que la mira con ojitos golosos vas a ser tú —aventuró y Ronda dio un largo sorbo a su vaso antes de responder.

—Es bastante atractiva —concedió—. Pero no te molestes en preocuparte, el lesbianismo es un barco que zarpó hace mucho tiempo para mí.

—¿Con recorrido circular? —preguntó Olivia.

—Ya te gustaría —alardeó la castaña—. Y quita esa cara de pena, nueve meses son mucha actividad onírica y seguro que una de estas noches caes tú también —le contestó guiñándole un ojo.

La farmacéutica la ignoró con una habilidad pasmosa, esa que te da casi una vida entera de práctica, y se dedicó a hacerle carantoñas a Aaron, que, por cierto, seguía un poco mustio tras la desafortunada muletilla de su saludo. Ashley le había contado algunas cosas acerca del pasado de la pareja y, aunque Ronda y ella lo odiaran tanto, no podía negar que a muchos niveles empatizaba con él y con su historia. Ella se había enamorado de Ashley y el chico de Olivia, los daños colaterales no les convertían necesariamente en malas personas, ¿verdad? Aunque, si lo hicieran, seguiría sin arrepentirse de nada y, por la forma en que miraba a la morena, Aaron tampoco parecía querer retractarse. La misma película, aunque Ronda y Ashley la mirasen de forma totalmente diferente, cuestión de perspectivas, como si los gustos cambiaran según la butaca que te tocase. Y ella había tenido suerte con el reparto.

Justo cuando Ashley regresaba con sus consumiciones, Aaron se levantó disculpándose y anunciando que salía a fumar. Empatía aumentando, porque, aunque ella fuera una ex de aquel vicio, aún echaba de menos sus malditos cigarrillos.

—¿Se marcha? —preguntó Ashley tomando asiento a su lado tras depositar las cervezas sobre la mesa.

—No, pero supongo que necesita un descanso de ser ignorado por Ronda —Olivia lo indicó molesta y la castaña puso los ojos en blanco al escucharla—. Si a mí me cayera mal Leo seguramente te gustaría que disimulara un poco cuando él está delante.

—He venido, ¿no? —dijo la pediatra.

Ante aquella respuesta, Olivia miró a Ashley, en busca de algo que no debió de encontrar, porque la veterinaria optó por escanear su cerveza con bastante interés, así que se levantó siguiendo los pasos de Aaron. Y, por primera vez con ellos, la incomodidad era palpable en el ambiente. Se quedaron en silencio y tanto Leo como ella decidieron darle un sorbo a sus cervezas a la vez, porque tenían sed o como gesto nervioso, aquello no lo tenía muy claro.

—A lo mejor deberíais intentar... —comenzó el cardiólogo, pero Ronda no le dejó terminar.

—Como digas «ser más amables», pasa mi madre conmigo al parto —una amenaza en toda regla y con un poder disuasorio bastante importante.

Con aquellos antecedentes optó por un pasivo y cauteloso silencio, neutralidad por el momento y más adelante ya se vería. Ella siempre había sido una chica muy prudente.

La pareja regresó poco después y la tensa conversación grupal común de los primeros minutos dio paso a una proliferación de frentes divididos en distintos diálogos. A ella le tocó de pareja con Olivia y no iba a quejarse, llevaban un rato hablando del nuevo programa de talentos de la NBC, porque solían comentarlo en directo vía WhatsApp, pero cara a cara era mucho más dinámico e interactivo. De repente, la morena dijo algo que carecía de sentido en el contexto presente y la obligó a buscar su significado en las pautas ambientales.

—Y luego Ronda pregunta por qué ella es mi mejor amiga.

Así sin más, y con la vista dirigida hacia la barra. Al principio pensó, «¿Perdona?», pero se tomó la molestia de seguir el curso de su mirada, para recabar información por sí misma antes de pedirlo todo mascado, la vida era más interesante así. Y de repente se enamoró de Ashley otra vez, o un poco más, a lo mejor todo junto, porque estaba apoyada en la barra con Aaron y los dos estaban sonriendo mientras hablaban. Se le contagió el gesto, porque en las facciones de la veterinaria era una pasada y ella maravillosa por dentro y por fuera, tanto que Olivia también la miraba como si estuviera aguantándose las ganas de ir hasta allí y abrazarla muy muy fuerte, mientras tanto Ronda cuchicheaba con Leo y bebía Pepsi sin cafeína. A la castaña todo aquello iba a costarle un poco más.

—¿Cómo van las cosas con él? —preguntó sin dejar de observar la escena.

—Increíblemente bien, contra todo pronóstico —reconoció—. Casi me arrepiento de haber perdido un año entero.

—A lo mejor lo necesitabas para llegar a este punto.

—Sí, y me pregunto cuánto necesitará mi madre para llegar también.

—¿A tus padres no les gusta?

—A mi madre, mi padre lo adora. A él no le conté el verdadero motivo de la ruptura porque le habría cortado los huevos. No sé cómo decirle a mi madre que he vuelto con él —dijo dándole un sorbo a su cerveza.

Un problema universal eso de la incompatibilidad entre padres y parejas. Aquel «Vamos a matar a papá» resonó en algún recoveco de su mente, asomando del inconsciente con notable fuerza.

—Cuando se te ocurra la mejor manera, avísame. A lo mejor con unos retoques me sirve.

—¿Te estás planteando contarles a tus padres que estás con Ashley?

—Más bien ellos me están obligando a planteármelo, pero el resultado es el mismo —reconoció mirándola con media sonrisa nerviosa.

Olivia chocó sus botellines de cerveza, una especie de camaradería recién descubierta, porque de repente las dos viajaban en el mismo barco, y devolvieron su vista hacia Ashley y Aaron casi a la vez. Una interesante coreografía de bobas enamoradas.

—¿A quién le importa si no les caen bien? —preguntó de pronto la morena, desafiante.

Y un enérgico «a nadie» habría quedado muy bien, pero las dos terminaron sonriéndose y diciendo «A mí» a la vez. Quizá un poco menos valiente, pero tremendamente más sincero. E iba a proponerle contarlo juntas y apoyo moral, terapia de grupo, pero el maldito tono del *Mamma mia* emergió de nuevo de las profundidades de su bolso y ABBA ya no le gustaba tanto como antes, la verdad.

Por cuarta, o quinta vez, en lo que llevaban de tarde hizo algo que más tarde lamentaría, una acción consciente casi convertida en automatismo a base de perseverancia. Y volvería a morderle el culo, pero como no lo sabía, cortó la llamada y le quitó el sonido al teléfono.

***

Lo había pasado bien, el iniciar una conversación con Aaron no había sido fácil, porque «te arrepentirás toda la vida como vuelvas a hacerle daño a mi mejor amiga» no era la mejor introducción del mundo, pero es que no podía pensar en otra cosa al tenerle delante. Después había visto a Olivia con aquel gesto triste en su cara y era otro de sus puntos débiles, así que siguió al musculitos a la barra y le preguntó qué tal llevaban la temporada los Monsters. Al salir del Happy Dog, la morena se había despedido de ella con un abrazo de los jodidamente geniales y fuerte, muy fuerte, y Ronda las había mirado con bastante envidia, pero sin méritos propios para merecerse uno igual.

Al final aquel intento por suavizar las cosas con Aaron le había salido bastante rentable, porque, además del superabrazo de Olivia, Claire la miraba de forma especial, como si fuera lo más adorable que había visto en los días de su vida, y estaba acariciando su nuca de aquella forma tan alucinante mientras ambas caminaban de regreso a su piso. Mierda, le gustaba tanto estar así con ella que casi dolía el no estarlo.

—Aaron parece simpático —dijo Claire a su lado y ella la miró alzando una ceja, escéptica.

—¿Simpático o guapo? —preguntó, porque aquello había que aclararlo.

—Simpáticamente guapo —respondió, y ella medio sonrió mirando al frente.

—Si te gustan los musculitos con facciones masculinas marcadas...

—La verdad es que me gustan los musculitos con facciones masculinas marcadas.

—¿Es tu sutil forma de decirme que estaría irresistible con barba de un par de días? Porque podría dejármela otra vez.

Claire se rio y le dijo que era muy idiota.

—Me gustan los musculitos con facciones masculinas marcadas... —comenzó a exponer una nueva idea, pero no la dejó terminar.

—Respeto tu bisexualidad, pero cuando dices eso, yo me siento inframusculada y con facciones de nena. No puedo competir con eso, la barba no me sale lo bastante cerrada.

La mano de Claire abandonó su nuca y de pronto estaba frente a ella y caminando hacia atrás, entorpeciéndole un poco el paso porque no alcanzaba la velocidad mínima permitida, pero la miraba divertida, y por esa jodida sonrisa se lo perdonaba todo.

—Idiota, déjame terminar —lo pidió jugueteando con la cremallera de su chaqueta, así que no pudo negarse—. Me gustan los musculitos con facciones masculinas marcadas —puso los ojos en blanco y Claire le pegó juguetonamente en el pecho al verla—, pero... me gustas más tú. Me encantan tus no-musculitos y tus facciones de nena. —Y le estaba acariciando la jodida cara mientras lo decía y mirándola de esa forma que le revolvía por dentro.

Comprimiéndole el corazón a lo bestia, porque sonaba la hostia de sincera y seguro que esa mirada no se la había dedicado a ningún musculitos antes.

—Entonces, ¿anulamos lo de la barba? —quiso asegurarse y Claire le contagió su sonrisa.

—Mejor, porque los *aftershave* me dan un poco de alergia —reconoció tomándola por ambas manos y entrelazando sus dedos.

Avanzaban significativamente más despacio, pero casi estaban llegando, la calle estaba casi desierta y le daba exactamente lo mismo tardar dos horas en cubrir ochocientos metros. Por aquel gesto divertido en la cara de la rubia, como si no llegaban en toda la noche. E iba a seguirle el juego, porque les encantaba a las dos.

—O tu cuerpo se revela contra la heterosexualidad —sugirió alzando una ceja y sujetando ambas manos de Claire contra su pecho—. Qué trágico.

—Mucho —le dio la razón y le robó un beso a cambio, el mejor trueque de la historia—. Aaron podría ser modelo profesional y yo no podría dejar de mirarte a ti —lo admitió conectando con su verde y ella sonrió un poco más porque le gustaba lo que oía.

—Es el efecto Ashley —dijo colocando las manos en la curva de sus caderas.

—Pues felicidades, porque es increíblemente intenso —opinó bajándole un poco la cremallera.

Y le encantaba cuando jugueteaba así con su ropa, en serio, debía de ser por aquella mezcla extraña de intimidad, confianza y su forma de mirarla mientras tanto. A veces le hacía burbujear el interior al completo y otras la ponía muy cachonda. A ella le gustaban ambas y la mayoría de las ocasiones eran dos en uno y siempre jodidamente alucinantes.

Iba a besarla porque sí. Joder, porque se lo pedía aquella mirada y su cuerpo entero se sumaba a la moción, pero Claire se le adelantó, atrapando sus labios en un beso suave y húmedo, y aquello dificultaba mucho el que siguieran avanzando. A la mierda, porque el caminar estaba claramente sobrevalorado y la rubia la sujetaba con firmeza por la nuca con una mano mientras la otra continuaba aferrada a su cremallera y sus labios la estaban tentando a responder de forma menos suave y más húmeda.

—¿Pedimos chino? —Claire lo sugirió contra su boca y a unos veinte metros del portal y la besó de nuevo antes de que respondiera.

—Pedimos lo que quieras. —Por un par de besos más, cedió por adelantado a todos sus caprichos futuros.

—Eres muy fácil, mi amor. —Sonrió contra sus labios.

Su novia la acercó más, tirando de su nuca, y acabó estrechándole el cuello con los brazos. Sintió cómo apoyaba la barbilla en su hombro y correspondió el gesto, porque a Claire le encantaba abrazar y a ella perderse entre sus abrazos; es que se complementaban a la perfección.

Y entonces, ella los vio, esperando frente al portal, aunque ellos las debían de haber visto mucho antes. Pensó dos cosas: «Vaya primera impresión más cojonuda» y que en persona Arthur Lewis imponía más. Joder, mucho más. Casi se tensó entre los brazos de su chica, porque menudo momento y vaya cara de mala hostia.

—Claire —la llamó con la voz más firme que pudo conseguir, y no le salió tan mal dadas las circunstancias.

—Ashley... —le dio pie, ajena al drama que las había rodeado de repente.

Como una jodida emboscada.

—Tengo una buena noticia y una mala —señaló, y la chica se separó ligeramente para mirarla con el ceño semifruncido, a lo mejor por la forma en que lo dijo—. La buena es que ya no vas a tener que contárselo a tus padres.

Y si Claire no lo había pillado tras aquella pista tan evidente, el «Arthur, espera, por favor» que escuchó a su espalda seguro que terminó de aclararle la situación de un plumazo.

16

Say something

Se estaba muy muy bien entre los brazos de la veterinaria. Sus carantoñas, sus besos y sus sonrisas mientras se decían gilipolleces le aceleraban las pulsaciones. Dios, estar así con ella estimulaba el circuito de recompensa de su cerebro de forma extremadamente persistente. No era ningún secreto que le encantaba abrazar, y sumando a la ecuación que también le encantaba Ashley, el resultado era que abrazarla a ella le encantaba el doble. En palabras de la idiota de su novia «Las matemáticas son una ciencia exacta», y le daban ganas de decirle «y estar contigo lo mejor del mundo», pero, en vez de eso, la besaba una y otra vez, porque el lenguaje verbal estaba sobrevalorado.

Otra noche con Ashley en su piso. Eso estaba pensando mientras la mantenía muy cerca de su cuerpo, disfrutando de lo bien que se amoldaba su mejilla al hombro de su novia, entre ellas todo encajaba a la perfección, un ensamblaje planeado al milímetro. Lo tenía todo calculado: les darían la última vuelta del día a Cleo y a Darwin, pedirían comida china y cenarían viendo la tele en el sofá. Después se irían a leer a la cama y, aunque habían tenido una sesión muy interesante en la ducha antes de acudir al Happy Dog, era bastante probable que Ashley no le diera tiempo a terminar ni un capítulo, y a ella no iba a importarle demasiado dejarlo a la mitad.

La novedad de las primeras semanas estaba dando paso a unas rutinas que le hacían mariposear el interior al completo. Es que era exactamente lo que quería en su vida, eso mismo, lo que tenían en aquellos momentos e ir cada vez a más. Como suele decirse: «Sin pausa, pero sin prisa», y ella no tenía ni prisa ni ganas de parar. Estaba a punto de decirle al oído «tu cuerpo de nena me pone muy cachonda», porque era verdad y con ella no le daba vergüenza admitirlo, pero la sintió tensarse bajo su abrazo.

Y ese fue el principio del fin de otra era. La desaparición dramática y brutal de un mundo mejor, totalmente inesperada; adiós al perfecto universo en el que sus padres no la habían visto nunca comiéndose a besos a una chica en mitad de la calle. Iba a echarlo mucho de menos, porque el incidente del «tú y yo no vamos a hacer nada por teléfono esta noche, mi amor» palidecía en comparación y el no atender las llamadas de su madre de repente era la peor decisión que había tomado en toda su vida.

«Tengo una buena noticia y una mala. La buena es que ya no vas a tener que contárselo a tus padres», y la puso sobre aviso, porque, desde su perspectiva, Ashley tenía vistas privilegiadas a su particular apocalipsis familiar. El «tu cuerpo de nena me pone muy cachonda» aún seguía rondándole la cabeza y por eso fue tan perturbador el escuchar la voz de su madre a su espalda.

—Arthur, espera, por favor.

Alto y claro, un cortocircuito mental del que no se recuperaría jamás. Irreversible y una desgracia de proporciones bíblicas, porque ya nunca podría decirle a Ashley lo cachonda que la ponía sin asociarlo a aquel desastre natural. Una catástrofe sin precedentes. Dos conceptos que Dios creó para que estuvieran totalmente incomunicados, herméticamente encerrados en realidades paralelas y muy lejanas; «excitación sexual» y «padres» se habían fundido de repente, en una mezcla de angustia y perturbación sin límites. ¿Excitación y padres? Mierda, pero que eran incompatibles desde todo punto de vista y, de repente, se habían visto inexorablemente condicionados y su vida sexual condenada en un segundo. Estúpidas babas de perro y estúpido Pávlov.

Nunca encontraría un contexto mejor para decir aquello de «tierra trágame y no me escupas». Desaparecer, qué idea más atractiva, y lo haría si pudiera, pero como simple mortal tenía sus limitaciones. Lo aceptó. Respiró hondo. Le dedicó a Ashley una mirada de «mierda». Y se giró para enfrentarse a su destino, como a cámara lenta, aunque todo sucedió en un solo segundo.

Localizó a su padre alejándose con paso firme calle arriba y a su madre atrapada en una de las disyuntivas más grandes de su vida, seguirle a él o enfrentarse a ella, y todo aquel panorama parecía revestido de la incomodidad más grande que ningún ser humano había sentido jamás. Empapado de un «¿ahora qué?», porque ni era traficante ni tenía sesenta años. Desechó la posibilidad de ser ella quien tratara de frenar a su padre, no era buena idea ir tras él en ese momento, y aunque lo fuera no se atrevería.

El corazón le bombeaba en el pecho con mucha prisa y cuando se encontró con los ojos de su madre, se le aceleró un poco más, acompañado por una desagradable opresión justo en el centro del pecho. Evidentemente, la mujer no había esperado encontrarse con nada por el estilo y estaba teniendo serias dificultades para adaptarse al entorno.

—Mamá... —lo dijo sin intenciones de añadir nada más y acercándose a ella.

—Deberíamos haber esperado en el hotel hasta que contestaras —reconoció esquivando su mirada, era evidente que ni siquiera sabía cómo reaccionar.

Aquel nudo en su garganta no se hizo de rogar, por la repentina retirada de su padre y por la forma en que su madre retorcía nerviosa el asa del bolso entre las manos. Se dio cuenta de que miraba fugazmente por encima de su hombro, a su espalda, a Ashley, pero enseguida bajó la vista y a ella se le empañaron los ojos. El «don de la sensibilidad» le estaba complicando bastante la vida. Y no estaba segura de cómo miraba a su madre en ese momento, además de con mucho miedo y con ganas de llorar, claro, pero en cuanto la mujer levantó la vista y reparó en la expresión de su cara fue como si la sacaran de un trance. Su madre nunca había soportado verla pasándolo mal, de pequeña la consolaba con gominolas casi antes de haberse caído, ¿instinto animal o sobreprotección? No lo sabía, pero sospechaba que ambos, porque medio segundo después la había envuelto en un abrazo de los intensos y le decía «Claire, cariño, no llores, que se me va a correr el rímel», así que ella la estrechó más fuerte aún. Pudiera ser que más tarde se arrepintiera, pero en aquellos momentos le daba igual que Ashley pensara que era una niña de mamá.

—Límpiate la cara, anda —le indicó su madre tras separarse mientras le colocaba un mechón de pelo tras la oreja.

Se apresuró en obedecer y se restregó los ojos con el dorso de la mano, porque su madre era muy capaz de sacar un pañuelo en vivo y en directo, humedecerlo con saliva y restregárselo por toda la cara como cuando tenía cinco años y la comisura de la boca manchada de chocolate. Jesucristo bendito, cómo odiaba que hiciera eso, y si pasara delante de Ashley estaba segura de que no lo superaría jamás.

Ashley.

La presión en el ambiente había atrofiado un poco su capacidad empática y hasta ese mismo momento no se planteó que aquella situación tenía que ser difícil para ella también. Miró hacia atrás y por primera vez en su historia era evidente que la veterinaria estaba nerviosa, como si todo aquello le quedara grande, pero quisiera quedarse de todas formas. Le sonrió ligeramente y le tendió la mano, invitándola a acercarse. Ashley lo hizo sin titubear ni una sola vez y, encima, le devolvió la sonrisa por el camino.

Además de guapa, valiente. *Buena pesca, Lewis.*

—Mamá, esta es… —comenzó a presentar a su novia en cuanto llegó a su altura, pero la mujer se le adelantó.

—Ashley —completó la frase mientras observaba a la aludida.

Seguro que le había cotilleado tantas veces la foto del WhatsApp que se conocía las facciones de la veterinaria mejor que ella misma. Y le había hablado de Ashley desde el principio, mucho. Un desafío en toda regla tratar de integrar que «la mejor amiga» de su hija era en realidad mucho más que eso.

—Encantada, señora Lewis —la veterinaria la saludó, tendiéndole la mano.

Qué bien le quedaba la sonrisa a aquella chica incluso bajo presión y qué surrealista le parecía todo aquello. Como dos mundos opuestos colisionando de pronto, una mezcla imposible de facetas de su vida, exigiendo cierto esfuerzo de adaptación por parte de cada uno de los implicados. Y la aclaración «Ashley es mi novia, mamá» no hacía falta.

—Igualmente, Ashley —su madre correspondió el gesto.

Diplomático y un poquito artificial, pero se conformaba con eso dadas las circunstancias. Las miró a ambas y todo era tan raro que, por un momento, dudó que estuviera pasando de verdad. Una desrealización fugaz, había escuchado que no eran infrecuentes en momentos de estrés extremo y la ocasión lo merecía, porque las dos chicas más importantes de su vida estaban juntas en un mismo espacio-tiempo por primera vez. A las presentaciones les siguió un silencio un tanto incómodo y se sintió en la obligación de manejarlo.

Claire Lewis, mediadora oficial en situaciones difíciles. Su madre, su novia, su responsabilidad. Algo así.

—Mamá... ¿quieres que subamos y te enseñe el piso? —sugirió, porque sabía que tenían que hablar y la calle no era el mejor escenario.

—No he venido hasta Cleveland para ver la habitación del InterContinental.

Una forma indirecta de decir «sí, por supuesto». A su madre le gustaban los circunloquios. Se sumergió en las profundidades del bolso en busca de las llaves y por el rabillo del ojo detectó cómo Ashley cambiaba de pie el peso de su cuerpo, su hábito nervioso.

—Claire, tu madre y tú querréis hablar. Subo a por Darwin y nos vamos a casa.

Vaya, adiós a su perfecta noche de sábado, pero la propuesta de Ashley era de lo más sensato. Conectó por un momento sus miradas, sacando las llaves del fondo del bolso y, entremezclado con su verde favorito, alcanzó a atisbar un destello de algo que la impulsaba a acariciarle la nuca, a jugar con sus cremalleras o recorrer sus facciones con la yema de los dedos. Hacerle llegar de alguna forma un «tranquila, que no pasa nada, mi amor» encriptado para el ojo ajeno. Desvió la mirada a su madre y su presencia era más que disuasoria, así que encaró la entrada al portal y encajó la llave en la cerradura.

El trayecto en el ascensor estuvo sumido en el más absoluto silencio, cruzó unas cuantas miradas con Ashley, aprovechando su posición frente a frente, y trató de alcanzar un término medio en su sonrisa, discreta para no llamar la atención de su madre, pero lo suficientemente evidente para que la veterinaria no se marchara con aquella cara. Mierda, es que necesitaba reasegurarla y aquella presencia materna a ella le cortaba las alas y a Ashley la impulsaba a bajar la vista al suelo casi en cuanto sus ojos se encontraban.

Abrió la puerta de su piso y Cleo salió disparada, con muchas ganas de encaramarse a la pierna de Ashley y obviando la presencia de cualquier otro ser vivo en aquel rellano. Bola de pelo desagradecida. Ella acarició a Darwin cariñosamente, al menos el border collie era lo bastante educado como para saludar a todo el mundo antes de centrarse en su favorita.

—Mamá, ya conoces a Cleo, y este es Darwin —presentó a los animales y la mujer rascó al mayor de los perros tras las orejas.

Si no tuvieron mascotas durante su infancia fue porque a su padre no le gustaban. Su madre era otra historia, siempre había estado de su lado cuando Tommy y ella suplicaban por poder adoptar uno.

—Cleo está enorme.

—La última vez que la viste apenas tenía tres meses y está a punto de cumplir once. Eres una abuela ausente.

Le gustó que su madre le golpeara el brazo al oírla llamarla así.

Entraron al interior de la vivienda y Ashley fue directa a por la correa de Darwin, parecía que tenía mucha prisa por salir de allí, ni medio minuto y ya se despedía de su madre educadamente. Y sabía que, en parte, la veterinaria lo hacía porque quería que pudieran hablar tranquilas, y le parecía bien, era la otra parte la que no le gustaba tanto. La que le había impedido a su novia sostenerle la mirada por más de dos segundos seguidos mientras subían en el ascensor.

Le dijo «Hasta luego, Claire» antes de encaminarse a la salida, guardando las distancias, y ella miró fugazmente a su madre con un debate interno bastante intenso desarrollándose en su interior. Un insistente «no dejes que se vaya así» versus un prudente «cuidado con lo que haces, que mamá está mirando». El nudo de su estómago se tensaba por momentos, cada paso de la veterinaria hacia la puerta lo apretaba un poco más.

—Ash, espera. —Su parte más instintiva decidió por ella y la alcanzó justo cuando accedía al rellano.

La mirada de su madre le quemaba en la nuca, pero obvió aquella incómoda sensación animada por su mantra «no seas cobarde ahora» y tomó a la veterinaria de la mano cuando esta se volvió al escucharla.

—¿Estás bien? —lo preguntó bajando la voz, pero directamente, porque necesitaba saberlo de verdad, y conectó sus miradas mientras entrelazaban los dedos.

El amago de sonrisa que se insinuó en sus labios favoritos del mundo entero confirmó que había tomado la decisión adecuada y aumentó la apuesta acariciándole el dorso de la mano con el dedo pulgar.

—Estoy bien, un poco descolocada.

—Creo que ha sido una sorpresa para todos nosotros.

Ashley sonrió de lado al escucharla, y a su fisiología la presencia de su madre no parecía afectarle mucho, porque aquella pequeña arritmia hizo acto de presencia tal y como acostumbraba.

—¿Tú estás bien? —le devolvió la pregunta y ella asintió—. ¿Hablamos luego?

—Hablamos luego.

Y le resultó mucho más fácil de lo esperado el tomar a la veterinaria por la nuca cuando ya se retiraba y avanzar el paso que ella acababa de retroceder para poder atrapar sus labios. Un beso corto, de los de las despedidas rápidas, pero esperó que la chica captara su implícito: «Piensen lo que piensen ellos, no va a cambiar nada». Le acarició la nuca y le susurró «Te quiero» mientras se separaban, y Ashley respondió lo mismo. Le apretó la mano antes de soltársela y permitir que se alejara hacia el ascensor.

—Llámame cuando puedas hablar —le pidió la veterinaria y ella asintió mientras cogía a Cleo en brazos para impedir que se fuera con ellos.

Aquella criatura peluda no parecía tener nada claro quién era su verdadera dueña y la muy tonta lloriqueó al verse atrapada entre sus brazos. Puso cara de pena y todo al verlos desaparecer en el ascensor. Después, le obsequió con un lametón en la cara, su segundo plato, una especie de resignado «si no puedes estar con quien quieres, quiere a con quien estés».

Regresó al interior de su piso, cerró la puerta y entonces fue cuando el corazón se le desbocó de verdad, porque Ashley ya no estaba a la vista y el «no seas cobarde ahora» se lo debía de haber llevado con ella. De nuevo fue muy, pero que muy consciente de la tirantez en su pecho, que iba en aumento ante la perspectiva de encontrarse de lleno frente al escrutinio de su madre. Porque aquella conversación estaba esperando a que se diera la vuelta. Y se giró con Cleo aún en brazos como un escudo protector o un amuleto de buena suerte.

La mujer la estaba observando, así que ella también la miró. Reciprocidad y una forma de expresar «esto es lo que hay, os guste o no» sin necesidad de palabras. Se preguntó si sería capaz de mantener aquella pose rebelde cuando le tuviera delante a él. Y tenía que serlo, porque nada de aquello era negociable. Depositó a Cleo en el suelo y se incorporó, escondiendo las manos en los bolsillos traseros de sus vaqueros y perdiendo la imperturbabilidad por el camino.

—Di algo.

A medio camino entre súplica y sugerencia, y a media voz, porque hacerse la valiente era más fácil que serlo de verdad.

—No sé qué decir —su madre lo reconoció sin más y volvieron a quedarse en silencio.

La mujer caminó hasta entrar en el salón y paseó su vista por la estancia mientras ella la miraba sin saber muy bien qué hacer a continuación. Repetir el abrazo del portal no estaría mal, quizá más adelante, porque ella necesitaba aquel lugar seguro y su madre algunas explicaciones. Siguió sus pasos y se la encontró observando los libros de la estantería con la chaqueta puesta y el bolso aún colgando.

—Es bonita —opinó mientras recorría el salón con la mirada.

No contestó nada, estaba un poco perdida en lo extraño de toda aquella situación, a las puertas de una conversación pendiente. Su madre se acercó hasta el sofá y tomó asiento, dejando el bolso a un lado y desprendiéndose de la chaqueta, la tensión en su pecho se agudizó un poco más cuando la mujer centró su atención en el manual clínico de animales exóticos que Ashley había dejado allí la noche anterior. Y era una tontería, porque después de lo que acababa de ver fuera, seguro que no iba a escandalizarle descubrir algunas de las cosas de la veterinaria en su casa. A lo mejor si la dejaba unir las piezas una a una y por su cuenta se ahorraba el mal trago de tener que explicárselo. Abrió el libro por el índice y comenzó a ojearlo, una evitación en toda regla, porque no creía que a su madre le interesaran mucho las *Técnicas de diagnóstico y tratamiento en pequeños mamíferos*. Un intento de hacer tiempo, a ver si el grado de incomodidad descendía mientras tanto. Apoyó la espalda en la estantería y simplemente la miró.

—¿No vas a preguntarme nada? —dijo al fin, cuando la vio pasar a la página siguiente.

—¿Desde cuándo?

—Llevamos saliendo dos meses.

—¿Por qué no nos has dicho nada antes? —quiso saber con el ceño fruncido, aparentemente herida por la falta de confianza.

—¿Después de ver a papá necesitas que te lo explique? —contestó acercándose al sofá.

—Podrías haber hablado conmigo.

Tomó asiento y observó el manual de Ashley, jugueteando nerviosa con las manos. Y a lo mejor tenía un poco de razón con eso de que podía haber acudido a ella, nunca le había dado motivos para pensar que aquella no era una opción y en cambio, en todo aquel tiempo, ni siquiera se había planteado compartirlo con su madre. Ni como una remota posibilidad. ¿Por qué?

—Todo esto no ha sido fácil para mí, mamá.

—No desheredé a tu hermano a los diecisiete y no voy a desheredarte a ti a los veintiséis —dio por sentado y ella la miró.

—Menos mal —intentó bromear y la mujer le acarició el pelo.

—¿La misteriosa charla de madrugada en Navidad tenía que ver con ella?

—En parte.

—¿Y terminar con Nick?

Se dejó caer sobre el mullido respaldo, descansando la cabeza en su superficie, estaba cansada. Estaba muy cansada de aquel viaje emocional, casi ocho meses de recorrido y necesitaba llegar ya, a donde fuera. Zanjarlo y decir «la quiero a ella, así que olvidemos todo lo demás».

—Nick y yo no estábamos bien antes de que llegara Ashley. Habríamos terminado igual, con o sin ella.

—«Ella» —repitió su madre y ojeó el libro de nuevo, esquivando su mirada—. A estas alturas no pensaba que tendría que volver a pasar por esto otra vez. ¿Por qué nunca has dicho nada? Podrías haber aprovechado la estela de tu hermano.

—Porque no había nada que decir, mamá. Ashley ha sido la primera.

Su madre le sostuvo la mirada un par de segundos antes de devolver la vista al libro otra vez. Y es que Ashley había sido su primera vez para muchas cosas y de alguna forma casi estaba segura de que iba a serlo para muchas más.

—Parece buena chica —observó la mujer, en tono ligeramente resignado, y ella sonrió un poco al oírla.

—Es muy buena chica. Sin antecedentes y no trafica con droga —resaltó aquellas cualidades.

—Tampoco parece tener sesenta años.

—Tiene veintisiete. Y trabajo fijo. Sin tatuajes y sin *piercings* —continuó enumerando cosas de su agrado. Tenía que vendérsela lo mejor posible.

—¿Te trata bien? —y lo preguntó en un tono que hacía ver que aquello era lo que consideraba más importante. Sin contar la cárcel y las drogas, por supuesto.

—Me trata muy bien.

Y con eso pareció contentarse y volvió a pasear su mirada por el salón. ¿Conversación con su madre superada? ¿En serio? No había sido tan terrible y casi se alegraba de que las cosas hubiesen sucedido así, porque con su padre todo iba a ser difícil de todos modos.

—¿No vas a enseñarme el resto de tu piso?

Y a lo mejor tenía genuino interés, pero a ella le sonó más a «necesito tiempo para digerir todo esto, así que distraigámonos un rato con algo menos trascendente». Se levantó del sofá, dispuesta a dar curso a su petición y con el cuerpo mil veces más ligero que hacía unos pocos minutos. Un gran peso quitado de encima, desde luego, y aún quedaba más del doble, pero mejor ir paso a paso, ya cruzaría ese puente cuando llegase.

Le encantó la cocina y el baño le pareció «muy mono». Mientras se encaminaban hacia la habitación trató de recordar si habían dejado cualquier prueba incriminatoria fuera de lugar, y se le aceleraron un poco las pulsaciones ante la posibilidad de encontrar a la vista cualquier cosa remotamente relacionada con su vida sexual. Casi suspiró aliviada al entrar y verlo todo perfectamente recogido. Tan solo localizó un par de prendas cuidadosamente dobladas a los pies de la cama, su jersey de punto celeste y encima el chaleco del trabajo de su novia. Se apresuró a recogerlas en el armario, pero seguro que su madre ya había leído eso de «Personal veterinario», y una nueva conexión neuronal habría nacido en su mente, una que asociaba a Ashley con aquella habitación. O peor, con aquella cama.

—Es muy amplia y muy luminosa —dijo la mujer acercándose a la ventana y apartando ligeramente las cortinas para atisbar el exterior.

—¿Te gusta? —preguntó sentándose en el borde de la cama.

—Es un piso muy bonito —concedió aún observando las vistas—. ¿Vais en serio o sois solo follamigas?

¿Perdona? ¿De verdad acababa de insinuar que ella era follamiga de alguien? ¿De verdad su madre había dicho «follamiga»? Y la mujer seguía mirando por la ventana sin más ni más, como si acabase de preguntarle si le gustaba el arroz con leche.

Cara al rojo vivo, seguro.

—¡Mamá! —protestó, porque siempre habían tenido mucha confianza, pero había límites que una madre no tendría que rebasar jamás.

—¿Ahora no lo llaman así? —se extrañó la mujer volviéndose hacia ella.

—Puede, pero tú no deberías.

Se sentó a su lado en la cama, y ella se apartó unos centímetros porque no se sentía para nada cómoda a tan poca distancia tras aquella última pregunta.

—Claire, solo quiero saber qué tengo que decirle a tu padre cuando me pregunte. ¿Hay posibilidades de que tenga que conocerla en un futuro?

Y ya podía haber empezado por ahí. Un interrogante mucho mejor compuesto e infinitamente más adecuado a las circunstancias. Aún notaba arder un poco sus mejillas, pero aquella era una pregunta que sí podía responder sin morirse de la vergüenza.

—Hay muchas posibilidades —confirmó y la vio asentir con la cabeza.

—Ya sabes que a tu padre todas estas cosas le cuestan bastante. Así que, si no es completamente necesario... —comenzó a exponer su idea.

—Mamá —la frenó, sin dejarla terminar, y la mujer la miró—, la quiero.

Y esperaba que aquello dejara claro que lo de «follamigas» no iba con ellas y que sí que iba a ser necesario que su padre conociera a Ashley algún día. Acababa de decirle a su madre que quería a una chica, en la habitación de su primer piso independiente, a seiscientas millas de Boston. Las cosas habían cambiado mucho en ocho meses.

Su madre la miró y, si la había sorprendido aquella declaración, su expresión no lo evidenciaba. De repente, volvía a estar realmente nerviosa y a la vez convencida de que no quería seguir ningún otro camino. Es que no había más. La mujer le sonrió, en plan maternal, una de esas de «me alegro tanto de que seas feliz», y le acarició el pelo. Le salió abrazarla otra vez, porque aquellos gestos nunca sobraban, y aunque ya se imaginaba que su madre no iba a tomárselo mal, el poder comprobarlo de primera mano era muy diferente.

—¿Y dices que es veterinaria? —quiso asegurarse y, a pesar del drama que aquello suponía, sonrió aferrada a su cuello.

—Pero sin tatuajes —resaltó aquel punto, porque su padre los odiaba. Sintió cómo su madre le acariciaba la espalda con cariño—. No le ha sentado nada bien. A papá.

—Ya sabes cómo es tu padre, necesita tiempo para procesar las cosas y un poco más para aceptar las que no le gustan.

—No sé si va a aceptar esto.

Uno de sus mayores miedos puesto en palabras, casi era más real así. Su madre la separó con suavidad al escucharla y ella evitó su mirada. Era más fácil tratar temas altamente sensibles escondida en un rincón, y hablar de aquella faceta de su padre le era muy muy difícil. Verbalizar eso de «esta vez me da igual lo que piense», aunque no fuese del todo cierto, porque decepcionarle siempre dolía, pero Ashley era más importante que su aprobación.

Su madre la obligó a mirarla, tomándola por la barbilla, y a ella no le quedó otra que exponerse a su escrutinio.

—Tu padre tardó quince años en aceptar ir a la playa de vacaciones, porque la odiaba, intenté convencerlo de mil formas diferentes... ¿sabes cuándo fuimos a la playa por primera vez?

—Cuando cumplí cinco años.

—¿Y por qué? —le dio pie la mujer y ella sonrió ligeramente.

—Porque yo quería buscar estrellas de mar y conchas.

—Fuimos una semana y te la pasaste entera con tu padre sosteniéndote el cubo en la orilla mientras lo llenabas de todo lo que encontrabas por ahí. Nunca lo he vuelto a ver tan moreno como aquel verano.

—Mamá...

E iba a decirle que comparar recoger conchas en la playa con aceptar una relación homosexual con una veterinaria resultaba un poco simplista y que no le veía el parecido por ningún lado, pero la mujer no le permitió interrumpir su apasionado argumento.

—Los jueves de golf con los socios del bufete eran sagrados para él, imposible convencerle de que se perdiera uno de sus partidos. Hasta que cumpliste diez años y te empeñaste en que querías aprender a montar a caballo. Se enteró de que las mejores clases de equitación las impartían los jueves por la tarde, y de repente el golf ya no era tan importante porque querías que te acompañara él —señaló y ella bajó la vista porque comenzaba a vislumbrar un interesante patrón entre las palabras de su madre y un mismo hilo conductor para aquellas historias—. ¿Recuerdas lo que hizo cuando le dijiste que querías estudiar Literatura?

—¿Ponerse increíblemente rojo, gritar y no hablarme en una semana? —probó suerte con eso, porque era lo primero que se le venía a la cabeza.

—¿Y qué te regaló justo antes de que empezaras la universidad? —Su madre la invitó a ir un poco más allá.

—Una colección completa de clásicos de la literatura universal —admitió, la tenía en la estantería del salón.

—Siempre vas a ser la niña de sus ojos, Claire —le aseguró su madre—. Tu padre os adora a los dos, a Thomas y a ti, pero tú eres su debilidad, siempre quiso tener una niña.

Claire Lewis, la niñita de papá.

Pobre Tommy.

—¿Y si no le gusta Ashley?

—Puede que se ponga rojo, que grite y que se pase semanas sin hablarte y paseándose por casa como un zombi, igual que cuando le dijiste que habías roto con Nick. Se maneja muy bien a nivel legal, pero a nivel emocional ya es otra historia y le cuesta expresar ciertas cosas, ya lo sabes. Aceptó a Justin, aceptó a Andrew, aceptó a Nick y al final aceptará a Ashley si es lo que tú quieres —y lo dijo muy segura de sí misma.

—Ashley es un poco diferente de todo lo anterior, mamá —señaló aquel hecho objetivo.

—¿Aún no te has enterado de que a quien elijas no es relevante?

—¿Aunque sea una chica y veterinaria?

—Es muy guapa, seguro que le gusta más que Daniel —dio por sentado y ella le pegó en el brazo por aquella insinuación tan perturbadora.

Algo se le removió por dentro, porque en el fondo todo aquello ya lo sabía, pero nunca lo había visto desde aquella perspectiva. Su hermano y ella habían hecho muchas cosas con las que Arthur no estaba de acuerdo y, tras la tormenta, siempre había venido la calma. Fuera como fuera, su padre seguía ahí.

«Nos quiere demasiado como para morder después de ladrar», eso es lo que decía Tommy de vez en cuando como un mantra, y bastante efectivo cada vez que tenían que tratar algún tema delicado con su progenitor, así que a lo mejor aquella frase, además de tremendamente útil en situaciones de crisis, era verdad.

***

El InterContinental, joder.

Buen gusto y gran poder adquisitivo, sí, señor. Los padres de Claire debían de estar más que forrados. Nunca había hablado con la rubia del nivel socioeconómico de su familia, pero era obvio que tenía que ser bastante elevado, porque habían elegido como alojamiento uno de los mejores hoteles de la ciudad. Debía de haberlo supuesto, Arthur Lewis era el gurú de moda en aquel mundo de leyes. Un pez gordo en el mar de la abogacía. En resumen: una puta estrella legal, de las perfectas de cinco puntas.

Y la primera vez que los Lewis la veían, había sido comiéndole la boca a su hija en plena calle, y no recordaba si mientras tanto le estaba acariciando el culo, pero es que a lo mejor sí. Madre mía, la cara que se le había quedado al padre de Claire, y menos mal que el buen hombre había decidido marcharse en dirección contraria. La situación más incómoda de toda su vida, sin lugar a dudas, y eso que una vez su madre la había pillado besando uno de los pósteres de Megan Fox que tenía en su habitación. Y con muchas ganas, además. Siempre había sido una chica muy apasionada.

¿Cómo recuperarse de una primera impresión tan increíblemente desastrosa? No lo sabía, pero sospechaba que iba a ser bastante difícil. La madre de Claire la había saludado en plan educado, pero no le había pedido «Llámame Trudy» tras su «Encantada, señora Lewis» y eso tenía que significar algo malo. Eso o era el procedimiento estándar a seguir, lo recomendado tras ser testigo de cómo una desconocida manosea a tu niñita en plena vía pública.

Ya estaba llegando a su casa con el ánimo por los suelos y Darwin al otro lado de la correa. Su mascota caminaba tranquilo, ajeno a su particular hecatombe. Es que había pasado de ser una «chica y veterinaria» a encarnar el título de «la chica, veterinaria, que le metía mano a su hija antes incluso de llegar al portal» y ninguna de esas premisas le favorecía demasiado.

—¿Ya te ha dado Claire la patada? —La voz de Olivia la sacó de sus lúgubres pensamientos y al alzar la vista la localizó sentada con Aaron en las escaleras de su casa.

Comprobó que no había coches circulando a la vista y cruzó la calle, Darwin se puso a menear la cola alegremente mientras se acercaban, porque Olivia le caía muy bien. Cuando llegaron a la altura de la pareja le soltó la correa para permitirle acosarlos a gusto, y ella subió un par de escaleras y se apoyó de espaldas a la barandilla.

—Sus padres estaban esperándola en el portal de casa —soltó sin más mientras escondía las manos en los bolsillos de su chaqueta.

—Menuda encerrona, ¿qué ha pasado? ¿Se lo ha dicho? —se interesó la morena.

«Decirlo». Ay, el perfecto universo del lenguaje verbal.

—Una imagen vale más que mil palabras. —Suspiró, la pareja la miró sin comprender y ella dejó que su espalda resbalase por el material de la barandilla hasta quedar sentada en el segundo escalón—. Nos han visto besándonos en mitad de la puta calle —aclaró y seguidamente se golpeó la cabeza con suavidad contra el listón de madera.

—No jodas... —El chico empatizó de inmediato con ella y en su tono iba implícito un sincero «Te acompaño en el sentimiento».

—Es la mayor cagada de la historia, ¿verdad? La peor primera impresión del jodido mundo —añadió escondiendo la cara en las manos.

Tal vez un poco dramático, pero igualmente genuino. Y es que era importante, era muy importante conseguir el beneplácito de los padres de la rubia, y se lo había complicado hasta el infinito.

—¿Te han dicho alguna vez que tiendes a la hiperbolización? —le preguntó Olivia mientras acariciaba a Darwin tras las orejas.

—Sí, ¿y a ti que eres una jodida pedante? —le respondió y su amiga le pegó juguetona en la pierna—. Seguro que su padre me procesa como depredadora sexual.

Aaron y Olivia se miraron divertidos, al parecer su repentino infierno particular les hacía mucha gracia a los dos. Jodidos sádicos.

—¿Claire está con ellos? —indagó la morena.

—Con su madre. Su padre se ha largado sin decir nada y con cara de mala hostia. Se habrá vuelto al hotel, al InterContinental.

Aaron soltó un silbido impresionado al escuchar eso del InterContinental y ella asintió, de acuerdo con aquella opinión. Después miró a Olivia y le vino a la mente otro tema de conversación mucho menos deprimente, pero igual de importante.

—¿Has hablado con Ronda? —le preguntó directamente y Olivia torció el gesto al escuchar el nombre de su otra mejor amiga.

—No. —Un buen resumen, sucinta y concreta.

—¿Vas a hablar con ella?

—En este preciso momento no tengo muchas cosas bonitas que decirle.

Y un poco de razón tenía, la verdad, porque Ronda a veces era un poco inflexible y jodidamente cabezota, pero las había mirado con cara de pena al verse excluida de aquel abrazo. Estaba embarazada y con las hormonas revolucionadas, a lo mejor podía ser tenido en cuenta como atenuante para su estúpido comportamiento de aquella tarde en el Happy Dog.

—Se preocupa por ti —resaltó aquel hecho.

—Tú también, y no has sido una completa gilipollas.

—Sabes que en el fondo la quieres —lo dio por sentado, porque era una realidad objetiva—. Y también sabes que vas a perdonarla y que al final va a ceder. Le gustan demasiado tus abrazos.

—Pues no se los merece ahora mismo —dijo, firme en sus convicciones.

—Seguro que ya se está arrepintiendo de haberse comportado así, Olivia. —La castaña a veces funcionaba por impulsos y después le costaba la vida entera recular.

—Seguro, lleva diez minutos asomada a su porche y mirando hacia aquí con cara de pena. —Suspiró mirando fugazmente en dirección a casa de la pediatra.

Al escucharla, se giró para poder comprobar la veracidad de esa afirmación y localizó a Ronda observándolas desde la distancia. La castaña desvió su vista al saberse descubierta y ella reprimió una sonrisa. Era una completa imbécil a veces, pero había que quererla. Regresó a su posición anterior y observó a Olivia sonriendo de lado.

En ese preciso momento, sus tres teléfonos móviles sonaron a la vez y al consultar el suyo descubrió que había sido incluida en un nuevo grupo. Otro más para su colección y un intento de redención de la doctora Parker.

Ronda creó el grupo: «Los Monsters de Cleveland»
Aaron, Claire, Leo, Olivia, Ronda, Tú
RONDA: (Foto de seis entradas para el partido de los Monsters del próximo viernes)

Desvió su vista a Olivia, que también observaba el móvil en ese preciso momento y esperó su reacción.

—Es tan tonta. —Suspiró la farmacéutica sin dejar de mirar la fotografía.

Se levantó con decisión y, sin añadir nada más a aquella opinión general, echó a caminar hacia casa de la castaña. Aaron y ella se giraron para poder seguir el hilo de los acontecimientos.

Olivia no tardó más de un minuto en alcanzar el porche de su amiga y ella sonrió como una idiota al verla estrechando a Ronda entre sus brazos nada más llegar a su altura y sin darle tiempo a acompañar aquel documento gráfico con una disculpa verbal, porque entre ellas no hacía falta.

—Entiendo que estéis cabreadas —escuchó a Aaron a su espalda y se giró para mirarle—. No hice las cosas bien con Olivia.

Verdades como puños, y le dieron ganas de decirle que sí, que había sido un jodido cabrón, cobarde y egoísta. Aquel fue su primer impulso, pero se contuvo, porque antes no lo entendía y en aquel momento sí, cortesía de su viaje emocional al lado oscuro. Un *tour* completo en los ocho últimos meses, con todas las paradas y explicaciones en audio, en todos los idiomas. Un «podrías haber sido tú, así que no te lo creas tanto» que la inclinaba hacia la prudencia. Porque todos podemos ser jodidos cabrones, cobardes y egoístas alguna vez.

—A veces no es fácil hacerlas bien —reconoció jugueteando con el teléfono móvil entre sus manos.

—Supongo que no, pero no voy a volver a cagarla.

—No deberías, serías un gilipollas si la perdieras por segunda vez.

—Estoy de acuerdo —dijo el chico jugueteando con las manos.

Y esperaba que Olivia no estuviera equivocándose al darle una segunda oportunidad a aquel musculitos. Llevaban juntos apenas un par de meses y su amiga ya le miraba como en el 2018, si al final se caía, la hostia iba a ser espectacular. La morena lo resumía todo en un convencido «vivir es apostar», así que esperaba que no se arruinase por el camino.

—Ashley —el chico pronunció su nombre para llamar su atención—, no puedes cambiar esa primera impresión, pero puedes hacer que la segunda sea cojonuda —trató de aportar un rayo de esperanza a su negro futuro y ella le dedicó media sonrisa.

E iba a contestarle algo, un «gracias», seguramente, pero se vio interrumpida por la estridente voz de Ronda a sus espaldas.

—¡No me jodas que te han pillado los Lewis comiéndole el boquino a su princesita de cuento!

Oh, excelente. Las cosas volvían a la normalidad.

Y *me cago en la leche*, seguro que Olivia no había tardado ni medio segundo en perdonar su deleznable comportamiento, porque estaba deseando poder contárselo. Su mejor amiga y la mayor bocazas de la historia. Dos en uno.

***

Venga, Claire, que no es para tanto.

Y a lo mejor sí que lo era, pero unas cuantas lágrimas más no iban a matarla. Respiró hondo en el asiento trasero de aquel taxi que compartía con su madre, porque debían de estar a punto de llegar al InterContinental y aún no tenía ni idea de qué iba a decirle a su padre.

Sintió la mano de su madre estrechando la suya y la miró, forzando media sonrisa, después volvió a perder la vista por la ventanilla y se dedicó a observar las calles pasar ante sus ojos. Su hermano ya lo sabía, su madre ya lo sabía, así que se encontraba ante el último obstáculo. El último y, a simple vista, parecía inexpugnable. «La niña de sus ojos», aquel título la colocaba en una posición bastante comprometida, con sus ventajas y sus inconvenientes, le confería un extraño poder sobre la figura de su padre y un potencial para decepcionarlo de gigantescas dimensiones.

¿Qué estaría sintiendo él? ¿Qué se le habría pasado por la cabeza al verlas? ¿Qué iba a decirle? Se repetía una y otra vez que solo serían «palabras», pero es que, a veces, dolían demasiado, sobre todo si se las decía él. Una relación difícil y complicada, a lo mejor se resumía en que los dos tenían el potencial suficiente para dañar al otro de manera especial. A Arthur porque era su «niñita», y a ella porque no quería dejar de serlo.

—Ya estamos llegando, y quita esa cara que parece que vas al matadero —le pidió su madre mientras la sujetaba por la barbilla.

Le plantó un sonoro beso en la mejilla justo cuando el taxi paraba frente a la entrada del hotel y pagó al conductor dándole las gracias y apeándose del vehículo. Y no parecía que la tensión que le recorría el cuerpo entero a la mujer le afectara demasiado, como si no quisiera quitarle protagonismo, aunque agradecería que lo hiciera.

Atravesó la recepción del hotel tras los pasos de su madre y de nuevo su corazón aceleró el ritmo de sus latidos. Todo aquel estrés fisiológico terminaría pasándole factura y estaba perdiendo años de vida, seguro. Tener que decirle «Papá, estoy enamorada de una chica» era parte de un pasado hipotético, una anticipación terrorífica de las que no iban a convertirse en realidad, y había perdido mucho tiempo útil dándole vueltas cuando debería haberlo invertido en prepararse para aquello. Una nunca sabe cómo acertar.

Y subía en el ascensor pensando en qué demonios podía decir después de lo que sabía que había visto, a un par de pisos del «Esto es lo que hay, papá». Y esperar una reacción que no iba a llegar, estaba segura.

«Di algo».

Escuchó el timbre que anunciaba la llegada del aparato a la quinta planta, final del trayecto, al menos del suyo, porque una pareja de ancianos había presionado el botón del décimo piso y le daban ganas de irse con ellos. Ser otra persona por un rato y volver a reencarnarse cuando la tormenta hubiera pasado, de siempre le habían gustado más los climas soleados.

—Vamos, hija, que parece que tengo que llevarte con correa —la apremió su madre al notarla reacia a abandonar el ascensor.

Uf, qué mal rato estaba pasando. Y lo que quedaba iba a ser aún peor. Aquella noche estaba resultando muy diferente a como la había imaginado. Echaba de menos la comida china, a Darwin, a Cleo, a Ashley y el sexo. Un destino bien diferente y era necesario superarlo para seguir avanzando. Caminó hacia la habitación reservada por sus padres casi apretando los puños en un intento desesperado de mantener un mínimo control sobre su anatomía.

Claire, que sois adultos. Enfrenta lo que tengas que enfrentar y vete a casa a llorar.

Su madre golpeó la madera y escuchó sus pasos amortiguados por la moqueta, acercándose al otro lado de la puerta. Respiró hondo por última vez antes de encontrárselo frente a frente con el semblante muy muy serio. Se le endurecieron las facciones al encontrársela a ella allí y regresó al interior de la habitación sin saludar siquiera.

—Arthur, por favor, no seas crío —intervino su madre, la tomó de la mano y casi la arrastró tras ella dentro de la estancia—. Hemos venido a pasar un par de días con tu hija.

—He cambiado los billetes, nos vamos mañana a primera hora —anunció sentándose en un mullido sofá, frente a una televisión de plasma que retransmitía un partido de golf.

Y ahí estaba, como si no pudiera quedarse ni un segundo más en aquella ciudad, su capacidad de aguante no daba para tanto. Tenía la misma cara que el día que Tommy le dijo que era gay, con unas arrugas de más y unas pocas canas, pero el gesto era idéntico y todavía no la había mirado a los ojos ni una vez. Mantenía los suyos fijos en la pantalla.

—Por el amor de Dios, Arthur, sé que ninguno de los dos nos esperábamos esto —admitió su madre tomando asiento a su lado en el sofá, pero su padre no movió un músculo.

Avanzó un par de pasos, incapaz de quedarse quieta en un rincón, necesitaba que al menos reconociese que estaba allí. «Por favor, papá, mírame» y «Que te den por culo por ser tan gilipollas», los sentía a la vez y si pudiera, los gritaría al unísono.

—No quería que os enteraseis así —reconoció y su padre tensó la mandíbula—. Iba a contároslo.

—Arthur, ¿por qué no salimos los tres a cenar y hablamos tranquilamente? —sugirió su madre, tratando de mediar en la incómoda situación.

—Id vosotras dos, yo no tengo hambre.

Herméticamente cerrado, y cuando se ponía así era imposible llegar hasta él. Era muy frustrante y le ponía triste y de mala leche a la vez. Rabia, impotencia y nudo en la garganta. Eran viejos conocidos.

—Papá, me gustaría poder hablar contigo —lo dijo abiertamente, pero no consiguió remover nada en él. Al menos a simple vista—. Se supone que has venido hasta aquí para verme, ¿no? —lo intentó de nuevo, acercándose un poco más.

—Ya he visto suficiente —dijo, y fue su turno de tensar la mandíbula al escuchar su tono.

—Ni siquiera sabes lo que has visto —lo acusó, porque no tenía ni idea de lo que había pasado en su vida durante aquellos últimos meses—. No sabes quién es ella.

—No sé quién eres tú —aclaró su padre y esta vez sí que la miró—. Somos tus padres, Claire, y tenemos que venir hasta aquí si queremos enterarnos de lo que está pasando en tu vida.

—Ahora ya sabes lo que está pasando, ¿podemos hablarlo? —sugirió, y pospuso la digestión de aquel «no sé quién eres tú» para más adelante.

Su padre volvió a centrar su total atención en la televisión, aunque seguramente, en realidad, dedicaba su tiempo a intentar gestionar todo aquello. Le había tomado completamente por sorpresa e iba a tardar en conseguir colocarlo todo de nuevo en su sitio. Se dijo a sí misma que debía darle un respiro, ponerse en su lugar tan solo un momento, entender cómo era él y olvidar cómo le gustaría que fuese, porque no iba a cambiar a esas alturas y no aceptar eso le haría sufrir el doble.

Sopesando con frialdad sus opciones, la mejor de todas sería irse, dejar tras de sí un firme «es mi vida y me gusta así», y dedicarse a vivirla hasta que sonase el teléfono. Superar viejos hábitos y soltar esos lazos infantiles que la unían a aquella estúpida necesidad de aprobación. Si se quería ir al día siguiente, que se marchara; tal vez era mejor así, porque, de momento, no iban a sacar nada en claro y, si continuaba presionando, a lo mejor se encontraba con algún «No sé quién eres tú» más, o con otro «Ya he visto suficiente».

Quiso irse, pero se quedó ahí de pie, con aquel «¿Podemos hablarlo?» flotando en el aire y ganas de gritarle «¡Reacciona, joder!», porque estaba harta de tener que bailar a su son, y de respetar sus ritmos porque él no sabía adaptarse a los de los demás. Atrapada entre un inteligente «Dale su tiempo» y un imperativo «Necesito saber que todo va a ir bien».

—Di algo.

Se lo pidió escondiendo las manos en los bolsillos de su cazadora, porque no sabía qué hacer con ellas, e intentó innovar y mantener sus ojos secos por una vez en la vida, pero su padre permanecía con la vista fija en la pantalla de plasma, como en otro universo en el que el golf era lo más importante.

«De repente, el golf ya no era tan importante porque querías que te acompañara él».

¿Por qué tenía que ser todo tan complicado? Fracasó en eso de innovar y se restregó los ojos con el dorso de la mano, su madre la estaba mirando en un silencioso «Ya sabes cómo es, cariño» y, de paso, pidiéndole perdón por no saber hacerlo mejor.

Como un muro de cemento. Así era.

«Di algo, joder».

Y esa frase se repetía constantemente en su cabeza, pero no se molestó en pedírselo otra vez. Se dio media vuelta con el corazón aporreándole fuerte las costillas y con paso inseguro, dándose por vencida, porque no tenía mucho más que hacer allí. Y en el fondo esperaba que su padre reaccionara ante su retirada, que la llamase y dijera que sí a esa cena, y mantuvo la esperanza hasta el último momento. Abandonó el hotel aún esperando que apareciera tras ella.

Estúpida Claire Lewis.

Caminó unos cuantos metros, sin estar muy segura de haber seguido la dirección correcta, y tenía ganas de llorar como una idiota, pero no se lo permitió. Respiró hondo y pasados cinco minutos recuperó el teléfono móvil del bolsillo de la cazadora y buscó el contacto de Ashley. Dos tonos y el escuchar su voz le apretó un poco más el nudo de la garganta.

«No sabes quién es ella».

—*Ey, mi amor* —la veterinaria contestó al teléfono en tono extrasuave, a lo mejor porque suponía que las cosas no habían ido muy bien.

—Hola, Ash —saludó sorbiéndose la nariz, para terminar de confirmarlo.

—*¿Tan mal ha ido?* —preguntó, y ella sonrió ligeramente.

—Peor, pero es culpa mía por dejar que esto me siga afectando así. Mi madre ha dicho que pareces buena chica —añadió aquel detalle positivo por animarla un poco.

—*¿Y le has dicho que es todo fachada? Después no quiero sorpresas desagradables* —bromeó, y le sacó otra sonrisa.

«No sabes quién es ella», y lo peor era que no quería saberlo, porque le daba igual. Hasta que decidiera que ya era la hora de limar asperezas o hasta que fuera capaz de hacerlo, porque ya no sabía si su padre era así porque quería o porque no sabía ser de otra manera. Y la última opción no dolía menos, pero sí diferente.

—Le he dicho que eres increíblemente imbécil —dijo secándose los ojos con el dorso de la mano.

—*Muy buen resumen. ¿Has hablado con tu padre?* —lo preguntó, aunque era obvio que sí.

—Estoy volviendo del hotel. Ha adelantado los vuelos, se van mañana a primera hora. Dice que ya ha visto bastante. Me siento tan gilipollas por seguir intentándolo con él... —una confesión tan sincera que le quebró la voz—. Ash, voy a colgar, ¿vale? No quiero ponerme a llorar otra vez.

—*¿Dónde estás? Voy a por ti* —su chica se ofreció y le dieron ganas de decirle que sí, y que se diera prisa, pero ya le había hecho cambiar los planes bastante por un día.

—No te preocupes, cojo un taxi.

—No *seas tonta, no me cuesta nada ir* —insistió, a veces Ashley podía ser un poco cabezota en según qué cuestiones.

—Llegaré así antes a casa que si espero a que llegues tú.

Refunfuñó un poco, pero no le costó mucho convencerla de que era mejor de ese modo. Poco después, consiguió parar un taxi y le dio su dirección, eran casi veinte minutos de trayecto y se los pasó mirando distraída a través de la ventanilla. Sopesando cuestiones realmente trascendentes y dejándolas marchar inconclusas, arrepintiéndose de no haberle dicho que sí a Ashley. «Ven, porque necesito que me ayudes a no romperme o que me dejes romperme contigo».

Consultó su reloj cuando el taxi enfiló su calle, casi eran las once, se planteó pedirle al conductor que esperase un momento, lo justo para coger a Cleo y que las llevase a casa de Ashley, pero la vio primero. Estaba apoyada en la pared junto a su portal, consultando el móvil y con Darwin tumbado a su lado en el suelo. «Las grandes mentes piensan igual» o, tal vez, solo era que encajaban así de bien; a Ashley no tenía que pedirle que hiciera esas cosas, simplemente porque ella quería hacerlas también y le salían solas.

Pagó al taxista y para cuando salió del vehículo Darwin meneaba alegre la cola, porque ya se había dado cuenta de quién era la que se bajaba de aquel coche. Ashley también había estado atenta y se separó de la pared, avanzando un par de pasos hacia ella. Fue entonces cuando cayó en la cuenta de que en una de sus manos sostenía una bolsa con el logotipo de uno de los restaurantes chinos de la zona.

—Por eso te has dejado convencer tan fácilmente —la acusó y Ashley sonrió de lado.

—Te traemos comida china, pero si prefieres estar sola esta noche, Darwin y yo nos vamos —le ofreció aquella opción—. Sin rencores.

Quiso sonreír, porque era idiota, pero le encantaba que lo fuese. En vez de eso, recortó la distancia que las separaba y se refugió en el hueco de su cuello, estrechándola entre sus brazos y dejándose abrazar.

—Sí que te apetecía chino de verdad —observó Ashley, y ella sonrió contra el cuello de su chaqueta, aún con los ojos un pelín empañados, porque todavía no controlaba del todo bien aquellos altibajos emocionales.

Y a lo mejor el silencio de su padre tras aquel «Di algo» no era para tanto por mucho que doliera. Aspiró el familiar olor de la veterinaria y restregó la mejilla contra el material de su chaqueta. Ashley la atrajo con más fuerza contra su cuerpo en uno de esos gestos que la hacían sentir increíblemente segura y sintió cómo depositaba un beso sobre su coronilla.

«Di algo», ¿para qué?

Dijera lo que dijera, no iba a cambiar nada.

17

Animal instinct

La elección había sido un éxito y la película les había gustado a las tres, hasta Leslie había reconocido «no está mal», y *miss* Isaac Putón era bastante exigente con la vida en general y con el cine en particular. Holly había propuesto aquel plan tipo «cena-cine-copas» para la noche del viernes y no había dudado en apuntarse. Sus compañeras de trabajo le caían bien y necesitaba desconectar de todo por un rato.

Especialmente le preocupaban dos cosas: una, que al día siguiente era la fiesta de cumpleaños del padre de Ashley e iba a conocer a la familia de la veterinaria, y dos, que ya hacía un par de semanas desde la desafortunada visita sorpresa de sus padres a Cleveland y Arthur Lewis seguía en sus trece. Imposible de contactar, perdido en un mar de reuniones, juicios y partidos de golf. Su teléfono móvil desviaba las llamadas al buzón de voz una tras otra. Al menos las suyas.

Evidentemente, le preocupaban más cosas: el calentamiento global, el hambre en el mundo, la posibilidad de que cancelaran sus series favoritas en Netflix... Multitud de temas, la verdad, pero aquellos dos se llevaban el premio gordo en todas las categorías. Y en un primer momento a Ashley le había dicho que

499

estaba muy tranquila, pero comenzaba a ser un poco mentira, porque iba a ir su madre también y se los presentarían a todos de golpe. ¿Y si pensaban que era una sosa? Por regla general, le ponía nerviosa conocer gente nueva, y esa «gente nueva» en concreto era familia de su novia y necesitaba caerles bien, así que aquel encuentro en particular traía como extrapresión añadida.

—No sabes cómo me alegro de que a Joan la contratasen en Michigan. Eres mucho más divertida que ella —dijo Holly mientras daba un sorbo al segundo cóctel de la noche a través de una pajita rosa—. Nunca quiso salir con nosotras.

Habían cenado en un italiano, porque estaba cerca de los cines y Leslie tenía antojo de *tortellini* a la carbonara, así que todos salían ganando. Después de ver la película, Holly las había guiado hasta un local de moda no muy lejos de allí. Decía que servían unos cócteles increíbles, y ella nunca había sido mucho de beber, pero se dejó aconsejar por su amiga y aquel Cosmopolitan estaba riquísimo. Holly le había dicho que era una bebida afrodisiaca, así que era una lástima que no fuera a compartir cama con Ashley aquella noche.

—Joder, Holly, tenía sesenta años y artritis reumatoide, se movía por otros ambientes —aclaró Leslie.

—Aun así, Claire sigue cayéndome mejor.

Ella sonrió al escucharla, porque era bonito encajar, y «ser más divertida» que una señora de sesenta años con artritis reumatoide le levantaba a una el ánimo y la autoestima.

—¿Qué planes tenéis para el fin de semana? Max quiere que vayamos a la feria del automóvil y yo quiero morir. —Leslie aportó su grano de arena al nuevo tema de conversación.

—La hermana de Jeffrey ha tenido su quinto hijo, viven en Pittsburgh, así que mañana vamos a conocerlo —y Holly lo dijo como si no tuviese muchas ganas en realidad—. Cinco niños, en siete años, se reproducen como ratas.

Y a pesar de que sabía que tratar aquel tema iba a ponerla el doble de nerviosa, se vio obligada a compartir aquella información con sus compañeras. Sentido de la reciprocidad y buenos modales.

—Mañana es el cumpleaños del padre de Ashley. Van a celebrarlo con una barbacoa en su casa.

Nada más acordarse, le entraba sed de algo bien fuerte. Por mucho que se repitiera a sí misma que no podía ir tan mal, una parte de ella no terminaba de creérselo del todo.

—¿Vas a conocer a sus padres? —preguntó Leslie alzando una ceja—. La cosa se formaliza. ¿Estás nerviosa?

—No pensaba que lo estaría tanto.

—Son malos tragos que hay pasar, Lewis —intervino Holly—. Aún recuerdo la primera impresión que me dio la madre de Jeff, pensé que no me podría haber tocado una suegra peor y ella pensó algo parecido de mí.

Buf, las primeras impresiones. Esperaba poder causar una buena al día siguiente, y cada vez que recordaba la que se habrían llevado sus padres de la veterinaria le daban ganas de morirse un poquito. Pobre Ashley, una víctima pasiva de las circunstancias y de su necesidad de besarla y toquetearla a todas horas, hasta en plena calle.

Maldita sea, Lewis.

—¿Cuándo cambiasteis de idea? —se lo preguntó en busca de un hilo de esperanza, un testimonio en vivo de la posibilidad de enmendar errores.

—Nunca. No me podría haber tocado una suegra peor y yo le caigo tan mal como el primer día.

Y siguió chupando de su pajita como si no pasara nada. Menudo cuajo o la fuerza de la costumbre, llevarse fatal con su suegra a Holly no parecía quitarle el sueño.

—¿Y cómo lo llevas? —tuvo que preguntarlo.

Le dieron ganas de añadir «¿cuál es tu secreto?», porque se la veía realmente relajada y en paz con aquella mutua animadversión, y ella llevaba dos semanas enteras dándole vueltas en su cabeza al desastre que supondría el posible rechazo a la veterinaria por parte de su padre. ¿Ashley estaría tan tranquila si jamás consiguieran llevarse bien? ¿Lo estaría ella?

—Bueno, costó al principio, pero hemos encontrado nuestro equilibrio.

—¿Cómo? —quiso profundizar, porque eso del equilibro le sonaba muy bien y a lo mejor le servía más adelante.

—Con un simple y efectivo mantra: «Su mínimo es mi máximo».

—Increíblemente críptico —opinó Leslie.

—Y tremendamente sencillo al mismo tiempo —aseguró Holly—. Es muy simple, si mi suegra pide tres, pero sé que se conforma con uno, no le voy a dar dos. «Su mínimo es mi máximo». Las Navidades pasadas su mínimo era que comiésemos con ellos en Año Nuevo, así que ni me vio el pelo en Nochebuena. El contacto estrictamente necesario y mucha diplomacia.

«Su mínimo es mi máximo». Un concepto interesante que tal vez merecería la pena explorar llegado el caso. Era evidente que la relación que Ashley pudiera llegar a establecer con su padre iba a ser diferente a la que el hombre mantenía con Nick. No iban a conversar durante horas ni quedarían para jugar al golf.

Y no sabía si el Cosmopolitan tenía algo que ver, pero la idea no le disgustaba tanto como antes, porque a Holly y a Jeffrey no parecía irles tan mal, así que a lo mejor había vida más allá de aquella incompatibilidad de caracteres. Flexibilizando aquella idea de exclusión de opuestos, tan solo tendrían que encontrar el equilibrio perfecto. Combinar el mínimo de su padre con el máximo de Ashley y acostumbrarse al resultado.

Seguramente conllevaría esfuerzo por parte de todos los implicados y no era la situación ideal, pero tanto Ashley como Arthur tendrían que hacerlo, porque ella no estaba dispuesta a perder a ninguno de los dos.

***

«51, los nuevos 25»
Megan, Nathan, Papá, Tú
PAPÁ: ¿Que Claire venga el día de mi cumpleaños significa que vais en serio?
ASHLEY: Que Claire vaya el día de tu cumpleaños no significa nada.

NATHAN: Tenéis la misma foto de perfil de WhatsApp.

NATHAN: El equivalente a un anillo de compromiso en el siglo XXI.

ASHLEY: ¿En serio? No sé si a Kate le haría la misma ilusión…

NATHAN: ¿Cómo coño sabes lo de Kate?

MEGAN: Nathan, esa boca.

NATHAN: ¿Cómo **** sabes lo de Kate?

ASHLEY: Por tu anillo de compromiso, es muy revelador. ¿Viene mañana?

NATHAN: Por supuesto que no.

PAPÁ: A Nathan le da vergüenza que la conozcamos.

NATHAN: En este caso el orden de los factores sí que altera el producto, Darren.

PAPÁ: Menudo manejo de las mates.

PAPÁ: ¿Cómo es que no has llegado al tres y medio en el final?

NATHAN: Puede que suene a excusa barata.

NATHAN: Pero la profe me tiene manía porque sé más que ella.

ASHLEY: ¿Kate sabe que eres así de fantasma?

NATHAN: No. ¿Y Claire lo de tu colección de revistas porno?

MEGAN: Nathan, déjalo correr… sabemos que son tuyas.

MEGAN: Estaban debajo de tu cama.

MEGAN: Y has firmado en la primera página de todas.

PAPÁ: *Playboy*, *Hustler*… serían un gran regalo de cumpleaños.

ASHLEY: Estaba entre eso y un andador.

PAPÁ: Sigue así y puede que Claire tenga que venir sola.

NATHAN: Interesante, vía libre…

ASHLEY: Relájate, casanova, Claire es mucha mujer para ti.

NATHAN: ¿Te asusta la competencia, «hermanita»?

ASHLEY: Me asustaría si la tuviera.

ASHLEY: Por cierto, es casi la una, se te ha pasado la hora del bibi hace un rato.

MEGAN: Apaga la luz y a dormir, que mañana tienes partido.

NATHAN: Ashley, asegúrate de que llegáis pronto, que le voy a dedicar la victoria a tu nena.

ASHLEY: Adelante, yo le voy a dedicar esta foto a la tuya.

ASHLEY: (Foto de Nathan dormido en el sofá con la boca abierta)

503

PAPÁ: «Guardar en galería».
NATHAN: Hija de ****.

Sonrió satisfecha y dejó de nuevo el teléfono sobre la mesilla, dispuesta a continuar con la lectura de aquella novela que le había prestado Ronda, aunque para ser tan «increíblemente alucinante» era también un poco coñazo. Olivia y ella habían ido a cenar a casa de la castaña, sin parejas, porque Leo estaba de guardia, Aaron en un partido de *hockey* y Claire con sus amigas del trabajo. Noche de solteras, y Ronda se había quedado dormida en el sofá antes de que dieran las nueve y media, intenso babeo incluido. La doctora Parker era todo *sex appeal*, así que a eso de las once le habían pintado un gracioso bigote con las puntas en espiral. Documentaron el momento con una surtida galería de fotos, por si las necesitaban en un futuro, y después se habían largado sin mirar atrás.

Así que había terminado sola en su cama a las once y media, y no podía dormir. Porque Claire iba a conocer a su familia al día siguiente y la vergüenza casi la invadía por adelantado, entendía perfectamente a Nathan en ese sentido. Y su madre iba a acudir también, inconvenientes de que fueran divorciados bien avenidos, porque toda aquella tradición de acudir a las fiestas de cumpleaños del otro la iniciaron nada más separarse y «por ella», pero en la actualidad lo seguían haciendo porque les daba la gana y no sabía de cuál de los dos se fiaba menos.

Estaba planteándose seriamente apagar la luz para intentar dormir de nuevo cuando el móvil vibró a su lado en la mesilla. Como fuera Nathan insinuando más gilipolleces acerca de un intento de acercamiento pervertido a su novia iba a verse obligada a hacer pública aquella foto. Sonrió al comprobar que el mensaje en cuestión había llegado a su conversación con Claire.

«Claire Lewis»
En línea
CLAIRE: (Foto de su escote enmarcado tan solo por un sujetador negro)

Madre de Dios.

Es que no se había esperado eso y la reacción de su cuerpo la pilló un poco por sorpresa y tardó en procesarlo al completo. Aquel súbito calor en su bajo vientre era totalmente involuntario y puramente físico, una reacción refleja ante el estímulo de su anatomía.

ASHLEY: Arriesgado mandar una foto así por WhatsApp.
ASHLEY: Teniendo en cuenta tu accidentada relación con las tecnologías...
CLAIRE: He borrado el resto de conversaciones abiertas y me he tomado un Cosmopolitan.
CLAIRE: Holly dice que es afrodisiaco.
ASHLEY: Eso lo explica todo.
CLAIRE: ¿Qué estás haciendo ahora mismo?
ASHLEY: Ponerme jodidamente cachonda con el rumbo que está tomando esta conversación.
ASHLEY: ¿Qué estás haciendo tú ahora mismo?
CLAIRE: Recoger las cacas de Cleo, ha hecho un poco de diarrea, la pobre.

Y sonrió al leer aquella respuesta tan poco erótica. Joder, que podía haber esperado a estar de nuevo en casa para mandar aquella fotografía e informarle de su viaje al maravilloso mundo de los cócteles afrodisiacos. Claire Lewis era una cortarrollos, sí, pero increíblemente sexi.

ASHLEY: Cómo sabes lo que me gusta, nena.
CLAIRE: Imbécil, no sabía que ibas a ponerte cachonda tan rápido.
ASHLEY: Entonces no me conoces en absoluto.
CLAIRE: Creí que al menos me daría tiempo a sacar a Cleo.
ASHLEY: Repito, no me conoces en absoluto.
CLAIRE: ¿Puedes esperar un poco más? Ya casi estamos volviendo.
ASHLEY: ¿Y quién te dice que no he dejado de esperar ya?

CLAIRE: Escribes demasiado rápido para estar haciéndolo con solo una mano.
ASHLEY: Años de práctica, Lewis.
CLAIRE: Siglos de mentiras, Woodson.
ASHLEY: Milenios de «no puedo dejar de mirar tu jodida fotografía».
CLAIRE: Eones de «esa era la idea».
ASHLEY: Mierda, Claire, te tengo muchas ganas.

Simple y cierto. Todo al mismo tiempo.

Llevaban saliendo casi tres meses y de la novedad ya no quedaba nada de nada. Eso de descubrir cómo era la rubia en los aspectos más íntimos se había quedado anticuado desde hacía tiempo, y en el presente lo sabía muy bien. Conocía lo que le gustaba, cuándo le gustaba y cómo le gustaba, y sabérselo tan bien a ella le gustaba demasiado. Ambas habían mejorado mucho en conocimiento y en práctica. Follar con Claire había sido increíble desde el principio, pero es que el sexo oral dejó de ser una asignatura pendiente para la rubia hacía mucho tiempo y desde entonces ella era aún más feliz.

CLAIRE: Fue idea tuya lo de dormir cada una en su casa hoy.
ASHLEY: En ese momento parecía lo más inteligente.
ASHLEY: Tú habías quedado con Pitagordas y con *miss* Isaac Putón...
ASHLEY: Yo iba a cenar con Olivia y con Ronda...
CLAIRE: ¿Y ya no lo parece?
ASHLEY: Después de esa foto no puedo pensar con claridad.
CLAIRE: (Foto de cuerpo entero sobre la cama tan solo en ropa interior)

Bufff, le daban ganas de coger el coche, plantarse en su casa sin más y quemar el automático hasta que la dejara subir a demostrarle lo que pensaba de su última instantánea. Porque pensaba muchas cosas y seguro que iban a gustarle todas. Por Dios, las curvas de aquellas caderas. Es que la habían idiotizado desde el principio, y se moría por recorrerlas a base de besos, disfrutar de cada milímetro hasta llegar a su costado y que Claire riera porque le hacía cosquillas. Se revolvió bajo las sábanas, víctima de un instinto tan jodidamente primitivo que a veces le daba hasta vergüenza.

ASHLEY: Claire, en serio, te tengo muchas ganas ahora mismo.
CLAIRE: Claire 2, Ashley 0. No parece muy justo.
ASHLEY: Para ti no.
CLAIRE: Arréglalo.

«Arréglalo». *Santo Cristo.*
Todo aquello era un pelín nuevo, porque a eso no habían jugado nunca. Bendito fuera el Cosmopolitan y sus propiedades afrodisiacas. La excusa que se había buscado Claire para enredarla aquella noche, como si necesitase una, como si no supiera que ella estaba más que dispuesta a dejarse enredar. Aquello de tontear a través del teléfono y esas putas fotografías le estaban gustando tanto que al final habían dejado de servirle. Un «necesito mucho más que masturbarme pensando en ti» invadía hasta el último resquicio de su consciencia. Más, necesitaba mucho más y a ella gimiéndole al oído. Es que no iba a valerle cualquier otra cosa.

Una locura. Una puta locura y su primera vez, porque estaba planteándoselo en serio y estaba justo en la mitad de un «sí» y un «no». Disputaban un apasionado debate, cada parte con sus razones, cuando Claire envió la siguiente instantánea de la noche.

CLAIRE: (Foto de su mano perdiéndose bajo su ropa interior)
CLAIRE: ¿Qué quieres que haga?

Joder, Claire.
En aquel caso, definitivamente, a la tercera iba la vencida.

ASHLEY: Esperar.

Casi antes de haber terminado de teclear aquel último mensaje estaba fuera de la cama, cambiándose de ropa a la velocidad del sonido y murmurando entre dientes: «Espera, Claire, que va a merecer la pena». Con la sudadera a medio colocar, trató de salir de la habitación mientras se calzaba con unas deportivas, y tropezó un par de veces por las prisas o por la descoordinación fruto del momento. Aun así, bajó las escaleras de dos en dos, les sacó una foto a las llaves del coche y se la envió a su novia tras aquel críptico «Esperar». Una aclaración bastante gráfica, en su humilde opinión.

Claire 3, Ashley 1. Pero ganaba ella, seguro.

***

A aquellas horas de la madrugada no había apenas tráfico y menos mal, cada vez que pensaba que había salido corriendo de su casa, literalmente corriendo en mitad de la noche, porque una chica la había calentado al teléfono se decía a sí misma «¿En serio, Ashley?», pero el listillo de su subconsciente contestaba «Es que es Claire. ¿Tú has visto ese cuerpo?» y aquella carrera contrarreloj hacia el piso de la rubia tenía todo el sentido del mundo, porque sí que lo había visto. Y lo necesitaba cerca, muy cerca y estrellarse contra esos labios.

Diez minutos después llamaba al automático con mucha prisa y casi dando saltitos para quemar un poco de adrenalina y contener de algún modo aquella necesidad de «ya, ya, ya, joder, lo quiero ya».

—¿En serio has venido corriendo de madrugada a mi casa? —Su voz denotaba un ligero tinte divertido, sobre una firme base de activación sexual, y la mezcla era jodidamente interesante.

—Sí, en serio —confirmó mirando a la cámara del automático—. Y a ti te encanta que lo haya hecho.

—Estás completamente loca —dijo la rubia y ella sonrió de lado.

—Sí, ábreme —exigió dando un par de saltitos más.

—¿Por qué debería? —preguntó, juguetona, poniéndola a prueba.

—Porque tienes tantas ganas como yo.

Su teléfono móvil vibró en el bolsillo de su sudadera y estaba segura de que era Claire, de modo que sonrió una vez más al jodido automático y comprobó su mensaje.

«Claire Lewis»
En línea
CLAIRE: (Foto de todo su cuerpo y sin sujetador)

Hostia puta.

Es que como no abriese ya era capaz de tirar la puerta abajo a empujones, al menos lo intentaría, y aunque el fracaso era altamente probable y la posibilidad de romperse un brazo, el hombro o la clavícula por el camino bastante importante, merecería la pena darse una oportunidad.

—Mierda, Lewis, abre —exigió de nuevo.

El corazón le estaba haciendo polvo las costillas.

—De repente tengo expectativas muy elevadas. No me decepciones —lo escuchó justo antes del pitido que le daba acceso al edificio.

Se dirigió al ascensor con mucha prisa y poquísima paciencia, así que esperó diez segundos antes de iniciar el ascenso por las escaleras. Joder, era incapaz de estarse quieta ni media décima de segundo ante aquel «No me decepciones» y sus elevadas expectativas. Le daban ganas de responderle «tú no te preocupes por eso» con mucha chulería.

Jugaban con la parte más física como jugaban con todo, y Claire le seguía la corriente increíblemente bien. Una atracción brutal en todos los sentidos disfrazada de aquel tira y afloja que a las dos les gustaba tanto. Y es que la rubia iba a recibirla semidesnuda en la puerta de su piso, pero en lo primero en lo que ella iba a fijarse era en su jodida sonrisa y se la iba a devolver, porque aquellos gestos eran la parte tangible de la conexión más intensa que había sentido en su puta vida.

Justo cuando llegaba a la puerta de su piso, Claire la abrió sin darle la oportunidad de llamar al timbre y le dedicó la sonrisa en la que pensaba antes, así que se la devolvió según lo previsto. Un pequeño terremoto interno.

—Ya era hora, te estaba esperando.

Desvió la vista, abandonando su rostro, hacia abajo y la paseó por sus pechos, desnudos e increíblemente bien puestos. Aquellas curvas le hacían cosas muy muy intensas a su organismo al completo. Le aceleraban la tasa cardiaca y le dificultaban respirar con normalidad. Dio un paso al frente, invadiendo su piso y su espacio personal, y cerró la puerta. Colocó las manos en sus caderas y la acercó a ella, aún desgastando aquellas curvas con la mirada. Joder, de verdad, aquel cuerpo le gustaba demasiado y, por el sutil movimiento de sus pechos, Claire también estaba teniendo problemas serios para mantener la respiración bajo control.

Acarició sus costados, observando lo que hacían sus propias manos porque le encantaba verlas recorriendo cada milímetro cuadrado de su anatomía, sumando sentidos a la mezcla, tacto y vista fusionados, después vendrían todos los demás. Sin dejar de mirar, deslizó las manos hacia su baja espalda, y Claire se estremeció ligeramente y se acercó más a ella al notarlas ahí. La profesora sujetó los cordones que asomaban por la capucha de aquella sudadera y tiró de ellos, lo justo para cerrar el espacio entre sus labios.

Joder, su boca, la forma en que sabía besarla de la mejor manera posible cada vez, como si calibrara el momento y calculase parámetros, la firmeza correcta, el ritmo perfecto y la punta de su lengua tanteando el terreno. Le daba vergüenza admitirlo, pero solo con aquel beso ella se mojó un poco más. Descendió con sus manos hasta cubrirle el culo con las palmas abiertas y las terminaciones nerviosas a pleno rendimiento. A Claire se le descompensó la respiración en ese preciso momento y ella gruñó suave contra su boca, presionándola contra sus caderas a la vez que profundizaba el beso. Y todo comenzó a intensificarse a su alrededor, el calor, sus sonidos y sus movimientos.

La empujó con suavidad para alejarse de la entrada mientras continuaba besándola y desgastándole el trasero a base de caricias.

—Claire... —lo jadeó contra su boca y la rubia le mordió el labio inferior.

—Ashley... —correspondió finalizando su nombre con un pequeño gemido al sentir cómo sus manos la apretaban de nuevo contra sus caderas.

—¿Has esperado? —preguntó antes de lamerle el cuello y atrapar el lóbulo de su oreja entre los dientes.

Cada vez que se acordaba de aquella última foto se moría un poco más por dentro. Su novia se retorció contra su cuerpo, la tomó por la nuca con una mano y ladeó la cabeza para permitirle hacerlo todo mucho mejor, pero no contestó. Se separó un poco y la miró a muy corta distancia, aún con la pregunta flotando en el aire. Cuando conectaron sus ojos, Claire alzó una ceja en un gesto jodidamente sexi que básicamente proclamaba «No, lo siento, me he tocado pensando en ti, así que pierde el control ya».

Bufff, la temperatura aumentó de golpe y su interior reaccionó en cadena. Eso de perder el control estaba hecho. Gruñó un «Mierda, Lewis» con uno de los tonos más roncos que había utilizado jamás y atacó su boca a lo bestia, de forma descuidada y pasional. La empujó con fuerza contra la pared y ella gimió sujetándose a su cuello.

—Te falta paciencia —la acusó.

Cubrió uno de sus pechos desnudos con la mano y lo apretó, la escuchó jadear contra su oído y sintió cómo movía las caderas hacia ella. La ayudó presionándola contra la pared y Claire correspondió el gesto colando las manos en los bolsillos traseros de sus pantalones para acercarla aún más. Joder, es que su novia parecía estar lista para todo a juzgar por su lenguaje no verbal.

—A ti te sobra hablar —lo dijo tomando una de sus manos y guiándola entre sus cuerpos, hacia la cintura de su ropa interior.

Ella tuvo que gemir contra su hombro, porque cuando la obligó a colarla dentro pudo notar que estaba muy mojada y la sintió resbaladiza y caliente entre los dedos. Cuando Claire se ponía en ese plan ella lo perdía todo de vista, de verdad. En lo único en lo que podía pensar era en un primitivo y poco delicado «Fóllatela ya». Las fotos, sus insinuaciones, lo bien que olía y aquella actitud demandante.

La miró, mordiéndose el labio inferior con fuerza, y Claire dejó escapar todo el aire de sus pulmones de forma entrecortada mientras le sostenía la vista. No sabía exactamente cómo la estaría observando, pero a la rubia pareció excitarla el doble y entonces movió la mano con delicadeza entre sus pliegues, sin dejar de mirarla. Su novia cerró los ojos, inclinó la cabeza hacia atrás y gimió de una forma jodidamente porno, en serio, casi le fallaron las piernas al escucharla.

Le bajó la ropa interior y la profesora la ayudó a deshacerse de ella, después le permitió sujetar una de sus piernas a la altura de sus caderas y volvió a estimularla con su mano libre. Joder, un acceso bastante más fácil de ese modo. Se apretó contra ella y contra su propia mano, buscando algo de alivio. Se movió lento y la besó muy húmedo en la barbilla.

—Me pones tan cachonda, Claire.

Lo susurró contra su boca mientras la penetraba con dos dedos y sonrió al ver cómo su novia fruncía el ceño y se mordía el labio inferior al sentirlo. Soltó otro de esos gemidos suyos, mezcla de placer, ganas y «hazlo fuerte», y era muy probable que ella se corriera en el proceso con esos antecedentes. Es que Claire no la había tocado aún y la presión en su entrepierna y en su bajo vientre era ya insoportablemente increíble. La profesora comenzó a moverse contra sus dedos, hacia arriba y hacia abajo, y al principio se limitó a seguirla, acompañándola en aquel ritmo mientras le besaba el cuello, pero aquellos jadeos estaban taladrándole el cerebro a lo bestia. Y a Claire parecía estar gustándole mucho, pero se sintió en la obligación de hacerle disfrutarlo un poco más.

Aumentó la fuerza de sus movimientos, penetrándola más profundamente y perdiendo la delicadeza por el camino; a cambio obtuvo un gemido ronco e intenso, seguido por otros iguales que acompañaban el ritmo de sus dedos, y Claire se aferró a su cuello con fuerza. De repente, aquellos sonidos golpeaban directos en su oído, sin filtros ni nada, y ella se iba a morir. Continuó un poco más, entregándose al cien por cien a la causa y conteniendo aquella imperiosa necesidad de mover las caderas contra su cuerpo, porque sabía que no aguantaría ni un solo vaivén. La rubia resopló por la intensidad del momento, tomó su cara entre las manos y la besó de forma torpe y brusca, casi a la desesperada. Poco después se encontró con el azul de sus ojos, cargado de algo muy pesado y adictivo, y gruñó penetrándola con fuerza una última vez mientras le sostenía la mirada. Claire frunció el ceño, contrariada y sin comprender muy bien por qué demonios paraba cuando ella sacó lentamente los dedos de su interior.

—Ven conmigo —lo pidió a media voz, acariciando sus pliegues mientras la besaba lento, con el lugar perfecto en mente.

Claire intensificó el beso, en aquellos momentos las delicadezas no debían valerle mucho, y la despojó de su sudadera. Iba siendo necesario porque allí hacía más calor que en el puto infierno y, en vez de complacer su «ven conmigo», la rubia le dio la vuelta a la situación y la empujó sin contemplaciones hacia el sofá, desabrochándole los pantalones por el camino. Claire le sonrió mientras le bajaba la cremallera y ella jadeó devolviéndole el gesto y besándola con ganas antes de que se agachara frente a ella para poder deshacerse de la prenda. Antes de incorporarse de nuevo, la profesora lamió por encima de su ropa interior y ella cerró los ojos, aquella imagen era mucho más de lo que podía soportar en ese momento.

Lo siguiente fue un beso jodidamente sexi, porque Claire llevaba la voz cantante y la sujetaba posesivamente por la nuca. Atrapaba sus labios de forma exigente y necesitada, y sintió su otra mano acariciándola por encima de la ropa interior. Gimió contra su boca y, casi antes de haber terminado, la chica la empujó sobre el sofá sin muchas contemplaciones.

Mierda, ¿era normal que todo aquello la pusiera tan cachonda?

No pudo pensar mucho más, le resultaba muy difícil razonar cuando su novia la miraba de aquel modo, y sus pulsaciones se dispararon cuando se sentó a horcajadas sobre su abdomen, moviéndose de aquella forma increíblemente sensual; es que aquella faceta de Claire le encantaba, la volvía loca y le ponía cachonda a partes iguales. Sexi, pero nada nuevo, lo inesperado fue lo que hizo a continuación. Su excitación se elevó al máximo, rozando el límite de la incompatibilidad con la vida, cuando sintió sus manos colocándose sobre sus hombros y empujando hacia abajo, instándole a deslizarse bajo su cuerpo con un objetivo bastante evidente.

Por favor, que fuera eso, porque si no, iba a llorar de pura frustración. Se lo había enseñado y ella quería el puto caramelo. Habían hecho muchas cosas en la cama, pero aquella en concreto la tenían pendiente y, si le preguntaban a ella, aquel era el momento ideal para tacharla de su lista.

Bufff... la visión del abdomen y los pechos de Claire desde aquella perspectiva le recordaba lo lejos que le pillaba a ella la heterosexualidad. *Me cago en la leche.*

Sus miradas conectaron en ese momento, justo cuando la rubia se acomodó sobre su pecho, con las piernas flexionadas a ambos lados de su cabeza, le acarició la mejilla en un gesto cómplice, muy a su estilo, y ella giró la cara, lo justo para poder besar el interior de uno de sus muslos como respuesta.

—Mierda, Ash, no he hecho esto nunca, pero me muero por hacerlo contigo —lo confesó acariciándole el pelo.

¿Perdona? ¿Qué nadie le había hecho aquello nunca? Claire tenía veintiséis y casi diez años de actividad sexual a sus espaldas, ¿y era su primera vez en esa postura? Joder, y el mundo seguía girando como si nada, haciendo caso omiso a aquel jodido sacrilegio.

—Yo lo he hecho alguna vez, pero también me muero por hacerlo contigo. —Sonrió cuando la profesora le obsequió con una suave bofetada, al escucharla hacer referencia a sus anteriores experiencias. Ella le besó la mano—. Adelante, no te arrepentirás —aseguró mostrándole su lengua juguetonamente y le gustó verla reír, porque parecía un poco nerviosa por la novedad.

—Imbécil. Si te hago daño, dímelo —pidió y le pareció jodidamente mona.

Mantuvo sus miradas conectadas y le acarició los muslos con ambas manos, deslizándolas después hasta su culo. Se sentía tan bien bajo sus palmas que casi era una blasfemia el no poder estar tocándolo todo el puto día. La rubia se mordió el labio inferior en cuanto ella la invitó a moverse un poco hacia delante, hacia su boca y, cada vez que la veía hacer eso, se mojaba un poco más. De repente sus manos la sujetaban por la cabeza y la vio elevar las caderas, de forma insegura, pero extremadamente erótica.

Decidió incorporarse un poco, para poder recorrerla con la lengua, y la escuchó soltar un «Ashley» en aquel tono ronco tan excitante. Apoyó de nuevo la cabeza sobre los cojines y esta vez Claire sí que se decidió a bajar, buscándola, y ella la lamió muy despacio mientras la sujetaba por las caderas y viviendo el momento de pleno; la suavidad de sus pliegues contra su lengua, su sabor y la forma en que comenzó a moverse cuidadosamente sobre ella; sus manos enredándosele en el pelo, aquellos gemidos apenas audibles y la puta cara que estaba poniendo Claire. Un *mindfulness* sexual cojonudo.

Tras centrarse unos segundos en su clítoris, volvió a lamerla entera, esta vez con más fuerza y los movimientos de sus caderas se hicieron más evidentes. Gimió porque le ponía muy cachonda cuando su novia se movía así sobre su abdomen o sobre sus dedos, pero ¿estimulándose así contra su boca? Joder, tendrían que inventar una nueva palabra para describir lo que le hacía, porque las disponibles se le quedaban bastante cortas.

—Sigue, mi amor —Claire se lo pidió acariciándole el pelo y casi sin voz, y después gimió al notar su lengua adentrándose en ella—. Ashley, un poco más.

«Un poco más», y casi sonrió para sus adentros mientras se derretía ante su «mi amor». Le encantaba ser el «mi amor» de

Claire y seguro que la rubia sabía que estaba dispuesta a dedicar su vida entera a hacerla gemir de esa manera.

Terminó centrándose en su clítoris e intensificó el ritmo cuando la escuchó musitar tres «Oh, joder» llamativamente seguidos, mientras se movía de forma condenadamente sexi contra su boca, buscando con desesperación el contacto de su lengua. Todo aquello la estaba poniendo tan cachonda que deslizó la mano derecha dentro de su propia ropa interior y comenzó a estimularse, gimiendo contra la intimidad de la profesora. Claire iba a correrse ya, y la única pega que le encontraba a aquella postura era que no podía verle la cara mientras lo hacía. La sintió tensarse sobre ella, y un último movimiento de sus caderas contra su boca mientras se aferraba a su pelo acercándola más aún, y tuvo que acompañar aquel lento gemido con uno de los suyos porque estaba a punto de correrse ella también. Claire inclinó la cabeza hacia atrás, mirando al techo mientras recuperaba el ritmo de su respiración. Ella enlenteció los movimientos de su mano bajo la ropa interior, porque quería poder verle la cara, su jodido fetiche.

La miró mientras se levantaba del sofá, y se le dispararon las pulsaciones cuando se arrodilló en el suelo a su lado. Se inclinó sobre ella y atrapó sus labios en un beso húmedo que la impulsó a retomar el ritmo de su autoestimulación, pero Claire deslizó la mano por su brazo y sujetó la suya, impidiendo que continuase moviéndola. Le mordió el labio inferior antes de separarse ligeramente de su boca para mirarla desde más cerca.

—Ash, saca esa mano de ahí y siéntate —lo susurró en tono ronco y contra sus labios, apretándole la mano.

Joder.

De verdad que le encantaba que el sexo oral hubiera dejado de ser una de las asignaturas pendientes de Claire.

***

Gracias a la improvisada visita de Ashley de la noche anterior habían tenido que madrugar más de lo previsto aquella mañana para llegar a tiempo a la final de baloncesto de Nathan, porque antes tenían que pasar por casa de la veterinaria a sacar a Darwin.

Dios, Ashley. Es que había corrido literalmente a su piso de madrugada con su increíble sonrisa y aquella mirada de «ábreme, porque no aguanto más», y a ella le había encantado que lo hiciese. No había sido tan intenso con nadie antes, aquella mutua necesidad de sentirse y la manera que tenía Ashley de demostrárselo a cada paso. Superapasionada, así era la veterinaria también y había que sumárselo al «imbécil», «atenta» y «divertida» para obtener su perfil completo. Se había despertado antes aquella mañana y había sonreído como una idiota al descubrirla profundamente dormida a su lado. La noche anterior había sido muy muy interesante y seguro que la había dejado un poco agotada.

Loca. Estaba completamente loca por la chica que sujetaba su mano mientras ambas caminaban hacia el polideportivo donde se disputaba aquel partido. Acababan de dejar el coche unos metros atrás en uno los aparcamientos públicos de la zona.

—Diez minutos para el impacto —dijo la veterinaria mientras la miraba con una ceja alzada—. ¿Estás nerviosa?

—Me estás poniendo nerviosa tú —la acusó y sonrió cuando vio cómo ella lo hacía primero.

—Lo siento. No te quedes a solas con Nathan y todo irá bien.

Ashley la había puesto sobre aviso de la molesta y hormonada personalidad adolescente de su hermanastro, y la descripción le había sonado a cualquiera de sus alumnos del instituto, así que el manejo de aquel chico no le preocupaba demasiado. Años enteros de práctica.

Unos metros después giraron a la derecha y se encontraron de frente con el edificio al que se dirigían. Había bastante gente en la entrada, algunos ataviados con la camiseta del equipo que esperaba que ganase la final. Se le aceleró un poco el pulso, porque ya casi estaban. Se repitió un mensaje de relax, un llamamiento a la calma, porque no era la primera vez que iba a conocer a la familia de una pareja, pero aquellos nervios impertinentes seguían apareciendo sin consultar su disponibilidad para atenderles.

Tiró de la mano de Ashley justo cuando estaban a punto de entrar, necesitaba un par de minutos para tomar aire, y su novia se giró hacia ella al notar que paraba su avance.

—¿Cuántos años cumplía tu padre?

—Cincuenta y uno —se lo repitió por quinta o sexta vez y tiró de su mano para acercarla a su cuerpo—. No tienes tan mala memoria, Lewis, eres el puto prototipo de la nuera perfecta, les vas a encantar.

—¿Y qué prototipo es ese? —Frunció el ceño al escucharla y Ashley sonrió de lado.

—Amable, responsable, dulce, inteligente, divertida, guapa... —enumeró lo que en apariencia creía que la definía y atrapó sus labios en un beso suave—. Increíblemente sexi y jodidamente buena en la cama —añadió contra su boca.

Le golpeó el brazo riendo y Ashley volvió a besarla mientras le sujetaba la mano contra el pecho. Enseguida se separó y le regaló una de esas sonrisas por las que estaría dispuesta a morir en cualquier momento. Aquella en particular transmitía un «tranquila, que todo va a ir genial», parecía tan sincera, que se la creyó y dejó que su novia tirase de su mano hacia el interior del polideportivo.

El partido no había empezado aún y ambos equipos calentaban en mitad de la cancha, haciendo chirriar el material de sus deportivas contra la pulida superficie y tirando a canasta una y otra vez. Paseó la mirada por las gradas y estaban repletas de gente, menuda afluencia de público, en su mayoría serían familiares de los jugadores, pero, aun así, un gigantesco poder de convocatoria.

Ashley llamó a su padre para que le informara de su paradero exacto y acelerar así el proceso de encontrar sus asientos. Buf, su estómago estaba haciéndole cosas muy raras y sus pulsaciones se negaban a descender ni un poquito, de hecho, aumentaron ligeramente cuando escuchó a su novia pedirle a

Darren que le explicara con exactitud dónde estaban Megan y él. Respiró hondo observando cómo Ashley paseaba la vista por las gradas con el móvil al oído.

—Ya te veo —confirmó al teléfono—. Ya te veo, puedes sentarte —repitió una vez más y cuando siguió el curso de su mirada localizó a un hombre en la parte baja del graderío con una gorra puesta del revés, la camiseta del equipo de Nathan sobre su ropa y agitando en el aire una gigantesca mano de goma—. Papá, en serio, ya te estamos viendo. De hecho, todo el pabellón te está viendo, puedes sentarte.

Sonrió cuando vio cómo el padre de Ashley señalaba dos sitios libres a su lado con el gigantesco dedo de aquella mano mientras Megan tiraba de su camiseta invitándole a sentarse. Su chica colgó el teléfono sin molestarse en pedirle que lo dejara una vez más. A lo mejor porque sabía que iba a ser inútil.

—Ahí lo tienes, la primera impresión de Darren Woodson —señaló tirando de su mano—. Por favor, no digas que me parezco a él, en este momento una afirmación así me empujaría al suicidio —dijo iniciando su ascenso a las gradas—. Ten cuidado —le advirtió ayudándola a subir tras ella.

—Gracias.

Lo que decía, increíblemente atenta.

Se dirigieron hacia sus sitios, disculpándose a cada paso con la gente que tenía que encogerse en sus asientos para permitirles avanzar. No tardaron mucho en llegar y, de buenas a primeras, Darren Woodson envolvió a su hija en un cariñoso abrazo; ella tuvo que apartarse ligeramente para hacer sitio a aquella gigantesca mano que aún llevaba puesta.

—Felicidades, papá, no todos los años se cumplen cincuenta y uno. No te preocupes, sigues estando igual de bueno que con cincuenta —dijo tomándole por la mejilla con una sola mano—. Te has afeitado a fondo —observó girándole la cara para poder mirarlo bien.

—Sí, Megan no paraba de decirme que parecía un jodido náufrago —admitió el hombre, y esbozó media sonrisa igualita a la que le salía a Ashley a veces.

Ni de coña aparentaba cincuenta y uno, seguro que ayudaba su manera informal de vestir y se notaba que estaba en forma. Era muy alto y guapo, aparte de tener la sonrisa de Ashley, sus ojos eran también bastante parecidos. En resumen, un tío atractivo.

—¿No vas a presentarnos? —Darren lo preguntó desviando la mirada hacia ella y le sonrió.

—Esperaba no tener que hacerlo, pero si insistes... Papá, esta es Claire; Claire, este es mi padre, Darren —siguió el protocolo, apoyando su rodilla en uno de los asientos para hacerle sitio y facilitar el intercambio de saludos.

Avanzó un par de pasos, esbozando una amable sonrisa y con intenciones de extender la mano. No tuvo oportunidad, ya que el hombre se le adelantó y la abrazó sin más preámbulos. Y debería haber sido incómodo, pero no lo fue, en cambio aquel gesto era extrañamente reconfortante, una especie de «estás preaprobada, sin tener que pasar el examen». Olía a colonia de las frescas y usaba el mismo *aftershave* que su padre. Al menos tenían eso en común.

—Me alegro de conocerte —dijo tras separarse de él—. Y felicidades.

—Igualmente y muchas gracias —le correspondió—. Ya era hora de que te pasaras por aquí, Ashley lleva dando el coñazo contigo desde Navidades.

Su novia le propinó un puñetazo en el hombro al escucharle y ella la miró, tratando de que su sonrisa de idiota no delatara del todo que le había encantado enterarse de aquel pequeño detalle.

—A Megan ya la conoces. —Ashley cambió de tema, saludando a la novia de su padre con un beso en la mejilla.

—Me alegro de que hayas podido venir —dijo la mujer, acompañando sus palabras con una cálida sonrisa.

Y se fijó en aquel mismo momento en que la «madrastra» de Ashley era también muy atractiva. Seguro que la veterinaria había estado encantada de que su padre la introdujese en su vida. Darren y ella hacían buena pareja.

—¡Ey, Ash! ¡Ash! ¡Hermana!

Todos desviaron la vista hacia las canchas, y localizó a uno de los jugadores que se había acercado al graderío y agitaba los brazos tratando de atraer la atención de la veterinaria. Nathan, evidentemente.

—¿Preparado para que te pateen el culo? —dijo su novia alzando la voz y sin saludos previos ni nada.

—Sigue soñando, cuidarratas —respondió con media sonrisa engreída y desvió la vista a ella—. Hola —la saludó cambiando el tipo de sonrisa a otra aspirante a seductora, pero que enmarcada en sus dieciséis años le resultaba más mona que otra cosa.

—Hola —le correspondió devolviéndole el gesto, secretamente divertida.

—Soy Nathan, el hermano guapo —se presentó.

—Claire.

—La novia guapa, supongo —aventuró, y le guiñó un ojo y todo.

—¿No tienes que ir a que te pongan los zancos? —intervino Ashley.

—Soy más alto que tú —espetó molesto por la ofensa—. Claire, estate atenta, porque pienso dedicarte mi victoria.

En ese preciso momento, un balón perdido le impactó en la cabeza, fastidiándole el detalle, pero el muchacho no perdió la compostura y se golpeó el pecho dos veces con el puño y después la señaló a ella, una especie de dramático «va por ti, nena» que la hizo reír. Recuperó el balón que le había golpeado y, tras dedicarle otra de esas sonrisas suyas, regresó junto a sus compañeros.

—Es muy mono —dijo tomando asiento junto a su novia.

—Una opinión respetable —concedió la veterinaria distraídamente mientras le enseñaba a Nathan el dedo medio de su mano.

Al mirar al chico, reparó en que estaba señalando por gestos que estaba buena, marcando las curvas de un cuerpo femenino sobre su propia anatomía. Buf, adolescentes, estaban cortados todos por el mismo patrón. Cuando Nathan reparó en que ella también estaba mirando sustituyó sus movimientos guarros por una reverencia. Tuvo que sonreír y sujetó la mano de Ashley entre las suyas, impidiendo que continuara con aquella estúpida guerra de mímica con su hermanastro.

Darren les pasó dos camisetas del equipo de Nathan y las instó a colocárselas por encima de la ropa, como apoyo moral. Ashley lo hizo a regañadientes, pero a ella le encantó el detalle de que le hubiesen reservado una también, además, la veterinaria le dijo que le quedaba increíblemente bien y la miró de esa forma, como si quisiera dedicarse a desgastarle las facciones el resto de su vida. Le hacía burbujear el cuerpo entero cuando la observaba así. Una bocina anunció el inicio del partido y les rompió el momento, pero no le importó mucho. Ashley y ella tenían miles de esos.

Tuvieron que ponerse en pie, imitando al resto de las gradas para aplaudir y vitorear a su equipo favorito. Escuchó a Darren gritar: «No puedes decepcionarnos más, esto solo puede ir a mejor» a través de sus manos en altavoz, para después enseñarle ambos pulgares a Nathan. Esta vez fue el adolescente quien enseñó el dedo medio de su mano y el hombre se quejó riendo cuando Megan le golpeó el abdomen.

Y así sin más sus nervios dejaron de tener sentido, porque era especialmente fácil encajar en aquella dinámica desenfadada y le estaba gustando un poco demasiado el poder ver aquella otra faceta de Ashley. Seguro que lo que más le encantaba de todo aquello era que la veterinaria quería que la viese, y el descubrir el origen de aquellos gestos que enmarcados en las facciones de su chica habían conseguido enamorarla a lo bestia.

A los dos minutos del inicio del partido, Nathan encestó un triple y le lanzó un beso. Además de todo, aquella primera toma de contacto con parte de la familia de Ashley estaba resultando ser bastante halagadora.

**

Ganaron el partido y Nathan le dedicó la victoria. Un hombre de palabra.

Hacía un rato que habían llegado a casa de Darren y Megan, y el padre de Ashley le había pedido que lo ayudase con la carne. Normalmente habría intentado escaquearse de aquel tiempo a solas con un suegro en potencia, pero aquella facilidad para hacerla sentir cómoda desde el principio debía de ser genética. Ligada al apellido Woodson. De modo que allí estaban, junto a la barbacoa, vigilando la carne y con sendas cervezas en las manos. Darren le había preguntado por su trabajo y después le había explicado que él era guía turístico, cofundador de una de las agencias de más impacto en la ciudad, incluso recordaba haber oído hablar de ellos a su llegada a Cleveland. Aquel hombre tenía labia para hacer las mejores visitas turísticas de todo el estado, desde luego, de algún sitio lo tenía que haber sacado Ashley.

Dio un trago a su botellín de cerveza antes de preguntar algo que se moría por saber.

—¿Cómo era Ashley de pequeña? —indagó y se le derritió un poco el corazón ante la forma en que Darren sonrió ante aquel interrogante.

—El bebé perfecto —admitió el hombre, mientras le daba la vuelta a la carne—. Así la llamábamos. Muy fácil de llevar, dormía bien, comía bien, se enfadaba pocas veces. Sonreía todo el rato. Nos puso las cosas fáciles a su madre y a mí. Su primera palabra fue «papá», si le preguntas a Diane te dirá que dijo «mamá», pero es lo que a ella le habría gustado —matizó y lo acompañó con una mueca de superioridad que la hizo sonreír—. De pequeña siempre quería hacer cosas con nosotros, sobre todo excursiones para ver todo tipo de bichos. Con siete años pasó por una época obsesionada con las hormigas, le compramos una de esas granjas de cristal y podía pasarse horas mirándola.

—¿Hormigas? ¿En serio? —Sonrió ante la imagen de una pequeña Ashley adicta a las hormigas.

Darren rio asintiendo y ella preparó un plato para permitirle retirar la carne de la parrilla.

—Le gustaba que saliésemos por las noches a ver las estrellas y no paraba de preguntarme «Papá, ¿cuál es esa? Papá, ¿cuál es esa?» —lo recordó impostando una voz infantil y ella rio—.

Y yo no tenía ni la más remota idea de constelaciones, así que me las inventaba.

—Y Ashley suspendió su primer examen de conocimiento del medio por tu culpa —le acusó, porque ya había escuchado aquella historia antes.

—Difamando a su propio padre, jodida desagradecida.

—Parece que siempre os habéis llevado muy bien.

—Tuvimos nuestros más y nuestros menos. Lo pasó mal con lo del divorcio y durante un par de meses ni siquiera quiso hablar conmigo. Pero, gracias a Dios, lo arreglamos y... —bajó la voz para la siguiente confidencia— fui el primero a quien le dijo que creía que era gay. —Sonrió orgulloso.

Curioso, ella a su padre se lo habría contado el último y por obligación. Dio otro sorbo a su botellín de cerveza, porque no quería pensar en Arthur Lewis en ese momento, se lo estaba pasando realmente bien escuchando a Darren hablar sobre Ashley.

—¿Y te pilló por sorpresa? —cotilleó, interesada.

—La verdad es que sí, cuando me dijo que necesitaba hablar conmigo creía que quería pedirme dinero para ampliar la jaula de sus hámsteres rusos, llevaba tiempo diciendo que necesitaba reformar el ala oeste —dijo y ella suprimió una sonrisa—. «Papá, creo que me gustan las chicas», lo soltó sin más mientras cenábamos y a mí casi se me salió la bebida por la nariz. Tenía quince años.

—Es genial que tuviera la confianza suficiente como para ir a contártelo.

—Creo que siempre la ha tenido, supongo que ya se imaginaba lo que iba a contestarle, así que no fue demasiado difícil para ninguno de los dos —reconoció, ella lo miró alzando una ceja, interrogante y, al verla, Darren sonrió—. «A mí me gustas tú» —satisfizo su curiosidad—. Eso le dije, «A mí me gustas tú».

Una respuesta ideal, la verdad. La mejor de todas.

—Buena contestación —admitió y él sonrió.

—«Si tú eres feliz, yo soy feliz». Si tus hijos son felices, tú eres feliz —añadió—. Es tan sencillo como eso.

—No para todos —discrepó y le dio un nuevo sorbo a su bebida, Darren la miró al escucharla y ella desvió la vista al suelo porque, tal vez, había sido demasiado obvia.

—Para el noventa y nueve por ciento. Está en los genes, puro instinto animal. Aunque a muchos puede que no les salga decirlo tan claro —dijo retirando otra nueva tanda de salchichas de la parrilla.

Le guiñó un ojo y ella sonrió distraída, porque había pillado el mensaje subyacente y lo estaba procesando, en busca de una conexión entre aquellas palabras y su padre.

«Si tus hijos son felices, tú eres feliz».

Puro instinto animal.

**

Un éxito total y absoluto.

Claire les había encantado a todos y, aún más importante, todos le habían encantado a Claire. Joder, había temido que su novia se encontrase incómoda en aquel primer encuentro con su familia, porque sabía que su chica se ponía nerviosa al conocer gente nueva, pero la rubia se pasó sonriendo casi todo el tiempo. Lo mejor de todo era saber lo que había motivado aquella increíble sonrisa, que Claire sonreía porque le estaban hablando de ella y quería saberlo todo. Se había pasado todo el día escuchando a sus progenitores desgranar su infancia y, en un par de ocasiones, la había pillado con sus preciosos ojos azules fijos en ella mientras los escuchaba parlotear y la observaba con aquel gesto dibujado en sus facciones. Algo así como un «me gustas incluso más de lo que pensaba», directo a la boca de su estómago y le había hecho cosquillas en todo el cuerpo a la vez.

Una jodida maravilla.

Y antes de que se fueran sus padres le habían confirmado lo que ella ya sabía, que Claire era un encanto. No le habían dicho a dúo «la queremos para ti», porque no les hacía falta, quedaba bastante claro por todo lo demás. Y con Nathan ya hablaría, porque se había pasado el día entero babeando detrás de su novia con muy poco disimulo.

Terminó de lavarse los dientes y, por un par de segundos, observó su rostro en el espejo y se dijo para sus adentros «Eres jodidamente afortunada, Ashley Woodson». Después añadió «¿Qué coño miras? Lárgate a la cama con ella» en tono bastante imperativo, y salió del baño con dirección Claire Lewis. Casi no había puesto un pie en la habitación cuando escuchó su voz.

—Ash, ¿los animales quieren a sus crías? —lo preguntó cómodamente arropada entre las sábanas de su cama.

Cerró la puerta tras ella para impedir visitas inesperadas en mitad de la noche, y sonrió a su chica mientras se introducía a su lado en el lecho.

—¿En general? Sí —satisfizo su curiosidad, acomodándose de forma que ambas quedasen frente a frente.

—¿Y en particular?

La profesora continuó con sus indagaciones en busca de un conocimiento un poco más profundo y, mientras esperaba su respuesta, le acarició la cara de aquella forma tan suya. Genial, carantoñas a la Lewis, y es que le encantaba cuando Claire se quedaba a dormir allí.

—Algunos se las comen —desveló y sonrió al verla arrugar la nariz.

—¿Por qué? —casi lo exclamó, como si no le entrase en la cabeza que aquello pudiera ser posible.

—A veces porque tienen defectos congénitos, a veces porque tienen hambre... —enumeró y gruñó mordiéndole la mano que le acariciaba en una excelente escenificación de aquella última circunstancia. Claire se rio, poniéndola fuera de su alcance, y ella sonrió—. ¿Y esa curiosidad acerca del reino animal?

—Tu padre me ha dicho algo que me ha hecho pensar —admitió, y le sostuvo la mirada en espera de más—. «Si los hijos son felices, los padres son felices», puro instinto animal. ¿Crees que es verdad? —pidió su opinión jugueteando con el tirante de su camiseta de pijama.

—¿En general? Sí —repitió su respuesta anterior.

—¿Y en particular? —completó aquel *déjà vu* y ella acarició la curva de su cadera.

—Lewis, no tienes defectos congénitos y seguro que tu padre prefiere el marisco —señaló y la vio reprimir una sonrisa.

—Imbécil —acompañó aquella lindeza con un suave golpe en su antebrazo—. Ya hace dos semanas y aún no sé nada de él. ¿Y si el defectuoso es mi padre? ¿Y si no tiene instinto animal?

—Te habrías dado cuenta hace mucho —desechó aquella posibilidad.

Claire le sostuvo la mirada con ojos tristes y casi le estaba diciendo sin palabras que no sabía si creérselo del todo. Maldito fuera Arthur Lewis, porque podría intentar gestionar sus conflictos emocionales con un poquito más de brío por el bien de su hija.

—Seguro que solo necesita tiempo, mi amor —lo dijo más que nada para reconfortarla, pero casi estaba segura de que era verdad.

Sintió las yemas de sus dedos dibujando el perfil de su boca y las besó mientras observaba cómo su azul favorito se perdía en sus labios. Se acercó un poco más a ella y Claire conectó sus miradas de nuevo. Necesitaba besarla, así que le atrapó el labio inferior de forma lenta y suave, una mezcla de «todo va a ir bien» y «joder, cómo te quiero». No tardó nada en devolvérselo mientras le acariciaba la nuca y, cada vez que hacía eso, enviaba escalofríos de los peligrosamente adictivos a cada una de sus terminaciones nerviosas.

—Claire... —pronunció su nombre sin apenas separar sus labios.

—Ashley... —le dio pie a que dijera lo que tuviera que decir sin dejar de masajearle la nuca.

—¿Sabes que yo también tengo instinto animal? —lo dijo contra su boca y la sintió sonreír.

—¿En serio? —preguntó, y levantó la ceja de esa forma tan jodidamente sexi.

—En serio —confirmó—. Instinto animal y mucha hambre —añadió, esbozando media sonrisa.

Una mera introducción para lanzarse a morderle el cuello y la mejor forma de hacerla reír de aquella manera, y ella se retorcía intentando escapar de aquel ataque, aunque sin muchas ganas de huir en realidad.

Mientras fuese capaz de hacerla reír así, Arthur Lewis podía tardar todo lo que le diera la gana en reencontrarse con su instinto.

18

If that's what it takes

Dos meses.

Enteros.

Sesenta y un putos días había tardado Arthur Lewis en dar su brazo a torcer. Mil cuatrocientas sesenta y cuatro horas de meditación que, por fin, le habían llevado a reconocer ante sí mismo que quería a Claire por encima de enfados estúpidos y orientaciones sexuales fuera de la «normalidad». Un larguísimo recorrido por el camino de la autorreflexión con final de trayecto en «a lo mejor estaba equivocado» y un conato de intento de redención.

«Tu padre ha dicho que, si os viene bien, podrías traer a Ashley el próximo fin de semana».

Así, sin más, hacía cuatro días, Trudy había anunciado a su hija el final de aquella contienda o, al menos, una tregua, y Claire no había vuelto a ser la misma tras su llamada. La rubia estaba contenta, nerviosa, aliviada y en tensión al mismo tiempo, perseverando en el tema porque le quitaba el sueño, e impaciente, muy impaciente. A su «¿Qué te parece, Ash?», ella le había contestado que fenomenal, porque realmente lo era, aunque hasta la última célula de su ser le gritara «estás bien jodida» con mucha dedicación y acompañado por un «corre por tu vida». Claire veía aquella invitación como una oportunidad de enmendar las cosas con su padre, limar asperezas y demostrarle que era buena chica a pesar de todo, aunque le comiera la boca en mitad de la calle. Ella veía aquella invitación como una posibilidad muy real de empeorarlo a lo bestia. Arthur Lewis no parecía de los que te ponían las cosas fáciles.

Aun así, le había dicho que sí, que aceptaba la oferta, y ya tenían a Darwin y a Cleo colocados en casa de la «tía Olivia» y las maletas listas en un rincón de la habitación de Claire, porque aquella noche dormían en su piso y al día siguiente, a primera hora, volaban hacia Boston.

Madre mía, es que se dirigía voluntariamente hacia Arthur Lewis y sus facciones endurecidas por la decepción del momento. Hacia aquellos ojos cargados de varios «maldita sea, hija, ¿qué estás haciendo con tu vida?» y algún que otro «chica y veterinaria, pues qué bien». No le apetecía nada en absoluto, esa era la verdad, pero cuando veía a su novia sonreír de aquella manera casi se le olvidaban las pocas ganas que tenía. La posibilidad de no caerle bien a aquel hombre no le quitaba el sueño, pero que dificultase el de Claire le preocupaba un poco más, así que había interiorizado eso de «Su mínimo es mi máximo». Un mantra que Holly le había cedido a la profesora hacía semanas. Aplicado a su futura relación con Arthur Lewis iba de algo así como buscar el equilibrio y pactar acuerdos, pero el padre de su novia era abogado y fijo que negociaba de puta madre. ¿Hasta dónde estaba dispuesta a ceder? ¿Cuántos pasos atrás daría si Claire no daba ninguno adelante?

El apocalíptico mundo de las relaciones con la familia política, un tema extremadamente delicado e importante.

—No han pasado ni cinco meses y ya ni me acuerdo de cómo es no estar embarazada —se quejó Ronda mientras las cuatro regresaban de tomar algo en el Happy Dog—. La cerveza sin alcohol es un puto crimen contra la humanidad.

—Intentaron procesarla en Núremberg, pero se quedaron sin asientos —se burló de ella porque le divertía hacerlo.

Ronda le dedicó una de esas miradas a las que ya estaba acostumbrada, de las de «qué poca gracia me haces a veces», pero Claire y Olivia se reían. Dos de tres, no estaba nada mal. De todas formas, seguro que la castaña se ponía de mejor humor en cuanto llegaran a su casa.

—Ahora te quejas mucho, pero cuando des a luz lo echarás de menos —le advirtió Olivia.

—A la progesterona, tal vez, ¿habéis visto qué escotazo? —consultó delineando la línea de sus pechos con las manos—. Ashley, tú no hace falta que contestes.

Le dieron ganas de chafarle la sorpresa como represalia a aquella insinuación tan falsa, pero se controló por el bien común y porque estaba deseando ver su reacción en vivo y en directo. Claire y la futura mamá se adelantaron ligeramente, comentando cosas entre ellas, a lo mejor hablaban de los pechos de Ronda, pero ella no era de las celosas. Olivia la tomó por los hombros con un brazo, así que la miró expectante, cuando hacía eso indicaba que tenía algo que decir.

—Salga como salga, va a salir bien —lo aseguró como si tuviera en su haber la verdad absoluta.

—Tu optimismo es enternecedor.

—Tu inseguridad también.

—No conoces a Arthur Lewis.

—Tú tampoco —menuda capacidad de réplica, la dejaba a una sin palabras—. Lo has visto una vez en circunstancias muy poco favorables para ninguno de los dos y todo lo que te haya contado Claire no puede ser muy imparcial.

Una perspectiva alternativa e interesante.

Parecía evidente que la versión de la rubia se encontraría necesariamente sesgada por la relación que mantenía con su padre y quedaba en entredicho, por ese tira y afloja, que era a la vez fruto y origen de su ambivalencia. Toda historia tiene dos caras, y aquella seguro que no era la excepción, aunque para ella el punto de vista de Claire tuviera más peso que todos los demás juntos. ¿Qué sabía del gran Arthur Lewis en realidad? Porque a lo mejor lo que había construido en su mente no era más que un gigantesco estereotipo, en parte esbozado por las lágrimas de su novia y delineado después a golpe de sitios web. Como un retrato robot confeccionado bajo el sesgo de sus propios prejuicios.

—Leo está de guardia, quedaos a cenar y os doy de sus cervezas —ofreció Ronda girándose hacia ellas, y la sacó de sus cavilaciones por la vía rápida.

—No creo que le haga mucha gracia —dijo Olivia.

—Pues que no se ría —resolvió la castaña y se giró continuando con su camino.

Dos minutos para su llegada, aquello era inminente, de modo que sacó con disimulo su teléfono móvil y le envío el segundo aviso de la tarde: «Llegamos ya». Escueto, pero perfectamente resumido, y era todo lo que el cardiólogo necesitaba saber. Intercambió una mirada cómplice con Olivia y se contagió un poco de su sonrisa impaciente, aquella primera vez les estaba acelerando un poco el pulso a ambas, otro de esos momentos trascendentes. Joder, que la protagonista en cuestión era la misma chica que trataba de pervertirlas en su adolescencia sin conseguirlo del todo, Ronda había sido la primera de ellas en muchas cosas: pérdida de virginidad, relación seria, embarazo y, sin saberlo, se encontraba a las puertas de lo siguiente.

Y con cada paso hacia la casa de la castaña se le aceleraban las pulsaciones, porque lo que se le venía encima a su amiga, técnicamente, no tenía nada que ver con ella, pero le tocaba de lleno. Con ellas siempre había sido así.

—Mierda, Ashley, creo que voy a llorar —le susurró Olivia mientras subían las escaleras del porche.

Le dedicó una sonrisa de lado, de las de «qué tonta eres»; pura fachada, porque no estaba segura de no ir a llorar ella también. Lo de Claire era otra historia, una apuesta segura, así que llevaba los clínex preparados en el bolsillo de su cazadora. La rubia la miró nerviosa mientras Ronda introducía las llaves en la cerradura, y ella le sonrió, porque le encantaba verla así: Claire Lewis era toda emoción y adorabilidad. Además, no le importaba que todo el mundo lo supiera.

—Leo no se lleva la cartera a las guardias, podemos pedir a domicilio —propuso la castaña cuando pasaron al interior de la casa.

Ronda dio dos pasos al entrar al salón y el tercero se le quedó pendiente. Joder con Leonardo, se había vestido de traje y todo, estaba hasta guapo allí arrodillado en mitad de la sala y rodeado de velas. Y algo se le revolvió dentro del pecho, porque el chico parecía tan nervioso que daban ganas de ir y abrazarlo. «El tío del culito sabrosón», así lo llamaba Ronda cuando empezaron a salir hacía casi ocho años, a los veinte, llevaban juntos prácticamente toda su vida adulta.

Era lo último que se había esperado de aquella adolescente que alardeaba de haberse manoseado con la mitad del equipo de fútbol bajo las gradas del estadio, en aquellos tiempos habría puesto la mano en el fuego y jurado y perjurado que Olivia sería la primera de ellas en casarse y tener niños. La vida era jodidamente impredecible.

Otra lección de humildad, Ashley, toma nota, que de todo se aprende.

—¿Qué estás haciendo? —Ronda lo preguntó con ambas manos sujetándose el pecho y sin necesidad, porque era todo bastante evidente.

—El ridículo más gigantesco de mi vida como digas que no —admitió el muchacho y esperó un par de segundos antes de mirar a su derecha molesto—. ¡Aaron!

Hasta ese preciso momento, ninguna de ellas había reparado en el jugador amateur de *hockey*, permanecía en un discreto segundo plano, oculto en un rincón del salón, al cargo de la parte más tecnológica de aquella pedida. La belleza de Olivia debía de haberle distraído de su importante misión al pobre, pero reaccionó de inmediato ante aquel tono de «o te centras o te mato» con que Leo había mascullado su nombre. Y como Aaron manipulaba su teléfono y este estaba conectado a un par de altavoces, se presagiaba una canción al uso, alguna pastelosa, ideal para acompañar su proposición. Ella no lo habría hecho así, demasiado predecible, y, aun así, su interior al completo se preguntaba si en aquellos casos la predictibilidad tenía algo de malo.

Tuvo que admitir que le sorprendió un poco escuchar los primeros acordes de *You sexy thing*, de Barry White. La sonrisa que se le formó a Ronda en la cara era de las más grandes que le había visto en la vida, así que seguramente aquella canción en concreto tenía un significado especial para ambos. Eso y que le encantaba que se refirieran a ella como *sexy thing*, porque Ronda Parker había cambiado desde el instituto, pero no tanto.

Leo también sonreía, pero más en plan nervioso, con un «por favor, dime que sí, que hay mucha gente mirando» asomando a cada facción, y se dispuso a sacar el anillo, casi se le cayó la caja al suelo y Ronda se adelantó un par de pasos y se agachó frente a él, ayudándolo a sujetarla. Echó un vistazo a Olivia y a Claire y sonrió al verlas a ambas con los ojos brillantes, una mano sobre la boca y su mirada fija en la escena ante ellas. Una coreografía perfecta, y se sabían los pasos de memoria, así que decidió ir preparando sendos pañuelos.

—Si quieres que te diga que sí vas a tener que hacerlo.

Ronda le dedicó aquellas crípticas palabras a su potencial prometido mientras ambos estaban de rodillas en mitad de su salón. Y no sabía a ciencia cierta el significado oculto de aquel «hacerlo», pero Leo paseó su mirada nerviosa por todos ellos y se puso un poco rojo, después devolvió su vista a Ronda y susurró algo que ella no captó con claridad, pero que le sonó muy parecido a «Ni de coña». La castaña no cambió de parecer y le sostuvo la mirada, en plan «tú decides», y, por fin, Leo soltó un suspiro y se incorporó.

—Esta te la guardo, Parker —le advirtió señalándola con un dedo y su amiga le sonrió ampliamente, sin amedrentarse lo más mínimo.

—Tendrás toda una vida para cobrártelo —quitó importancia a sus exigencias mientras lo miraba expectante.

Lo siguiente que sucedió no podría olvidarlo por muchos años que viviera, porque de repente Leo se quitó la chaqueta del traje, así sin más, y la tiró sobre el sofá en un movimiento que intentaba ser sexi, pero que a ella en particular la animó a taparse los ojos, no fuera a ser que se quitara algo más. Escuchó las risitas de Claire y de Olivia a su lado y se le contagiaron un poco, sobre todo cuando su amigo se quitó la corbata y se la tiró a Ronda antes de darle la espalda y comenzar a menear el trasero al ritmo de la música.

Madre de Dios. A la mierda la predictibilidad.

La castaña le golpeó unas cuantas veces el culo con la corbata y, cuando estuvo satisfecha, se incorporó, se pegó a la espalda de Leo y sujetándose a su cuello le dijo: «Sí que quiero, *sexy thing*», entre risas y al oído.

La pedida de mano más jodidamente extraña que había visto en su vida y, aun así, estaba sonriendo como una idiota.

***

No se habían quedado mucho con los recién prometidos, porque seguramente querrían celebrarlo y ellas ya habían visto bastante por una noche. Así que habían acompañado a Olivia y a Aaron a casa de la farmacéutica para darles el último paseo del día a Darwin y a Cleo, y se habían despedido de ellos hasta el domingo. Y mientras le decía adiós a su mascota recordó de nuevo su inminente viaje y el motivo del mismo. La visión de Leo bailando de aquella manera le había anestesiado las terminaciones nerviosas. Una tregua bastante agradable, la verdad, pero ya empezaban a despertar.

Claire hablaba del examen de fin de curso que estaba preparando para la semana siguiente, cogida de su mano y avanzando hacia su piso, mientras ella repetía mentalmente «Su mínimo es mi máximo», «Su mínimo es mi máximo»... una y otra vez, como una compulsión. Un poco patológico todo, pero le ayudaba a inhibir aquel gigantesco impulso de confesarle a Claire «no quiero ir, preséntales mis más sinceras disculpas». Se había cogido un día en el trabajo para la ocasión y le salía más a cuenta perderlo.

Maldita sea, Ashley, a ver si al final la cobarde vas a ser tú.

—Ash —tuvo que repetir su nombre dos veces para captar su total atención—. ¿Estás bien? —se interesó apretándole un poco más la mano.

—Eh... sí, perdona, estaba pensando en...

—Mañana —completó su frase con poco esfuerzo y mucha seguridad.

—¿Tan evidente es?

—Un poco, apenas has abierto la boca en toda la tarde —indicó, acariciándole el brazo con su mano libre—. Mi amor, si no quieres ir, no pasa nada. No tenemos que ir corriendo solo porque él haya decidido ahora que está preparado.

—¿Y a qué quieres que esperemos?

—A que estés preparada tú —contestó como si fuera obvio y frenó su avance, obligándola a mirarla—. Si tiene que esperar que espere, Ash —decidió, tomándola por ambas manos.

No podría haber dicho nada mejor que aquello, porque era una especie de «tú tienes preferencia por encima de sus gilipolleces» y necesitaba oírlo. Que a lo mejor el que su padre y ella se llevasen bien, aunque le gustaría, no era imprescindible. Claire estaba dispuesta a poner límites y, conociendo su dinámica familiar, aquello era jodidamente valiente por su parte. Y en realidad su novia no había parado de hacer cosas increíblemente valientes desde que la conoció, que se considerase una cobarde era una completa locura. La profesora siempre hablaba de lo fáciles que le ponía ella las cosas, pero era totalmente recíproco y le dieron ganas de besarla en mitad de la calle, como aquel aciago día.

Y como aquel aciago día, no pudo contenerse. Se inclinó hacia ella, la acercó a la vez, tirando de sus manos, y le plantó un beso breve pero intenso. Se apartó de nuevo antes de que pudiera responderle.

—Estoy preparada —aseguró y la vio sonreír ante su determinación.

—Eres muy valiente, Woodson.

—A estas alturas no debería sorprenderte, Lewis.

Y esta vez fue Claire quien atrapó sus labios de forma fugaz, y era un beso de los de «me encanta cuando te pones en plan fantasma», única y exclusivamente dirigido a callarla, y lo consiguió.

—Vamos, te invito a tomar algo. Han abierto un sitio nuevo en la calle paralela a la mía —la rubia se lo propuso nada más liberar sus labios—. Se parece al Happy Dog.

Lo dijo para tentarla, porque sabía lo mucho que le gustaba a ella el Happy Dog. Y aquella oferta le despertó hambre y curiosidad, casi a partes iguales, así que no pudo negarse y se dejó arrastrar por Claire hasta la entrada del local, dándole las gracias cuando le abrió la puerta para dejarla pasar primero.

Aquel sitio era realmente grande, mucho más que el Happy Dog, pero era cierto que ambos bares compartían estilo y música en directo. Sintió el calor de la mano de su chica en la parte baja de la espalda, animándola a avanzar en busca de una mesa libre. No les costó nada encontrar una, había mucha gente, pero el sitio era grande de verdad. Claire tomó asiento frente a ella y la miró sonriendo mientras se despojaba de su cazadora.

—¿Qué quieres beber? —le consultó, inclinándose hacia ella sobre la mesa.

—Una cerveza.

—Chica de costumbres.

Con aquellas palabras abandonó la mesa y se encaminó hacia la barra. La siguió con la mirada, sonriendo divertida, porque desde que Holly le había mostrado las bondades del Cosmopolitan, aquella mujer se creía experta en cócteles y obviaba el hecho de que siempre pedía el mismo. Su novia se giró al llegar a su objetivo y le sonrió al encontrarse con su mirada fija en ella, ya debería estar acostumbrada, pero su corazón se le saltó un latido igualmente. A veces, aún se sorprendía a sí misma cuando pensaba que estaban juntas de verdad, que ya estaba hecho, le costaba creerse que todo hubiera salido tan bien. Un camarero acudió a atender a Claire, así que ella se dedicó a pasear la mirada por el local. No estaba mal, digna competencia a su bar de siempre. Tendría que decirles a Ronda y a Olivia que fueran juntas alguna vez.

Y de repente la canción que estaba sonando se terminó y los acordes de la siguiente llamaron su atención, porque la había escuchado tantas veces estando con Tracy que podría interpretarla al piano hasta estando dormida. Si supiera tocar el piano, claro.

Bon Jovi y la favorita de su ex.

Y primero pensó que menuda coincidencia, pero después, cuando una voz femenina entonó eso de «I *played the part of a broken heart upon a shelf*», se lo tuvo que replantear y buscó a la intérprete con la mirada y con el corazón bombeándole raro en el pecho. La localizó en mitad del escenario, sujetando el micrófono con ambas manos y cantando increíblemente bien. Con un tatuaje en su bíceps derecho, perfectamente visible porque vestía una camiseta negra sin mangas, y sonriendo a alguien del público de una manera que... madre mía.

«Y yo quiero a alguien que me mire así a mí».

Mierda, ¿podría ser?

Claire regresó en ese preciso momento, depositó su cerveza sobre la mesa mientras tomaba asiento frente ella de nuevo. Siempre pedía el Cosmopolitan con pajita y le hacía gracia, pero esa vez estaba demasiado ocupada como para burlarse, planteándose la posibilidad de que la chica del escenario fuera la Jamie de Tracy, porque si lo era, su exnovia se encontraría al otro lado de aquella mirada, seguro.

—Claire...

—Ashley... —correspondió sosteniéndole la mirada y sorbiendo de su pajita.

—Creo que la chica que canta es Jamie —desveló, evaluándola de nuevo.

—¿En serio? —preguntó y se giró hacia el escenario a la velocidad de la luz—. Buf... es verdad que está buena —dijo y volvió a sorber de su pajita sin quitarle ojo de encima.

Chasqueó los dedos frente a ella para captar de nuevo su atención y la rubia tardó en volverse un poco de más, como si le diera pereza dejar de mirarla. Madre mía, es que casi podía ver cómo le crecía la bisexualidad a centímetro por segundo.

—Lewis, aquí —un pequeño empujoncito verbal para acelerar el proceso y su novia se volvió del todo, conectando sus miradas.

—¿Cómo sabes que es ella? —preguntó en un susurro, como si temiese que fueran a oírlas por encima de la música.

—No lo sé seguro, por eso he introducido mi sospecha con un «creo que...». Pero esta es la canción favorita de Tracy.

—Qué romántico —dijo desviando la vista de nuevo hacia el escenario—. ¿Crees que Tracy estará aquí? —Curioseó y se incorporó un poco en el asiento para poder abarcar más superficie en su escrutinio.

Y sí, lo creía casi con total seguridad, y por eso el corazón le latía un tanto acelerado. Porque su exnovia y ella pasaron página hacía meses, desde entonces se habían tomado un par de cervezas juntas y habían retomado su comunicación vía WhatsApp. Avanzaban en la dirección adecuada y la incomodidad quedaba ya muy atrás en el camino, pero es que aquello era completamente diferente. Distinto, porque estaban con ellas. Las cuatro juntas en un mismo espacio-tiempo.

—Si esa es Jamie, espero que sí —reconoció, porque si Tracy no estaba allí, aquella chica estaba mirando de esa manera a la persona equivocada.

—Si son ellas... ¿quieres saludarlas?

Uf... ¿quería? ¿No sería increíblemente incómodo para todos los implicados? Su móvil vibró en el bolsillo de su chaqueta en ese mismo momento y se hizo con él para consultarlo. Se le aceleraron un poco más las pulsaciones al descubrir que era un mensaje de su exnovia.

«Tracy»
En línea
TRACY: Ash, creo que he visto a Claire pidiendo en la barra del Discovery.
TRACY: El grupo de Jamie está tocando esta noche.
TRACY: Si estáis aquí, ¿sería raro saludarnos?

Desvió de nuevo la vista al escenario. Es que era el jodido prototipo de mujer ideal para Tracy, de las que su exnovia decía que le volvían loca con la intención de picarla cuando aún estaban juntas. Con esos tatuajes que le ponían tanto, una vez le dibujó uno en el bíceps para demostrarle lo atractiva que estaría si daba el paso, y era parecido al que lucía Jamie. Un paralelismo gráfico bastante impactante, porque a lo mejor ellas dos solo fueron una parada en el camino hacia algo más y habían llegado casi a la vez.

—*Tu padre me hizo el favor de mi vida.*
—*Pues no le diste las gracias, precisamente.*
—*Esas cosas no las ves hasta más adelante.*

Sabiduría de madre, porque ahora que ambas estaban «más adelante», «esas cosas» se veían mucho mejor, la verdad. Se fijó de nuevo en cómo la tal Jamie sonreía con cara de tonta enamorada desde el escenario, y hasta le gustaron las implicaciones de aquel gesto, muy parecidas a las que tenía cuando Claire la miraba así a ella.

—Son ellas —confirmó conectando sus miradas y la rubia alzó una ceja.

—¿Quieres saludarlas? —repitió la pregunta porque aún no había recibido respuesta.

Releyó los mensajes de Tracy y terminó asintiendo con la cabeza. No tendría ningún sentido no hacerlo, eran personas adultas y estaban en disposición de enfrentarse a aquella situación. Tocaba dar el siguiente paso, necesario si querían seguir avanzando, Claire y Jamie eran demasiado importantes como para no acabar apareciendo en la ecuación tarde o temprano.

«Tracy»
En línea
ASHLEY: Muy de tu tipo, Simmons.
ASHLEY: Y te canta tu canción favorita, menuda forma de ganar puntos.
ASHLEY: Saludémonos, aunque lo sea.

Inmediatamente el mensaje apareció como visto y, segundos después, Tracy se levantó de su mesa al fondo del bar, para localizarlas o ser localizada, lo que sucediera antes. Y como ella la vio primero, tomó aire antes de abandonar su asiento, haciéndose con su cerveza y con la chaqueta que había colocado en el respaldo de la silla.

—¿Preparada, Lewis? —le consultó tendiéndole la mano libre. Claire la aceptó y se levantó dispuesta a seguirla—. Eres jodidamente adorable sorbiendo el Cosmopolitan con pajita —le susurró al oído mientras se acercaban a la mesa de su exnovia. Había estado demasiado distraída como para decírselo antes, pero tenía que saberlo. Su novia le respondió apretándole suavemente la mano. Cinco segundos después, estaban frente a Tracy, y la pelirroja las miraba a ambas, parecía que no sabía muy bien cómo hacerlo, a lo mejor porque la última vez que las tres estuvieron juntas era a ella a la que llevaba de la mano. Las primeras veces nunca eran fáciles.

—Menuda coincidencia —dijo por fin su exnovia.

—Cleveland no es tan grande, tenía que pasar —opinó ella y la pelirroja le dedicó media sonrisa nerviosa—. ¿Qué tal, Tracy? —preguntó ofreciéndole un abrazo como saludo, sería aún más raro si no lo hacía.

Su exnovia lo aceptó, pero de una forma un poco más superficial que en sus anteriores encuentros, como si la presencia de la profesora relativizara la idoneidad de aquel gesto. En cuanto se separaron, la pelirroja la miró, quizás sopesando la mejor manera de saludarla. Claire se le adelantó, sorprendiéndola con un pequeño abrazo, tal vez porque la veía nerviosa o a lo mejor porque la que estaba nerviosa era ella. Fuera como fuese, Tracy se lo devolvió. Y sí que estaba siendo todo un poco incómodo, incluso forzado, pero tenían que pasar por ello si querían que cada vez fuera más fácil.

—Tenías razón, canta increíblemente bien —dijo Claire, señalando el escenario.

—Tú también tenías razón, ha merecido la pena darme la oportunidad —admitió observando fugazmente a Jamie.

Y no sabía de qué hablaban, pero al menos lo hacían de forma civilizada, así que todo iba bien. Se sentaron a la mesa y, por unos segundos, ninguna dijo nada. Antes de que pudiera comenzar a pensar en que aquello había sido una mala idea, Tracy se dirigió nuevamente a Claire y ella sonrió de lado al oírla.

—¿Cómo has conseguido sacarla del Happy Dog?

—No ha sido fácil —su novia le siguió el juego y ella la miró divertida mientras daba un sorbo a su botellín de cerveza.

—Te creo. No sé qué les dan en ese sitio, parece que van a comisión —opinó y sabía que solo quería picarla, de modo que se limitó a mirarla por encima de su bebida y Tracy le dedicó una sonrisa que confirmó por entero sus intenciones.

—En realidad vivo aquí al lado —indicó Claire.

—¿En serio? Jamie acaba de mudarse muy cerca también —dijo Tracy.

Y de repente su novia y la pelirroja estaban enfrascadas en una conversación bastante cordial acerca del alquiler de pisos en aquella zona. Que si le pillaba cerca del instituto, que si le pillaba lejos de la tienda de discos, que si tenía que probar la frutería de al lado del bingo, que si ya la había probado... Por lo visto, las nectarinas sabían deliciosas y el tendero era un encanto. Y entre fruta y fruta, aprovechaban para meterse con ella, buscando una alianza fácil. Difamándola mientras se reían e insinuando que si no comía plátanos era porque tenían forma fálica. Cabronas.

Pero las dejó soltar calumnias, por el bien común, porque necesitaban una base en la que apoyar una posible futura relación y aquella era la más segura, además, Claire estaba preciosa tratando de llevarse bien con su ex, porque sabía que era importante para ella, y el Cosmopolitan le quedaba jodidamente sexi. Y, así sin más, todo era fácil porque las dos querían que lo fuera. Menuda suerte.

Media hora después, el grupo de Jamie terminó de tocar y abandonaron el escenario. La cantante fue directa a ellas, directa a la pelirroja en realidad, se sentó a su lado y la besó sujetándola con delicadeza por la barbilla, después se separó muy levemente y le sonrió antes de saludarla también de forma verbal.

—Ey, Tracy —su exnovia le devolvió la sonrisa y, de pronto, pareció recordar que seguían allí y carraspeó.

—Jamie, ellas son Claire y Ashley —las presentó y la chica las miró.

Especialmente la observó a ella, y pareció que por un momento no sabía muy bien qué hacer, un poco desorientada por lo repentino de aquel encuentro. Después se recuperó y estrechó la mano de Claire primero, con sonrisa fácil, cuando le llegó el turno a ella le dio la sensación de que se le hizo un poco más cuesta arriba mantenerla en sus labios. Aun así, le dijo «Encantada, Ashley» y ella se lo correspondió.

Tracy le indicó a su novia que Claire y ella eran prácticamente vecinas y de nuevo se inició una conversación que pivotaba en torno a lo cerca que le quedaba del instituto, lo cerca que le quedaba de su local de ensayos, lo jodidamente alucinante que era esa frutería... Las nectarinas estaban deliciosas, pero Jamie prefería los albaricoques y le encantaban los lobos, así que Tracy la animó a contarle cosas de los que tenían en el zoo. Y lo hizo, habló de Edgar, de Allan, de Poe y de Lewis, la pelirroja y Claire parecían encantadas, pero le dio la sensación de que Jamie no estaba disfrutando de su conversación tanto como ellas, sonreía solo a medias y, cuando sus miradas se encontraban, la cantante era incapaz de sostenérsela por más de tres segundos seguidos. Al final le cedió la palabra a Claire, de forma gradual, y Jamie parecía encontrarse mucho más cómoda hablando con ella.

Poco después se acercó a la barra a pedir un botellín de agua, porque entre las cervezas en el Happy Dog y la que se había tomado allí había cubierto su cupo de alcohol en sangre por un día, pero necesitaba alejarse por un momento de aquella mesa. Jamie parecía jodidamente simpática con todas menos con ella, a lo mejor no le resultaba tan fácil como a Claire llevarse bien con la ex de su novia. Tamborileó con los dedos sobre la superficie de la barra, en espera de que el camarero terminara con lo que estaba haciendo y se fijara en ella. Antes de que eso sucediera, Tracy se materializó a su lado, imitando su postura, y la miró.

—Te has ido muy rápido, ahora nunca sabrás cuántos metros cuadrados tiene el salón de Jamie.

—Podría sonsacártelo en cualquier momento por un par de cervezas gratis, Simmons —le siguió el juego, llamó al camarero con un gesto de la mano y, por fin, pudo pedir su botellín de agua. Sintió la mirada de Tracy fija en ella mientras esperaba que aquel chico regresara con el cambio. En cuanto se lo dio, su ex bajó la vista a la barra y pareció pensárselo un par de veces antes de preguntarlo.

—¿Estás bien? —Al final se decidió a hacerlo, a lo mejor porque le interesaba demasiado saberlo como para dejarlo pasar.

—No le caigo muy bien, ¿verdad? —señaló, y desvió la vista hacia su mesa donde Claire y Jamie seguían parloteando animadas.

Tracy también las observó por un momento antes de centrarse en ella de nuevo.

—No es eso, Ash —casi suspiró aquella introducción, como si lo que iba a decir a continuación fuese un tema especialmente sensible—. Cuando conocí a Jamie, hacía apenas dos meses desde que lo habíamos dejado y yo no estaba en mi mejor momento —lo reconoció y a ella se le revolvió algo por dentro. La rompiste, Woodson, así que acepta al menos escuchar las consecuencias—. No estaba preparada para estar con nadie y Jamie tuvo mucha paciencia, se pasó horas escuchándome hablar de ti.

—Cosas buenas, espero —bromeó, porque necesitaba diluir la intensidad de aquellas revelaciones.

—Casi todas. —Asintió esbozando media sonrisa—. Te tiene miedo, Ashley —condensó todo lo que quería decirle en esas cuatro palabras y ella conectó sus miradas—. Sabe que fuiste muy importante para mí y siempre me ha animado a retomar la relación contigo, pero supongo que, en cierta forma, se siente amenazada.

Lo sopesó por un momento y volvió a desviar la vista hacia Claire y Jamie, a lo mejor no era justo el intentar compararlas a ambas en igualdad de condiciones, porque sus condiciones eran muy diferentes, y tal vez a Claire le resultaba más fácil encajar a la pelirroja en todo aquello porque, de su parte, había menos que encajar.

«Te quiero, Ashley. Pero no quiero esto».

Tracy y ella nunca estuvieron en el mismo punto y esa era la explicación a todo lo demás. Le dieron ganas de volver a pedirle perdón, pero ya no tenía sentido, seguramente nunca lo había tenido, y su exnovia lo tenía superado, aunque a Jamie fuera a costarle un poco más.

—¿Le has dicho que ella es mucho más tu tipo de lo que yo lo fui nunca? —sugirió y la pelirroja sonrió al escucharla—. Hablo en serio, parece que la han hecho pensando en ti.

—La verdad es que, viéndola a ella, no sé por qué me colé tanto por ti —concedió, siguiendo su juego—. No sabes cantar, no tienes tatuajes... —enumeró sus múltiples defectos.

—Odias la música que llevo en el coche y no me quedan tan bien las camisetas sin mangas —dijo fingiendo sacar músculo y rio cuando Tracy le pegó en el brazo divertida.

—Volvamos con ellas, no quiero dañar más tu autoestima.

Qué considerada.

Sonrió mientras la seguía de regreso a su mesa, porque tenía la sensación de que lo de poder ser amigas como final de su historia les estaba saliendo jodidamente bien. Aceptar todo lo que había sucedido entre ellas era más fácil así, aquellos estúpidos juegos ayudaban a verlo todo desde una nueva perspectiva y sus sentimientos de culpabilidad ya no estaban de moda. Y a lo mejor tendría que darle las gracias a Jamie. Lo apuntó en su lista de tareas pendientes porque aquel no era el momento ni el lugar.

«Se siente amenazada».

Y aquello encajaba mucho mejor que su primera hipótesis, aunque ya no tuviese sentido. Le entraron ganas de decirle que todo aquel agobio no le merecía la pena, confrontarla con un «¿no ves cómo te mira, joder?» y que la obviedad hiciese el resto. Es que había cantado su tema favorito de Bon Jovi y eso, en el idioma de Tracy, equivalía a un «Jamie, tú ya no te escapas ni aunque quieras». La chica no parecía tener mucha prisa por irse a ningún otro sitio, así todos salían ganando.

Cuando desvió la mirada a su novia, se dio cuenta de que ella ganaba el triple, porque su chica estaba mirando a Tracy de la misma forma en que miraba a Ronda o a Olivia, riéndose con alguna de sus tonterías, como si no tuviera nada que temer y chorreando confianza.

A Claire no le había hecho falta preguntárselo ni una sola vez.

***

Nunca había estado en Boston antes y, a juzgar por las vistas que le ofrecía la ventanilla del taxi en el que viajaba con Claire, era muy diferente a Cleveland. A lo mejor porque la dirección que la profesora le había dado al conductor se situaba en uno de los barrios más jodidamente elegantes de toda la ciudad. Pues a lo mejor sí. Es que le dieron ganas de ponerse a sacar fotos y mandárselas a Ronda y a Olivia a su grupo de WhatsApp «Boston: Tragedia en tres actos», para que fliparan un poco. Aquellas eran las calles más limpias que había visto en su vida. Coño, es que le iba a dar pena pisarlas al bajarse del coche. Seguro que era un vecindario de abogados de éxito y médicos de renombre, los veterinarios residían en otra zona, fijo. Una muy muy lejana.

Madre mía, Claire.

Mientras de pequeña ella experimentaba con aquella granja de hormigas, su novia seguro que pasaba sus ratos libres jugando con unicornios y ponis de colores. Qué barbaridad.

La rubia llamó su atención tomándola de la mano, la sacó de sus pensamientos y del escrutinio del diseño urbano que las rodeaba, para mirarla a ella. Claire le dedicó una sonrisa nerviosa, de esas que le tocaban muy dentro, mientras acariciaba su palma con el pulgar, y pensó que tal vez las diferencias entre ella y su padre se debían, en parte, a que la chica no encajaba en aquel entorno tan bien como él.

—Ya casi estamos —dijo, y ella tomó aire, haciéndola reír.

Seguro que estaba pensando «qué mona es, por Dios», al menos la miraba parecido y le gustó. Su adrenalina se elevó toda de golpe al sentir cómo el taxi disminuía paulatinamente la velocidad tras enfilar aquella última calle. Apretó la mano de Claire casi sin querer, un automatismo fruto de los nervios y de la tensión muscular, y la rubia le acarició el brazo con su mano libre y la besó en la mejilla. Uno de esos que se alargan un poco más del tiempo estándar, de hecho, aquel beso y el trayecto terminaron a la vez. Le acarició la cara, le susurró «No te preocupes, tonta, todo va a ir bien» y le preguntó al taxista cuánto le debía, todo seguido. Una secuencia perfecta, en su ensamblaje y en su ejecución.

Tras pagar, le dio una palmadita de ánimo en el muslo y la invitó a seguirla fuera del vehículo tirando de su mano.

«Su mínimo es mi máximo», «Su mínimo es mi máximo»; y, mientras que Claire recuperaba sus maletas, ella admiró la casa frente a la que se encontraban. De ladrillo rojo, de los elegantes, tendrían más de treinta años, pero aún parecían nuevos, y coronada con las tejas más negras que había visto en lo que llevaba de vida. Las escaleras que ascendían hasta el porche eran de piedra increíblemente blanca, seguro que se te quedaba el culo frío si intentabas sentarte allí más de dos minutos seguidos. Si las casas pudieran parecerse a las personas, aquella sería el equivalente al prototipo de Arthur Lewis residente en su imaginación, una sola de sus miradas también podía dejarte el culo frío en tiempo récord. El calor de la mano de Claire en la suya contrastó dramáticamente con sus gélidos pensamientos.

—¿Qué te parece? —preguntó su novia mientras paseaba la vista por la fachada.

—¿Por qué nunca me has dicho que vivías en un jodido palacio?

—Porque no quería que me quisieras por mi dinero —le siguió el juego, en tono divertido—. Yo voy dentro, tú puedes quedarte aquí con la boca abierta un poco más si te apetece —dijo antes de caminar hacia las escaleras, arrastrando ambas maletas tras ella.

547

Y decidió seguirla, porque visto un ladrillo, vistos todos, y seguro que el interior era más interesante. La profesora abrió con sus propias llaves mientras ella admiraba el columpio que los Lewis tenían en el porche de la casa, lo había visto parcialmente en varios de los *selfies* que Claire le mandó estando allí y, en vivo y en directo, parecía aún más cómodo.

Su novia entró gritando un «¿Mamá? ¿Papá?», y como solo le respondió el silencio, ella la siguió al interior mucho más tranquila y le sorprendió para bien. Al menos la entrada y el salón no eran tan fríos como se había esperado, «no juzgues al libro por su portada, Ashley», de hecho, el ambiente dentro de palacio resultaba bastante acogedor y, de momento, no había visto ni mayordomos ni amas de llaves ofreciéndose a guardarle la chaqueta.

—Parece que mi madre aún está comprando, me preguntó qué te gustaría de comer —reveló volviéndose hacia ella y tomándola por las manos—. ¿Quieres que te enseñe la casa? —le propuso mientras balanceaba los brazos juguetonamente.

—Nada me gustaría más —contestó en tono solemne.

—¿Nada?

Claire le sonrió de lado alzando una ceja antes de tirar de sus manos, atrayéndola hacia ella, y atrapó sus labios en un beso de los suaves, de los que generaban mariposas por todo su interior, pero sin hacerlas batir las alas con demasiada fuerza.

—Es muy raro tenerte aquí —dijo sonriendo contra sus labios.

Completamente de acuerdo con aquella opinión. Quiso besarla una vez más, pero Claire se alejó y le tiró de las manos, repentinamente ilusionada por enseñarle su cocina. Muy bonita, por cierto, y muy normal si exceptuaban sus dimensiones, la única habitación que parecía sacada de un catálogo de decoración para estirados era el despacho de Arthur Lewis, y Claire se lo enseñó desde la puerta, porque ni Thomas ni ella habían tenido permiso nunca para entrar cuando eran pequeños y, al parecer, la estancia aún le generaba respeto.

La última parada fue la más esperada: su habitación. Seguro que lo había hecho a propósito para mantener la intriga y la expectación en cotas elevadas durante todo el *tour*. Perfectamente calculado. Claire se sentó en la cama y extendió los brazos señalando a su alrededor, en un silencioso «¿Te gusta?», y ella paseó la mirada por cada centímetro cuadrado, una especie de «Claire Lewis, tras las cámaras» extremadamente interesante. Ni rastro de unicornios ni ponis de colores, no tenía bolis con purpurina ni fotos de pequeña vestida de princesa. En realidad, la habitación de la adolescencia de Claire era bastante parecida a la suya, exceptuando aquel póster de Megan Fox, por supuesto.

Se acercó al escritorio atraída por el típico corcho con fotos, imprescindible en toda habitación de adolescente que se precie. Paseó la mirada por las distintas instantáneas y sonrió con cada una. Jodidamente mona a todas las edades e increíblemente sexi a partir de los dieciocho y en varias aparecía montando a caballo, así que lo de los unicornios volvía a ser una posibilidad.

—Eras condenadamente mona —dijo, alejándose del corcho a medida que se acercaba a ella—. ¿Lo sabías?

Se inclinó y apoyó las manos sobre el colchón, a ambos lados del cuerpo de su novia.

—Sí —alardeó con una de sus sonrisas.

Y es que el «eras» era un «eres», así que tuvo que besarla, así sin más. Claire se lo devolvió, perdiendo la sonrisa por el camino, y sus manos terminaron sujetándola por la nuca. Con un suave tirón la invitó a dejarse caer sobre ella en la cama y lo hizo sin dejar de besarla, las mariposas estaban poniéndose un poco más nerviosas en aquella ocasión y aletearon más rápido cuando sintió las manos de Claire introduciéndose por debajo de su camiseta, directas a acariciarle la espalda. La rubia atrapó sus labios de aquella forma tan alucinante por última vez y la miró muy cerca, con aquel increíble azul fijo en su verde.

—Vamos a tener que mantener esto apto para menores, Ash —reconoció acariciándole la nuca con una mano mientras la otra seguía subiendo y bajando por su espalda—. Mi madre estará a punto a volver.

—¿Besos inocentes? —propuso, alzando una ceja.

—¿Tú sabes dar de esos?

—Yo sé hacer de todo —fue su turno para alardear y le encantó la sonrisa que se le escapó a Claire al escucharla.

La llamó idiota y se incorporó lo justo para atacar de nuevo su boca, tan suavemente que más que un ataque le pareció una delicada invitación a seguirle el juego, así que la acompañó de vuelta sobre el colchón, respondiendo a sus lentas embestidas con réplicas casi idénticas y mucha dedicación. No iban a ir más allá, labios contra labios y poca lengua, pero con Claire podría pasarse así la vida entera. Besándola sobre su cama de adolescente y pendientes del regreso de su madre, como volver a tener quince años, pero mejor, porque la profesora le daba mil vueltas a su póster de Megan Fox.

Lo hacían de vez en cuando, besarse de aquella manera, sin mayores pretensiones, sin profundizar y a un ritmo constante, sabiendo que no iban a pasar de ahí. Con los ojos cerrados y las manos quietas. No sabía exactamente qué sentía Claire durante aquellas sesiones, pero para ella eran como un trocito de lo mejor del mundo.

De repente, se le acabó la suerte, justo cuando el móvil de la rubia comenzó a sonar en el bolsillo de los vaqueros y se dejó caer a su lado en la cama en cuanto descubrió que se trataba de su hermano, seguramente para preguntar cómo había ido el viaje. Un colchón bastante cómodo, por cierto.

—Ya estamos en casa —escuchó a su novia respondiendo la llamada de una forma un tanto directa.

Entre hermanos, por lo visto, sobraban los formalismos.

Paseó la mirada por los alrededores, en busca de pistas visuales que le ayudaran a incorporar más piezas al puzle de la infancia de Claire y, como no podía ser de otra forma, descubrió una amplia estantería repleta de libros a mano derecha. Así que, desde pequeña, su novia había sido un diminuto y adorable ratón de biblioteca. Sonrió y se levantó de la cama, impulsada por una curiosidad un pelín intensa y con el objetivo de fisgonear qué tipo de libros devoraba durante las dos primeras décadas de su vida.

Los siete volúmenes de *Harry Potter* en tapa dura llamaron su atención en primer lugar, quizás porque ella también los tenía en la habitación de casa de su madre y se los conocía bastante bien. A continuación, la saga de *Crepúsculo* y la de *Los juegos del hambre*. Unas lecturas bastante típicas por el momento. Nada especialmente impresionante.

En la siguiente balda la cosa cambiaba, y se encontró de frente con títulos como *Viaje al centro de la Tierra* y *20 000 leguas de viaje submarino*, de Julio Verne; *Canción de Navidad* y *Oliver Twist*, de Charles Dickens y *La isla del tesoro*, de Stevenson. Así que su chica apuntaba maneras desde su más tierna infancia, y no se explicaba cómo a Arthur Lewis aquello le había pillado tan desprevenido, la verdad, porque se veía venir.

Continuó haciendo recuento, acariciando los lomos de los ejemplares con su dedo índice e imaginando a una pequeña Claire inmersa en su lectura en aquella misma cama. *Alicia en el país de las maravillas, El escarabajo de oro, Peter Pan*... decenas de títulos más o menos conocidos que le ayudaban a comprender mejor por qué su chica era una profesora de literatura tan jodidamente buena. Y es que aquello le había gustado desde siempre. Mientras ella jugaba con hormigas y hámsters, Claire se leía *Los viajes de Gulliver*. Dos niñas con las ideas claras.

De repente, sucedió. A mitad de camino y oculto entre la trilogía de *Divergente*, a ella se le dispararon las pulsaciones así, de golpe y porrazo, y se le descompensó el azúcar mientras producía adrenalina al por mayor y pensaba «hostia puta», aún sin creérselo de verdad. Es que casi hasta se le abrió la boca por la sorpresa y se volvió para mirar a su chica en plan «¿tú ves lo que yo estoy viendo?». Pero no. Claire no lo veía, porque se encontraba inmersa por completo en el teléfono, en una conversación ininteligible, pero sorprendentemente intensa, con su sobrino de apenas un año.

Devolvió la vista de nuevo a aquella estantería, tercera balda empezando por arriba y quinto libro contando desde la derecha. ¡Madre mía! Es que aún continuaba allí, y casi seguro que no era una alucinación visual. Alteraciones sensoperceptivas las justas.

¡Ay, Señor! Es que casi le estaban sudando hasta las pestañas y no hacía tanto calor.

¡Ashley, joder, recomponte! Que ya no tienes quince años. Quince años y el verano del 2008. Menuda combinación. Acercó la mano a ese libro en cuestión y lo sacó de la estantería, despacio, no se fuera a marear de la impresión, porque era real. Era jodidamente real y ella víctima de la taquicardia más intensa de la historia de la cardiología, casi le quemaban las manos. A su descorazonador: «Esto no es mío, Ashley» de hacía unos meses, ella le contestaba: «¡Joder, pero esto sí!». Y volvió a releer la portada de aquella joya de la literatura moderna. «Mi diario».

A continuación y escrito con rotulador negro, en una caligrafía casi infantil, una combinación alfanumérica de las impactantes.

«Volumen 1».

Santa madre de Dios.

El verdadero diario de Claire Lewis.

19

Los padres de ella

«¿Es de verdad? ¿Es de verdad? ¿Es de verdad? Claire, dime que es de verdad».

Al principio le sonó raro, seguramente porque le faltaba el contexto y, en consecuencia, aquella combinación de palabras no tenía mucho sentido. Ella seguía al teléfono con su hermano y Ashley solía ser muy respetuosa en general y muy poco dada a las interrupciones en particular, de modo que dio por sentado que se trataba de algo importante y levantó la vista. Iba a necesitar más información para poder responder de manera efectiva tan misteriosos interrogantes. Con un mínimo conocimiento de causa, por lo menos. No era de las que contestaban a lo loco, porque «somos dueños de nuestros silencios y esclavos de nuestras palabras», y estaba completamente de acuerdo con aquel proverbio. A los que decían eso de «las palabras se las lleva el viento», les contestaba «sí, pero si pesan poco» y por eso le gustaba guardarse las espaldas.

¿Perdona? ¿Eso que Ashley abrazaba contra su pecho era el volumen uno de su diario? Y evidentemente sí, así que aquel interrogante solo estaba allí de adorno. Un mero soporte verbal que le ayudaba a encarnar la abstracción de su pensamiento.

—Thomas, nos vemos luego. Tengo una novia muy cotilla —dijo al teléfono antes de colgar y levantarse de la cama.

—¿Puedo leerlo? —una pregunta con varios tintes de súplica implícitos.

Y la veterinaria acompañó la petición con aquella cara que ponía a veces y que quería decir «por favor» con muchas ganas. Un chantaje emocional no intencionado que la impulsó a sonreír mientras le arrebataba el libro de las manos con un par de «ni lo sueñes, mi amor» impregnando el gesto.

—Claro que no. Los diarios son privados —lo remarcó poniéndolo fuera de su alcance y le hizo gracia cómo su chica frunció el ceño, decepcionada.

—Pero leer el diario de Claire Lewis en 2008 me llevó hasta una Claire Lewis mejor en 2020, y leer este podría llevarme a otra Claire Lewis aún mejor en 2032 —dijo la muy idiota mientras gateaba sobre la cama para acercarse a ella.

Se había parapetado al otro lado del colchón con la esperanza de mantener a raya un posible robo con violencia, para dificultarlo al menos, pero Ashley era experta en recortar distancias, sobre todo la que había entre ambas.

—¿Quieres dejarla esperando? Me parecería muy egoísta por tu parte —añadió, y ella casi se rio, un pelín indignada.

—¿De verdad tratas de que te deje leer mi diario apelando a la posibilidad de encontrar una Claire Lewis mejor que yo dentro de doce años? —lo preguntó alzando una ceja en señal de incredulidad, aunque secretamente divertida por sus vanos intentos.

—Si es verdad que me quieres, deberías querer también lo mejor para mí, alégrate por nosotras y dame ese diario, anda —la animó extendiendo su mano y todo.

Ni le contestó, porque la iba conociendo y aquello era precisamente lo que buscaba, no había más que verle la sonrisa. Quería enredarla en sus juegos y salirse con la suya, aunque ganase quien ganase siempre lo pasaban igual de bien. Se alejó de la cama, hacia el extremo opuesto de la habitación, y abrió el diario por una página al azar.

Madre mía, la entrada que se encontró frente a sus narices era de enero de 2006 y narraba con todo lujo de detalles su primer flechazo. Mike Robson, iba cuatro cursos por encima en el instituto, jugaba en el equipo de baloncesto y le encantaban los chicles de melocotón. Se había pasado un curso entero recogiendo los envoltorios vacíos cada vez que él los tiraba al suelo, su pequeño fetiche preadolescente. Menuda perdedora Claire, sobre todo porque su madre interceptó la caja donde los acumulaba y la tiró al contenedor más cercano sin tan siquiera pestañear. Toda su cosecha perdida y menudo drama. No recordaba con claridad el final de aquella historia, de modo que pasó la página y leyó:

«Gracias a Dios no me ha dado tiempo de guardar los dos que llevaba en la mochila esta mañana».

Y allí estaban.

Pegados con celo.

Los dos envoltorios.

Madre mía, es que era una perdedora de verdad y Ashley nunca, jamás en la vida, debía tener acceso a aquellos documentos. Nunca. Ya podía patalear todo lo que quisiera. No iba a suceder.

—Te estás poniendo roja —la acusó.

Y su tono desvelaba que aquel cambio de color en su piel había multiplicado por mil las ganas que tenía de que el diario cayera en sus manos. «Una vez cotilla de diarios adolescentes, siempre cotilla de diarios adolescentes», una vida marcada por el vicio y una lástima. Ashley era una puñetera yonqui de las intimidades ajenas.

—Olvídate, Woodson, no va a pasar —se lo aconsejó por evitarle la pérdida de tiempo tras cerrar el libro de golpe.

—¿Qué ha sido de eso de «lo mío es tuyo y lo tuyo es mío»?

—Es la primera vez que lo dices y solo aplicable a matrimonios.

—Pues casémonos y dame ese diario —resolvió aquel pequeño obstáculo, levantándose de la cama y acercándose mientras ella retrocedía con el diario protegido a su espalda.

—Solo es aplicable a las cosas que suceden una vez casados —volvió a desmontarle el plan.

—Casémonos con efectos retroactivos y dame ese diario —añadió acorralándola contra la pared.

Mierda, la estaba mirando de esa forma que siempre quería decir «sabes que lo estás deseando». Y, aunque era la primera vez que se equivocaba, cuando la observaba así ella deseaba muchas otras cosas y además le hacía sonreír. Y, a pesar de su insistencia, sabía que al final la veterinaria respetaría su negativa, como había aceptado todo lo demás desde el principio.

—Ashley... —pronunció su nombre en tono de advertencia.

—Claire... —se lo devolvió con media sonrisa y acercándose peligrosamente a sus labios.

Y luego la embaucadora era Cleo.

—Mi respuesta final es no —dijo con solemnidad y la besó fugazmente para sellar el trato.

—¿Cuántos volúmenes tiene tu diario? —preguntó imparable, obviando la seriedad de su afirmación anterior y apoyando una mano a la altura de su cabeza sobre la pared.

—No es de tu incumbencia.

—¿A qué edad empezaste a escribirlo?

—No te importa.

Y se escabulló, colándose bajo su brazo y acercándose de nuevo a la estantería. Pudo escucharla caminar tras ella y sonrió, aprovechando que no podía verla.

—¿Escribías todos los días o solo en fechas importantes? ¿Con qué color de boli? ¿Cuándo dejaste de escribir? ¿Has dejado de escribir? ¿Tienes un diario ahora? ¿Salgo yo? —Como una ametralladora con munición verbal y la notaba casi pegada a su espalda.

Se estiró lo más que pudo y colocó el objeto de todos los deseos de su novia en la parte superior del mueble.

—¿Crees que así solucionas algo? No soy un *hobbit* —escuchó su voz muy cerca del oído y le dieron ganas de callarla a besos.

Muchas ganas en realidad, pero se contuvo, porque era importante que quedara claro que aquel diario estaba fuera de su alcance, metafóricamente hablando. Se giró, con la cara más seria que pudo simular, y conectó sus miradas muy de cerca. Colocó el dedo índice sobre su pecho, un claro gesto de advertencia para darle más peso a sus palabras.

—Ashley Woodson, como se te ocurra leer mi diario sin mi permiso atente a las consecuencias —indicó y le hincó dos veces el dedo contra el esternón—. ¿Queda claro? —quiso zanjar la cuestión y tuvo que suprimir una sonrisa cuando Ashley desvió lentamente la mirada hacia su nuevo escondite público—. ¿Queda claro, mi amor? —insistió añadiendo el «mi amor», porque, cuando lo decía, Ashley ponía cara de tonta y le prestaba especial atención.

Bingo, de nuevo centró en ella aquellos preciosos ojos verdes y a lo mejor había reflexionado y todo.

—¿Salgo en el último volumen o no?

Madre mía.

La tomó por ambas mejillas con una mano y la besó con intensidad en un intento por quitarle la tontería de encima. En el intervalo de cinco segundos que duró aquel contacto, oyó perfectamente cómo se abría y se cerraba la puerta de la casa.

—Mi madre ha llegado, respira hondo y vamos a saludarla.

Le propinó una palmadita en el culo antes de encaminarse hacia la puerta, cuando se percató de que Ashley no la seguía volvió sobre sus pasos y se la llevó de la mano.

Menudo peligro.

***

Algo se le estaba derritiendo por dentro, de verdad, alcanzando cotas inexploradas en los cuatro meses y medio que llevaba saliendo con ella. No podía dejar de mirarla y no le importaba que su madre y su hermano reparasen en la estúpida sonrisa que debía de estar exhibiendo de cara al público en ese preciso momento.

Ashley había conocido a su hermano, a Daniel y al pequeño Kevin a la hora de comer, porque la presentación en sociedad estaba programada para aquella noche, una cena en familia en cuanto su padre saliera de los juzgados, pero Thomas había sugerido adelantar acontecimientos para poder conocer a su novia en un ambiente menos tenso.

A ella casi le había parecido la mejor idea del mundo y el pecho se le contrajo de la mejor manera posible cuando Ashley le confesó que había llevado una tontería para Kevin escondida en su maleta. A los dos minutos apareció con un pequeño oso panda de peluche entre las manos. Y le había quitado importancia al detalle, diciendo que lo había comprado con el descuento para trabajadores en la tienda de regalos del zoo, pero a ella el corazón le dio un vuelco igualmente cuando la vio agacharse frente al pequeño con el peluche y aquella increíble sonrisa iluminando su rostro entero. La cara de Ashley interaccionado con bebés se había convertido en una de sus favoritas en tan solo un par de horas.

—Es tan perfecta para ser una chica que hasta papá tiene que verlo.

La voz de su hermano la sorprendió mientras ella observaba cómo su novia jugaba con Kevin. El niño descansaba en el regazo de Daniel, ambos en el sofá del salón, podía verlos a la perfección desde su posición, apoyada en el marco de la puerta de la cocina. Ashley se había arrodillado en el suelo frente a ellos y se escondía repetitivamente tras el oso panda, cada vez que volvía a aparecer frente a él, su sobrino se partía de la risa y la veterinaria se reía también porque aquel sonido era bastante contagioso.

—Precisamente porque es una chica va a ser difícil que lo vea —opinó y le dedicó una fugaz mirada y media sonrisa en agradecimiento por los ánimos.

—Puede que no la vea a ella, pero tiene que verte a ti —dio por sentado el chico y le encantó el gesto con el que su hermano observaba la escena que estaba teniendo lugar en el salón—. Tiene mucho mérito, Kevin es un público exigente.

—Supongo que sus payasadas funcionan con cualquier edad —dijo mientras la miraba embobada.

Pero embobada de verdad, porque aquella chica no dejaba de mostrarle facetas nuevas a cada paso y le gustaban tanto que casi dolía. Sintió cómo su hermano la tomaba por los hombros, arropándola contra su cuerpo, y reposó la cabeza sobre su pecho.

—Da igual lo que diga papá, estoy muy contento por ti. Y orgulloso, sé que todo esto no es fácil.

Notó uno de sus cariñosos besos sobre el pelo y tuvo que girarse hacia él y lo abrazó con fuerza, refugiando la cara en la camisa que vestía. Hablar de su padre conociendo a Ashley la ponía especialmente nerviosa y eso de que su hermano estaba orgulloso de ella le había tocado la fibra sensible, y en su caso no era muy difícil porque todas lo eran, pero no quería emocionarse demasiado.

—Mamá ya está de tu lado, se la ha ganado repitiendo plato de «pasta a la Trudy» y ayudando a recoger la mesa —Thomas lo dio por sentado y ella sonrió, sobre todo porque era verdad.

—Dejad de ser tan empalagosos y vamos a tomar el postre —ordenó su madre obligándoles a romper su fraternal abrazo para permitirle salir de la cocina bandeja en mano—. ¿Dónde estaba todo este amor cuando de pequeños os tenía que suplicar que dejaseis de sacudiros en el sofá?

Aquella pregunta la formuló alejándose hacia el comedor, después llamó a Ashley y a Daniel a la mesa de nuevo. Y ni Thomas ni ella intentaron replicarle eso de que durante su infancia «se sacudían en el sofá», inútil tratar de explicarle que se trataba del sofisticado juego de los *lemmings*. Ella jamás lo entendería.

Cuando tomó asiento frente a Ashley y la miró por encima de la tarta de arándanos, la descubrió con Kevin en su regazo, completamente entregada a poner fuera de su alcance cualquier objeto potencialmente letal mientras el niño trataba de alcanzarlos todos para tirarlos al suelo, seguro. Cuando hubo asegurado el perímetro, la veterinaria levantó la vista y al encontrarse con sus ojos sonrió. Así de simple, pero a ella toda la situación le estranguló el alma por dos o tres sitios diferentes a la vez.

—¿Es la primera vez que vienes a Boston, Ashley? —su madre se dirigió a la veterinaria mientras partía la tarta.

—La verdad es que sí —reconoció acercándole su plato cuando la mujer le ofreció el primer trozo—. No es que haya salido mucho de Ohio. Cuando por fin tengo vacaciones en el trabajo me da pereza hacer maletas.

—Igualita que Daniel —dijo Thomas—. Odia viajar, sobre todo los aviones, casi tuve que drogarlo para llevármelo a Kenia.

—¿Casi? Disolviste tres pastillas de alprazolam en mi zumo de naranja —le acusó el aludido.

—Para que me dejaras leer tranquilo durante el vuelo —dijo su hermano con total parsimonia, como si atiborrar a su pareja a benzodiacepinas fuera lo más normal del mundo para él.

A Ashley le hizo gracia aquella historia y a ella le encantó verla sonreír, llevaba tantos días temiendo que su chica se encontrase incómoda con su familia que aquella conversación distendida era un alivio bastante grande, la verdad. No perdía de vista que la prueba de fuego aún estaba por llegar, pero sus preocupaciones se merecían un descanso y ella también.

—Claire me dijo que trabajas en el zoológico —indicó su madre, dándose una oportunidad para conocerla.

Le dieron ganas de darle un beso de los que hacían ruido y un abrazo de los grandes, como agradecimiento por ser la mejor madre del mundo, pero se los guardó para un momento posterior y algo más íntimo.

—Sí, trabajo allí desde hace casi tres años. Después de terminar la carrera un compañero de facultad y yo nos especializamos en animales exóticos, hicimos las prácticas en el zoo y a las tres semanas de terminar nos llamaron porque querían ampliar la plantilla. Fue una suerte.

—Les gustaste. La suerte nunca es suficiente, Ash —sentenció y correspondió a su media sonrisa con una de las suyas.

—Comienza a preocuparte porque acabas de sonar igualita que papá —intervino su hermano—. «La suerte no es suficiente» era su frase favorita en época de exámenes. O cuando empezamos a ir a entrevistas de trabajo.

—O cuando me saqué el carné de conducir —participó su madre.

Y vaya, era verdad, aquello de que «la suerte no era suficiente» le había acompañado prácticamente durante toda su vida, seguro que su padre llevaba diciéndolo desde la primera vez que usaron el orinal con éxito. Cada vez que Arthur Lewis se lo repetía ella lo odiaba un poquito más, quizás porque siempre había atisbado un «no te esfuerzas lo suficiente» asomando entre las letras, un reproche escondido tras aquellas cinco palabras. Y de repente, al ponerlas en su boca, le había dado un giro de ciento ochenta grados a aquella perspectiva, porque lo que ella había escondido detrás era un «tú vales mucho más».

—«Un nueve no es un sobresaliente si puedes sacar un diez» —Thomas continuaba desempolvando las enseñanzas de su progenitor, imitación de tono incluido.

Su madre le golpeó en el brazo, exigiendo un «no te burles de tu padre» escasamente convincente, porque le salía muy mal eso de disimular sonrisas. Aquella frase también le sonaba mucho, muchísimo en realidad, y nunca le había hecho gracia escucharla en labios de Arthur Lewis. Siempre le había sonado bastante parecida a la anterior, otra variante de «no os esforzáis lo suficiente», hasta que cumplió los dieciséis. Porque cuando se le atragantó Física y química y sacó el curso con un seis de media después de pasarse las noches enteras soñando con la tabla periódica de los elementos, su padre se sentó con ella mientras lloraba en la cama y le dijo: «Claire, un seis es un sobresaliente si no puedes sacar un siete».

«Un seis es un sobresaliente si no puedes sacar un siete» y «La suerte no es suficiente».

Cosas como aquella le cambiaban a una la visión del mundo casi al completo, y recordó las palabras de Darren en forma de *insight* altamente revelador.

«A muchos puede que no les salga decirlo tan claro».

***

La tarde había ido mucho mejor de lo que se había esperado, porque, al principio, su madre lo estaba intentando con Ashley, pero poco a poco el ponerle empeño había dejado de ser necesario y les había propuesto salir a ver parte de la ciudad para que la veterinaria le pusiera cara.

Kevin necesitaba dormir la siesta, de modo que los perdieron a Daniel y a él por el camino, su hermano se apuntó casi sin pensárselo, arrastrado por su curiosidad y por sus ganas de cotillear lo máximo posible, seguro que se le dispararon las pulsaciones cuando su madre decidió destino y los llevó directos a South End, el barrio más *gay friendly* de la ciudad. Todo un detalle por su parte.

—No está siendo tan terrible, ¿no? —lo consultó con Ashley mientras las dos compartían una cerveza cómodamente sentadas en el columpio del porche.

—Me gusta tu familia, también sois raros a vuestra manera —opinó la veterinaria y ella sonrió dándole un sorbo a su bebida—. Y me gusta Boston, si Cleveland desapareciera tras un desastre nuclear, no me importaría venir a vivir aquí.

—Un precio un poco alto para todos los habitantes de Cleveland, pero está bien saberlo —bromeó ella mientras observaba distraída la calle.

Podía sentir la mirada de Ashley recorriendo sus facciones, suave pero insistente y enmarcada en aquel cómodo silencio, devolvió la vista a ella y se encontró con su verde favorito esperándola sin ninguna prisa.

—¿Qué? —preguntó esbozando media sonrisa.

—Estás nerviosa.

—Suele volver a casa a esta hora —reconoció. Cambió de postura en el columpio, quedando cara a cara con ella y Ashley la imitó—. Si hablamos de lo nerviosa que estoy, me pondré más nerviosa aún y aunque tú lo escondas mejor que yo, sé que también lo estás. ¿Podemos hablar de otra cosa?

—Por supuesto. ¿Cuántos volúmenes dices que tiene tu diario? —inquirió observándola con extremo interés.

Y es que le daba la sensación de que llevaba la tarde entera esperando aquel momento, casi ni había cogido aire antes de formularle la pregunta del millón.

—¿Cuánto tiempo llevas esperando para preguntármelo? —Suspiró recostando la cabeza contra el mullido respaldo.

—Toda mi vida —aseguró imitando su postura.

Madre mía, a veces era tan dramática que le entraban ganas de comérsela a besos para bajarle un poco de intensidad. Le acarició el muslo con un solo dedo mientras sopesaba la idoneidad de compartir aquella información con ella.

—Sabes que no voy a dejar que lo leas, ¿verdad? —aclaró de antemano—. Podría decirte que tiene cien volúmenes y no podrías cotillear ni uno solo.

—Qué intenso —dijo ella, y dio un sorbo a su botellín de cerveza mirando el horizonte—. Si tiene cien volúmenes salgo en uno fijo.

—Tiene cinco —reveló el verdadero número de ejemplares.

—Eso reduce significativamente mis posibilidades de aparición.

—Dejé de escribirlos más o menos a los diecisiete años.

—Posibilidades de aparición anuladas —aceptó su derrota con mucha deportividad, la verdad.

Extendió la mano y acarició el dorso de la de Ashley con la yema de los dedos, al sentirlo, la veterinaria conectó sus miradas y le sonrió de lado.

—¿Por qué es tan importante para ti leer mi diario? —preguntó realmente interesada por su respuesta—. Solo es el estúpido diario de una adolescente. Seguro que está lleno de dramas porque mis padres no me dejaban ir a conciertos.

Y de comprometidos pasajes que describían sus oscuras tendencias fetichistas y su estrecha relación con los envoltorios del Trident de melocotón. Eso también, pero mejor obviarlo.

—Lo sé, es una gilipollez —reconoció su chica dando otro sorbo de cerveza.

—Me encantan tus gilipolleces —la animó a explicarse apretando ligeramente su mano.

Ashley la miró en silencio por un par de segundos, sopesando si merecía la pena tratar de hacerse entender en la materia, al final decidió que sí y se incorporó en el columpio, como si necesitara prepararse físicamente para aquella explicación tan enrevesada.

—Porque es el de verdad.

Y no podría haber dicho más con menos.

Simple, pero le rompió algo por dentro por su sinceridad. Porque, en un principio, fue ella la que no era «la de verdad», la que no encajaba en toda aquella historia y, de repente, las tornas se habían girado, un cambio de rumbo inesperado en mitad del camino y ahora era «su» historia y le gustaba mucho más.

Le dio lo mismo que estuvieran en el porche de casa de sus padres, y que la llegada de Arthur Lewis fuera inminente tampoco le importó lo suficiente. Sujetó a Ashley por la nuca, porque sabía que le encantaba y le encantaba que le encantase, y la atrajo suavemente hacia a ella, esperándola a mitad de camino. La besó con todas las ganas que le había generado su «Porque es el de verdad», suave e intenso a la vez, impregnando cada movimiento con un «te quiero más de lo que te imaginas, pero no vas a leerlo jamás», y por cómo se lo estaba devolviendo parecía que Ashley le daba más importancia a la primera parte.

Eso o no se había enterado bien de la segunda.

Escucharon el motor de un coche acercándose y se separaron a la vez con mucha prisa y muy pocas ganas. Desvió la vista, tratando de localizar la fuente de aquel sonido, y se encontró con el Mercedes de su padre estacionando a apenas unos metros de ellas.

—Es él —confirmó y el corazón se le aceleró a lo bestia.

Y, aun con ese caos fisiológico colonizándola entera, se tomó un momento para acariciarle la nuca a Ashley por última vez, le susurró un «todo va a ir bien» que ella particularmente no se creía del todo y le guiñó el ojo, porque su chica parecía nerviosa de verdad y a lo mejor así colaba más. Después respiró hondo y devolvió la vista a su padre que, en ese preciso momento, se bajaba del vehículo. Con las gafas de sol puestas no imponía tanto, pero seguro que terminaría quitándoselas antes de que se marcharan el domingo. Una lástima. El hombre recuperó su maletín del asiento trasero del coche y ella casi dio un respingo al escuchar el pitido que anunciaba el cierre de puertas centralizado.

Por Dios, Claire. Relájate, que esto no puede ser bueno.

Lo siguió con la vista mientras su padre se acercaba a las escaleras del porche y, por un momento, el egocentrismo hizo acto de aparición y secuestró todos sus procesos mentales. Se olvidó de que Ashley esperaba sentada a su lado, porque aquel «¿cómo vamos a saludarnos?» monopolizaba toda su atención. Con avaricia.

Se quitó las gafas de sol antes de tiempo, más o menos cuando iba por el segundo escalón, por educación seguramente, su padre era mucho de seguir los protocolos sociales. Respiró hondo una vez más, sin saber si debía levantarse o quedarse donde estaba, porque llevaban más de dos meses sin verse y en circunstancias normales Arthur Lewis la abrazaría increíblemente fuerte, pero en las actuales no sabía si sería procedente esperar uno de esos.

Cuando estuvieron frente a frente, el hombre miró a Ashley de forma fugaz para a continuación centrar en ella toda su atención. Y tal vez que se quitara las gafas de sol no había sido tan mala idea, al fin y al cabo, porque en cuanto se encontró con aquel azul idéntico al suyo, se dio cuenta de que las circunstancias podían condicionar muchas cosas, pero esa en particular quedaba fuera de su alcance. Se levantó del columpio, dio dos pasos al frente y se abrazó a él escondiendo la cara en su pecho y encajando su coronilla justo bajo su mentón. Sus brazos la rodearon de inmediato y sin vacilación, aquella era su parte favorita de la ambivalencia que a veces lo empapaba todo. Su padre la besó en el pelo y ella estrechó su abrazo un poco más.

—Hola, princesa —escuchó su saludo, aún inmersa en aquel abrazo tan familiar.

—Hola, papá —se lo devolvió, apartándose ligeramente de su pecho.

Hacía mucho que no se daban uno de esos, más o menos desde su desafortunado «No quiero ser cómo tú», y los había echado de menos, porque era verdad que no quería, pero sí que lo quería a él. Complicado, pero ambos funcionaban así.

—Creo que querías presentarme a alguien.

Y no lo dijo de forma muy entusiasta, la verdad, pero lo dijo y era suficiente. Era un paso al frente en una dirección que no compartía, y esos a su padre le costaba darlos. Solo había tres personas en el mundo que conseguían hacerle avanzar así: su madre, Thomas y ella. Por lo que decía su entorno más cercano, sobre todo ella, y a lo mejor estaba demasiado cerca para poder verlo, pero quería conocer a Ashley, así que se lo creería sin mirar.

—Sí —confirmó y de nuevo le aumentaron las pulsaciones de golpe.

Se giró hacia su novia y se la encontró ya de pie y lista para enfrentar su destino. Tampoco parecía tener mucha ilusión por aquel encuentro, pero estaba allí de todos modos. Los dos lo hacían por ella y de repente se sintió el doble de especial.

—Papá, esta es Ashley —la identificó y dio un paso a un lado, dándoles espacio para que se saludaran como quisieran—. Ashley, él es Arthur, mi padre.

—Encantado, Ashley —el hombre fue el primero en hablar y en tenderle la mano—. ¿Qué tal ha ido el vuelo?

—Igualmente —la veterinaria aceptó su saludo y le estrechó la mano educadamente—. Ha sido tranquilo, ni una turbulencia —respondió a su interrogante y hasta le dedicó media sonrisa.

Madre mía, Ashley estaba ganando tantos puntos con ella aquel fin de semana que no iba a saber cómo gastarlos todos.

—Me alegro de que hayas podido venir —dijo su padre en tono cortés—. Voy dentro a cambiarme, ya sabes que a tu madre no le gusta retrasar el horario de la cena —indicó, devolviendo su mirada a ella.

Depositó un nuevo beso en su coronilla antes de entrar en la casa. Dos en dos minutos, no estaba mal, y sonrió volviéndose hacia su novia. Seguro que ambos lo estaban haciendo lo mejor que podían y de momento aquello parecía ser suficiente.

—Primera toma de contacto superada —indicó la veterinaria y soltó el aire que había estado reteniendo en sus pulmones durante aquella presentación—. Ese abrazo y esos besos no han estado a altura del drama que esperaba encontrar.

—He de admitir que estoy sorprendida —reconoció mientras se sentaba de nuevo en el columpio.

—Y yo decepcionada —dijo tomando asiento a su lado—. Me debes una tragedia griega, Lewis.

—Seguro que han ganado el juicio y viene de buen humor —justificó en parte el comportamiento del hombre.

—O seguro que, al final, sí que tiene instinto —Ashley barajó aquella otra posibilidad y a ella le gustó más—. Se han dado casos de madres raquíticas que levantan dos veces su peso por salvar a sus bebés. Los padres hacen cosas alucinantes por sus hijos. El mío una vez se comió mi plato entero de acelgas sin que mi madre se enterase, porque si no, la muy nazi, no iba a dejarme ir al cine con Ronda y Olivia.

—Tu padre cada vez me gusta más.

—Y el tuyo cada vez me da menos miedo.

La puerta de salida de la casa se abrió en ese preciso momento y Thomas asomó la cabeza y les sonrió a ambas enseñándoles el dedo pulgar. Un «todo va viento en popa» que, posteriormente, adornó con palabras.

—Mamá le ha preguntado a papá que qué le ha parecido Ashley, y él ha dicho «no está mal». Cuando le preguntó lo mismo sobre Daniel, le dijo que «un *hippie* mugriento adicto al *crack*», y ahora cuelga un calcetín con su nombre en la chimenea en Navidades y las pasadas le regaló un iPhone de los caros.

Y «no está mal» ni siquiera empezaba a describir lo que ella opinaba de la veterinaria, pero su hermano tenía razón, porque Arthur Lewis tendía a ser parco en palabras y las pocas que utilizaba no solían ser muy entusiastas. Aquella «segunda primera» impresión causada por Ashley era casi un éxito total si la medían según su escala.

—Mamá dice que la ayudemos a poner la mesa —añadió su hermano, haciendo amago de volver dentro—. Por cierto, lleva tarareando I *will survive* desde que salimos del Boston Eagle. ¿Deberíamos preocuparnos?

—No seas idiota —le contestó con media sonrisa, levantándose del columpio y tendiéndole la mano a Ashley para ayudarla a hacer lo mismo.

—Dos de dos, no puede ser casualidad —sentenció el chico antes de desaparecer de nuevo en el interior de la vivienda.

***

Es que parecía que todo empezaba a tomar forma de manera bastante reveladora y aún estaban a viernes. Hacía tres meses, Thomas la había llamado prácticamente llorando, después de explicarle a su padre que Daniel y él estaban a punto de irse a Kenia para adoptar a un bebé, su hermano no había entrado en detalles de la respuesta que recibió, pero se la podía imaginar tirando de experiencia. Por eso casi tuvo que pedirle a Ashley que le pellizcara el brazo cuando, poco antes de sentarse a cenar, se encontraron a Arthur Lewis agitando un sonajero frente a un sonriente Kevin mientras lo paseaba en brazos por el salón de la casa.

«Nos quiere demasiado como para morder después de ladrar».

Ver para creer, o a lo mejor era al revés. A lo mejor no había visto aquellas cosas antes porque no esperaba hacerlo. Tal vez había centrado toda su atención únicamente en una parte del comportamiento de su padre, la que confirmaba sus expectativas.

Lloró por su enfado al enterarse de que había dejado a Nick, pero casi ignoró que al día siguiente estuviera dispuesto a ayudarla con la mudanza de vuelta a Boston. Se cabreó con él por no entender que quisiera quedarse en Cleveland, y casi ni le dio importancia al hecho de que, al final, viajó hasta allí con su madre para acercarse a su nueva vida. Le hirió en lo más profundo su retirada repentina tras descubrir que estaba con Ashley, pero en ese momento estaba compartiendo mesa con ella en el comedor de su casa.

Si se molestaba en seguirle la pista a aquella ambivalencia, las cosas siempre terminaban igual, con un «no me gusta, pero cedo porque eres tú».

Thomas había sacado conversación nada más se sentaron a la mesa, seguramente con el objetivo de retrasar un poco más el ineludible interrogatorio de su padre a Ashley. Qué gran hermano, no le podía haber tocado ninguno mejor. Le dio un disgusto de los grandes a su madre cuando desveló que Daniel y él estaban planeando apuntar a Kevin a la guardería para que se relacionara con otros niños, porque la mujer llevaba casi un mes ejerciendo de abuela en horario de mañanas y su vida iba a quedarse vacía de repente.

Fue bonito mientras duró, pero, como era de esperar, el tema terminó agotándose por sí mismo, imposible estirarlo más. Dos segundos de silencio y ella detuvo el tenedor a medio camino de su boca, porque su padre desvió la mirada a Ashley y parecía dispuesto a dar rienda suelta a su curiosidad. Casi aguantó la respiración en espera de su primer interrogante.

—¿Siempre has vivido en Cleveland, Ashley?

Pudo sentir cómo se tensaba a su lado al escucharlo dirigirse a ella directamente, ni rastro de su «no estoy mal» en aquel tono engreído y la chulería también la había perdido por el camino.

—La verdad es que sí. Mis padres son los dos de allí —explicó haciendo un paréntesis en su cena.

—¿A qué se dedican tus padres? —preguntó el hombre tomando su copa de vino.

—Mi madre es enfermera en uno de los hospitales de la ciudad y mi padre es guía turístico, al principio trabajaba para otros, pero hace unos años montó su propia empresa con un compañero.

Y su chica parecía totalmente tranquila manteniendo aquella conversación con su padre, una de las cosas que más admiraba de ella. Le alucinaba aquella capacidad que tenía para ocultar su nerviosismo. Le acarició cariñosamente el muslo por debajo de la mesa, como apoyo moral, porque había aprendido a ver más allá de su fachada imperturbable.

—Arriesgado —opinó su padre tras un sorbo de vino.

—Un poco, pero les salió bien.

—Quien vale, vale —sentenció el hombre devolviendo la copa a su lugar—. ¿Y qué hay de ti?

Ahí estaba, colgando en el aire, y seguro que su padre estaba deseando escuchar algo así como «soy neurocirujana» o «abogada penalista». «Embajadora de los Estados Unidos en Taiwán». Algo por el estilo. Un respiro a eso de que su ojito derecho hubiera cambiado al yerno perfecto por una chica.

—Soy veterinaria, trabajo en el zoológico de Cleveland desde hace tres años —respondió y después bebió un sorbo de su vaso.

—Veterinaria —su padre lo repitió, como si necesitara pronunciarlo para terminar de entenderlo del todo o unos segundos de más para encajarlo en su sistema de valores.

—Al terminar la licenciatura me especialicé en clínica de animales exóticos.

Arthur Lewis recuperó su copa y bebió un poco más de vino. Ashley la miró fugazmente y ella le dedicó media sonrisa de las reaseguradoras, aunque su interior gritaba «madre mía» y casi estaba conteniendo la respiración. Esperaba que su padre no dijera ninguna gilipollez, porque Ashley era la mejor veterinaria del planeta Tierra y encima le encantaba serlo.

—Siempre he pensado que la mayoría de los veterinarios son médicos frustrados —admitió el hombre.

—Supongo que habrá algún caso, pero la mayoría de mi promoción elegimos esa carrera porque en realidad era lo que queríamos hacer.

Y lo dijo aparentemente dispuesta a defender su punto de vista, pero con mucha diplomacia. A ella en particular le pareció que no podía haber encontrado otra respuesta mejor.

—¿No te planteaste la posibilidad de estudiar medicina? —su padre lo preguntó como si aquella idea fuera la más peregrina del mundo. Una completa locura.

—Nunca me ha llamado la atención. Y de momento no me he arrepentido, me encanta trabajar en el zoo.

Su padre cesó en su empeño o se quedó sin nada más que decir, una de dos, porque volvió a centrarse en su plato, como si se hubiera agotado el tema o no mereciera la pena seguir tratándolo, porque ni era médico ni abogada penalista. Ashley volvió a mirarla en plan «¿ya está?» y a ella le habría gustado poder decirle que había superado la prueba, pero albergaba serias dudas. Se moría por señalarle a su padre que interesarse, aunque fuese un poco, en el trabajo real de Ashley no iba a matarle y quedaba mucho más educado, pero su madre se le adelantó.

—¿En qué consiste el trabajo de un veterinario en un zoológico? —preguntó mientras miraba a su chica, interesada.

—Bueno, tienes que proporcionar asistencia sanitaria a todos los animales, asegurarte de que están bien de salud: vacunas, chequeos periódicos, operaciones llegado el caso. Nos encargamos también de controlar los traslados de los animales de un zoo a otro, tenemos una zona de cuarentena y tienen que pasar un tiempo predeterminado allí para asegurarnos de que están sanos antes de poder introducirlos en su respectivo hábitat. Muchas veces vienen excursiones de colegios y les explicamos a los niños cosas sobre los animales del zoo y de nuestro trabajo.

—Tendremos que llevar a Kevin a una de esas —aportó Thomas.

—Cuando sea un poco mayor podría hacerle un pase VIP con todo el zoo para él.

Y la conversación en la mesa se centró de pronto en qué tipos de animales tenía Ashley en el zoo. Participaron todos, exceptuando a su padre, por supuesto. Al principio ella también permaneció algo callada, dándole vueltas a aquel «cuando sea un poco mayor», porque era la veterinaria dando por sentado que ambas seguirían juntas en ese momento y escucharla decir cosas así con aquella naturalidad le hacía sentir de todo por dentro. Una vez procesado, pasó a alardear de su propio pase privado, de la visita a Edgar, Allan, Poe y Lewis, y de que había visto a unos cuantos tigres enormes jugando con pelotas gigantescas. A medida que lo contaba, recordaba, y el recordarlo la hacía quererla un poco más.

***

Cuando salió del baño, se encontró con Ashley ya metida en la cama y consultando el teléfono móvil. La sobremesa se había alargado tras el final de la cena. Aunque Thomas, Daniel y Kevin se habían marchado a su casa relativamente temprano, su madre tenía tema de conversación para dar y regalar y gran necesidad de contacto humano, de modo que era casi la una de la madrugada cuando por fin decidieron finalizar la velada. Arthur Lewis había participado más bien poco, pero había imaginado que aquel primer encuentro iría mucho peor, así que el silencio de su padre era un bajo precio que pagar en comparación.

—Olivia me ha mandado una foto de prueba de vida de Cleo y de Darwin —anunció la veterinaria justo cuando ella se colaba en la cama a su lado—. Cleo tiene el morro manchado de yogur, así que creo que está disfrutando de la estancia en esa casa.

—Se piensa que con esa carita adorable puede ir a todos lados —dijo apoyando la cabeza sobre el pecho de Ashley para observar la foto.

—Es verdad que los perros acaban pareciéndose a sus dueños —opinó y se ganó un pellizco en su antebrazo.

La vio sonreír ante su pequeña agresión y se le contagió. Ashley se estiró para poder dejar el móvil sobre la mesilla y después se reposicionó junto a ella, colocándose de lado para mirarla de frente. La tenía allí, en su cama de la adolescencia, tras haberse pasado el día entero conociendo a sus familiares, la observaba a través de su verde favorito y con media sonrisa de las alucinantes asomándole a los labios. Como una increíble burbuja de «ahora mismo no me importa nada más», el silencio de su padre y sus implicaciones quedaban fuera de los límites de aquella cama.

—Espero que hayas reparado en el hecho de que no he dicho «jodidamente» ni una sola vez en toda la noche —Ashley remarcó su hazaña y ella le acarició la cara como recompensa.

—Has estado genial durante todo el día, Ash.

—No ha sido tan terrible como esperaba —reconoció y le besó el dorso de la mano, aprovechando que acariciaba su mejilla.

—Porque has manejado genial los comentarios de mi padre. Podría haber sido mucho peor.

—Aun así, creo que el «no está mal» ha perdido algunos puntos.

—Todos los que hayas perdido para él los has ganado para mí —se lo aseguró, porque era verdad y es que casi no le cabían más en el cupo.

Ashley sonrió al escucharla y le besó la punta de la nariz.

—A lo mejor deberíamos aceptar el hecho de que nunca voy a ser un diez para él —sopesó aquella opción—. Puedo vivir perfectamente sabiendo que soy un cinco. Incluso un cuatro, no soy ambiciosa.

Y si su padre y Ashley cedían, a lo mejor significaba que también ella tenía que hacerlo. Aceptar que tal vez su mínimo era el máximo de su padre, porque aquel invento era bidireccional. Olvidarse de lo mucho que le gustaría que Arthur adorase a Ashley, igual que él había puesto a un lado su sueño de tener un yerno abogado.

Quererlos por cómo son en vez de por cómo te gustaría que fueran y agradecer el esfuerzo, a lo mejor la incondicionalidad iba de eso.

—Supongo que yo también podría vivir con eso. Siempre que tengas claro que en realidad sí que eres un diez —impuso sus condiciones, porque era importante que Ashley supiera que el problema era su padre y no ella.

—Un once o un doce para ti —alardeó y después le robó un beso.

Tuvo que sonreír, porque algo de eso había, y la tomó por la nuca, acercándola y acercándose. Atrapó sus labios en un beso lento, y cuando Ashley se los devolvía de aquella forma, pegándose más a ella, era un quince o un dieciséis por lo menos. No duró mucho, medio minuto a lo sumo, después apagó la luz y volvió a acomodarse en la misma postura.

Pudo sentir la acompasada respiración de la veterinaria acariciando los labios en un ritmo constante, y de verdad le encantaba tenerla así de cerca. Durante un par de minutos ninguna de las dos dijo nada, ¿querría Ashley hablar un poco más sobre cómo la había hecho sentir aquel día con su familia? ¿Estaría dándole vueltas a lo de «los veterinarios son médicos frustrados»? No quería que ocultara un potencial malestar para ahorrarle el disgusto y sabía que a veces tenía tendencia a ello.

Tuvo que preguntárselo porque, de lo contrario, sabía que sería incapaz de dormir bien aquella noche.

—Ashley...

—Claire...

—¿En qué piensas?

—En tu diario y en cuánto tardarás en dormirte —respondió tranquilamente—. ¿Y tú?

—En que mi novia es imbécil. ¿Voy a tener que atarte a la cama? —preguntó alzando una ceja.

—No me importaría, la otra noche no estuvo nada mal.

Así de descarada era a veces y tuvo que pegarle en el brazo por inventarse esa tontería, porque ella no la había atado a ningún sitio. De momento.

—Lee mi diario y no habrá «otra noche» nunca más.

Le dio la espalda y se alejó de la veterinaria, acomodándose peligrosamente cerca del filo de la cama. Casi de inmediato la sintió moverse y a los dos segundos la tenía completamente pegada a ella como atraída por su gravedad, con uno de sus brazos rodeándole la cintura y su respiración justo junto a la oreja.

—Si ese es el precio, ningún diario merece la pena —lo susurró en tono grave y ella sonrió revolviéndose ante la sensación que causó su aliento directo en el oído.

—Me alegro de que hayamos llegado a un entendimiento.

Sintió cómo Ashley se acurrucaba contra ella, y es que sus curvas se amoldaban a la perfección. Le encantaba tener a la veterinaria así de cerca y dejarse envolver por la calidez de su cuerpo. A su calor aquella noche se le añadía algo más, cada vez que se acordaba de su «Porque es el de verdad» tenía la sensación de que todo encajaba maravillosamente bien.

Mejor que nunca.

***

No lo había planeado así, ni se había planteado mantener una conversación a solas con su padre aquel fin de semana, entre otras cosas porque ni por un segundo había contemplado la posibilidad de que él estuviese dispuesto. Y es que durante mucho tiempo ambos habían utilizado a su madre como a un mensajero: «Dile a Claire que no puedo ir al concurso de disfraces del colegio», «dile tú a papá que llegaré tarde esta noche», «dile a papá que echo de menos hablar con él» y «dile a la niña que traiga a Ashley este fin de semana». Pero las personas te sorprenden a veces, si estás dispuesto a dejarte sorprender, y si su padre estaba dispuesto, ella iba a intentarlo. Su último «dile a Claire que puede traer a Ashley a la cena del Colegio de abogados de septiembre» había sido otro paso adelante y su padre lo había dado con la información completa. Acudir a su madre con un «dile a papá que a veces es un completo gilipollas, pero le quiero» le resultaba un tanto infantil, y ella ya no era una niña.

Precisamente por eso se encontraba en el piso superior de la casa y a punto de llamar a la puerta de su despacho. Un intento por cerrar el círculo que había abierto su «no quiero ser como tú», porque llevaban dándole vueltas varios meses, dolía y ya comenzaba a agotarse.

Respiró hondo y golpeó con suavidad la puerta, le escuchó alzar la voz para decir «adelante» y se asomó al interior de la estancia, localizándole sentado a su mesa. De pequeña aquel lugar siempre le había parecido enorme y su padre un gigante que metía y sacaba a los malos de la cárcel a su antojo. Con veintiséis años la habitación ya no era tan grande, pero Arthur Lewis no había empequeñecido en proporción, seguro que no iba a hacerlo nunca, al menos para ella.

—Papá, ¿estás ocupado? —lo preguntó desde la puerta como cuando era pequeña.

Para ser justa con el hombre, ni una sola vez le había respondido afirmativamente a esa pregunta y, cuando se marchaba, él le decía «hora de meter a los malos entre rejas» y le guiñaba un ojo y ella le devolvía el gesto antes de salir. De pequeña pensaba que tenía el don de la oportunidad y por eso siempre le pillaba en esos descansos hechos a medida; con el tiempo se había dado cuenta de que su descanso era ella.

—Claire —sonó sorprendido de encontrársela allí y no podía culparlo—. No tanto, pasa —acompañó su invitación con un gesto de la mano.

Cerró la puerta tras ella y avanzó hasta alcanzar una de las sillas que tenía colocadas frente a su mesa. Tomó asiento y jugueteó con un pisapapeles.

—Mamá me ha dado tu mensaje —se lo dijo directamente porque no encontró otro modo de iniciar aquella conversación.

—Siempre ha sido muy eficiente —admitió el hombre y ella suprimió una sonrisa ante su respuesta.

—¿Por eso la seguimos utilizando? —preguntó alzando una ceja y él se recostó contra la silla, depositando su pluma sobre la mesa.

—Y por pereza —añadió curvando sus labios en una sonrisa.

—Papá... —Fue un «papá» de «hablemos en serio, por favor».

Lo vio suspirar, en plan profundo, mientras miraba los documentos desperdigados por su mesa, después conectó sus miradas de nuevo antes de hablar, con aires de «si tienes que saberlo, allá va...».

—A veces me cuesta mucho hablar contigo, Claire.

—A veces a mí también me cuesta mucho hablar contigo, papá. ¿Lo intentamos ahora?

—¿Tienes algo que decirme?

—Que entiendo si todo esto te ha decepcionado —lo soltó sin más.

Necesitaba decirlo y que él lo negara, porque aquello iba mucho más allá de Nick y Ashley, de que la veterinaria le gustara más o menos.

Su padre frunció el ceño, de forma casi imperceptible, y volvió a recuperar el bolígrafo de la superficie de la mesa, para tener las manos ocupadas, seguramente.

—«Decepcionado» es una palabra muy fuerte, ¿no crees?

—Elige una mejor.

—Tú eres la experta en palabras, ¿qué te parece «sorprendido»?

—Genial, si es lo que sientes de verdad.

—No sé muy bien cómo me siento con todo esto, Claire —lo admitió y ella tuvo que entenderlo—. Pero «decepcionado» nunca podría pegarme contigo.

Era lo que esperaba escuchar y, aun así, no terminaba de creérselo del todo.

—A veces no lo parece —confesó.

—Pues siento todas esas veces —lo dijo observando el boli por no tener que mirarla a ella.

Inesperado, desde luego. Su padre pronunciando un «lo siento» no era algo que se viera todos los días y, a lo mejor por eso, no supo qué decir. ¿Qué podía contestar a eso? ¿«Gracias por aclararlo»?

—Tenía muchos planes para ti y para tu hermano.

—A lo mejor ese es el problema.

—El problema es que a ninguno de los dos os han gustado.

Tuvo que sonreír, porque su padre lo había dicho en tono serio y probablemente lo pensaba de verdad, y sonaba un poco egoísta, pero que él asumiera la culpa de todo no era un objetivo realista.

—Seguro que todo habría sido más fácil si los hubiésemos aceptado.

—Si los hubieseis aceptado sin que os gustaran sí que me habríais decepcionado.

Ahí lo tienes, Claire, es lo más cerca que vas a estar de un «estoy orgulloso de ti». Porque Arthur Lewis se sentía más cómodo en su organizado mundo de leyes, siguiendo el manual, y fuera de él se expresaba mejor a base de indirectas. El «a muchos puede que no les salga decirlo tan claro» lo describía a la perfección.

—¿De verdad quieres que lleve a Ashley a la cena del Colegio de abogados de septiembre? —preguntó en un tono de incredulidad bastante evidente.

—«Querer» es una palabra muy fuerte. Pero si es importante para ti, Thomas va a llevar a Daniel, nos mezclaremos en las fotos y no se sabrá quién está con quién.

Y de nuevo sonrió, porque el muy idiota seguramente hablaba en serio, pero debajo de sus gilipolleces estaba aquella base de «si es importante para ti, buscaremos la manera». Decidió quedarse con aquel mensaje, era mucho más de lo que esperaba llevarse de aquella conversación.

—Le preguntaré si quiere venir. No ha sido tan difícil, ¿no? —lo consultó levantándose de la silla y su padre la miró—. Hablar.

—Cuando estás de buenas todo es fácil contigo, princesa.

—Me parece que podría decir lo mismo de ti —le replicó y él sonrió de lado al oírla.

—Y seguramente los dos tenemos razón.

«Toda historia tiene dos caras, Claire. La clave está en los puntos de vista». Y llevaba escuchando esa frase en los labios de su padre prácticamente toda la vida, pero nunca le había encontrado tanto sentido como en ese preciso momento. Se alejó hacia la puerta, dispuesta a marcharse, porque, aunque le hubiese dicho que no, Arthur Lewis estaba ocupado, seguro.

Se giró justo antes de salir con el cierre del círculo metafórico perfecto en mente, solo faltaba que la otra parte se acordase también.

—«Hora de meter a los malos entre rejas» —rescató la frase de despedida de su padre.

El hombre le siguió el juego guiñándole un ojo, y ella tuvo que sonreír antes de devolverle el gesto y abandonar su despacho.

***

El fin de semana se les pasó mucho antes de lo previsto y casi le dio un poco de pena estar recogiendo sus cosas para regresar a Cleveland el domingo tras la comida. Iba a echar de menos poder disfrutar de Ashley interaccionando con su familia en general y con Kevin en particular. Con los niños y con los perros la veterinaria era el doble de dulce y ella se moría el triple simplemente contemplándola.

—*Suits, The good wife* y *Cómo defender a un asesino* —su chica continuaba contabilizando mientras ordenaba sus pertenencias en el interior de su maleta.

Desde que se había enterado de la invitación de su padre para la cena de abogados en septiembre, Ashley no había parado de agregar series a una imaginaria lista de «verlas muy atenta durante el verano». Todas ellas tenían en común los temas legales.

—Mi amor, olvídalo, ¿crees que Daniel sabe algo de leyes? —preguntó cerrando su propio equipaje.

—¿Qué se puede esperar de un «*hippie* adicto al *crack*»? —desestimó aquel argumento.

—Lo mismo que de una «chica veterinaria» —sentenció sujetándola por las manos—. No quiero que tú también empieces a decir cosas como «*conditio sine qua non*» —aclaró y sonrió al verla fruncir el ceño.

—¿*Conditio sine qua...* qué?

—Perfecto —se dio por satisfecha y la besó fugazmente liberándola para permitirle seguir con su equipaje.

—¿Qué se hace en esas cenas de abogados?

—Comer, y Thomas y yo jugamos al ahorcado por debajo de la mesa —desveló su pasatiempo—. Nick se cabreaba un montón. Mi padre me ha dicho que se encontró con sus padres la semana pasada. —Se sentó al borde de la cama.

—Boston no es tan grande —observó su chica.

—Dejó el trabajo en Cleveland y se ha vuelto aquí.

—¿En serio? —preguntó dejando caer un par de camisetas sobre el resto de su equipaje.

—Eso le han dicho. Ha sido raro enterarme así.

Y lo era, muy extraño. Estar desconectada de la vida de Nick hasta el punto de no saber que había vuelto a mudarse a Boston, no sabía qué le hacía sentir por dentro, pero había sido su exnovio quien lo decidió así. Imponiendo una distancia entre ambos en la que se encontraba cómodo, y al principio ella trató de mantener el contacto, porque, de una forma u otra, necesitaba saber que estaba bien, pero poco a poco comenzó a entender que nunca iba a estarlo si ella seguía intentando acercarse.

«¿Cómo va a ser a partir de ahora entre tú y yo?».

De ninguna manera.

Una opción igual de respetable que cualquier otra, aunque un poco más amarga.

Y, tal vez, Nick había intentado hacerlo mejor y no había sabido, o simplemente aquello era lo mejor que el chico había podido hacer. Por él. No mirar atrás para seguir adelante y a ella no le había quedado otra que aceptar sus evasivas, no tenía derecho a exigir nada.

«No quiero perder a nadie».

«En la vida no siempre tenemos lo que queremos, Claire».

—¿Estás bien?

Ashley la estaba mirando y ella asintió.

—Estoy bien. ¿Has terminado? —preguntó señalando su maleta.

—Creo que sí —dijo la veterinaria dispuesta a cerrarla.

—No tan rápido, señorita —se le adelantó sujetándole la mano—. Voy a tener que pedirte que me dejes echar un vistazo a eso.

—¿Por qué? Sabes que mi ropa interior es mucho más interesante cuando la llevo puesta —dio por sentado y ella la miró alzando una ceja—. No te he robado el diario, Lewis.

—Entonces no tienes nada que temer —opinó y, de pronto, frenó su inspección porque encontró algo que no se esperaba—. Ash, ¿qué es esto?

—Un gel lubricante efecto frío, Ronda me ha dicho que es una puta pasada.

—No sé qué esperabas que pasara este fin de semana, pero debes de estar bastante decepcionada —aventuró devolviéndolo a su maleta.

—Solo lo traía por si tenía que animarte si te peleabas con tu padre otra vez —explicó mientras la tomaba por la cintura.

—¿Ibas a animarme con eso? —Alzó una ceja, irónica, pero con media sonrisa dibujándose en sus labios.

—Y con esto —confirmó mostrándole la lengua.

Se la atrapó entre los dedos y le dio un pequeño tirón que la hizo protestar, la devolvió al interior de su boca en cuanto tuvo oportunidad. Y ella la besó, porque sí, porque era idiota y un poco cochina a veces, pero formaba parte de su encanto.

—Te quiero, imbécil. —No se lo decían mucho, al menos directamente, pero esa vez le salió sin más y Ashley sonrió al escucharla.

—Jodidamente romántica —opinó atrapando sus labios de nuevo.

«No quiero perder a nadie».

«En la vida no siempre tenemos lo que queremos, Claire».

Arthur Lewis volvía a tener razón, aunque eso ya lo sabía. Y le habría gustado que muchas cosas fueran distintas, sí, pero aquella no era la peor de las opciones.

Podría haberla perdido a ella.

20

Un paseo para recordar

Lo sabía.

Lo sabía de sobra, y aun así cuando el despertador sonó aquella mañana, lo primero que pensó fue «tiene que ser una broma». Porque era cierto que ella misma lo había programado la noche anterior, pero es que las vacaciones de verano no podían haberse terminado tan pronto. Habían sido dos sensacionales meses sin tener que madrugar y con mucho tiempo para pasear con Cleo y con Darwin, para poder leer todo lo que le apeteciera y para broncearse en unas piscinas públicas bien equipadas que no le quedaban lejos de casa. Por supuesto, también había sacado algún rato para burlarse de Ashley por tener que trabajar en verano, porque si te organizas bien, los días dan para mucho.

Señor, cómo iba a echar de menos la maravillosa sensación de poder quedarse en la cama un rato más cuando su novia se despedía de ella por las mañanas los días que dormían juntas. Y era verdad que hacía un par de semanas desde que había tenido que volver al instituto, a hacer acto de presencia en reuniones interminables del claustro de profesores y diversos cursos de metodología docente. Pero eran en jornada reducida, de diez a dos, y de pronto eso se había acabado también, eran las seis y media de la mañana y ella ya estaba despierta.

Vida cruel.

De pronto, entre la nebulosa de su desgracia, divisó una luz en forma de «Claire, acuérdate de qué día es hoy», y se estiró lo más que pudo en la cama para rescatar su teléfono móvil de la superficie de la mesilla. Seguro que Ashley le había mandado un mensaje en plan romántico; siendo tan atenta como era, ni se planteaba que hubiese olvidado la fecha. Se le aceleraron las pulsaciones al descubrir un mensaje suyo esperando ser leído.

«Ashley Darwin»
Última conexión 6:27
ASHLEY: He tenido un sueño increíblemente porno con Jennifer Lawrence.
ASHLEY: Sin rencores.

Qué idiota era, porque lo había hecho a propósito, seguro. Y, a pesar de su imbecilidad sin límites, tuvo que sonreír porque Ashley siempre le mandaba un mensaje nada más levantarse. Eso quería decir que ella era una de las primeras cosas en las que la veterinaria pensaba al despertar, así que le perdonó lo de su sueño «increíblemente porno».

CLAIRE: Yo he tenido un sueño increíblemente porno contigo.
CLAIRE: Mucho mejor que en la realidad.
CLAIRE: Sin rencores.

Contestado aquel mensaje no le quedaba nada más que hacer metida en la cama, de modo que se incorporó y se encontró cara a cara con su mascota. Cara a barriga, a decir verdad, porque la muy remolona estaba profundamente dormida panza arriba en el colchón. Casi roncaba y todo. Y era culpa de la veterinaria que aquella pequeña pulga peluda creyera que podía dormir en su cama cuando le diera la gana, porque a Darwin lo tenía muy bien educado, pero a Cleo se lo consentía todo.

—Cleo, vamos, tienes que salir a hacer pis —se lo dijo mientras le rascaba la barriga.

Su mascota alzó la cabeza, lo justo para poder mirarla con unas rendijas ligeramente marrones por ojos y bostezó ruidosa antes de volver a acomodarse en el colchón, con aires de «tú descuida, que mi vejiga es XXL».

Menuda paciencia tenía que tener. La tomó en brazos y las dos salieron de la cama a la vez, era lo justo si una de ellas debía madrugar. Nada más depositarla en el suelo, la tía se estiró todo lo larga que era y le ladró, reprochándole un «yo ya estoy lista y tú aún vas en pijama», después se sentó mirándola y solo le faltó negar con la cabeza, en plan «qué poca seriedad». Se cambió rápidamente al chándal, no fuera a tener que esperar un minuto de más la reina de la casa, y en cuanto usó el baño, las dos salieron del piso para su paseo matutino. Buf... hacía mucho que no lo daban tan temprano.

Llevarían alrededor de diez minutos caminando y parándose cada dos por tres para que Cleo olisqueara los troncos de los árboles del vecindario, cuando escuchó su teléfono móvil sonar en el bolsillo de la sudadera. A aquellas horas no era probable que fuera nadie más, de modo que sonrió anticipadamente.

«Ashley Darwin»
Última conexión 6:54
ASHLEY: Creo que amenaza tormenta.
ASHLEY: Será mejor que pase a recogerte.
ASHLEY: Madame Boobary no puede llegar como una rata mojada el primer día de clase.

Y frunció el ceño al leerlo, porque se estaba arrepintiendo de no haberse llevado las gafas de sol puestas. El cielo estaba azul azul azul, muy azul, y no se avistaba ni una sola nube en lo que alcanzaba la vista. Un precioso día de mediados de septiembre en el que ese «creo que amenaza tormenta» quedaba completamente fuera de lugar; otra de las tonterías de Ashley y una excusa para pasar a recogerla y verla aquella mañana, porque era evidente que sí se acordaba de qué día era.

Desde que se mudó a aquel piso, relativamente cerca del instituto, la veterinaria solo la llevaba en coche las mañanas que llovía.

***

«Claire Lewis»
Última conexión 7:00
CLAIRE: Acepto tu propuesta.
CLAIRE: No me gusta llevar paraguas.

Sonrió al leer la respuesta de la profesora, le encantaba la facilidad con la que entraba en sus juegos y la forma que tenía de seguirla sin importarle realmente dónde se dirigían. Cada vez le gustaba más. Seguro que aquella mañana Claire ya había sonreído dos o tres veces por lo menos, y habrían sido más de no ser por el monumental disgusto que arrastraba con el drama en que se había convertido el final del verano.

¿Ahora quién se reía de quién, Lewis?

Pues nadie, nadie se reía de nadie, porque al verla con aquella cara de pena que ponía no tenía corazón para burlarse de su desgracia. Para gustarle tanto eso de ser profesora de instituto le estaba dando bastante pereza regresar a su puesto. En parte la comprendía, porque ella se había cogido dos semanas en julio y le costó la vida entera reincorporarse a principios de agosto. Y es que aquellas vacaciones fueron una puta pasada, porque Ronda, Leo, Olivia y Aaron se cogieron la misma quincena y los seis habían repartido sus días entre la piscina y el Happy Dog, Claire los había llevado alguna noche al bar de cócteles que frecuentaba de vez en cuando con Holly y con Leslie y, entre tanto sol, agua y cervezas, la rubia y ella habían intercalado varias rutas jodidamente increíbles con sus mascotas. Además, durmieron juntas las dos semanas enteras. Y habían follado. Mucho.

Buenos tiempos. Sí, señor.

Darwin y ella dieron media vuelta para regresar a casa, aún tenía que ducharse y a las siete y cuarto había quedado con sus amigas para desayunar. Aquella mañana tocaba en casa de Ronda, en casa de una alucinantemente gorda Ronda, y esperaba que se hubiera despertado de buen humor. Últimamente las hormonas estaban tratando muy pero que muy mal a su amiga y ella compadecía y admiraba a Leo a partes iguales. Ánimo, que solo quedan dos meses más.

Llegó puntual y le sobraban dos minutos, para que Ronda no le gritara que sus tortitas se le habían quedado frías y que era una desagradecida. Le abrió Olivia y le susurró «un ocho con cinco» antes de que ambas se dirigieran a la cocina. Aceptable, un notable alto en la escala de «nivel de amabilidad de Ronda hoy».

—Ey, futura mami —la saludó obsequiándola con un beso en la mejilla, tras acercarse a la silla que ocupaba la castaña.

—Cuando Leo me dice eso suena mucho más porno, esfuérzate más la próxima vez.

—Creo que sabiéndolo no va a haber próxima vez —reconoció acomodándose en la silla que quedaba frente a ella en la mesa.

—Lástima, me hacía ilusión —dijo guiñándole un ojo—. Esa es tu tortita, espero que te gusten un poco quemadas, he tenido que subir a hacer pis en el proceso, porque mi vejiga es del tamaño de un puto guisante de los pequeños.

—Seguro que está muy buena.

No quería verla llorar otra vez, como cuando Leo descubrió que había guardado la ropa interior en el frigorífico y los huevos en el cajón de la cómoda y se lo dijo a la castaña en plan anecdótico. El maravilloso mundo de los despistes de embarazadas.

—¿Qué tal se os presenta el trabajo hoy? —preguntó Olivia, presumiblemente para alejar el tema «tortita quemada» unas millas en dirección el olvido más absoluto.

—Igual que ayer, los niños me ven la barriga y quieren escucharla con el fonendoscopio, y no paran de traerme dibujos míos con el bebé: en pintura de cera, de madera, a la acuarela, carboncillo… tengo la consulta que parece el jodido Louvre —sentenció removiendo su descafeinado.

Les hizo gracia, pero intentaron disimularlo, porque en su estado reírse por algo que había dicho Ronda era bastante arriesgado, lo mismo podía unirse a las carcajadas como tirarles el café a la cara sin pestañear siquiera. La vida a su lado era una aventura continua.

—Pues hoy yo estoy a cargo de la farmacia durante todo el día —dijo la morena—. Han vuelto a citar a Robin en los juzgados por lo de su divorcio, esa mujer se está quedando hasta con los empastes y espérate que no tenga en mente arrancarle también las muelas.

Hacía unos meses la mujer del jefe de Olivia se lo había encontrado en la cama de matrimonio con su amante. La pobre había vuelto antes a casa al haberse suspendido su clase de *aquagym*, porque al profesor le había picado una abeja y resultaba que era alérgico.

El efecto mariposa era una puta y Robin un cabronazo.

—Pues me alegro. Tener amantes con esa cara debería estar penado por la constitución o ser un delito federal —opinó vehementemente Ronda—. ¿Cómo se te presenta a ti tu día especial? ¿Cargadito de «Claire, me muero por tus huesos, sé mía para siempre»?

Observó a su amiga mientras terminaba de masticar un pedazo de tortita, porque hablar con la boca llena era de mala educación, y, en cuanto tragó, le dedicó una sonrisa de las irónicas.

—La verdad es que ni le he dicho que me acuerdo ni ella me ha dicho que se acuerda. Además, trabajo toda la mañana y a primera hora de la tarde Kris y yo tenemos programada una operación.

—Es evidente que os acordáis las dos y seguro que ahora mismo vas a recogerla para poder verla antes del trabajo —señaló Olivia.

Maldita sabelotodo, pero sonrió, porque le daba lo mismo ser tan evidente a veces.

—Oh, por Dios, igual de coladita que Leo. Qué pena me dais los dos. —Suspiró la castaña degustando otro trozo de su tortita—. Vamos a ver, Ashley —llamó su atención sin molestarse en tragar antes, eso de estar embarazada le daba a una algunas prebendas—. ¿Cuánto llevas saliendo con Claire?

—Siete meses —y le contestó por no darle un disgusto, pero comenzaba a imaginarse la razón de su interés.

—Tiempo más que suficiente —dijo Olivia y ella la miró, inhibiendo su impulso de suspirar al escucharla uniéndose a la causa.

—En serio... creo firmemente que el numerito de... —comenzó a cuestionar aquella costumbre con bastante hastío, la verdad, pero Ronda continuó hablando.

Impasible e imparable.

—Llevas saliendo siete meses con ella y la cosa va en serio prácticamente desde antes de empezar —introdujo su discurso.

—Ronda...

—Claire tiene nuestra total aprobación —aportó Olivia.

Madre mía, algunas cosas no cambiaban jamás.

—Muchas gracias, se lo diré de vuestra parte.

—Ashley Woodson... —la cortó la castaña en aquel familiar tono teatral—. Por el poder que nos otorga nuestro estatus de mejores amigas, te preguntamos... ¿podría ser Claire Lewis tu Claire Lewis?

Y suspiró, pero suprimiendo una sonrisa, porque sus amigas eran muy gilipollas y la respuesta a aquella pregunta jodidamente evidente, y no solo por la coincidencia. Mierda, es que Claire Lewis era su Claire Lewis y aquello ya no tenía nada que ver con la chica del diario. No necesitaba pararse a pensarlo ni hacer comparaciones, en cierta forma lo había tenido claro desde el principio, al final Tracy había tenido razón con su «no es cuestión de tiempo».

—De verdad, lo de Claire Lewis está ya muy quemado. Olvidadlo —les aconsejó dando un sorbo a su café.

—¿Estás de coña? Todo el puto último año ha ido de «Claire Lewis», está más de moda que nunca. Y seguimos esperando que respondas a la pregunta —le recordó la castaña—. Ashley Woodson... —No le importaría repetírsela mil veces si hiciera falta.

—Llego tarde a recogerla —dijo limpiándose con una servilleta mientras se levantaba de la mesa dispuesta a escaquearse.

—Sabemos la respuesta, aunque no la digas en voz alta —indicó Ronda impertérrita—. Leo y tú me dais tanta pena.

Sonrió porque sí, porque la respuesta era evidente, pero no le apetecía seguirles el juego a aquellas dos idiotas. Se acercó a la castaña y le besó la mejilla como despedida.

—Ten un buen día, futura mami —le deseó a media voz y con el tono más porno que pudo impostar.

—Imbécil, que me pones cachonda y trabajo con niños —la reprendió su amiga, pero se estaba riendo.

También besó a Olivia en la mejilla, para que no tuviera envidia. Se dirigió hacia la salida de la cocina sin perder más tiempo, si Claire tenía su primera clase a las ocho no le sobraba ni medio segundo.

—¿Sabéis lo único bueno que le he visto a esto? —preguntó girándose hacia ellas en el quicio de la puerta—. Que es la última vez que me hacéis esa jodida pregunta —aseguró y les guiñó un ojo antes de desaparecer directa a la entrada.

Escuchó a Ronda repetir «Qué pena más grande me dan los dos» antes de salir de la casa.

Maldita imbécil.

***

Llevaba diez minutos lista y preparada para la llegada de Ashley, los cinco últimos pegada a la ventana del salón como una ventosa, esperando que su coche apareciese al final de la calle. Cleo la acompañaba en el sentimiento y estaba sentada en su silla de vigilancia, justo a su lado y observando el panorama. La pobre era muy bajita y no llegaba a la ventana, así que Ashley le había sugerido solventar sus problemas de metraje con una plataforma artificial, para que aquella mimada pudiera entretenerse cotilleando el vecindario desde las alturas.

Y le encantaba a la muy *voyeur*.

La intensa pereza que le provocaba aquel primer día de clase casi había quedado en segundo plano con el «Creo que amenaza tormenta» de su novia. El corazón se le había saltado un latido y en aquel momento se le aceleraba cada vez que veía un coche doblar la esquina, le pasaba con todos, aunque ninguno fuese el suyo. Ashley le encantaba por un millón de razones diferentes y una de ellas era su capacidad para hacerla sentir de aquel modo, casi con taquicardia y mordiéndose el labio inferior de la impaciencia simplemente por una frase. Una que escondía todos los dobles sentidos del mundo, el que más le gustaba era aquel «necesito verte ya, pero no voy a decírtelo directamente», y sobresalía por todos lados. Y no era necesario que fuese un día especial para que Ashley hiciera cosas como esa, pero aquel sí que lo era.

El siguiente coche que giró en la esquina fue el suyo y la taquicardia se le quedó perenne. Se apresuró a coger su bolso, que ya tenía preparado sobre el sofá, y volvió junto a Cleo para besar su coronilla y pedirle que se portara bien en su ausencia. Su mascota le lamió distraída la mejilla, casi sin separar la vista de la ventana, y en plan «aligerando, rubia, que aquella paloma es la mar de sospechosa».

Allí la dejó, entregada a su causa, y salió del piso llamando al ascensor antes de cerrar con llave, para ahorrar valiosos segundos, jugando al Tetris con su tiempo. Mientras bajaba en el ascensor, su móvil le sonó en el bolso y lo consultó, aunque estaba segura de que era Ashley anunciando su presencia en el vecindario.

«Ashley Darwin»
Última conexión 7:43
ASHLEY: Ya estoy abajo.
ASHLEY: Salgamos con tiempo, los días de lluvia siempre hay atascos.

En coche no se tardaba más de siete minutos en llegar a su instituto, así que les sobrarían diez para pasarlos juntas y solas en el interior del vehículo. Quince incluso, que por perder cinco minutos de clase no iba a morirse nadie, *flexibilidad, Lewis, son adolescentes y es su primer día.* Sonrió a la veterinaria desde que salió del portal hasta que se acomodó en el asiento del copiloto, a su lado, y después le sonrió un poco más, porque ella hacía lo mismo y habría quedado descortés no seguirle el juego.

—Buenos días, Claire —la saludó sin perder la sonrisa y mirándola de aquella forma en que la miraba ella, con esos ojos que tenía.

Ashley estaba tan increíblemente guapa con su chaleco del zoo que le costó la vida entera no cortar su saludo, decirle «sé que tú también te acuerdas, así que dejemos de hacer el tonto» y besarla hasta la muerte. Pero es que hacer el tonto con ella le gustaba demasiado.

—«Buenos» por decir algo —continuó con su juego de «día lluvioso» y Ashley pareció complacida.

—Para estar lloviendo tanto, me estás besando muy poco —dijo ladeando un poco la cabeza—. ¿No crees? —Alzó una ceja.

Y lo creía. Lo creía a ciegas, casi era su religión, así que la tomó por el cuello del chaleco y la acercó a ella de un tirón. Justo como sabía que le encantaba. Atrapó sus labios, con la boca entreabierta, y de inmediato sintió la mano de la veterinaria sujetándola firmemente por la nuca, lo hacía cuando la quería cerca, aunque fuese casi imposible estarlo más. Ashley embistió con suavidad sus labios y ella le dio la bienvenida, la veterinaria la besaba entregándose totalmente a la causa cada vez, aquel era su estilo, maravillosamente pasional. Le respondió de la misma forma, porque darse los buenos días de aquella manera era de lo mejor del mundo.

—Ash, no puedo llegar tarde al instituto —murmuró contra su boca mientras le acariciaba la mejilla.

Recibió otro beso suave y corto antes de que Ashley se apartara con media sonrisa pintada en la cara.

—Tienes razón, no hagamos esperar a tus adolescentes, están a punto de descubrir que Literatura va a ser su asignatura favorita el año entero —indicó y ella le acarició cariñosamente la nuca cuando encendió el motor del coche—. ¿La vigía se ha quedado en su puesto?

Sonrió al oírla, porque se refería a Cleo y siempre preguntaba por ella. Su segunda favorita.

—¿Tú qué crees?

—Que la idea de colocar la silla junto a la ventana fue una jodida genialidad.

—No esperaba menos de ti —continuó aquella alabanza en tono un tanto irónico y la hizo sonreír—. ¿Cómo tienes la mañana en el zoo?

—Complicada: salen traslados, llegan traslados y hospitalización está saturada. Te cambio el trabajo por un día, yo voy al instituto y suelto el rollo de «aprobar cuesta y aquí vais a empezar a pagar» y tú vas al zoo por mí —propuso mirándola fugazmente y ella se rio.

—Me parece bien, si no te importa que me pase toda la mañana besando cachorritos —accedió mientras perdía su vista por la ventanilla.

Lo que ella decía, siete minutos después Ashley estacionaba el vehículo frente a la entrada de su centro de trabajo. Apagó el motor, señal de que no tenía intenciones de marcharse aún, y se giró hacia ella en su asiento.

—En cinco minutos empieza mi primera clase —indicó, tomándole una mano y entrelazando los dedos.

—Me sobran cuatro —aseguró—. ¿Qué piensas hacer esta tarde?

—No lo sé, ¿qué piensas hacer tú esta tarde?

—Operar a una cebra con Kris. Y después seguramente Darwin y yo iremos al parque, nos gusta darnos una vuelta por ahí de vez en cuando para ver si fichamos a alguien nuevo.

Qué bien jugaba y cómo sabía que ella estaba más que dispuesta a seguirla. Bajó la vista a la palanca de cambios, porque se le estaba escapando una sonrisa de las evidentemente reveladoras.

—Seguro que sois los más cotillas de todo el vecindario —señaló mirándola de nuevo.

—Seguro —convino, y le acarició el dorso de la mano con el dedo pulgar.

Localizó a Holly saludándola con cierta timidez desde mitad del camino hacia la entrada principal, como si no quisiera molestarlas, pero supiese que tenía que abandonar el coche de forma inminente si no quería llegar tarde a su primera clase del curso.

—Tengo que irme ya —admitió muy a su pesar.

Ashley volvió la vista y saludó a su compañera de trabajo con un gesto de la mano, en cuanto se giró de nuevo, ella estaba lista para despedirse con un beso más bien intenso, que pilló a la veterinaria un poco desprevenida. La sintió sonreír contra sus labios y la escuchó emitir un gemidito que se movía entre las categorías gracioso y sexi, casi en igual proporción.

—Gracias por traerme, mi amor —le dijo acariciándole la nuca—. Habría llegado empapada.

—De nada —respondió antes de robarle un último beso y dejarla salir del coche.

La escuchó alzar la voz a su espalda en un «cuidado con los charcos», que la hizo sonreír un poco más.

***

Su primera mañana en el instituto no había sido demasiado dura, se había limitado a presentarse a sus nuevos alumnos y explicar brevemente el cronograma de la asignatura. *De vuelta a la rutina, Claire, que ya tocaba.* La jornada en su conjunto se le había hecho bastante llevadera, sobre todo porque, entre clase y clase, consultaba su teléfono móvil y casi todas las veces se había encontrado con premio. Abrió de nuevo la conversación con su novia, simplemente para contemplar otra vez aquella foto, mientras esperaba que Cleo dejase de olisquear el tronco de un árbol a la entrada del parque.

«Ashley Darwin»
Última conexión 19:37

ASHLEY: Podrias haber sido tú.

ASHLEY: (Foto de Ashley besando la cabeza de un cachorro de tigre que sostenía en brazos)

Y es que su interior se convertía en *pudding* cada vez que la veía, porque su novia llevaba puesto aquel pijama que, por alguna razón, le resultaba tremendamente sexi, y no sabía quién le parecía más adorable: Ashley, el cachorro de tigre o ambos en su conjunto. Pero se quedaba con Ashley, seguro. Las dos habían estado muy pendientes de la otra durante todo el día, así que había sido especial de una forma más bien implícita, de las mejores, en su humilde opinión. La veterinaria incluso la había llamado en su pausa para comer antes de entrar a quirófano, simplemente porque quería que le contase de viva voz qué tal le había ido la mañana.

Ashley Woodson, atenta y adorable criatura.

Por fin su mascota se dio por satisfecha y cesó su escrutinio de aquel viejo tronco, echando a caminar parque adentro. Después de tanto tiempo acudiendo allí casi todas las tardes, la pequeña jack russell lo consideraba parte de sus inmensos dominios y se paseaba por toda su extensión como si estuviera en su casa. Tenía que admitir que casi la comprendía, de un modo u otro, todo aquello había pasado a formar parte de lo agradablemente familiar para ellas. En algún punto del camino, Boston había dejado de monopolizar el significado de la abstracción «casa» en exclusiva.

Echó un rápido vistazo a su alrededor, por si la veterinaria y Darwin habían llegado antes que ellas, pero no pudo localizar a ninguno de los dos. Casi había empezado a anochecer y no había excesivo tráfico humano-perruno a aquellas horas, así que los hubiera visto sin problemas si estuviesen ya allí. Las vistas del lago eran alucinantes desde su posición y se dedicó a admirarlas durante unos segundos, hasta que se dio cuenta de que la cochina de su mascota se estaba comiendo un envoltorio que se había encontrado en el suelo. Bollería industrial, no podía enfadarse en exceso, eran de sus favoritos.

Se lo arrebató y lo tiró a una papelera cercana, y se estaba limpiando las manos con unas toallitas húmedas, de las que había aprendido a llevar en el bolso a fuerza de experiencia, cuando una pelota amarilla aterrizó justo a su lado y su corazón se saltó un par de latidos, porque ya sabía lo que venía a continuación. Es que llevaba esperando ese momento el día entero.

Darwin llegó corriendo, a la velocidad del sonido, detrás de su juguete favorito, pero dejó de prestarle atención en cuanto las descubrió a ellas dos allí. Primero saludó a Cleo, pero no se lo tuvo en cuenta, porque no se habían visto en todo el día y después de todo el verano juntos, prácticamente las veinticuatro horas, era normal que se echaran de menos. Tras su colega peluda, le tocó el turno a ella, y el animal se acercó meneando alegre su cola en busca de sus caricias, sabía que había muchas de esas esperándole.

Ashley llegó medio minuto después.

—Perdónale, es un perro un poco pesado. —Las mismas palabras y la misma sonrisa, solo que esta vez aquel gesto en sus facciones le decía mucho más.

—Igual que su dueña —opinó y la vio fruncir el ceño ante su respuesta.

—Menudas confianzas te has tomado en un año, Lewis —dijo fingiendo estar sorprendida.

—Es que un año da para mucho, Woodson —replicó esbozando media sonrisa al verla hacer lo mismo.

Y es que aquel año les había dado para mucho, de verdad.

—Para que dejes de fumar, por ejemplo —indicó Ashley contabilizando con los dedos de su mano.

—Para que Cleo aprenda a sentarse —aportó un ejemplo más, acercándose a su novia y tomándola por el cuello de la sudadera.

—Para convertirte en la Madame Boobary de un instituto de secundaria —continuó con la lista, y sintió cómo apoyaba las manos en sus caderas.

—Para descubrir lo idiota que eres —sumó aquello también, acercando su rostro al de la veterinaria mientras le acariciaba el labio inferior con el pulgar.

—Para comprobar que besas de puta madre —añadió, aproximándose aún más.

Y acto seguido la veterinaria cerró el espacio que separaba sus bocas, la acercó del todo a su cuerpo de un tirón y empezó a besarla con muchas ganas, allí, en mitad del parque. Toda la situación tenía a su corazón loco, aporreándole las costillas con inusitada fuerza y a toda velocidad, porque solo eran palabras, pero escondían muchas cosas y cada vez que sentía cómo Ashley sonreía contra sus labios, sin dejar de besarla, le servía como confirmación.

—Para enamorarme de ti —lo agregó cuando sus ojos conectaron, aprovechando que la veterinaria se separó de ella ligeramente en busca de aire.

Ashley sonrió de lado al escucharla, la derritió con aquella mirada suya, y después atrapó sus labios de nuevo con fuerza renovada, a lo mejor porque le había gustado especialmente aquella última frase y su corazón también iba a toda pastilla. Aceptó su boca, aprisionando su labio inferior entre los suyos; le encantaba besarla de esa manera y que Ashley la besara como le diera la gana, porque todos sus estilos eran más que perfectos.

Oyeron a la pesada de Cleo reclamando su atención a base de ladridos, pero aún tardaron unos segundos de más en decidir que era hora de parar y tomar aire. La veterinaria la besó fugazmente un par de veces antes de observar a su mascota y se agachó frente a ella en el suelo.

—Tienes razón, enana, tú también estabas aquí —le concedió su parte de protagonismo besando la zona superior de su hocico.

Sonrió al verlas a ambas y cruzó los brazos sobre el pecho sin dejar de observarlas. Ashley interaccionando con Darwin y con Cleo de esa forma debía de ser uno de sus puntos débiles, porque cada vez que lo hacía ella se enamoraba un poco más. La veterinaria se hizo con la pelota amarilla y se la enseñó a sus mascotas, activándolas al instante.

—No podemos quedarnos mucho tiempo, chicos. Los mayores tenemos cosas que hacer —les advirtió a ambos antes de lanzar el juguete lo más lejos que pudo.

«Cosas que hacer». Interesante.

Se acercó a la veterinaria por la espalda y rodeó su cintura con los brazos, estrechándola contra su cuerpo. Apoyó la mejilla en su hombro tras depositar un beso sobre el material de su sudadera. Por Dios, el día entero le había encantado, pero es que simplemente el poder estar así con su chica, con Darwin y con Cleo y saber que Ashley también quería estar así con ellos era su parte favorita del universo al completo.

No podía haber nada mejor.

—¿Qué cosas tenemos que hacer los mayores, Ash? —se interesó hablándole al oído. La sintió estremecerse entre sus brazos al escucharla tan cerca, sonrió y le besó el hombro de nuevo.

—¿Qué cosas te gustaría hacer? —preguntó la veterinaria mientras jugueteaba con sus manos, que descansaban sobre su abdomen.

—Creo que sería peligroso decírtelas ahora mismo —reconoció, mientras que hacía caminar dos de sus dedos por su bajo vientre, en dirección sur.

La escuchó reír y ella también lo hizo cuando comenzó a retorcerse dentro de su abrazo, sujetándole la mano para que frenarse la marcha. Lo único que consiguió fue que la estrechara con más fuerza contra ella.

—Creo que es hora de volver a casa —dijo Ashley tras recobrar el aliento.

—¿A la tuya o a la mía? —preguntó junto a su oído, su tono sonó ligeramente pervertido y supo que la veterinaria estaba sonriendo sin necesidad de verla.

—La mía está más cerca.

—Imposible de rebatir —aceptó besando cariñosamente su mejilla.

***

«Para enamorarme de ti».

Lo mejor que le había pasado en la puta vida, la verdad, enamorarse de Claire y que Claire se enamorase de ella. Y hubo un tiempo en que aquella posibilidad parecía muy muy lejana, en el que le daba igual cuánto fuera a doler, porque estar con ella de cualquier manera le merecía la pena siempre.

Y de repente Claire se lo decía así, «para enamorarme de ti», y merecía la pena de verdad. Todo. Porque llevaban siete meses saliendo y habían sido jodidamente increíbles y estaba convencida de que la gilipollas de Ronda no iba a tener que preguntarle eso de «Claire Lewis» nunca más.

Paradójico que no siendo «Claire Lewis», hubiese terminado siendo la más Claire Lewis de todas. La única que iba a valerle.

En cuanto divisó su porche a lo lejos, se le aceleraron las pulsaciones, porque sabía que el detalle iba a encantarle, pero esperaba que hubiera quedado todo increíblemente bien. Menos mal que la profesora no había insistido en que fueran a su piso.

—¿Qué es eso? —Claire lo preguntó mientras ambas subían las escaleras y en cuanto divisó un sobre blanco pegado con celo a su puerta se unió al interrogante.

¿Qué coño era eso?

La rubia lo alcanzó primero y ponía «Olivia» en la solapa. Menudo misterio, porque si había tenido algún problema con su sorpresa podría haberla llamado por teléfono, la verdad, que estaban en el jodido siglo XXI. Claire sacó un folio y se puso a leerlo en voz baja, detectó el inicio de una sonrisa dibujándose en sus labios, cada vez se hacía más grande a medida que avanzaba en su lectura, así que las ganas de saber aumentaron en un cien por cien. En cuanto terminó con el último renglón, su chica le cedió el folio y ella lo aceptó con poca delicadeza y mucha prisa.

Queridas Claire y Ashley:

Las dos me habéis pedido que preparase la mesa en plan romántico y me habéis dejado las velas, las flores y la comida listas para colocar. No os quería chafar la sorpresa a ninguna, así que he preparado lo de ambas y tenéis dos mesas románticas y dos cenas. Si no vais a coméroslo todo, podéis pasarme lo que sobre, ya he cenado un sándwich, pero sigo teniendo hambre.

Os quiere, Olivia.

Y había dibujado un corazón sobre cada «i» de su nombre.

Alzó la vista, en busca del azul de su mirada y Claire estaba sonriendo ante aquel avance informativo, así que le devolvió el gesto.

—Las grandes mentes piensan igual —sentenció arrugando la hoja de papel y guardándola en su puño.

—Anda, ven aquí y abre la puerta, «gran mente» —su novia se lo sugirió tirando de su mano.

En cuanto sacó las llaves y antes de poder meterlas en la cerradura, sintió los brazos de la rubia rodeándole la cintura y sonrió sin poder ni querer evitarlo. Claire Lewis era extremadamente cariñosa siempre y eso del contacto físico era de sus cosas favoritas en el mundo entero, no iba a quejarse, porque le encantaba que la achuchase de todas las formas y maneras posibles y sentirla por todas partes era su pasatiempo preferido.

Sensible y llorona, le encantaba besar y ser besada, era experta en abrazos y medalla de oro en el arte de acariciar, y nunca se había planteado si tenía un prototipo de chica ideal hasta que llegó ella, dando hasta en el último de los clavos. No sabía si todas aquellas cualidades le gustaban *a priori* o si le encantaban porque Claire era así y con eso bastaba.

Cuando se encontró con aquella increíble mirada al volverse tras cerrar la puerta, un «joder, cómo te quiero» invadió su conciencia al completo. Entera y hasta el fondo. Cuando la observaba así no había sitio para nada más.

—Al final ha sido media sorpresa —Claire lo dijo en tono de fastidio y ella paseó la vista por el salón.

Efectivamente, Olivia había preparado dos mesas a la perfección, pero les había fastidiado la sorpresa a ambas en el último momento, por no fastidiársela a una sola. Y encima pedía comida. Los chacras no debían de funcionarle del todo bien a la pobre.

—Bueno, técnicamente la mitad de la sorpresa de dos sorpresas es una sorpresa entera —aseguró y le gustó verla sonreír.

—Bueno, en tal caso, técnicamente tengo que darte medio «gracias» por esa sorpresa entera —dijo acercándose a una de las mesas.

—Y técnicamente yo tengo que darte el otro medio, para hacer un «gracias» completo por la sorpresa entera suma de las do... —comenzó a responderle, pero Claire se acercó a ella riendo y le tapó la boca con la mano.

—Dejémoslo en «me encanta tu sorpresa» —sugirió y ella le besó la palma, antes de que la retirase.

—Me encanta tu sorpresa.

Y de pronto Claire aplaudió, repentinamente emocionada por todo aquello, y se acercó a la velocidad del sonido a la mesa que no estaba decorada con las velas que ella misma había comprado, porque por eliminación tenía que ser la suya y seguro que se moría por descubrir qué había elegido como cena.

Levantó las tapas con que Olivia había cubierto la comida y la miró divertida al descubrir cuatro sándwiches de jamón y queso perfectamente apilados, dos en cada plato.

—Tu «especialidad universal» —señaló, y la tomó por ambas mejillas, besándola con intensidad. Después la miró desde muy cerca—. No deberías haberte molestado, te ha debido de llevar toda la tarde.

Y luego la idiota era ella.

—La ocasión lo merece —siguió su broma.

Claire la besó de nuevo, más suave esta vez, y murmuró un «gracias», completamente en serio, contra sus labios mientras le acariciaba la mejilla. Después se separó de pronto de ella y exigió impaciente que destapara su elección para aquella noche.

Accedió, en parte porque tenía curiosidad por descubrir qué había elegido Claire, y en parte porque siempre le había parecido que estaba jodidamente adorable cuando se emocionaba tanto por cualquier cosa y no podía hacerla esperar si lo suplicaba con esa cara y con aquel brillo especial en los ojos.

Perritos calientes del Happy Dog, así que sonrió, porque los perritos calientes del Happy Dog eran los mejores que había probado en su vida y porque Claire la estaba observando toda ilusionada, en espera de su reacción.

—No deberías haberte molestado, te ha debido de llevar toda la tarde —repitió las palabras de la profesora y ella le rodeó el cuello con los brazos, sonriente.

—La ocasión lo merece. ¿Te gusta?

Y lo preguntó, aunque ya sabía que sí, que por supuesto que sí y que mil veces sí. Claire tenía que notarlo por todas partes, igual que lo notaba ella. El día entero había estado cargado de un «me encantas tú y me encanta todo contigo», increíblemente obvio, y el jugueteo lo multiplicaba por dos. No hacía falta verbalizarlo porque casi se podía tocar a su alrededor, podías verlo y oírlo, olerlo y saborearlo, es que era accesible a los cinco sentidos. Aquello tenía que ser su premio por todo lo bueno que había hecho en la vida, y no estaba segura de merecerse tanto, pero muchas gracias.

—Los perritos del Happy Dog son un acierto seguro.

—No me gusta el riesgo. Vamos a comer ya, que se te va a enfriar.

La rubia cogió uno de los platos con sándwiches que Olivia había colocado en la mesa grande de su salón y lo trasladó a la mesita baja frente al sofá. La morena la había elegido para colocar allí los perritos calientes y el resto de los artículos que le había proporcionado Claire.

—Cada vez te salen mejor —indicó la muy tonta.

Lo dijo tras probar uno de los sándwiches, a su lado en el sofá, y ella sonrió a medias porque tenía la boca ocupada saboreando aquel perrito caliente. Jodidamente delicioso. Cleo y Darwin las observaban muy atentos, educadamente sentados en el suelo, a más o menos un metro de ellas y casi salivando, sabían que no merecía la pena insistir demasiado.

—¿Quieres que me quede a dormir? —preguntó de pronto Claire.

La miro con un «por supuesto que sí» gigante asomándose a todas sus facciones y con cara de «por favor», pero le contestó algo bien diferente, porque Ashley Woodson no suplicaba.

—Quiero que te quedes a otras cosas, pero si luego te da pereza volver a casa no me importa prestarte media cama por esta noche —lo dijo justo antes de darle otro mordisco a su perrito caliente y Claire se rio.

—Antes eras mucho más romántica.

—Una vez conquistado el castillo no hace falta seguir luchando —opinó y dejó que la rubia le limpiara la barbilla con una servilleta de papel mientras sonreía divertida.

—Así que das por finalizada la conquista —dijo alzando la ceja.

—A no ser que quieras que conquiste algo más —dejó abierta esa posibilidad.

Y lo dijo en tono insinuante, exageradamente insinuante, así que la hizo reír, y se inclinó sobre ella, tras dejar lo que quedaba de perrito caliente sobre el plato.

—Me parece que la que quiere eres tú —dijo la rubia divertida, reclinada sobre los cojines del sofá y aún con medio sándwich en las manos a mitad de camino de la boca.

Le dio un mordisco a la cena de su chica y Claire volvió a reírse e intentó ponerlo fuera de su alcance, estirando el brazo lo más que pudo por encima de la cabeza. Lo que su novia no sabía era que, a medida que lo alejaba de ella, lo acercaba más y más a un atentísimo Darwin. El border collie saltó como un muelle ante aquella oportunidad de oro, su puto día de la buena suerte, porque se lo llevó del tirón.

—Ni para ti, ni para mí —indicó divertida ante el gesto de incredulidad de su novia, que observaba su mano vacía sin entender muy bien qué había podido pasar en medio segundo.

Claire conectó de nuevo sus miradas y estaba sonriendo, porque un poco de gracia sí había tenido.

—Tu perro es un maleducado —la acusó tomándola por el cuello de la sudadera y atrayéndola hacia su cuerpo.

Una invitación en toda regla a descansar su peso completo sobre ella, y simplemente sentirla debajo le gustaba más de lo que estaría dispuesta a admitir nunca, así que aceptó su implícita propuesta. Se apoyó en sus antebrazos, uno a cada lado del cuerpo de Claire, quedando cara a cara y muy cerca.

—Y la tuya demasiado bajita. Aún quedan varias de mis deliciosas «especialidades universales», ¿quieres probar con otra? —ofreció haciendo amago de incorporarse para alcanzar el segundo sándwich del plato.

Claire afianzó el agarre de su ropa y le impidió alejarse demasiado, devolviéndola enseguida a su sitio, y tenía intenciones de sonreírle en plan engreído y soltarle un «no puedes vivir sin mí», pero se encontró con aquella mirada y casi se le olvidó su propio nombre. Se permitió perderse en su azul favorito por unos segundos, los que fueran, y dejó que aquella sensación de «va a pasar ya» la recorriese entera, sin prisa, como una ola de electricidad de la de bajo voltaje que la activaba poco a poco. Los ojos de Claire a veces eran eso, electricidad.

—Ahora mismo no tengo más hambre —la profesora lo dijo bajando el tono y la mirada a sus labios.

Seguía sujetándole la sudadera con una mano, de forma jodidamente firme y esperaba que no la soltase nunca, porque después de ella no había más opciones. Sintió el pulgar de la rubia dibujando su labio inferior de forma suave y, mientras lo hacía, seguía observando su boca de esa manera que la rompía un poco por dentro, Claire a veces la miraba como si fuera lo más fascinante que había visto nunca.

***

La sensación de piel con piel le resultaba increíble y llevaban un rato en silencio a la espera de que sus fisiologías decidieran regresar a la normalidad. Claire estaba echada sobre su espalda, besuqueándole la mejilla que quedaba visible, mientras ella descansaba tumbada bocabajo en el sofá.

—Claire... ¿puedo decirte una cosa?

—¿Que de las cinco soy la mejor en el sexo oral? —probó suerte con una sonrisa fingidamente engreída asomándose a su campo de visión.

Suprimió una sonrisa, porque era un puto misterio de la naturaleza cómo aquella chica podía pasar de ser lo más sexi que había visto en los días de su vida, a parecerle la criatura más adorable de las que poblaban el planeta Tierra.

—No. Que Cleo se está comiendo ese sujetador que tan bien te sujeta todo —dijo señalando a la susodicha con un dedo acusador.

—¿Qué? —Siguió la dirección de su gesto y soltó un grito ahogado al comprobar la veracidad de sus palabras—. ¡Cleo, no! Verla completamente desnuda persiguiendo a su mascota por todo el salón fue gracioso y extrañamente excitante al mismo tiempo. Y es que Claire Lewis era el «todo en uno» más gigantesco del jodido universo.

Al final no hubo forma de salvarlo. El sujetador que mejor sujetaba todo lo de Claire había pasado a otra vida como uno de los mejores sostenes de la historia de la lencería. Lo iba a echar de menos.

Se habían duchado y cambiado al pijama y ella salió del baño tras haber terminado de cepillarse los dientes. Sonrió al verla, le encantaba encontrársela ya metida en la cama, arropada bajo las sábanas y observándola con aquella cara mientras escondía medio rostro en la almohada.

Saltó a su lado y se acurrucó contra su cuerpo sobre el colchón, Claire soltó una carcajada por lo enérgico de su gesto y ella simplemente la miró reír con media sonrisa asomando a sus labios, porque, joder, era preciosa y aquel sonido uno de sus favoritos. Si algún día se quedaba sorda seguro que sería de los tres que más echaría de menos: su risa, sus gemidos y su forma de llamarla imbécil.

—Deja de mirarme así —la profesora se lo pidió enterrando la cara por completo en la almohada.

—Así... ¿cómo? —preguntó divertida.

Claire se limitó a cubrirle los ojos con la mano y a los dos segundos sintió cómo atrapaba sus labios en un beso jodidamente suave. Íntimo. Se lo devolvió mientras su novia le acariciaba la cara, y esos momentos con ella eran de lo mejor de su vida.

—Dios, quiero que sea siempre así —Claire lo susurró contra su boca. Como si pensara en voz alta, casi sin darse cuenta.

Un pensamiento escapando de su subconsciente más profundo, había aprovechado aquellos segundos de distracción para hacerse audible. Abrió los ojos al oírla y se encontró con su azul favorito esperándola. Increíblemente cerca en todos los sentidos.

—Te gastarías millones en sujetadores —indicó, esbozando media sonrisa después.

—Imbécil. —Claire también sonrió y le pegó un manotazo en el pecho.

Cada vez que conseguía que la llamara imbécil entre risas ella se moría un poquito más por dentro, como ganar la jodida lotería una y otra vez. Sujetó la mano con la que acababa de pegarle y se la llevó a los labios, la besó con suavidad mientras continuaba mirando a Claire, seguramente de la forma en que le había pedido que no lo hiciera, pero a la profesora se le había pasado la vergüenza.

—Que te llamaras Claire Lewis hace un año en ese parque ha sido lo mejor que me ha pasado nunca. —Y si alguna vez dijo lo contrario es que estaba jodidamente ciega.

—Agradéceselo a mi padre, mi madre quería llamarme Amanda —reveló acariciándole los labios con las yemas de los dedos.

«Deberías llamarme Amanda Lewis».

Solo eso, un nombre por otro y un final bien distinto. Casi daba miedo pensar en cómo cada pequeño detalle podría haber cambiado su historia. El puto efecto mariposa otra vez, a Robin le había jodido el plan y a ella le había hecho el mejor regalo de su vida, joder.

«Deberías llamarme Claire Lewis».

Y ahí, justo ahí, había caído la última ficha de un dominó que a lo mejor llevaba jugando con ellas la vida entera, preparándolas. Porque hacía unos meses se había enfadado la hostia con el destino y tal vez tenía que darle las gracias después de todo. Quizás la que se había equivocado era ella y el jodido diario de Claire Lewis fue tan solo una pieza más, de las que cayeron hacía años. De las que la llevaban hacia ella.

Porque Claire podría haberse llamado Amanda y la chica del campamento de cualquier otra forma. Podría no haberse dejado el diario debajo de su puta almohada. Ella podría no haberlo leído. Podría haberse comprado la casa en cualquier otra zona de Cleveland. A Darwin podría no haberle gustado tanto el parque Edgewater. De las miles de personas con las que Claire se había cruzado a lo largo de su vida, podría haberse enamorado de cualquier otro, pero se había enamorado de Nick, un mal menor y claramente necesario en toda aquella historia. Nick podría haber encontrado aquel trabajo cojonudo en cualquier otra ciudad. Cleo podría no haber existido en sus vidas si el chico no hubiera cedido ante los deseos de Claire. Ambos podrían haber alquilado su casa en cualquier otra zona de Cleveland.

Tantas cosas podrían haber salido mal, que era difícil de creer que no lo hubieran hecho.

Joder, ¿Amanda Lewis?

—Tu padre es un jodido genio.

—Díselo a él, a lo mejor te sube la nota a un seis.

Sonrió y se acercó más a ella, buscando su calor y perderse en aquel azul intenso y extraordinario. Llevaba un año entero sumergida en él, de muchas formas diferentes. Un año entero, Tracy y Nick, su brillante «todo esto ha sido un estúpido malentendido» y los padres de Claire.

—Dicen que el primer año es el más difícil de todos —dijo acariciándole el dorso de la mano con el pulgar.

—Ah, ¿sí?

—Dicen que es la prueba de fuego —aseguró, y al segundo «dicen» Claire inhibió una sonrisa.

—¿En serio? —lo preguntó alzando una ceja y ya le estaba siguiendo el juego.

—Dicen que si se supera, solo queda ser felices y follar increíblemente bien para el resto de tu vida.

Esta vez la profesora sonrió abiertamente y le acarició la cara, derritiéndola con esa mirada de «qué imbécil eres, pero cómo me gusta que lo seas» y le dio pie, porque sabía que lo estaba deseando.

—¿Quién lo dice?

Ella le sonrió de lado y la rubia negó con la cabeza, divertida. Le dijo «Ven aquí, anda» y tiró del cuello de su camiseta del pijama, atrapando sus labios en un beso jodidamente alucinante y sin darle la oportunidad de verbalizarlo.

Después de un año entero se sabía la respuesta de memoria.

Epílogo

El diario de Claire Lewis

—Darwin, siéntate.

Ashley se lo ordenó a su perro como requisito para lanzarle la pelota y el border collie obedeció de inmediato. No le impresionaba demasiado, la verdad, desde que lo conoció, el perro de su novia había sido uno de los más educados que había visto en su vida.

—Cleo, siéntate.

La veterinaria fue un paso más allá y, en cuanto el culo de Darwin se pegó al suelo, le pidió lo mismo a su jack russell. Cleo no la decepcionó y acató la orden casi tan rápido como su colega mayor. Se le escapó una sonrisa al percatarse de lo que vendría a continuación.

—Dylan, siéntate.

El niño lo hizo de inmediato, en fila con sus compañeros caninos, y además estaba sonriendo, enseñando hasta el último de sus pequeños dientecillos. Le encantaba jugar a la pelota con Darwin y con Cleo, y la veterinaria le trataba como a uno más, porque era un poco idiota y le hacía gracia.

—¿Preparados? ¿Listos? —Ashley los tentó y cuando Dylan soltó una risita impaciente, ella tuvo que sonreír de nuevo mientras el corazón se le hacía *pudding* en el interior de su caja torácica—. ¡Ya! —lo exclamó a la vez que lanzaba la pelota lo más lejos posible.

Darwin y Cleo salieron tras el juguete como almas que lleva el diablo, pero a Dylan le costó un poco más eso de levantarse del suelo y para cuando quiso echar a correr tras los perros estos estaban de vuelta y acercándose a toda velocidad. Hacia él. Así que soltó un grito y decidió cambiar de dirección, dirigiéndose hacia Ashley lo más rápido que pudo, con los brazos extendidos y suplicando «Súbeme».

Y mientras Ashley lo ponía a salvo, tomándolo en brazos, ella contemplaba la escena completamente inmersa en aquella sensación de «es todo lo que he querido durante toda mi vida», porque podría pasársela entera en aquel parque así. Simplemente así. No necesitaba nada más. Y, aunque no tuviera ninguna gana, les dejaría un par de carreritas más y tendrían que ir pensando en regresar a casa. A pesar de que era viernes, tenían horarios que cumplir y el sol ya se estaba poniendo. Los atardeceres en el parque Edgewater eran bastante alucinantes, por eso les gustaba visitarlo a aquellas horas.

—Dos lanzamientos más y nos vamos, Ash —anunció, la veterinaria se giró para poder mirarla, con Dylan en brazos.

—Claire «aguafiestas» Lewis —señaló y volvió a darle la espalda dispuesta a aprovechar ese par de lanzamientos extras.

En fin.

Cinco minutos después, mientras Ashley recuperaba la pelota, ella estaba agachada frente a Dylan colocándole su chaqueta, porque ya no iba a correr más y no quería que se quedase frío. Le subió la cremallera hasta arriba mientras el pequeño jugueteaba con su pelo, enredando mechones rubios entre sus minúsculos dedos y tarareando una canción que ella no terminó de reconocer. Solo Dios sabía de dónde se la habría sacado.

—Joder, quien haya perdido esto debe de estar muy cabreado ahora mismo —escuchó a Ashley, levantó la vista y la localizó agachada justo en el punto en que había quedado abandonada la pelota.

—No digas la palabra con «j» cuando esté Dylan delante —se lo recordó.

Y se acercó a ella con el pequeño de la mano, porque eso de recoger desperdicios del suelo tampoco era un modelado adecuado para un niño de tres años, pero le había picado la curiosidad. Llegaron a su altura, Dylan se soltó de su mano para aferrarse al cuello de la veterinaria tratando de subirse a su espalda y a ella se le paralizó el interior, de golpe y al completo.

Porque, de repente, Ashley no estaba simplemente «agachada» en el suelo, que va, Ashley estaba arrodillada a sus pies y mirándola de una forma que madre mía. Aún no había descubierto qué era aquello que «alguien había perdido», pero se lo iba imaginando y se le aceleró el organismo entero. Ashley le sonrió de lado, una de las de «ya sabes por dónde voy» con una pizca de nerviosismo en el gesto, y ella se llevó ambas manos a la boca, cubriéndosela, y frunció el ceño de la manera en que lo fruncía cuando le daban ganas de llorar.

Porque es que sí, es que era lo que se imaginaba y el corazón iba a reventarle las costillas. Madre mía.

No se lo había visto venir.

—Oh, Dios mío... —lo dijo más bien para sí misma, en voz baja, porque simplemente verla arrodillada frente a ella y mirándola de esa forma le estaba estrangulando el pasado, el presente y el futuro con mucha fuerza.

Respiró hondo, no quería llorar, pero era tan evidente que iba a hacerlo que no valía la pena molestarse en disimularlo. Seguro que la muy idiota llevaba preparado un paquete de clínex en el bolsillo de su chaqueta.

No tenía ganas de desconectar de aquel verde, pero la veterinaria le estaba enseñando algo con su brazo ligeramente extendido hacia ella y tuvo que bajar la vista, por educación y por necesidad. Se le escapó una especie de sollozo acompañando a una amplia sonrisa al descubrir aquella pequeña cajita en la palma de su mano y la miró a ella de nuevo, quería preguntarle «¿todo esto es de verdad?», pero la notó tan nerviosa que no le hizo falta. Ashley respiró hondo y expulsó el aire lentamente por la boca antes de levantar la tapa para mostrarle lo que había dentro.

Por Dios, se había preguntado muchas veces cómo pasaría, incluso si pasaría, pero nunca se lo había imaginado así, aunque era perfecto y le escocían un poco los ojos. En el parque y al atardecer, Dylan revoloteando a su alrededor era un punto extra de originalidad, eso tenía que reconocerlo. Centró su vista en aquel anillo que «alguien había perdido», porque su novia era así de increíblemente idiota.

—Le ha debido de costar un millón de dólares americanos por lo menos. Menuda putada, ¿eh? —bromeó con aquella perfecta sonrisa en sus labios.

Y se tuvo que reír, al borde del colapso, porque no le cabían más emociones dentro y seguro que ya estaba llorando, pero no lo notaba, estaba demasiado ocupada repitiéndose a sí misma «oh, Dios mío», «oh, Dios mío» a razón de dos o tres por segundo.

—Es precioso... Ashley... es precioso —lo dijo a media voz y casi temblando, no recordaba haber estado tan emocionada en lo que llevaba de vida.

Se arrodilló frente a ella, porque es que las piernas no iban a sujetarla durante mucho más tiempo, un manojo de nervios y una vergüenza, pero le daba lo mismo, le estaba gustando tantísimo aquel momento que todo lo demás había pasado a segundo plano. Sujetó la cajita con el anillo y volvió a llevarse la mano libre a la boca, alzando su mirada y encontrándose con aquel verde increíble observándola. Ashley se humedeció los labios, preparándose para decir lo que tuviera pensado decir, si no se le había olvidado, porque parecía muy nerviosa y eso que, normalmente, lo ocultaba bastante bien.

—Si lo quieres, te tienes que casar conmigo. —La voz no le salió del todo firme.

A ella se le escapó otro suave sollozo y se limpió un par de lágrimas de las mejillas con el dorso de la mano. Aquel verde, madre mía, la miraba como siempre, pero el resto era completamente nuevo e imprevisto. Era genial y maravillosamente intenso. Ashley volvió a humedecerse los labios.

—¿Lo quieres? —insistió en voz baja y algo temblorosa, pero estaba aguantando el tipo a la perfección.

Y cayó en la cuenta de que aún no le había contestado nada, *madre mía, Lewis*. En su interior el «sí, sí, sí» era tan evidente que lo había dado por sentado sin necesidad de exteriorizarlo, pero seguro que su novia agradecería algún tipo de confirmación visual o verbal. Tangible. Algo a lo que poder agarrarse mientras esperaba arrodillada sobre la hierba del parque más especial del mundo y enmarcada en el atardecer más bonito de la historia de las puestas de sol.

Asintió varias veces con la cabeza y se sorbió la nariz tras sollozar un «Sí que lo quiero» y a Ashley le salió la sonrisa más adorable que le había visto en todos los años que llevaban juntas. Una mezcla perfecta de «gracias a Dios» y «¡madre mía, que ha dicho que sí!». Su novia la tomó de la mano y ella observó cómo lo hacía, con un nudo en la garganta, y se removió impaciente al verla tomar el anillo con la mano que tenía libre.

La veterinaria la miró al notarlo, con media sonrisa de lado y juraría que con los ojos un poco húmedos, pero no podría asegurarlo. Ella se mordió el labio inferior regresando la vista a sus manos y rio y sollozó al mismo tiempo cuando Ashley deslizó el anillo por su dedo anular.

—No me lo creo —admitió observando su mano con la alianza ya colocada.

—Te quiero —la escuchó y conectó sus miradas.

—Oh, Dios mío. No me lo creo, Ash...

Lo repitió antes de abalanzarse sobre ella, aferrándose a su cuello con, quizá, la sonrisa más grande que había esbozado jamás asomando a sus labios. Y ambas terminaron en el suelo, Ashley de espaldas sobre la hierba y ella besándola con más ganas que en toda su vida, y más que besarla a ella besaba su sonrisa, pero eso lo hacía el doble de increíble. Respondió su «te quiero» con un par de los suyos, intercalados entre beso y beso. Y es que tenía la sensación de que su pecho estaba a punto de reventar y solo quería besarla, acariciarla y decirle que sí mil veces seguidas, porque novecientas noventa y nueve iban a quedarse cortas.

Se separó de ella ligeramente, conectando sus miradas y, cuando le acarició la mejilla, vio de nuevo aquel anillo en su dedo y se le hinchó el pecho un poco más. Ashley también observó su mano.

—Te queda bien —opinó antes de besarla—. ¿No te lo esperabas?

—No. No tenía ni idea de que ibas a pedírmelo —admitió, y se le escaparon un par de lágrimas más, de modo que se restregó los ojos mientras se sentaba sobre su abdomen.

Cleo y Darwin acudieron de inmediato a lamer la cara de Ashley, en cuanto repararon en aquella posición tan vulnerable, y Dylan llegó a su altura y cubrió el rostro de la veterinaria con todas las hojas secas que había podido recolectar durante aquellos minutos. Se rio al verla incorporarse sacudiendo la cabeza y se quedó sentada a horcajadas sobre sus piernas.

—Jodidamente romántico —indicó con media sonrisa, retirando un par de hojas secas de la manga de su chaqueta.

—Ha sido perfecto, no puedo dejar de llorar —se lamentó tapándose la boca con una mano de nuevo mientras con la otra le quitaba una hoja del pelo—. No voy a poder dormir hoy.

—Por supuesto que no —convino la veterinaria, adoptando un gesto un tanto insinuante.

—Imbécil. —Se rio pegándole en el pecho y volvió a ver el anillo adornando su dedo—. ¡Me encanta! —exclamó abrazándola fuerte por el cuello—. Ashley, me encanta, es el anillo más precioso del mundo y espero que no te haya costado un millón de dólares americanos.

Ay, Señor. Es que Ashley la estaba observando como si adorase verla tan contenta y precisamente era eso lo que le pasaba, seguro. La veterinaria la acercó a su cuerpo con fuerza, sujetándola por la parte baja de su espalda, y atrapó sus labios de esa forma en que sabía hacerlo ella. Pasionalmente tierna. Y se moría cada vez. Imitó los movimientos de su boca mientras la tomaba por la nuca con ambas manos, sus besos eran francamente alucinantes. Cada vez más. Escucharon la risita del niño, la que soltaba cuando veía a cualquier pareja en aquel cariñoso contexto, y sonrieron casi a la vez.

—Deberíamos irnos ya, se está haciendo tarde —dijo su chica, finalizando el beso y dejándola con ganas de más.

—Ashley «aguafiestas» Woodson —señaló y dejó que la veterinaria le secase los ojos debidamente con su dedo pulgar.

—Claire «lágrima fácil» Lewis —Ashley lo dijo con tanto cariño empapando cada sílaba que no pudo molestarse con ella.

Se incorporó y, cuando estuvo de pie, le tendió la mano a su novia ayudándola a hacer lo mismo. La acercó de un tirón para besarla una última vez en los labios y la veterinaria se lo devolvió, esbozando media sonrisa mientras lo hacía.

—¡Se lo tengo que contar a mucha gente! —exclamó de pronto, directamente contra su boca y después la apartó, presa de la emoción de nuevo—. A mi madre, a Ronda, a Olivia, a Holly, a Leslie, a Nicole, a Thomas y a Daniel —a medida que los mencionaba contabilizaba con los dedos y se aceleraba más.

Menudo subidón. Y a Ashley parecía que le hacía mucha gracia.

—¡Cleo! ¡Darwin! ¡Dylan! Nos vamos —anunció la veterinaria, congregando a su particular rebaño a su alrededor con una facilidad pasmosa, y ella tomó al niño de la mano mientras Ashley ataba a sus mascotas—. Tengo malas noticias para ti, Lewis. En tu pequeña gran lista hay gente que ya lo sabe.

—¿Quién?

—Bueno, Ronda y Olivia, evidentemente.

—Evidentemente —concedió, porque ya le parecía a ella raro que Ashley no les hubiese ido con el cuento.

—Tu madre —añadió, y aquello sí que fue una sorpresa.

—¿Mi madre? —preguntó extremadamente interesada mientras tomaba a Dylan en brazos, al oírle repetir «me canso» como mil veces seguidas.

—Mi madre y ella me han ayudado a elegir el anillo. Le enseñé un montón de fotos de un montón de anillos la semana pasada cuando estuvimos en Boston.

Madre mía, una gigantesca red de conspiración a nivel mundial tejiéndose su alrededor y ella no se había percatado de nada, todos lo habían ocultado a la perfección. Impresionante y perturbador.

—Tu padre también lo sabe —lo dijo como si nada.

¿Ashley se lo había dicho a su padre? ¿A Arthur Lewis? Porque eso sí que sería impresionante de verdad, la relación entre aquellos dos continuaba siendo más cordial que otra cosa, aunque Ashley había ganado un par de puntos extras las pasadas Navidades. Su padre se los concedió a cambio de una extraña información acerca de las cacatúas ninfa, que había facilitado que ganasen un caso de los grandes, de los que salían por la televisión.

Cacatúas ninfa, muy bizarro todo.

—Como me digas que le has pedido la mano de su hija, me muero aquí mismo, Ash —advirtió, sujetando la de Dylan, que jugueteaba incansable con su pelo. Menuda fijación.

—No le he pedido nada. Pero dijiste que le gustaba que tus pretendientes contaran con él de alguna manera, así que la semana pasada le informé de que iba a pedírtela a ti.

Por lo visto, muchas cosas habían estado sucediendo a sus espaldas la «semana pasada».

—¿Qué te dijo? —curioseó, y terminó mordiendo con suavidad la mano de Dylan para que cesara en el toqueteo de su pelo, el niño la apartó riendo y a los dos segundos regresó a la carga.

—«Felicidades», y me dio la mano. Dio por sentado que me dirías que sí y se tomó un vaso de *whisky* sin respirar, hasta el fondo. Y permíteme que te diga que no creo que estuviera celebrándolo precisamente —dijo y ella sonrió acariciándole el brazo.

Madre mía, es que era obvio que iba a decirle que sí, porque no podría haberle dicho otra cosa. Vergonzosamente evidente para todos aquellos que la hubieran visto más de medio segundo a su lado en cualquier momento de los últimos cuatro años. La forma en la que la miraba debía de delatarla cada vez.

***

Buf.

Claire le había dicho que sí, y ya se lo esperaba, la verdad, pero había sido una puta pasada de todas formas. Le había costado la vida entera no romperse ella también en cuanto la rubia se emocionó de aquella manera al verla arrodillada a sus pies. Madre mía, aún no sabía cómo había sido capaz de continuar hasta el final, pero esforzándose mucho, eso desde luego. Y había pensado en prepararse una declaración de las románticas, una introducción del tipo «eres lo mejor que me ha pasado en la vida, ya no me imagino viviéndola sin ti», pero se alegraba inmensamente de haberse decidido por lo básico. Claire ya sabía de sobra todo lo demás.

«Si lo quieres, te tienes que casar conmigo», y le había temblado la voz solo con decir aquellas ocho palabras, y se le habría roto de haber osado ir a por la novena, fijo. Al final, había tenido que insistir en plan «¿Lo quieres o no, tía?», porque Claire tardaba en contestar y ella estaba segura al noventa y nueve por ciento de su «sí», pero el improbable uno por ciento empezó a ser muy molesto de repente.

Desvió la vista hacia la rubia y sonrió como una idiota al verla dando vueltas por el salón mientras hablaba por teléfono con su madre, contándole hasta el más ínfimo detalle, porque le había especificado lo que llevaban puesto, los grados que hacía y el porcentaje de humedad en el ambiente. Qué barbaridad. Pero es que lo que ella sentía por dentro lo veía reflejado en el exterior de Claire y ojalá pudieran repetir aquel momento un millón de veces más. Rebobinarlo o algo.

Dylan le tiró uno de sus juguetes a la cabeza, su particular forma de pedirle por favor que se centrara en el juego, porque no estaba tumbada en mitad del suelo del salón para nada. Un amor de niño, así que regresó su atención a aquel hospital imaginario donde él era médico y ella una señora de mediana edad en mitad de una complicadísima operación a corazón abierto. Diez minutos después, el rostro de Claire apareció en su campo de visión, con el ceño fruncido por la preocupación y todo.

—Doctor, tiene que salvarla. Es mi prometida —dijo con voz afectada, arrodillándose a su lado y tomándola de la mano. Un gran potencial como actriz totalmente desperdiciado.

—Señora, déjenos trabajar —le pidió Dylan muy serio y continuó toqueteando su pecho con aquellos palillos del restaurante chino que usaba como instrumental quirúrgico.

Oyeron el timbre de la puerta y Claire acudió a abrir, dejándola a ella allí tirada, debatiéndose entre la vida y la muerte. Segundos después escuchó un emocionado grito de Ronda, seguramente porque acababa de descubrir el anillo en el dedo de la rubia. La muy idiota le había preguntado «¿Te imaginas el giro tan inesperado que sería que te dijera que no?» aquella misma mañana mientras desayunaban, y allí estaba para comprobarlo, recién salida del trabajo y bastante contenta al confirmar que todo había ido según lo previsto. Seguro que estaría espachurrando a Claire en uno de sus abrazos en ese preciso momento y, en unos cuantos segundos, le tocaría el turno a ella.

Diez, concretamente. Apareció en el salón con una sonrisa gigantesca en la cara y se le tiró encima, propiciando las desesperadas protestas de Dylan, que gritaba «¡mi paciente!, ¡mi paciente!» como si le fuera la vida en ello, pero Ronda no pareció impresionada y continuó dándole besos por toda la cara y felicitándola por la futura boda.

—Mamá, sal de mi quirófano —exigió el pequeño, golpeando a la castaña con los palillos en la cabeza.

—Del quirófano vas a salir tú y directo a la bañera —señaló su amiga incorporándose y tomándolo de la mano—. Devuélveles a las tías Claire y Ashley sus palillos y vámonos a casa, que mira qué hora es.

—Hora de salvar vidas —rebatió el pequeño.

—Qué melodramático es. —Suspiró la pediatra con paciencia—. Gracias por sacármelo a pasear. Nos vamos a marchar ya, porque seguramente querréis echar un pol... celebrar vuestro compromiso —se corrigió automáticamente y acarició la cabeza de Dylan con un gesto de «madre mía, por los pelos» en su rostro.

—A uno te lo paseamos gratis, pero cuando llegue la otra tendremos que revisar las tarifas —dijo levantándose del suelo y acompañándolos a la puerta junto con Claire.

—Jodi... malditas usureras —volvió a corregirse ya en el porche—. Las niñas son más tranquilas y dan menos trabajo, casi me tendríais que pagar vosotras a mí. Y si tuvieseis algún compañero de juego en casa, estarían mucho más entretenidos.

—Paso a paso, Parker —señaló Claire a su lado y le dedicó una sonrisa bastante evidente, porque ambas sabían que ese sería el próximo—. Pero en unos meses puedes llevarle a casa de Olivia.

Ah, sí, Olivia. Un par de compañeros de juego para el pequeño Dylan, de golpe, porque Aaron nunca había dicho que tuviera antecedentes de gemelos en su familia, y había sido una sorpresa tremenda para todos. Especialmente para la morena.

—Esos niños van a salir raros de cojo... narices. Fijo que juegan con velas aromáticas y miniaturas de buda. Necesito niños normales, bastante rarito es este ya —dijo señalando a Dylan y el pequeño continuó hurgando la pierna de su madre con los palillos, un cirujano todoterreno ajeno a las críticas externas.

—Ey, Dylan, gracias por el nuevo corazón —se despidió del pequeño agachándose frente a él.

—Es mi trabajo —le quitó importancia el niño chocándole la mano y le devolvió los palillos.

—¿La próxima vez me operarás a mí? —preguntó Claire agachándose junto a ellos.

—Si estás crítica, sí —concedió el pequeño.

—Genial. —La rubia se dio por satisfecha y Dylan le guiñó un ojo.

En cuanto se quedaron solas, Claire cerró la puerta y la miró con una sonrisa bastante impresionante dibujada en los labios, corrió hacia ella y le saltó encima, estrechándole el cuello con los brazos y rodeándole la cintura con las piernas. La sujetó como pudo y retrocedió riendo hasta dejarse caer de espaldas al sofá con su novia encima.

—Deberías ser más cuidadosa, Lewis. Acabo de salir de una operación bastante delicada —bromeó acariciando sus caderas.

—Estoy muy contenta, Ash —anunció y es que si le mirabas la cara aquellas palabras no eran más que una redundancia.

—Gracias, era una operación complicada.

—Eres idiota, pero me da igual. Es el mejor día de mi vida, ¿lo sabes? —se lo dijo tomando su cara entre las manos, y casi se notaba físicamente y por todos lados.

Ser parte del mejor día de su vida la hizo sonreír, y formar parte de la vida de Claire a secas era jodidamente increíble. Y cada vez quería más, por eso se lo había pedido, y por eso había dicho «joder, sí» hacía un año, cuando la rubia le sugirió que se fueran a vivir juntas tras decidir que había experimentado suficiente con su independencia. Los últimos dos meses, antes de la mudanza, Cleo y ella se los habían pasado casi enteros en su casa, de todas formas. «No quiero volver a mi piso, Ash», así de sencillo, se lo había dicho una noche en la cama, mientras le desgastaba las facciones y le acariciaba la cara. Imparable e increíblemente fluido, así había sido todo entre ellas, a lo mejor porque ambas iban hacia el mismo sitio. Le respondió «menuda coincidencia, porque yo tampoco quiero que vuelvas», y al día siguiente comenzaron a empaquetar sus cosas.

—Las grandes mentes piensan igual —se lo dijo y Claire se mordió el labio inferior mientras sonreía y después la besó muy lento y fue jodidamente alucinante porque era su prometida la que la estaba besando muy lento.

—Ashley...

—Claire...

—Quiero echar un pol... celebrar nuestro compromiso contigo —susurró y atrapó sus labios de nuevo mientras ella sonreía, porque las grandes mentes seguían pensando igual.

Su siguiente beso fue muy porno, de verdad, tal vez el más porno que nadie le había dado nunca, y la hizo pasar de cero a cien en un segundo. Ella también quería echar un pol... celebrar su compromiso con Claire, así que se lo devolvió de la misma forma y jodidamente húmedo. Y no sabía si a la rubia le ponía el doble de cachonda llevar el anillo de compromiso en el dedo, *pero, madre mía, Lewis.*

Le quedaba sexi, esa era la verdad.

Su mierda de móvil empezó a sonar, maldito inconsciente. Lo oía lejano, como de fondo, mientras se le derretían las neuronas, porque Claire estaba besándola de aquella forma en el cuello y ella casi en coma profundo de «pues me muero aquí mismo». Era el tono del trabajo, pero ella no estaba de guardia localizada, pringaba Kris, así que teóricamente pasase lo que pasase no era su responsabilidad, y allí mismo en ese sofá estaban pasando cosas muy interesantes, así que intentó ignorarlo.

De verdad que lo intentó, pero el tono era insistente y empezó a plantearse que Kris no la llamaría para ninguna gilipollez, eso se lo dejaban a Dwain. Y, aun así, necesitó hasta el último gramo de fuerza de voluntad para conseguir parar y responder a la llamada.

**

Una operación de urgencia.

Ashley había tenido que salir casi corriendo. Algo serio y cuestión de vida o muerte para alguno de los animales del zoo. La veterinaria se había ido con las ganas y ella se había quedado igual en el sofá, con la camisa desabrochada y los niveles de estrógenos y testosterona bastante desorbitados. Mierda, es que realmente quería echar un pol... celebrar su compromiso con Ashley.

Observó el anillo que la veterinaria había elegido y era precioso de verdad, le encajaba a la perfección. Mientras lo miraba se acordó de su «Si lo quieres, te tienes que casar conmigo» y se le humedecieron los ojos un poco de nuevo, porque Ashley lo había dicho como si su vida entera dependiera de que ella lo quisiera de verdad. Buf...

Lewis, por Dios, recompónte y haz algo productivo con tu tiempo mientras Ashley salva el mundo y regresa para echarte un buen pol...

Pues eso.

Se sacó una foto a la mano con el anillo y se la envió a Nicole. Una manera tan digna y provechosa como cualquier otra para pasar el rato. Casi de inmediato la instantánea apareció como «vista» y su amiga comenzó a escribir.

«Nicole»
En línea
CLAIRE: (Foto de anillo de compromiso)
NICOLE: Oh, Dios mío… estoy en una reunión de trabajo.
NICOLE: Cuéntamelo todo.
CLAIRE: Me lo ha pedido hace un par de horas, en el parque donde nos conocimos.
NICOLE: ¿Ha sido romántico? ¿Te lo esperabas?
CLAIRE: No me lo esperaba, he llorado como una gilipollas y ha sido muy romántico.
NICOLE: Como un cuento de hadas lésbico…

En mitad de la conversación con Nicole, alguien la agregó a un grupo de nueva creación y sonrió al leer el asunto.

«Sí, quiere»
Ashley, Olivia, Ronda, Tú
RONDA: Y solo quedó una…
RONDA: Olivia, hablo de ti.

Y Olivia tendría que tener mucha paciencia con ella, pero su vida era mejor desde que Ronda Parker la incluía en sus grupos de WhatsApp, y la había incluido en muchos. Casi el noventa por ciento de su actividad en aquella aplicación provenía de los múltiples chats que compartía con su novia, ahora prometida, y con sus dos amigas.

CLAIRE: Dale un respiro.
CLAIRE: No cree en el matrimonio.
RONDA: Porque Aaron no se lo ha pedido todavía.
RONDA: Es un mecanismo de defensa.

Ronda: Cuando lo vea de rodillas frente a ella (vestido).
Ronda: Se le caerán las bragas al suelo (metafóricamente hablando).
Ronda: Y luego se le caerán de verdad.
Olivia: Claire, envía una foto del anillo, que quiero ver cómo te queda.
Olivia: (Parker, nótese cómo paso de tus tonterías)

Buscó la fotografía que le había enviado a Nicole y la pasó por el grupo para que Olivia pudiera apreciar lo bien que le quedaba la alianza. Y estaba hablando simultáneamente por las dos conversaciones, relajada, porque el contenido a tratar era similar en ambas e inocuo en caso de equivocar la conversación. Pero de repente Ashley le escribió y ella se tensó un poquito, por diversas causas.

«Ashley Darwin»
En línea
Ashley: Joder, Claire, menudo polvazo tienes.
Ashley: Bufff…
Ashley: Bufff…
Ashley: Bufff…
Ashley: Acabo de llegar al zoo, por cierto.

Vamos a ver, Claire, con cuidado y no pasará nada. Comprobar antes de enviar. Comprobar antes de enviar. Y se fijó, muy concienzudamente, en la conversación en la que se encontraba en esos momentos, era Ashley seguro.

Claire: Me has dejado bastante insatisfecha.
Claire: Espero que me recompenses cuando vuelvas.
Claire: O me tendré que pensar el «sí, quiero» un poco más.
Claire: Intentaré no quedarme dormida.
Ashley: Tranquila, me sé una forma de despertarte que te hará decir «sí».
Ashley: Muy alto.

Menuda engreída, pero se revolvió en el sofá, porque ella también sabía qué forma era esa y tan solo leerlo en una conversación de WhatsApp le había provocado una descarga eléctrica de las francamente interesantes en el bajo vientre. *Buf, Ashley, es que la que tenía el polvazo era ella.*

CLAIRE: Salva a quien tengas que salvar y vuelve aquí.
ASHLEY: Te aviso cuando acabe.
CLAIRE: Hasta luego, mi amor.

Una vez cerrada la conversación potencialmente peligrosa con la veterinaria, la tranquilidad regresó a su universo WhatsApp y continuó simultaneando las otras durante un rato más en el sofá. Después decidió darse una ducha, cambiarse a una ropa algo más cómoda y enfrentarse a un par de cajas de las que les quedaban por deshacer en la habitación que había convertido en su particular biblioteca.

Se las habían mandado sus padres desde Boston hacía un par de días, porque habían decidido remodelar su habitación y convertirla en una de invitados, como si la necesitasen. Adiós a su cuarto adolescente. Suspiró agachándose frente a una de ellas y curioseó su contenido. Fotos, peluches, discos de música y libros. Muchos libros. Entre ellos, los cinco volúmenes de su diario.

Madre de Dios.

Menos mal que Ashley no había abierto esa caja, y ya podía ir pensando en buscarles el mejor escondite del mundo o en destruirlos para siempre. La última de las opciones le sonaba mucho más a garantía. Los miró durante unos segundos y volvió a recordar algo en lo que hacía años que no pensaba, pero que en su momento se preguntó en varias ocasiones. Sobre todo, en el punto más álgido de su drama: «Esto no es mío, Ashley».

¿Qué estaría haciendo ella en el verano de 2008?

***

Claire le había guardado algo de cena, porque al final la operación se había alargado más de lo previsto y eran casi las once cuando pudo regresar a su casa. Y eso estaba haciendo, cenar, mientras la rubia la observaba masticar sentada frente a ella en la mesa.

—He terminado de deshacer las cajas —le informó de pronto mientras jugueteaba con su vaso de agua.

—¿Y has encontrado algún tesoro interesante entre tus Barbies princesas? —preguntó en tono burlón, y sonrió cuando la profesora le enseñó el dedo medio de su mano.

—La verdad es que no —sentenció moviendo distraída el vaso de un lado a otro de la mesa—. Pero te he librado de ayudarme a hacerlo este fin de semana, así que «de nada». Y tú dirás lo que quieras, pero a estos perros les das de comer a escondidas, míralos —cambió de tema radicalmente al escuchar lloriquear a Cleo.

Desvió la vista a sus mascotas y, efectivamente, allí estaban los dos, el uno junto al otro y observándola sin parpadear, con idénticas caras de pena, en un silencioso «hace días que no comemos y tenemos hambre». Si no los conociera tan bien, incluso se lo creería.

—Me han debido de confundir con otra persona —desestimó sus acusaciones y Claire sonrió negando con la cabeza, como dándola por imposible.

—¿Has terminado ya? —se interesó al verla dejar el tenedor sobre el plato.

—¿A qué viene tanto interés? ¿Tienes prisa? —se lo preguntó alzando una ceja.

Sintió cómo su novia comenzaba a acariciarle la pierna con el pie por debajo de la mesa, y alzó la ceja más aún, porque la estaba mirando de una forma que... madre mía. Interesante. Y sorprendente la capacidad que poseía aquella mujer para ponerla cachonda de mil maneras diferentes. Se levantó de su silla y se acercó a la que ocupaba Claire, apoyó sus manos en el respaldo, atrapándola en el hueco entre sus brazos.

—Si quieres algo de mí, tendrás que decírmelo —la provocó.

La rubia la tomó por el cuello de la camiseta, la acercó y la besó. Después se separó y cuando ella trató de atrapar sus labios de nuevo, Claire se apartó un poco más.

—Mi amor, quiero que te duches, porque hueles a zoo —dijo como respuesta a su comentario anterior y después le sonrió de forma jodidamente adorable.

—Y yo lo haré, porque tus deseos son órdenes para mí —aceptó devolviéndole la sonrisa—. Pero antes, dame un abrazo para que pueda recordarte.

Y sin darle oportunidad a responder, ella la estrechó entre sus brazos, de forma que su cara quedara sumergida en la ropa que tanto «olía a zoo». La escuchó reír, mientras se revolvía y trataba de zafarse de su abrazo, pero no se lo puso fácil e incluso se restregó un poco contra ella, provocando que gritara entre carcajadas y la llamara idiota. Una vez hecho aquello, la liberó y se alejó hacia la puerta, caminando de espaldas para poder observar cómo se colocaba bien el pelo.

—Ha estado genial, tenemos que repetirlo otro día. Ha sido un placer, pero ahora debo ir a la ducha —se disculpó quitándose la camiseta y, tras guiñarle un ojo, se la tiró a la cara.

Claire se levantó de la silla en una actitud que habría resultado bastante amenazante de no ser porque ambas reían en aquellos precisos momentos, y, solo por si acaso, echó a correr hacia el piso superior, hacia el baño, más concretamente. La escuchó siguiéndola de cerca escaleras arriba, a ella, a Cleo y a Darwin, y la más pequeña ladraba encantada ante aquel repentino juego. Se encerró en el baño y Claire llegó en un par de segundos y trató de abrir.

—Tarde, Lewis. Muy tarde. —Alzó la voz desde dentro.

—Eres muy idiota y sorprendentemente rápida —escuchó su respuesta al otro lado—. He puesto la lavadora antes y te he dejado ese pijama andrajoso que te gusta tanto encima de la cama.

—Muy considerado por tu parte.

—Te estaré esperando abajo, ven cuando vuelvas a oler bien.

La escuchó llamar a sus mascotas para que la siguieran al piso inferior y ella se metió en la ducha con una sonrisa de las grandes en la cara, porque, joder, cómo le gustaba su vida. Sobre todo, desde que Claire estaba en ella.

Diez minutos después entraba en su habitación, con tan solo una toalla y dispuesta a vestirse con su pijama favorito. Tal y como la profesora le había asegurado, allí estaba, cuidadosamente doblado junto a la almohada, lo que Claire no le había dicho era que sobre esa cama había algo más. Y casi se le cayó la toalla al suelo de la impresión.

Santa madre de Dios.

«Mi diario. Volumen 3».

Lo miró por unos segundos, y después desvió su vista a la puerta de la habitación. ¿Era una especie de trampa? No, en serio. ¿Qué demonios hacía el volumen tres del verdadero diario de Claire Lewis esperándola en su cama? Sobre su almohada y completamente a la vista. Jodidamente sospechoso.

Se rascó la cabeza, de pronto nerviosa, porque si era una trampa iba a caer de lleno en ella e igual se quedaba sin noche de bodas. Ser o no ser... difícil decisión. Se acercó con cautela y lo miró un poco más de cerca, parecía auténtico. Desvió la mirada de nuevo hacia la puerta, para asegurarse de que Claire no estaba allí testando su capacidad de autocontrol.

Ay, joder.

Se sentó en la cama, junto al diario, y en cuanto lo cogió, le subieron las pulsaciones todas de golpe. El verdadero diario de Claire Lewis y ella en una misma habitación, a solas. Qué sugerente. Es que no había precedentes y ella se iba a desmayar de la emoción. Un día completo.

Se fijó en que, entre las páginas del diario, había colocado un pósit. Rosa, para ser más exactos, y la hostia de misterioso, porque en su parte superior podía leerse «Ábreme por aquí» y era la caligrafía de Claire. Le hizo caso y despegó el pósit para poder leer la entrada entera, y jamás se lo iba a confesar a nadie, pero le tembló ligeramente el pulso al hacerlo.

Estaba fechada el veinte de julio de 2008 y la taquicardia aumentó en consecuencia. Claire había escrito aquello mientras ella cotilleaba un diario alternativo en un campamento de verano.

Menudo paralelismo más cojonudo.

Nos hemos pasado toda la mañana en la piscina de Martha. Su hermano mayor y sus amigos han estado también y no son nada del otro mundo, la verdad, pero a Dana le ha gustado uno, de los peores, menudo ojo tiene esa chica. Cuando se han marchado, hemos estado sacándoles los pros y los contras a cada uno de ellos, menos a su hermano, por supuesto, por respeto a la familia. En la lista de «pros» todas han dicho cosas como «que sean guapos», «que tengan un cuerpo bonito» o «que se les marquen los pectorales». En la lista de los «contras» han colocado «que sean feos», «que tengan un cuerpo feo» y «que no se les marquen los pectorales». Unos requisitos respetables, aunque un poco superficiales, bajo mi punto de vista. Mientras tomaba el sol le he estado dando un par de vueltas al asunto y he profundizado un poco más para mis adentros. Me he preguntado: «Claire, ¿cómo sería tu chico perfecto?

Ay, madre mía.

Ashley, respira, que solo es la entrada de un diario adolescente, por el amor de Dios. Y es que solamente era eso, pero si Claire se lo había servido en bandeja, marcándole aquella entrada en concreto, sería por algo. Y al leer esa jodida pregunta se le habían activado todas las terminaciones nerviosas del cuerpo.

¿Ella?

Joder, ¿sería ella?

Maldita sea, ¿era ella el chico perfecto de Claire Lewis?

Lo he pensado mucho y una de las cosas más importantes sería su sentido del humor, porque no creo que pudiera vivir toda mi vida con alguien tan serio como mi padre, por ejemplo, casi nunca hace bromas y cuando lo intenta no tienen gracia. Solo se ríe mi madre, y Thomas y yo creemos que lo hace o por pena o por amor. Una de dos. Mi chico perfecto tendría que ser gracioso y hacerme reír. Pero hacerme reír de verdad…

Ella.

Ella la hacía reír.

Ella la hacía reír de verdad.

«Claire Lewis, por el poder que me otorga mi estatus de prometida te pregunto: ¿podría ser Ashley Woodson tu chico perfecto?».

También tendría que ser un chico que estuviera razonable-mente pendiente de mí, que se acordara de las fechas de mis exámenes importantes y me preguntase qué tal me han salido, por ejemplo. Así que tendría que ser atento en ese sentido…

Atento.

Atento y gracioso.

Dos de dos, porque Claire siempre le decía que ella era la persona más atenta que había conocido nunca.

Graciosa, atenta y el chico perfecto de Claire Lewis.

Así era Ashley Woodson.

Un chico al que le interesaran mis cosas y que pasara tiempo conmigo porque le gusta y no por obligación, y tendríamos que poder hablar de muchos temas, como de libros o de programas de la televisión…

Y no era un secreto para nadie que Claire hablándole de literatura la volvía loca de mil maneras diferentes, es que era uno de sus jodidos fetiches, y se derretía por dentro cada vez que le decía «Poe» o «Shakespeare». Peligrosamente cerca de la parafilia más absoluta.

Y, ¿perdona? ¿*The Voice*? Su tópico favorito de discusión, sin duda.

¿Pasar tiempo con Claire? Su pasatiempo predilecto, muchas gracias por preguntar.

Joder, Ashley, ¡que eres tú!

Ya puestos, estaría bien que fuese guapo.

Ashley.

Que tuviera un cuerpo bonito.

¡Ashley!

Que se le marcaran los pectorales.

Ahí patinaba un poco, tenía que ser sincera.

Que supiera hacerme sentir mejor cuando estoy triste.

Ashley, Ashley, Ashley, Ashley...

Y una de las cosas más importantes...

Al loro, amiga, que esto es trascendente...

... tienen que gustarle los animales...

Santa...

... sobre todos los perros...

Madre...

... porque quiero tener uno y él tiene que quererlo también.

... de Dios.
Ashley.
¡Ashley!
¡ASHLEY!
A.S.H.L.E.Y.
Porque lo de marcar pectorales podía suplirlo marcando otras cosas que a Claire le gustaban bastante también. Le dio la vuelta a la hoja y se encontró con otro pósit, de los rosas

misteriosos, con la preciosa caligrafía de su prometida estampada en su superficie. Había dibujado seis palabras bastante impactantes, la verdad, las más acojonantes desde aquel «Deberías llamarme Claire Lewis».

Al final sí que salías tú.

Confirmado.
Ashley.
Su chico perfecto era una chica, se llamaba Ashley, y Claire ya lo sabía.

COLECCIONES
LES EDITORIAL

erótica | romántica

ciencia ficción | fantástica

policíaca | suspense

ficción general

no ficción

feminismo

poesía

www.leseditorial.com
info@leseditorial.com